D0973071

ÉCLATS DE VIE

DU MÊME AUTEUR

Les Fils de la Toussaint (préface de Joseph Kessel, de l'Académie française), 1968 et 2001, Fayard. Robert Laffont-Bouquins, 1990.

Le Temps des léopards (couronné par l'Académie française), 1969 et 2001, Fayard. Robert Laffont-Bouquins, 1990.

L'Heure des colonels, 1970 et 2001, Fayard. Robert Laffont-Bouquins, 1990.

Les Feux du désespoir, 1971 et 2001, Fayard. Robert Laffont-Bouquins, 1990.

La Guerre d'Algérie en images, 1972, Fayard.

Le Roman des Hauts de Saint-Jean, 1974, Fayard. Le Livre de Poche.

Les Excès de la passion, 1975 et 1987, Plon.

L'homme qui court, 1977, Fayard, Le Livre de Poche.

Les Aubarèdes, 1979, Plon.

Normandie-Niémen : Un temps pour la guerre, 1978, Presses de la Cité. Presses Pocket.

La Toque dans les étoiles, 1981, Plon.

Massada (Autour des lithographies de Raymond Moretti), 1982, Georges et Armand Israël éditeurs.

Joseph Kessel ou Sur la piste du Lion, 1985, Plon (Prix Chateaubriand 1985. Prix Lu - André Maurois. Prix des Bibliothécaires Paris et Marseille. Gutenberg de la biographie 1986. Pris de la Paulée de Meursault). Presses Pocket.

Des Toques et des étoiles, 1986, Plon. (Réédition adaptée à la télévision par Antenne 2.)

Le Démon de l'aventure, 1987, Plon.

Roger Vailland ou Un libertin au regard froid, 1991, Plon.

Pierre Lazareff ou le vagabond de l'actualité, 1995, Gallimard.

NRF Biographies (Grand Prix de la SCAM, Grand Prix de Radio France Nancy).

Jacques Prévert, en vérité, 2000, Gallimard, NRF Biographies.

Yves Courrière

Éclats de vie

Fayard

1

Moi, j'aime le music-hall

Longtemps je fus le plus jeune. Plus jeune membre de ma rédaction. Plus jeune grand reporter. Plus jeune journaliste à obtenir le prix Albert-Londres. Plus jeune écrivain à recevoir le prix Chateaubriand pour l'ensemble de son œuvre. Et soudain – il n'y a pas si longtemps – je lus dans deux des plus prestigieux hebdomadaires français les encadrés suivants accompagnant l'un une critique que j'avais écrite à l'occasion de la première biographie de Lucien Bodard[1], l'autre la sortie du livre que je venais de consacrer à la vie de Jacques Prévert :

« Yves Courrière. Prix Albert-Londres 1966, il est l'un des plus célèbres grands reporters français (il l'est devenu à 23 ans). Écrivain, il est, entre autres, l'auteur d'une excellente fresque en quatre volumes sur la guerre d'Algérie et de nombreux romans. En 1985, sa biographie de Joseph Kessel, "monument de l'amitié et de la fidélité" (Bernard Ulmann), faisait un triomphe. Ce surdoué avait trouvé une nouvelle voie. Suivirent des biographies de

1. Olivier Weber, *Lucien Bodard*, Plon, 1997.

Roger Vailland et de Pierre Lazareff. En attendant celle de Prévert. » *(Le Point)*

« Yves Courrière, grand reporter emblématique des années soixante, est connu à la fois pour son *Histoire de la guerre d'Algérie* en quatre volumes (Fayard) et pour ses biographies de Joseph Kessel, Roger Vailland et Pierre Lazareff. » *(Le Nouvel Observateur)*

Grand reporter emblématique ! Jamais je n'aurais commencé un livre-témoignage tenant à la fois des mémoires, du reportage et du roman, par des jugements tellement flatteurs qu'à seulement les reproduire j'entrais d'autorité dans la grande famille des prétentieux autosatisfaits, si, quelques mois après les avoir lus – dire qu'ils ne m'avaient pas fait plaisir relèverait de la fausse modestie ! –, on ne m'avait pas à nouveau attribué la carte de presse qu'on m'avait retirée trente-trois ans auparavant, sous prétexte que la majorité de mes ressources provenait des livres que je publiais avec plus de régularité que je ne participais aux activités des journaux, radios et télévisions qui faisaient épisodiquement appel à ma plume. Encore cette carte, que je me réjouissais de recouvrer pour des raisons purement sentimentales, tant j'avais aimé mon premier métier, ne m'était-elle accordée qu'à titre « honoraire » puisque, me dit-on sans ménagement, j'avais atteint l'âge de la retraite et qu'on ne me la délivrait qu'en raison d'une notoriété acquise auprès des lecteurs de mes livres ! D'ailleurs, me précisait-on encore avec une innocente cruauté, elle m'était remise, pour ce qui me restait à vivre, avec son numéro d'origine antédiluvien, 17 077, alors qu'aujourd'hui les confrères mis dans le bain à l'âge où je le fus – mais leur donne-t-on encore cette chance ? – débutent en abordant les numéros à six chiffres. Hé oui ! Je restais écrivain actif à temps complet et journaliste honoraire à titre définitif ! Fini le temps du plus jeune ceci ou du plus jeune cela. Je me rendais compte qu'il y avait belle lurette que je n'étais plus le cadet de toutes les bandes que j'avais fréquentées. J'avais ma vie derrière moi et je ne l'avais pas vue passer !

Je ne suis pas un fanatique des citations, que je laisse aux dictionnaires, aux faiseurs de discours et aux orphelins de Cioran. Pourtant, il en est deux que j'affectionne particulièrement. L'une, d'Oscar Wilde : « Les hommes l'aimaient car il racontait des histoires. » L'autre, du grand juriste américain du XIXe siècle Olivier Wendell Holmes, que m'a révélée Larry Collins : « Un homme se doit de partager la passion et l'action de son temps sous peine de passer pour n'avoir pas vécu. »

Si je n'ai pas vu se dérouler cette vie qui me coule entre les doigts comme le sable blond des pays tropicaux qui ont si bien su séduire le Parisien viscéral que je suis, c'est que les deux seuls métiers que j'aie exercés en près de quarante-cinq ans d'activité m'ont permis de partager, parfois au-delà du raisonnable, la passion et l'action de mon temps, auquel j'ai soudain envie d'arracher quelques « éclats de vie ».

Et si on y allait voir ensemble ? Histoire de vous raconter des histoires…

*

* *

C'est au cœur des années cinquante que, pour moi, la grande aventure a commencé dans la petite, charmante et très riche ville d'Évian, au bord du lac Léman, face à Lausanne. Mes parents s'y étaient rencontrés et aimés vingt ans auparavant et, depuis la fin de la guerre, m'y emmenaient régulièrement passer les vacances d'été. De l'enfance à la grande adolescence, j'y retrouvais tous les ans un groupe de garçons et de filles parisiens, lyonnais, bordelais, algérois, ainsi que la famille, pour des raisons de santé – la station thermale et son eau sont renommées depuis le début du XIXe siècle –, ou encore simplement pour jouir d'un des plus beaux paysages du monde, vouait une grande fidélité à la cité fleurie. Tels trois joyaux, y trônaient le plus apprécié des casinos de France avec celui de Deauville, les thermes à la façade rococo de faïence blanche comme celle du métro parisien, et le Royal, majestueux palace planté au flanc de la montagne avec ses balcons de bois sculpté, à proximité de l'un des golfs les plus renommés d'Europe. Dans ce décor de rêve où l'on tourna tant de films avaient vécu et vivaient encore, pour une semaine, un mois, la saison entière, l'Agha Khan, la bégum et leur suite, quelques princes arabes ou asiatiques, Marlene Dietrich, le maréchal Joffre hier et Greta Garbo aujourd'hui, ainsi qu'Édith Piaf, Charles Trenet et toutes les vedettes promises par la prodigue station durant les mois de juillet et d'août. Sur l'immense scène du hall du casino se produisaient chaque soir et pendant trois mois Jacques Hélian et son grand orchestre où Ernie Royal, en provenance directe de Broadway, faisait frissonner les danseurs amateurs de jazz en tirant de sa trompette les notes suraiguës qui avaient fait la gloire de Woody Herman au Metropole Cafe où il jouait les stars aux côtés de Stan Getz et Zoot Sims. Suivait Jean Marco, le chanteur de l'orchestre au destin tragique[1], dont la voix de crooner ne charmait pas que les dames, en attendant le tour de chant de débutants morts de trac qui s'appelaient Gilbert Bécaud ou Marcel Amont. Ah ! danser sur *Summertime* en tenant dans ses bras une adorable Colette de votre âge, à la taille si fragile qu'on n'osait trop la serrer, sous le regard ému d'un oncle receveur général des Impôts qui, à ce titre, avait table réservée pour chacun des trois galas hebdomadaires et m'y

1. Il disparaîtra en pleine jeunesse dans un accident d'automobile.

conviait chaque année – et pour l'été ! –, puisque j'avais le bon goût de distraire sa nièce chérie, d'inviter sa femme à danser deux ou trois fois durant la soirée, et surtout de porter costume, cravate et chemise blanche en limitant ma consommation à deux gin-fizz !

La fréquentation estivale du casino d'Évian, ajoutée à celle de concerts de jazz à Pleyel ou à Chaillot – Mezz Mezzrow et Zutty Singleton m'avaient converti tout jeune au new-orleans, puis Lionel Hampton au jazz classique, avant que Lester Young puis Dizzy Gillespie ne m'entraînent sur les voies du be-bop –, m'avait convaincu que mon avenir était dans le monde de la nuit, de la scène et du music-hall. Surtout après avoir vu, dès 1953, l'extraordinaire récital d'Yves Montand, accompagné par le meilleur quintet dont puisse rêver un amateur de jazz[1]. J'y retournai deux fois pour fêter mes dix-huit ans au côté de celle qui se considérait comme ma fiancée et à laquelle je confiais déjà des projets qui ne concordaient guère avec ceux de nos parents respectifs. J'avais jusque-là vécu nonchalamment dans l'interminable grisaille d'études secondaires, seulement éclairées sur la fin du parcours par l'aura qui entourait mon jeune professeur de français à l'École Alsacienne, que je retrouverai quinze ans plus tard dans le monde de l'édition : c'est vraiment grâce à Bernard de Fallois que j'ai décroché un baccalauréat avec mention. Le français était (avec parfois l'histoire) l'unique matière qui éveillait chez moi quelque intérêt, mais je crois que c'est pour faire plaisir à Bernard que j'ai décroché le seul diplôme que je possède ! Il n'en saura jamais rien, car je cachais soigneusement mes engouements sous l'air détaché de l'élève trop tranquille dont les bulletins trimestriels comptent un

1. L'orchestre, devenu mythique chez les « fans » – le mot n'apparaîtra que cinq ans plus tard –, était composé de Bob Castella (piano), Henri Crolla (guitare et mandoline), Roger Paraboschi (batterie), Freddy Balta (accordéon) et Emmanuel Soudieux (basse).

nombre impressionnant de « pourrait mieux faire ». Pas la moindre vocation à l'horizon. Rien de ce qui fait dire à tant de confrères : « Aussi loin que je remonte dans ma mémoire, j'ai voulu être journaliste… ou écrivain. » Seulement un certain intérêt pour les répétitions de la pièce de fin d'année dans les locaux de la vénérable école de la rue Notre-Dame-des-Champs où le souvenir d'André Gide flottait, toujours vivace, sous les préaux. Et aussi une admiration sans limites pour *Les Trois Mousquetaires* où j'avais appris à lire et à rêver. Si grand était mon enthousiasme pour le géant antillais qu'au sortir de l'enfance je m'étais même inventé une parentèle commune avec le grand Dumas et m'étais adressé, imaginant son écriture, la plus affectueuse et élogieuse dédicace sur la page de garde de l'exemplaire sur papier bible qu'un condisciple fortuné m'avait généreusement « offert » en règlement d'une dette de jeu. J'étais plus habile que lui au flipper !

Entre quelques cours dans une vague école de commerce pour calmer l'ire familiale devant le fruit sec que je devenais, et les supplications de ma petite « fiancée » dont le père, plus qu'aisé, ne concevait pas que son futur gendre ne possédât pas les diplômes suffisants pour reprendre un jour le laboratoire qu'il avait créé après avoir mis au point un médicament essentiel, source de sa fortune, j'entrepris de forger le passeport qui me permettrait d'échapper à une existence que je présageais monotone. J'écrivis ainsi quelques sketches à la manière de nouveaux venus sur la scène des cabarets, Jean-Marc Thibault et Roger Pierre, dont *La Guerre de Sécession a cessé c'est sûr* faisait mon bonheur comme celui d'un public amateur de situations absurdes, de coq-à-l'âne et de calembours. J'y ajoutais une dizaine de ritournelles que je jugeais poétiques, auxquelles ne manquait que la musique.

C'est à Évian, un beau mois d'août, que cette lacune fut comblée. Dans la petite bande dont les membres se retrouvaient chaque année figurait un Vincent, fou de peinture…

et de guitare dont il jouait très convenablement. Je lui montrai deux ou trois de mes chansons qui lui plurent et nous convînmes de travailler sérieusement dès notre retour à Paris. Il mettrait de la musique sur mes paroles et nous interpréterions mes sketches ainsi qu'une pièce de théâtre que j'avais commencé à répéter avec les amis d'enfance des établissements privés où j'avais fait mes études avant de décider de rompre là avec l'école de commerce à l'égard de laquelle j'éprouvais déjà une vive répugnance.

Le regard critique de nos copains, plus ardents au son du rock'n roll nouveau-né, découvert à Évian au cinéma Le Royal qui avait projeté deux semaines de suite *The Blackboard Jungle*[1] et *Rock and Roll*[2], persuada Vincent que son avenir artistique était dans la peinture plutôt que dans nos chansons et sketches maladroits. Il abandonna le navire en me faisant, pour adoucir ma déception, un cadeau qui allait orienter ma vie dans une direction inattendue : un rendez-vous avec Jean Nohain dont il était le filleul.

En ces années cinquante, Jean Nohain était une figure essentielle du monde du spectacle. Né avec le siècle, avocat d'origine, auteur dramatique, animateur vedette d'innombrables émissions de radio, parolier à succès avec Mireille (*Une demoiselle sur une balançoire*, *Couchés dans le foin*, *Le petit chemin qui sent la noisette*, *Puisque vous partez en voyage*… c'était lui et c'était elle), il avait fait de *Trente-Six Chandelles*, programme préféré des quelque dizaines de milliers de Français qui possédaient un téléviseur, un tremplin incomparable pour les jeunes talents. Grâce à lui, en

1. *Graine de Violence*, film de Richard Brooks (1955), historiquement important puisqu'il lança la mode durable du rock avec l'incontournable *Rock around the Clock* de Bill Haley.

2. *Rock and Roll*, film de Fred S. Sears (1956) où triomphèrent, pour la première fois réunis, Bill Haley et les Comets, Little Richard et les Platters dont *Only You* allait faire le tour du monde.

quelques apparitions, un Fernand Raynaud passait de la confidentialité « rive gauche » de L'Échelle de Jacob à la plus grande popularité, et son 22 à Asnières entrait dans le patrimoine national et le langage quotidien.

Le square Alboni, dans l'aristocratique XVIe arrondissement, avait fière allure avec ses jardins et ses immeubles cossus dominés par la coupole caractéristique du style haussmannien. Au numéro 9 habitait et travaillait le parrain de mon ami qui, non content de m'avoir obtenu le précieux rendez-vous, m'avait renseigné sur les multiples facettes du talent de celui qu'il appelait Jaboune. Ce surnom était très populaire avant guerre à l'époque où Jean Nohain, ayant abandonné le barreau pour la presse, était venu seconder son père, l'avocat, sous-préfet, poète et journaliste Franc-Nohain. Personnage étonnant qui avait créé, au retour de la Grande Guerre, la première page entièrement consacrée aux jeunes dans *L'Écho de Paris*. Dix ans plus tard, ils avaient fondé ensemble le premier grand hebdomadaire pour les adolescents : *Benjamin*. Le succès avait été immédiat. À vingt-huit ans, Jaboune était devenu aussi célèbre que son père en apportant un sang neuf à la presse pour la jeunesse qui recevait enfin « un grand journal à la taille des petits ». Le slogan était resté valable jusqu'à la disparition de l'hebdomadaire, en 1940, pour cause d'Occupation. Durant toute la guerre, je feuilletterai pourtant la collection reliée que possédait une camarade de classe, et dans laquelle j'apprendrai ce qu'était la vie quotidienne avant la guerre, quand les boulangers et confiseurs vendaient encore des roudoudous, époque bénie dont je ne gardais aucun souvenir. À l'idée de rencontrer un aussi célèbre personnage, je mourais de trouille. Qu'étaient mes petites chansons, les sketches qui risquaient de ne faire rire que moi, auprès de ce qu'avait écrit cet auteur considérable ? La mince liasse de mes œuvres complètes manuscrites – dans le modeste logement familial, il n'y avait ni chauffage central ni réfrigérateur, encore moins de machine à écrire ! – brûlait ma poche. Jamais je n'oserais l'en faire sortir.

Jean Nohain m'accueillit comme il accueillait les candidates de *Reine d'un jour* ou les chanteurs débutants à *Trente-Six Chandelles* : avec l'enthousiasme et la même faconde dont il usait devant micros et caméras. Dans sa bouche, tout était merveilleux, magnifique, les gens étaient gentils, le monde était bon, l'avenir qui s'ouvrait à moi, splendide. N'avais-je pas vingt ans demain et ne voulais-je pas exercer le plus beau métier du monde ? Gentils, les gens ? Bon, le monde ? Le visage de ce cher Jaboune démentait ces propos d'un incorrigible optimisme. Un œil pétillant qui vous scrutait, mais l'autre, plus terne d'avoir été terriblement meurtri, des creux et des bosses sur le crâne rasé, souvenirs de graves blessures récoltées durant les derniers combats du second conflit mondial, dans la 2e DB du général Leclerc, prouvaient que, pour lui, la guerre ne s'était pas déroulée à l'arrière, dans cette douce tranquillité que procure souvent la renommée. Ainsi je voulais entrer dans ce monde des « variétés » ? Vincent lui avait parlé des textes que j'avais écrits. Les avais-je apportés ? André Leclerc, son complice de toujours, qui était à la fois le partenaire de scène, l'assistant, le carnet de rendez-vous de ce diable d'homme, s'en empara, les parcourut rapidement en professionnel habitué à juger sans délai scénarios et synopsis, puis les tendit à son ami :

– Ce n'est pas mal, dit-il le plus sérieusement du monde. Il y a de l'idée et des idées. Mais tout cela manque terriblement de métier. Il va falloir travailler.

Je ne demandais pas mieux, mais je ne connaissais personne. Pas plus que ma famille, bien éloignée du monde des saltimbanques. Avec son bon sourire en biais, Jean Nohain m'expliqua que nulle école ne préparait à cette profession, mais que, pour apprendre les « variétés », rien ne valait de se frotter au milieu de la radio et de la télévision qui se développait à une allure fantastique.

– Aussi estimables soient vos sketches, ajouta-t-il – et mon ami André Leclerc a le plus sûr des jugements –, ce n'est pas à vingt ans que l'on gagne sa vie avec des textes, même s'ils plaisent à André ! Sur son seul avis, je vous aurais bien pris dans mon équipe comme assistant, mais...

Hé oui : Il y avait un mais. *Trente-Six Chandelles* était en fin de carrière. D'autres émissions populaires suivraient, mais quoi, mais quand ? Avant d'y entrer, j'apprenais la grandiose incertitude de ce métier. Devant la déception qui se peignait sur mon visage, Jaboune ajouta :

– Je vais tout de même vous aider. Vous allez demander de ma part un rendez-vous à mon ami Gilbert Cesbron. Je vais vous faire un mot de recommandation. Gilbert est un vieux copain avec qui j'ai fait la guerre. Bien sûr, vous en avez entendu parler, peut-être même avez-vous lu un de ses livres. Mais ce que vous ignorez sans doute, c'est qu'il est également directeur d'une des sociétés composantes de Radio-Luxembourg, Les Programmes de France.

Le seul nom de Jean Nohain était un sésame. Quelques jours plus tard, j'étais place de Valois dont les immeubles abritaient grandes sociétés, banques et partis politiques. Les Programmes de France occupaient dans un immeuble historique plusieurs appartements transformés en bureaux. Celui du directeur ne ressemblait en rien à ce que j'imaginais pour abriter l'un des principaux responsables de la plus populaire des stations radiophoniques de langue française, ni à celui d'un écrivain apprécié par des centaines de milliers de lecteurs. La publicité de Radio-Luxembourg se targuait à juste titre de réunir à son écoute plus de dix millions d'auditeurs. Gilbert Cesbron, pour sa part, avait connu un immense succès, six ans auparavant, avec sa pièce *Il est minuit, docteur Schweitzer*, succès récemment confirmé par deux best-sellers en librairie, *Les saints vont en enfer* (1952), où il abordait le problème des prêtres ouvriers, et *Chiens perdus sans collier* (1955), celui de l'enfance délinquante. Ce dernier roman adapté, avec un succès décuplé au cinéma, avait dépassé celui obtenu par Pierre Fresnay dans le rôle du docteur Schweitzer, prix Nobel de la paix en 1952[1]. Tant de gloire et de pareilles réussites me semblaient mériter un écrin plus digne du directeur de la première radio de France que le modeste bureau que je découvris ce jour-là. Une table, quelques rayonnages de bois blanc, deux fauteuils spartiates composaient pourtant tout le mobilier de la pièce minuscule où j'attendais que le grand écrivain eût terminé la lecture des quelques feuillets manuscrits qui composaient mon « œuvre ».

Gilbert Cesbron n'avait pas quarante-cinq ans, mais ses cheveux blanchis prématurément ajoutaient un charme à la mince et élégante silhouette de play-boy qui surprenait chez l'un des écrivains catholiques les plus appréciés des lecteurs français. Le gris de sa chevelure s'accordait magnifiquement à son vêtement qui sentait le grand faiseur et dont le velouté laissait deviner le cachemire. Il en était de même pour le léger pull-over, gris aussi, qui, sous la veste, complétait un subtil camaïeu où le hasard ne jouait aucun rôle.

– Il y a de l'idée…

La voix bien timbrée, mais si douce, presque onctueuse, me fit jaillir le cœur de la poitrine. Cesbron employait les mots mêmes d'André Leclerc repris par Jaboune, mais sans la bonhomie rassurante de ce dernier. La lecture terminée, vint pourtant l'explication presque professorale du petit-fils de l'éditeur de Lamartine – je n'apprendrai que plus tard ce détail – qui tenait à justifier la place qu'il m'offrait : second assistant de producteurs que la télévision rendra célèbres quelques années plus tard, Gilbert et Maritie Carpentier.

1. *Il est minuit, docteur Schweitzer*, film d'André Haguet (1952), avec Pierre Fresnay, Raymond Rouleau, Jean Debucourt, Jeanne Moreau. *Chiens perdus sans collier*, film de Jean Delannoy (1955), avec Jean Gabin, Anne Doat, Dora Doll.

– À leur contact, vous vous frotterez au métier que vous aimez déjà sans rien y connaître. Et les Carpentier sont deux jeunes mais grands professionnels qui vous apprendront beaucoup sur les rapports entre ces drôles de phénomènes que sont les artistes. En particulier ceux du music-hall.

Les noms du couple m'étaient familiers puisque, depuis 1946 – ils sortaient à peine de l'adolescence, et moi de l'enfance –, ils étaient synonymes d'émissions de détente et de qualité telles que *Carrousel*, *Cavalcade* ou *L'Heure musicale*. Je me rendrai compte ultérieurement que ce n'était pas par hasard qu'après avoir lu mes petits sketches fortement inspirés du talent de Roger Pierre et Jean-Marc Thibault Gilbert Cesbron s'apprêtait à m'orienter vers les Carpentier qui, chaque semaine, dans *Cavalcade*, chargeaient les deux compères de distiller quelques leçons d'histoire à leur façon : loufoque. Me consacrant un temps considérable pour un personnage de cette envergure, Gilbert Cesbron m'interrogea avec beaucoup d'aménité sur mes goûts en littérature, en musique, puis s'enquit de mon entourage familial. Fier de le voir s'intéresser à moi après une simple lecture, je lui livrai tout à trac le Camus de *Noces*, le Kessel de *L'Équipage*, l'Hemingway du *Soleil se lève aussi*, et puis Offenbach aussi bien que le Mozart de la *Petite Musique de nuit*, auxquels je préférais sans fausse honte Louis Armstrong, Miles Davis et Charlie Parker. Tous trésors que je trouvais au Record's Shop, petit magasin de disques de la rue de Moscou, antre jazzistique où le patron, haut comme trois pommes mais large comme une armoire normande, m'avait fait découvrir pêle-mêle les V-Discs de la Libération, dont Duke Ellington, Lionel Hampton et Count Basie étaient les dieux incontestés, et les 78 tours d'occasion fraîchement importés sous l'étiquette Capitol, Blue Note ou Riviera, et qui, malgré l'épaisseur de leur cire, étaient si fragiles qu'on ne les transportait qu'en mallette de carton bouilli et sous enveloppe de solide papier kraft !

Abordant avec quelques réticences le domaine familial – il y avait du confesseur chez Cesbron, et je n'étais guère doué pour le sacrement de pénitence qui, la semaine même de ma communion solennelle, m'avait à jamais éloigné de ma religion de naissance –, j'indiquai la profession de mes parents. Ma mère avait passionnément aimé la haute couture où, malgré un caractère difficile, les plus prestigieux créateurs l'avaient employée et unanimement appréciée. « Elle était presque toujours d'une humeur de chien, me dira souvent mon père, mais, dans son métier, elle avait quelque chose comme du génie. » En tout cas, un savoir-faire reconnu puisque, durant les quinze années précédant ma naissance, elle avait été « première » chez Paul Poiret, alors au faîte de sa gloire – c'était l'époque où ses trois péniches, *Amours*, *Délices* et *Orgues*, scintillaient sur la Seine au cœur de l'Exposition des Arts-Déco –, puis chez Paquin, Patou, Chéruit et quelques autres grandes pointures de la mode parisienne. Pour elles, elle avait même créé des ateliers sur la Côte d'Azur avant de se mettre à son compte pour la saison, à Évian, où une fidèle clientèle – dont la maréchale Joffre – était heureuse de retrouver ses modèles à des prix plus doux que ceux pratiqués par les grandes maisons du faubourg Saint-Honoré. Mon père, jeune coupeur de talent qui, lui aussi, « faisait les saisons » après avoir travaillé chez quelques-uns des meilleurs tailleurs de la capitale, avait été séduit par cette grande bringue fantasque, un peu anguleuse mais au chic indéniable. Les dix années d'avance qu'elle avait sur l'élégant jeune homme qui serait son mari – ainsi l'avait-elle décidé dès leurs premières rencontres ! – se devinaient à peine. Malgré la différence d'âge, ils formaient un beau couple dont l'allure, le maintien, la qualité du vêtement magnifiquement coupé annonçaient les jeunes bourgeois aisés en villégiature le long des quais de la perle du Léman. Sur les rares photos que je possède d'eux à cette époque, ils semblent tout droit sortis d'un roman de F. Scott Fitzgerald et n'ont rien de commun avec les silhouettes grises aux vêtements avachis que l'on distingue sur les clichés évoquant les défilés du Front populaire où se retrouvaient, de la République à la Bastille, les ouvriers et artisans de leur condition sociale. Mais ces considérations personnelles ne regardaient que moi. J'en dis seulement assez pour expliquer à Cesbron mon intérêt pour la mode masculine à laquelle j'avais consacré un article qui venait d'être publié. C'était le premier d'une vie de journaliste que je n'envisageais nullement à cette heure. Là encore, le hasard avait joué en ma faveur. Un rédacteur du bureau parisien de *La Dépêche du Midi*, rencontré par un ami commun et apprenant que je voulais faire carrière dans le milieu du music-hall, m'avait récemment demandé de recueillir pour son journal les échos que je pourrais glaner lors de « premières » pour lesquelles il recevait de nombreuses invitations. Mes essais accueillis favorablement, j'avais appris le chemin du faubourg Montmartre, alors quartier des grands quotidiens où il m'avait sigalé la naissance d'un nouveau mensuel dont il connaissait le directeur de la rédaction. Celui-ci n'avait nul besoin d'un « spécialiste » du music-hall, débutant de surcroît. En revanche, après un bref entretien, il s'était révélé preneur d'un article sur les nouvelles tendances de la mode masculine, destiné à aérer un magazine quelque peu austère. C'est ainsi qu'après avoir enquêté chez les plus grands tailleurs parisiens, tout en bénéficiant de l'aide technique paternelle, j'avais écrit un long papier sur le charme du gilet fantaisie et de la doublure vivement colorée que Foujita et Max Ophüls goûtaient fort chez André Bardot, ainsi que sur les subtilités du costume trois-pièces, vivement recommandé par le « Groupement des tailleurs de haut luxe ». Les figures de proue en étaient Larsen et Paul Vauclair, fournisseurs traditionnels du président de la République. Mon père s'en inspirait lorsqu'il habillait avec une sévérité de bon aloi M. Bogomolov, ambassadeur de l'URSS à Paris, aussi bien que Jacques Fauvet, en passe de devenir le numéro deux du *Monde*, ou encore l'écrivain catholique Jean Guitton dont il allait réaliser bientôt cet habit d'académicien que Gilbert Cesbron rêvait secrètement d'endosser. Vœu qui ne se réalisera jamais, tant les mondanités et les amitiés « académiques » soigneusement cultivées étaient éloignées des préoccupations quotidiennes de cet humaniste, surtout attentif aux éclopés de son temps. La « fièvre verte », ainsi qu'il me le confiera un jour, ne fut chez lui qu'un accès passager.

Malgré la futilité du sujet, Cesbron n'en lut pas moins avec attention mon premier papier imprimé. Si celui-ci n'était pas signé, il occupait pourtant une page entière du numéro de janvier 1957 de *C'est-à-Dire*, un mensuel de droite antimendésiste et farouche partisan de l'Algérie française, créé par Jean Ferré, journaliste de grand talent que l'on retrouvera plus tard au *Figaro Magazine* et parmi les fondateurs de Radio-Courtoisie. Dans l'histoire de la presse française, *C'est-à-Dire*, à la carrière éphémère, faute de capitaux, fut le premier magazine à adopter le format de *Time* ou de *Newsweek* dont s'empareront plus tard *L'Express* et *Le Point*. Je ne m'étais guère posé de questions sur les tendances du journal qui accueillait ma prose en la payant. C'était ma première pige, et la mode masculine n'engageait guère l'avenir du gamin que j'étais ! Je ne souscrivais pas plus à la ligne politique de *C'est-à-Dire* qu'on ne pouvait attribuer d'étiquette à Cesbron que les uns qualifiaient de « romancier bondieusard » et les autres de dangereux « cathoprogressiste » ! Que je sois mêlé, même par hasard, à des plumes de qualité, était néanmoins de bon augure aux yeux du directeur des Programmes de France qui, après m'avoir rendu le numéro trois du nouveau magazine, dont le portrait du « dictateur yougoslave Joseph Broz Tito » illustrait la couverture, me dit soudain :

– Vous avez des possibilités dans des genres bien différents. Je pense à quelque chose de nouveau que nous sommes en train d'expérimenter et qui vous permettrait de les exploiter au mieux. Je vais vous expliquer.

Deux ans auparavant – en avril 1955 –, une nouvelle station était venue bouleverser le tranquille paysage radiophonique dans lequel les auditeurs ronronnaient depuis les lendemains de la Libération. Elle s'appelait Europe n° 1 et était l'œuvre d'un homme de radio exceptionnel, Louis Merlin, qui avait conduit Radio-Luxembourg au succès en moins de dix ans en retrouvant la belle clientèle publicitaire de l'avant-guerre. Sa recette ? Proposer à travers IP (Information et Publicité), société de régie publicitaire de la station luxembourgeoise, qu'il dirigeait, des émissions « clés en main » fabriquées soit par Les Programmes de France, dont Cesbron était le directeur, soit par Air Production, petite société qu'avait fondée Jean-Jacques Vital qui, pour la France entière, était le fils de *La Famille Duraton*, le plus populaire des rendez-vous radiophoniques depuis 1937 ! Après avoir quitté Radio-Luxembourg pour Europe n° 1 en gestation, Louis Merlin, s'inspirant des techniques américaines qu'il connaissait parfaitement, avait imposé à une équipe entièrement nouvelle l'exact contre-pied de ce qui avait fait jusque-là son succès. Il bannissait de la nouvelle antenne le morcellement des programmes en séquences enregistrées d'un quart d'heure au maximum, chacune « offerte » au public par un annonceur et d'une durée sévèrement contrôlée. Ainsi, sur Radio-Luxembourg, la célébrissime *Famille Duraton* ne durait-elle que douze minutes, trois fois par semaine, *Quitte ou double* aussi bien que *Le Crochet radiophonique*, un quart d'heure hebdomadaire, patronnés par l'apéritif Byrrh ou par la brillantine Roja dont le flacon bleu galbé trônait dans tous les cabinets de toilette de l'époque. Sous la férule de Louis Merlin, Europe n° 1 oubliait définitivement les programmes patronnés pour faire place à des

« sessions » diffusées en direct sous l'autorité souriante d'un « meneur de jeu ». Plus de « cher-z'-auditeurs » globaux, mais une multitude de « chers amis » à qui s'adressaient personnellement de jeunes voix masculines ou féminines. Elles remplaçaient avantageusement les speakers à la voix de bronze dont Paul Léautaud disait dans son *Journal* : « Rien ne donne mieux l'impression d'un imbécile parfait que l'élocution prétentieuse d'un speaker. »

– C'est dans le domaine de l'information que la nouvelle station menace le plus notre prédominance, m'expliqua alors Gilbert Cesbron qui n'hésitait pas à mettre la main à la pâte en animant avec Henri Kubnick, Robert Beauvais et le grand comédien Claude Dauphin, frère cadet de Jean Nohain, *Les Incollables*, émission qui datait de l'avant-guerre mais faisait encore les belles heures de Radio-Luxembourg en lui apportant la touche culturelle dont manquaient *Les Duraton* ou *Ploum-Ploum-tra-la-la, on chante dans mon quartier*…

Là encore, Louis Merlin avait supprimé les speakers empesés qui lisaient, d'une voix qu'on n'osait même plus enseigner au Conservatoire, les dépêches rédigées par d'autres. Le ton Europe n° 1, qui faisait le succès des meneurs de jeu décontractés dont, en deux ans, les noms étaient devenus célèbres parmi les plus jeunes couches de l'auditoire – Maurice Gardett, Guy Vial ou Robert Marcy, bientôt Maurice Biraud –, avait été imposé aux séquences d'information. Désormais, c'étaient les journalistes eux-mêmes qui commentaient les événements auxquels ils venaient d'assister. Ils pouvaient même interrompre la diffusion du programme en cours et intervenir au fil de leur évolution. Pour résister à ce raz-de-marée informatif teinté d'un modernisme de bon aloi, Radio-Luxembourg ne disposait que d'un nom – mais ô combien célèbre ! –, Jean Grandmougin. Depuis près de dix ans, dans un bulletin d'information baptisé *L'Éditorial*, diffusé à 13 heures et

19 h 15, cet ancien journaliste de l'agence Havas commentait l'actualité à l'heure du déjeuner, puis à celle du dîner, avec un succès tel qu'on l'avait surnommé « le réflexe de Pavlov des auditeurs français ». Succès tel que dans le quart d'heure qui précédait son émission le taux d'écoute augmentait de vingt pour cent[1] ! Voix morne mais esprit clair, sens de la formule simplificatrice qui résume une situation, Jean Grandmougin avait tout pour plaire au public d'une grande radio populaire avide de se sentir dans le secret des dieux, mais peu enclin à en étudier quotidiennement les arcanes politiques. *L'Éditorial* de Jean Granmougin était complété par un bulletin rédigé, à partir des dépêches d'agences, par un journaliste qu'on imaginait chenu, et lu par un de ces speakers qui jetaient leurs derniers feux. S'y ajoutaient, pour faire bon poids, *Les Dernières Nouvelles de demain*. Il s'agissait d'une chronique de cinq minutes livrée chaque soir par Geneviève Tabouis, journaliste célèbre depuis l'avant-guerre, nièce des ambassadeurs de France à Londres et à Berlin Paul et Jules Cambon, dont la voix nasillarde et la célèbre formule « Attendez-vous à savoir... », ouvrant chacun de ses papiers, avaient fait le succès. Ses oncles lui avaient fourni les relations nécessaires à une brillante carrière de journaliste diplomatique, et son mari, l'industriel Robert Tabouis, vice-président de la Compagnie luxembourgeoise de télédiffusion, lui avait offert l'hospitalité de l'antenne qu'il dirigeait. Mais, dès l'avant-guerre, son influence était telle qu'au moment de l'invasion allemande Hitler l'avait qualifiée de la « plus dangereuse des femmes françaises », apprendrais-je plus tard de la bouche de Gilbert Cesbron.

Et puis, bousculant ce bel ordonnancement feutré, Europe n° 1 était arrivée, avec sa spontanéité et les échos sonores glanés par ses journalistes qui apportaient aux

1. Chiffre cité par Jean-François Remonté et Simone Depoux, *Les Années radio (1949-1989)*, L'Arpenteur, 1989.

informations une vie que jamais la radio n'avait connue. Pour lutter contre cette concurrence inattendue, Radio-Luxembourg avait ajouté au mois d'octobre 1956 un magazine diffusé sitôt après l'éditorial de Grandmougin, destiné à dynamiser une session d'information quelque peu aride. L'idée était de traiter l'actualité en direct, mais en s'intéressant surtout à la vie quotidienne des Français moyens dont la masse constituait la majorité des dix millions d'auditeurs de la station. Le titre était tout trouvé : *Dix Millions d'auditeurs*. Débat express, question à un ministre sur les lacunes de son administration, coup de téléphone surprise, cas social à régler d'urgence : il y avait du fourre-tout dans la nouvelle émission dont l'indicatif avait les accents martiaux d'une musique militaire américaine.

– Le public ne s'y est pas trompé, me dit Cesbron. Depuis que nous avons transformé *Dix Millions d'auditeurs* en un véritable magazine d'actualité, son succès n'a fait que croître. Il doit beaucoup à son jeune rédacteur en chef, véritable créateur de la nouvelle formule, qui connaît aussi bien la presse écrite – il a été reporter à *L'Aurore* – que la radio. Europe n° 1 en a fait son chef des informations avant qu'il ne nous rejoigne. C'est un homme de la nouvelle génération, qui ne veut travailler qu'avec des jeunes pour les former à sa convenance. Voulez-vous faire partie de son équipe ?

Entré place de Valois en rêvant de paillettes et de chansons, j'en ressortais une demi-heure plus tard apprenti journaliste ! Deux jours après, un coup de téléphone m'apprenait que j'avais rendez-vous avec Jean-Jacques Vital, producteur de *Dix Millions d'auditeurs*, qu'il vendait chaque jour clés en main à Radio-Luxembourg ; le même Jean-Jacques Vital, patron d'Air Productions, qui animait de sa verve *La Famille Duraton*, ou *Cent Francs par seconde*, et produisait à Europe n° 1 l'émission phare de la station : *Vous êtes formidables*. La radio n'avait pas fini de me surprendre par son éclectisme et sa diversité ! Le jour même de ce rendez-vous, je devais entrer dans une compagnie d'assurances de la rue de Prony où, sous la pression de parents excédés par mes rêves si peu en accord avec leurs espoirs, je m'étais résigné à solliciter un poste d'employé subalterne. Au préalable, j'avais successivement refusé d'entreprendre les études de pharmacie qu'exigeaient hier encore mes futurs beaux-parents, relayés par leur fille, puis d'apprendre le métier paternel pour lequel j'avais certes du goût, mais des idées d'un modernisme qui révulsait la vieille maison de la rue Saint-Honoré où – racontait volontiers mon père à ses clients – Barras avait élu domicile à la prise de la Bastille, avant de participer au sein du Directoire à la gloire de Bonaparte.

Mon avenir dans les assurances n'était pas aussi évident :

– Vous ne ferez pas long feu chez nous, m'avait prédit, le jour de mon engagement, un brave chef du personnel – on ne parlait pas encore de directeur des « ressources humaines » – en me montrant la salle où plusieurs dizaines d'employés grattaient du papier dans une ambiance aussi joyeuse que celle qui régnait dans les différents établissements scolaires où, il n'y avait pas si longtemps, j'avais effectué tant d'heures de colle !

Sans un instant d'hésitation, je troquai la rue de Prony contre le 134, boulevard Haussmann où, chaque jour, se concoctait *Dix Millions d'auditeurs.* Hasard ? Destin ? Ma vraie vie commençait.

Après les immeubles XVIIIe siècle de la place de Valois établis sur le même plan – un rez-de-chaussée, trois étages et un comble –, c'est le style grand-bourgeois haussmannien du XIXe que je retrouvai boulevard du même nom, au bas du parc Monceau. Mêmes pierres de taille opulentes qu'au domicile de Jean Nohain, mêmes balcons de fer forgé, mêmes enfilades de pièces plus ou moins grandes, distribuées le long d'interminables couloirs d'où sortaient ici un mélange d'enregistrements magnétiques défilant à l'accéléré, là des conversations animées, des crépitements de machines à écrire qui ne connaissaient que la plus vive cadence. À croire que les émissions tant appréciées de Radio-Luxembourg ne se préparaient que dans l'urgence.

Un cheveu sur la langue, chauve comme un genou, Jean-Jacques Vital ne m'adressa qu'un regard et trois phrases hachées :

– Cesbron vous envoie, ça me suffit. Pour *Dix Millions d'auditeurs*, voyez Jammot. C'est là, dans le placard !

Armand Jammot était ce jeune rédacteur en chef si apprécié par l'auteur de *Chiens perdus sans collier* et qui menait *Dix Millions d'auditeurs* au succès. Si tout allait bien, il serait mon futur patron.

Le « placard » était son domaine. C'était une modeste pièce de trois mètres sur cinq ouvrant sur une sombre cour intérieure où seuls le « patron » de la « grande émission d'information » et ses deux secrétaires disposaient d'une chaise ! Le reste de l'équipe posait sans façon une fesse sur un coin de l'un des deux bureaux métalliques couverts de dossiers, de téléphones et de courrier, ou restait debout en attendant de partir en reportage, un magnétophone portatif en bandoulière. « Équipe » était un bien grand mot pour désigner cette petite bande hétéroclite à laquelle, selon Cesbron, Jammot entendait inculquer le journalisme « sur le tas » : deux jeunes comédiens en quête d'engagement, un athlète amateur, coureur à pied de niveau national, Claude, le fils de Jean-Jacques Vital qui, quinze ans plus tard, deviendra un metteur en scène à la technique éprouvée et fera tourner aussi bien Mireille Darc et Jacques Dutronc que Michel Galabru et Bernadette Lafont, enfin Michel, le beau-frère d'Armand Jammot, futur auteur de polars à la française. Et moi qui arrivais par hasard en ces premiers jours de mars 1957. Bref, une entreprise quasi familiale à laquelle j'allais m'intégrer sans délai tant Jammot avait à cœur d'instiller l'esprit d'équipe à « ses hommes ». Il y avait du commando chez ce professionnel déjà chevronné qui savait susciter l'enthousiasme. Beau garçon de trente-cinq ans, plutôt court de taille et noir de poil, le teint mat, l'accent traînant du titi parisien bien qu'il eût passé sa jeunesse à Antibes, la Résistance l'avait saisi sur les bancs de la Faculté. Puis, la guerre terminée, le journalisme s'était imposé à lui comme une vocation. Il avait fait ses classes d'homme de radio aux débuts d'Europe n° 1, comme chef adjoint du service des reportages et comme réalisateur, en collaboration avec Jacques Antoine – le plus inventif et le plus prolifique des auteurs de radio et de télévision –, de la célèbre émission *Vous êtes formidables*, présentée par un jeune homme de vingt-huit ans, Pierre Bellemare, que Jammot avait également embauché pour présenter *Dix Millions d'auditeurs*, tant il savait se montrer convaincant.

Deux excellents journalistes, hommes de grande expérience, complétaient cette équipe d'une extrême jeunesse dont ils sauraient tempérer l'enthousiasme, tant ils connaissaient les aléas du métier. Ils avaient été balayés l'année précédente, avec deux cents de leurs confrères, par le raz-de-marée provoqué par l'un des plus grands flops de l'histoire de la presse : l'échec du *Temps de Paris*, tabloïd quotidien qui s'était écroulé deux mois et demi après un lancement faramineux, en engloutissant près d'un milliard et demi de l'époque ! Trois mois de chômage avaient écorné leurs indemnités de licenciement, avant d'être « récupérés » par Jammot qui, après des semaines de tractations, voyait son projet aboutir enfin sur l'antenne de Radio-Luxembourg. Pierre Armand, dont la petite moustache et la quarantaine étaient si classiques qu'il aurait pu être habillé par mon père, avait abandonné le crayon bleu du secrétaire de rédaction pour apprivoiser le Tolana, énorme magnétophone de montage qui lui permettait maintenant de couper longuement dans les bobines que lui apportaient les « apprentis », aussi soucieux de préserver l'intégrité de leurs reportages que leurs confrères de la presse écrite. Quant à Robert Bré, l'aîné de nous tous, qui abordait une très verte et très élégante cinquantaine, il avait repris le chemin du reportage où, pendant des années, il avait fait merveille au bureau de l'AFP de New York. Une belle gueule à la Georges Carpentier, qu'il connaissait bien pour avoir été un spécialiste réputé du monde de la boxe, volontiers habillé de prince-de-galles clair et de chemises roses qui mettaient en valeur son teint couleur brique et sa silhouette svelte, il démentait le surnom de « Grand-Père », dont Jammot l'avait affublé, si l'on en jugeait par le nombre considérable de jeunes et jolies femmes, généralement de couleur, qu'il se faisait une joie de nous présenter avant de s'éclipser en leur compagnie, laissant ses cadets verts de jalousie.

C'est lui qui, peu après mon arrivée, allait me donner mes premières leçons de journalisme sur le terrain en me permettant de l'accompagner en reportage. Il était le plus âgé de notre équipe et on l'appelait « le Grand-Père » ; j'étais le plus jeune, il me baptisa « le Môme » : c'était dans la logique des choses. Robert avait ce don de pénétrer un milieu comme s'il y avait toujours vécu, d'attirer les confidences autour d'un verre, de mettre en confiance son interlocuteur, quel qu'il soit. Au fil des mois, je me rendais compte que je partageais cette faculté d'être à l'aise dans n'importe quel milieu, par caractère mais aussi grâce à l'éducation que m'avaient dispensée mes parents, avec lesquels je m'étais trop souvent montré aussi exigeant qu'ingrat. Depuis qu'au milieu de la guerre nous avions quitté le quartier populaire de Bel-Air, où nous partagions un minuscule appartement avec ma grand-mère maternelle, pour les Ternes autrement huppés, mon père, à force de volonté, d'économie et de talent, avait réussi à s'associer au propriétaire d'un fonds de tailleur « civil et militaire » de la rue Saint-Honoré, troquant sa situation d'ouvrier-coupeur pour celle, plus valorisante, d'artisan, bientôt maître tailleur de luxe. Dès lors, il désira pour moi ce que certains de ses clients aisés, avec lesquels il entretenait les meilleures relations, offraient à leurs enfants. C'est ainsi que j'étais passé de la communale de l'avenue Daumesnil au très renommé cours Hattemer, pour terminer mes études secondaires à la non moins célèbre École Alsacienne, tandis que je consacrais une grande partie de mes loisirs à user des terrains du Racing-Club de France, fréquentés par la bourgeoisie parisienne. Un copain de classe, fils d'officier supérieur dont j'enviais la naissance à l'autre bout du monde, m'y avait fait admettre sans difficulté. Il avait vu le jour à Shanghai où son père était en poste dans les années 35, et passait ses vacances à Djidjelli, port du Nord-Constantinois, dont sa famille était originaire. À cette époque, pour un Parisien de quinze ans, l'Algérie, qui allait jouer un si grand rôle dans ma vie, était aussi exotique que Tombouctou ! La rue, théâtre de mes jeux d'enfant, que j'avais continué à fréquenter dans mon nouveau quartier, le milieu ouvrier puis bourgeois dans lequel j'avais ensuite évolué me permettaient d'aborder sans trop d'appréhension un métier qui, je m'en apercevais chaque jour un peu plus avec le Grand-Père, privilégiait le contact humain. En sa compagnie je passais ainsi d'un commissariat de police à la buvette du palais de justice où quelques spécimens d'une race particulière de journalistes marinaient dans le pastis, puis à une réunion d'athlétisme attendue du public, à moins qu'une évolution de la situation politique mouvante de la IVe République nous amenât dans les coulisses de l'Assemblée nationale où Guy Mollet défendait sa politique de Front républicain. Robert Bré connaissait tous ses confrères spécialisés, qui semblaient atteints d'un mimétisme que je trouvais étonnant. Dans les couloirs de la PJ ils étaient plus flics qu'un flic, imperméable et chapeau mou à la Simenon ; dans ceux du Palais-Bourbon, plus députés qu'un député, costume gris ou bleu et, à de rares exceptions près, figure de carême. À l'heure où le plus humble reporter ne se serait jamais présenté à son rédacteur en chef sans cravate, seuls les journalistes sportifs se permettaient le « négligé » d'un polo, d'un col roulé, d'un foulard glissé dans l'échancrure de la chemise, à l'image des champions qu'ils interviewaient au sortir des vestiaires. Telle était l'époque.

– Môme, dis-toi bien que la présentation compte pour beaucoup, m'expliquait le Grand-Père. Non seulement elle te donne confiance, mais elle donne confiance à celui que tu vas interviewer et dont tu espères des renseignements. Une fois que tu les as obtenus, il ne te reste qu'à les contrôler, les recouper et à ne les livrer au public que si tu es sûr de leur authenticité. C'est ce qu'on appelle la rigueur. Et, à certains, elle manque cruellement. Alors seulement, quand tu es persuadé de la véracité de ton info, tu fonces. Tu l'exploites au plus vite et, surtout, tu vas jusqu'au bout !

La leçon m'a servi pendant près d'un demi-siècle.

De retour boulevard Haussmann après mon cours de travaux pratiques « au contact », je me familiarisais avec les techniques de l'information, le crépitement des téléscripteurs, le découpage et le classement des dépêches, les bandes magnétiques souvent trop bavardes, que les ciseaux de Pierre Armand ramenaient à de plus sages proportions. L'instant le plus excitant était celui qui voyait la mise en forme du magazine, les textes de présentation qu'écrivait Armand Jammot, toujours « à la bourre », prendre leur aspect définitif, au grand soulagement de Pierre Bellemare qui les attendait avec angoisse. Contrairement à toute logique, *Dix Millions d'auditeurs* ne se faisait pas sur les lieux mêmes de la diffusion, rue Bayard, près des Champs-Élysées et des grands couturiers de l'avenue Montaigne, mais au siège de la société de Jean-Jacques Vital, assez loin pour que nous ne puissions rejoindre les studios de Radio-Luxembourg à pied. Cette bizarrerie tenait à des accords financiers entre producteurs et propriétaires de l'antenne, et nous valait des départs fulgurants, un quart d'heure avant le début de l'émission, à bord de la belle américaine du présentateur-vedette qui conduisait d'une main, tenant de l'autre un texte qu'il déchiffrait à chaque feu rouge. D'ordinaire, il s'en fallait d'un cheveu pour que l'équipe de *DMA* manquât le démarrage de l'émission. Bientôt, le succès du magazine puis sa transformation en journal quotidien allaient nous valoir d'intégrer les locaux de la maison mère, au grand dam de Jean Grandmougin qui n'aura jamais que mépris pour Jammot et ses hommes, considérés comme des moins-que-rien. Pensez donc, ils allaient sur le terrain même à la chasse aux événements dont ils reflétaient l'aspect tragique ou souriant avec le même enthousiasme !

Un matin, après quelques jours de dégrossissage à la traîne du Grand-Père, puis en compagnie d'un plus jeune reporter qui, ne voyant en moi qu'un concurrent potentiel, me regardait avec la tendresse d'un guépard pour une gazelle de Grant, Jammot, mis en appétit par un joli soleil de mars, me dit :

– Il fait un temps magnifique, les arbres bourgeonnent déjà… Tu vas me faire le printemps.

Devant mon air ahuri, il ajouta :

– Ben oui ! Un « marronnier du mois d'avril » un peu en avance…

Le « marronnier », je l'apprendrais bientôt, était un sujet banal mais récurrent qu'il s'agissait de traiter de la manière la plus originale possible. J'ignorais tout de ce classique du journaliste que l'on confie d'ordinaire à un débutant pour le tester.

Les deux Nagra à manivelle qui composaient tout le matériel récent de reportage de *Dix Millions d'auditeurs* étant déjà en main, on me confia un magnétophone portatif d'une autre marque. Celui-ci prétendait concurrencer la petite merveille polono-suisse qui, gainée de cuir, ressemblait à s'y méprendre à la sacoche à outils d'un plombier. L'inventeur du Nagra était un ingénieur suisse d'origine polonaise, Stefan Kudelski, et *nagra* signifiait « enregistrer » dans sa langue natale. Si le Nagra – que l'on trouve aujourd'hui encore à l'épaule de tous les reporters radio et sur tous les plateaux de cinéma, tant sa qualité est inégalable – permettait d'enregistrer par tous les temps et même en courant, il n'en était pas de même du Zgubi que Jammot me confia, ce jour de mars 1957. Je ne sus jamais la signification de ce mot moldo-valaque, si ce n'est que le Zgubi fonctionnait une fois sur trois et que l'enregistrement « dégueulait » dès que l'on avait la prétention de bouger le capricieux appareil.

J'ai vécu dans ma vie des instants assez agités. J'ai été ému parfois, j'ai eu peur souvent, j'ai enragé de temps à autre devant un sort défavorable, mais jamais je n'oublierai le désarroi qui me saisit ce jeudi-là, sur un banc du boulevard Haussmann, en essayant l'engin diabolique sur lequel je devais enregistrer mon premier reportage. « Et tu m'y mets de la couleur ! » avait recommandé mon rédacteur en chef. Colorer qui ? Colorier quoi ? La radio se fait avec des mots, avec des témoins, avec les impressions du reporter. Les marronniers étaient à deux pas, mais leurs volumineuses fleurs blanches ou rouges n'apparaîtraient pas avant avril ou mai dans les allées du parc Monceau tout proche. Et ce n'était pas dans ce lieu alors peuplé d'enfants en bas âge et de leurs nurses en majorité anglo-saxonnes, pousseuses de landaus vernis suspendus comme des Rolls, que je trouverais à cette heure les oisifs capables de commenter de façon originale cet événement qui devait réjouir dix millions d'auditeurs émergeant des brumes de l'hiver : l'éclosion des bourgeons qui annonçait l'arrivée imminente de la belle saison. Le jardin des Tuileries, entouré de grands hôtels, de commerces de luxe nichés dans les rues avoisinantes, encadré par les musées de l'Orangerie et de la Galerie nationale du Jeu de paume, riches en flâneurs de toutes sortes, me parut plus propice à la réalisation de mon projet. Je m'engouffrai dans l'autobus 84 qui avait perdu sa plate-forme en plein air, si agréable aux amoureux de Paris et dont l'itinéraire, conduisant alors jusqu'à la Contrescarpe, après être passé par le boulevard Haussmann, me déposerait place de la Concorde.

Les allées du jardin étaient baignées d'une miraculeuse lumière dorée comme seul Paris sait parfois en offrir lors d'exceptionnelles journées printanières. Les fameux marronniers étaient encore dégarnis, mais leurs branches paraissaient déjà poudrées d'une impalpable poussière verte. Des myriades de moineaux déchaînés y menaient une sarabande ininterrompue. Sous l'influence de ce printemps précoce, les passants ressemblaient à ces personnages de Chagall, affranchis des lois de la pesanteur, qui baguenaudent dans l'azur du ciel. Silhouettes certes poétiques, mais qui se révélèrent décevantes lorsqu'elles entreprirent de répondre à mes questions. Jamais badauds n'avaient mieux mérité leur nom. Ceux que j'interviewais – sûrement sans beaucoup d'adresse – restaient bouche bée devant mon micro ou alignaient de désolantes platitudes. Enfin, près du grand bassin, je reconnus parmi les promeneurs le comédien Daniel Gélin que j'admirais depuis *Rendez-vous de juillet*, et qui venait de tourner coup sur coup deux films dont tout le monde parlait : *L'homme qui en savait trop*, d'Alfred Hitchcock, au Maroc, et *Mort en fraude*, de Marcel Camus, en Indochine. Ou sa nuit avait été agitée, ou j'étais singulièrement maladroit, car il ne fut pas plus brillant que ses prédécesseurs. Pourtant, quarante ans plus tard, préparant la biographie de l'auteur des *Feuilles mortes*, j'aurais l'occasion de constater quel conteur exceptionnel il était ! Quoi qu'il en soit, au bout d'une heure, j'avais une bande magnétique pleine de banalités. Effondré à l'idée de faire entendre ce désastre à mon rédacteur en chef, je m'assis à l'écart sous ces fameux marronniers qui me causaient tant de tracas.

Au-dessus de ma tête se chamaillaient des dizaines de passereaux à livrée brune striée de noir. Eux, ils en avaient à dire sur le printemps et leurs amours ! Ils pépiaient à qui mieux mieux en voletant d'une branche à l'autre. Elle était là, mon interview ! En quelques minutes, je bâtis un dialogue entre les oiseaux énervés et moi sur le thème du printemps qui, telle une bombe, venait d'éclater sur Paris. Ce fut la première phrase du « chapeau » par lequel j'ouvris mon reportage. En fait, je venais d'écrire un sketch qui n'avait pas grand-chose à voir avec le journalisme, mais qui avait de la fraîcheur et traduisait l'enthousiasme des piafs à l'idée de nidifier. Des décennies après, je constaterais que le procédé du dialogue entre le moineau et son interprète humain pouvait toujours servir. Une agence de publicité l'utilisera encore en l'an 2000 lors d'une campagne télévisuelle de sensibilisation contre la pollution !

Dans le « placard » où s'élaborait le magazine du soir, mon histoire de « pierrots » remporta un vif succès auprès du secrétaire de rédaction Pierre Armand, qui venait de monter un reportage reçu d'Afrique du Nord où chaque jour apportait son lot d'attentats, d'explosions, de crimes de toutes sortes. Depuis le début de l'année, la Bataille d'Alger faisait rage et, devant l'inefficacité des forces de police traditionnelles, les autorités civiles avaient confié tous les pouvoirs de police aux parachutistes de la 10e DP du général Massu, unité qui avait été le fer de lance de la récente expédition de Suez. Deux mois plus tard, Massu et ses paras seront violemment attaqués pour les méthodes employées dans la lutte contre le FLN, notamment dans les colonnes de *L'Express* qui commençait le jour même de la parution d'une série d'articles de Jean-Jacques Servan-Schreiber, *Lieutenant en Algérie*. Face au drame qui se jouait de l'autre côté de la Méditerranée, ma banale histoire de moineaux n'avait aucune chance d'obtenir les honneurs du journal.

– Rigolo, son truc sur le printemps, dit pourtant Pierre Armand à notre rédacteur en chef. Aujourd'hui, on a besoin d'un sourire, l'actualité patauge dans le sang et la merde. Ça nous fera une bouffée d'air pur.

Après avoir écouté mon reportage – ô miracle, le Zgubi n'avait pas dégueulé –, Jammot décida de son passage à l'antenne, en dernière position, pour terminer le journal sur une note plus optimiste. Jamais, depuis ma récente entrée boulevard Haussmann, je ne m'étais autant soucié du minutage de l'émission ! Lorsque les dernières mesures de *This is the Army* retentirent, dix millions d'auditeurs avaient entendu pour la première fois mon nom sur les ondes de Radio-Luxembourg et, à peine majeur, je gagnais ma vie, car Jammot venait de me dire de son accent traînant :

– Ce n'est pas mal, ton histoire. Je t'engage. Cinquante-cinq mille par mois, ça te va ?

C'était près du double de ce que m'offrait – façon de parler ! – la compagnie d'assurances à peine frôlée et que j'avais déjà oubliée. Quelque temps plus tard, je reçus ma carte de presse barrée de tricolore, avec son fameux numéro 17 077, mon coupe-file métallique permettant de franchir les barrages de police, et, à la fin du mois, ma première feuille de paie. À la rubrique emploi figuraient ces mots magiques : radio-reporter.

Depuis plusieurs mois, Raphaëlle, ma gentille fiancée, et le laboratoire de son papa avaient disparu de mon horizon, et je ne pensais plus ni à la chanson ni aux sketches, mais seulement au journalisme. Je venais de découvrir la vocation qui jusque-là me manquait. Une fois encore par hasard. Une nouvelle vie commençait dans la passion. Elle allait durer plus de dix ans et m'entraîner aux quatre coins d'un monde auquel je ne connaissais rien et dont j'attendais tout.

2

Le Démon de l'aventure

En quelques semaines, un maelström m'avait entraîné et j'avais pris mes distances avec tout ce qui jusque-là avait constitué le cadre de mon existence. Je logeais toujours chez mes parents, mais je ne faisais que les entrevoir tant nos horaires et nos pôles d'intérêt étaient incompatibles. Quant aux amis d'enfance et aux copains de classe devenus étudiants – pour certains sans grand enthousiasme –, rares étaient ceux qui avaient, comme moi, trouvé leur voie, sinon, pour les plus fragiles d'entre eux, dans une fuite en avant désespérée. Henri, paraissant hier encore le plus mature de l'équipe qui jouait avec moi une pièce de Salacrou, s'était complu, sans que l'on sache pourquoi, dans un état de mélancolie morbide tel qu'un dimanche matin, utilisant le pistolet paternel, il s'était tiré une balle dans le cœur sans laisser la moindre explication ni à ses parents, ni à ses amis, mais après s'être habillé de neuf de pied en cap. Roger, son camarade le plus proche – un blond Vénitien à l'opulente chevelure bouclée qui nous soûlait du récit détaillé de ses bonnes fortunes féminines –, s'était décidé à laisser parler sa véritable nature et affichait une homosexualité triomphante qui ne me choquait nullement, si ce n'est qu'il traînait désormais dans son sillage une petite cohorte efféminée que je n'avais jusqu'alors jamais eu l'occasion de côtoyer et dont l'exubérance m'agaçait prodigieusement.

Il n'empêche que ces événements qui oscillaient entre le drame et la comédie m'avaient bouleversé. De la vie je n'avais qu'une mince expérience que j'enrichissais à chaque instant consacré aux rencontres inespérées dues à ce nouveau métier. Leur éventail m'éblouissait un peu plus chaque jour, au point de m'avoir fait oublier ces « variétés » auxquelles je voulais, hier encore, consacrer le modeste talent que l'on avait bien voulu me prêter. Chaque sujet de reportage était une découverte. Je me familiarisais avec l'avion – que je n'avais jamais pris – au Bourget, aérogare principale ô combien rustique qui desservait alors la capitale. Elle avait encore des allures de terrain de l'Aéropostale du temps de Didier Daurat. Orly, ex-aéroport militaire, ne s'était ouvert aux liaisons commerciales qu'au début des années cinquante et ne présenterait son allure d'aéroport international qu'en 1961. En matière de locomotion, je ne connaissais alors que la ligne Gare de Lyon-Évian, en troisième classe dans des wagons de bois dont les glaces se manœuvraient à l'aide de bandes de toile forte et vous protégeaient des escarbilles à la seule condition de les ouvrir à l'arrêt du train, et puis celle que j'appelais ma « ligne de cœur ». Celle-ci m'avait conduit durant une longue période de la gare d'Austerlitz à celle de Toulouse où, depuis l'aube de mes seize ans, Raphaëlle avait parfait mon éducation sentimentale à l'occasion de vacances que je partageais entre mes amis d'Évian, mes parents et ceux de ma « fiancée » qui, d'autorité, s'étaient institués en « belle-famille » déjà en exercice. La jeune fille, fort jolie, avait mon âge, en paraissait sensiblement plus, et surtout évoluait, avec une aisance qu'elle m'avait communiquée, dans la grande bourgeoisie d'une cité du Sud-Ouest dont son père était une des plus influentes personnalités. Des parents d'un libéralisme peu commun dont je garderais toute ma vie un aussi agréable souvenir que celui de l'amour prodigué par une Raphaëlle aussi pudique qu'affectueuse, mais qui, dès nos premières rencontres, et à mon grand bonheur, n'avait jamais défendu l'ourlet de sa jupe avec l'âpreté et la vigueur des Parisiennes adolescentes avec lesquelles j'avais eu l'occasion de flirter au cours des surboums de l'Étoile ou des soirées du Club Saint-Germain. C'était pour moi, c'était pour elle que Georges Brassens avait fait un succès, l'année où nous nous séparâmes après une longue liaison pour des gamins de notre âge, de la chanson préférée des jeunes gens qui avaient eu ma chance :

> « Jamais de la vie
> On ne l'oubliera
> La première fill' qu'on a pris' dans ses bras
> On a beau fair' le brave
> Quand ell' s'est mise nue
> Mon cœur t'en souviens-tu
> On n'en menait pas large
> Bien d'autres sans doute
> Depuis sont venues
> Oui mais entre tout's celles qu'on a connues
> Elle est la dernière que l'on oubliera
> La première fill' qu'on a pris' dans ses bras[1]. »

« Aussi estimables que soient vos sketches, ce n'est pas à vingt ans que l'on gagne sa vie avec des textes », m'avait paternellement prévenu Jean Nohain au cours de l'inoubliable entretien qui décidait maintenant de mon avenir radiophonique. Ce n'était pas davantage à dix-huit ans que l'on s'engageait pour une vie à deux, aussi attrayante

1. 1957, éd. Ray Ventura.

qu'elle s'annonçât, sous prétexte que la jeune fille était jolie et la dot séduisante. Que l'on ait décidé de la marche que je devais suivre pour occuper le fauteuil qu'un futur beau-père m'avançait si aimablement, m'avait paru soudain insupportable, à la veille de m'essayer à l'indépendance dans la voie si peu aisée que j'avais choisie. Pendant trois ans, à un âge encore bien tendre, j'avais été particulièrement heureux grâce à Raphaëlle, qui m'avait révélé l'amour et la tendresse, et à qui je n'avais rien à reprocher, si ce n'est d'être une très jeune femme à qui ses proches ne refusaient rien, pas même un mari dont le chemin était tout tracé, à condition de suivre leurs instructions. Je devais pourtant avouer que, durant notre liaison, elle ne s'était montrée ni capricieuse, ni autoritaire, mais la menace n'en existait pas moins. Je n'avais encore rien fait de ma vie, mais je voulais le faire seul. Dans ces conditions, la rupture était inévitable. Elle s'effectua en douceur, mais non sans larmes, et, la voyant pour la dernière fois l'année précédant mon entrée à la radio, je savais que jamais je n'oublierais Raphaëlle.

Au grand amour de l'adolescence succédèrent en rafale les passades d'un jour, d'une semaine ou d'un mois, que le milieu professionnel dans lequel j'évoluais maintenant rendait d'une facilité à laquelle les années cinquante, encore privées de moyens de contraception aisés, ne m'avaient pas habitué[1]. Si je n'étais pas indifférent à la liberté des mœurs qui y régnaient, la grande affaire de ma vie était désormais mon métier, que chaque reportage me permettait d'apprendre un peu mieux. Je n'étais pas encore assez aguerri pour que l'on m'envoie en Algérie où la guerre faisait rage, bien qu'officiellement on n'en prononçât pas le nom. Les combats, les attentats, la torture, les exactions du FLN et celles de l'armée française se dissimu-

---

1. La contraception ne sera autorisée en France que dix ans plus tard (loi Neuwirth 1967) et la loi sur l'avortement le 17 janvier 1975 (loi Veil).

laient pudiquement sous le terme vague d'« événements » que des « opérations de maintien de l'ordre » s'efforçaient de juguler. D'ailleurs, Radio-Luxembourg n'avait encore jamais eu d'envoyé spécial en Algérie. Seulement un correspondant, vieux journaliste chevronné qui avait eu son heure de gloire durant l'entre-deux-guerres où il était considéré comme l'un des meilleurs connaisseurs de l'affaire Stavisky. Peu après, il s'était installé à Alger où il avait fondé une famille sur le tard.

Faute de me rendre en Algérie où la guerre m'attirait pour des raisons qui n'avaient rien de politique, je devais me contenter des faits divers, des « chiens écrasés » qui remplissaient les mains courantes des commissariats, et parfois d'une histoire criminelle bien tordue comme on en voit souvent au fond des campagnes où elles avaient fait déjà le bonheur des premiers lecteurs de Maupassant. Mais on n'avait pas chaque jour des affaires comme celle de la « bonne dame de Loudun », Marie Besnard, accusée en 1954 d'avoir empoisonné à l'arsenic treize membres de sa famille et libérée à la suite des contradictions des experts lors d'un interminable procès. Ou encore l'assassinat d'une famille de trois touristes anglais – les Drummond – à Lurs, petit village des Basses-Alpes où rien n'avait évolué depuis le XIXe siècle. C'était une tribu entière, les Dominici, qui était soupçonnée avant que le patriarche, le vieux Gaston, se décide à avouer enfin après trois ans d'une enquête sans certitude. Au procès, les présomptions avaient paru assez lourdes aux jurés pour que Gaston Dominici soit condamné à mort. Là, on quittait Maupassant pour Giono, mais on restait dans la France profonde des siècles passés. Seuls les uniformes des gendarmes avaient changé. Non seulement de pareils événements ne se produisaient pas chaque jour, mais seuls de grands quotidiens aux moyens illimités pouvaient se permettre le luxe d'entretenir un reporter sur place durant le déroulement de l'enquête. Pierre Lazareff, alors patron de *France-Soir*, laissa notre confrère Jacques Chapus sur le « coup » Dominici durant un an et vingt-huit jours !

Dès mon entrée à *Dix Millions d'auditeurs*, Jammot m'avait appris à lire la presse. C'était la première tâche à laquelle on s'attelait dès notre arrivée matinale boulevard Haussmann, avant même d'avoir décidé du menu de l'émission du soir. *France-Soir*, avec qui *DMA* s'associa peu après mon arrivée, était alors le plus gros tirage des journaux français. Depuis quatre ans, le quotidien avait franchi la barre fatidique du million d'exemplaires vendus grâce au talent de ses journalistes – c'était l'époque héroïque où les meilleures plumes du *Monde*, comme André Leveuf, Marcel Niedergang ou Eugène Mannoni, quittaient la rue des Italiens pour la rue Réaumur –, mais surtout à la conception de son métier que possédait Pierre Lazareff et que partageait Armand Jammot, qui s'entendit à merveille avec le « Petit Homme ». Selon leurs directives, chaque reportage devait être « mis en scène ». Dès son arrivée sur les lieux désignés par l'actualité, le premier souci du reporter était de trouver un homme, une femme, une famille dont la vie ou l'expérience récente soit représentative de l'événement qu'il était chargé de relater. La première édition du quotidien, alors journal du soir, parvenait à notre bureau par porteur spécial en toute fin de matinée, et Jammot nous montrait, preuves à l'appui, ce qui faisait de *France-Soir* un journal merveilleusement informé, tout en plaisant au plus grand nombre de lecteurs dont la majorité se retrouvait parmi nos dix millions d'auditeurs. Ce que, des années plus tard, Lucien Bodard, devenu mon ami, me rappellera avec une certaine nostalgie : « Notre succès était basé essentiellement sur le grand reportage et sur le fait divers. Le journal offrait à ses lecteurs le "roman-fait-divers", comme l'affaire Dominici, et le "roman-guerre" avec la Corée, l'Indochine puis l'Algérie et le Congo. Il nous fallait construire notre article quotidien comme une *story* avec une attaque, des personnages, une intrigue et une chute. Le journal n'oubliait pas que sa fonction essentielle était d'informer le lecteur. Le Français n'était pas encore habitué à apprendre l'événement par la radio et la TV. Cela ne lui deviendra réflexe que dans les années soixante. Les titres de *France-Soir* annonçaient l'information et, en pages intérieures, l'article se présentait autant que possible comme un vrai roman[1]. » C'était très exactement ce que j'aimais dans le journalisme, même lorsque, à dix-huit ans, j'étais encore loin de penser en faire mon métier. Je lisais avec passion ces grands reportages de la page deux du journal populaire, quand Kessel y racontait la révolte des Mau-Mau au Kenya et les derniers seigneurs de l'Afrique, ou lorsque Roger Vailland, en ce printemps-été 1957 qui voyait mes débuts à la radio, entraînait les lecteurs passionnés de courses automobiles dans les coulisses des *Mille Miglia*, du Grand Prix de Monaco ou des Vingt-Quatre Heures du Mans. Au lendemain de la guerre – ce devait être en 1946 ou 1947 –, mon père, qui en faisait partie, m'avait emmené à la première course automobile organisée à Paris après la Libération dans les allées du bois de Boulogne. J'y avais découvert l'enivrante odeur d'huile de ricin brûlée, de gomme fondue des pneus malmenés, et ces jeunes héros qui s'appelaient Louis Chiron, Jean Behra, Raymond Sommer et surtout le beau Jean-Pierre Wimille, l'« as des as » à qui son talent au volant permettait de rivaliser sur la piste avec les plus grands pilotes italiens, et son charme de séduire les plus belles femmes. Tout comme aujourd'hui elles s'agglutinaient dans les stands de ravitaillement, fascinées par ce jeu de la vie, de la mort et de l'argent régnant sur les circuits. Dix ans plus tard, bon nombre de virtuoses de mon enfance avaient disparu, pour la plupart morts en course, et ceux dont Vailland racontait l'épopée dans

1. Lucien Bodard à Yves Courrière, in *Pierre Lazareff*, Gallimard, 1995.

France-Soir avaient pour nom Juan-Manuel Fangio, Stirling Moss, Peter Collins et toujours Jean Behra qui, sur Ferrari et Maserati – les deux seuls constructeurs à entretenir une « écurie » de pilotes –, préparaient Monaco sur le circuit de Modène et négligeaient les Mille Miles qui se couraient sur route, à deux, et non sur une monoplace et en circuit fermé. Une exception parmi les très grands champions : le célèbre et richissime marquis de Portago, play-boy et grand d'Espagne, à qui sa fortune permettait de commander une machine dernier cri au constructeur champion de l'année. Très beau, très riche, très courageux et excellent pilote, toutes les Italiennes en étaient peu ou prou amoureuses. Pour brosser le portrait d'un personnage comme lui, j'aurais tout donné ! Avec lui, la *story* chère au tandem Jammot-Lazareff était toute bâtie. Plus que jamais j'entendais Oscar Wilde : « Les hommes l'aimaient, car il racontait des histoires. » Jamais je ne raconterai celle du téméraire marquis, pas plus que je ne découvrirai la folle ambiance des *Mille Miglia.* Sortie dans une ligne droite à 240 kilomètres à l'heure, la voiture de Portago et de son coéquipier, le journaliste américain Nelson, entra dans la foule, près de Mantoue, faisant onze morts parmi les spectateurs. Le marquis fut coupé en deux à hauteur de la taille, et Nelson décapité ! Désormais, toutes les compétitions automobiles sur route, jugées par trop dangereuses, allaient être interdites par les fédérations automobiles mondiales. En revanche, j'allais bientôt rencontrer Roger Vailland qui, dix ans plus tard, ferait évoluer ma vie dans une direction nouvelle en me présentant à l'un de ses vieux compagnons.

Pour l'heure, je devais me contenter d'imaginer de longues randonnées à l'autre bout du monde dont Kessel disait, toujours en page deux de *France-Soir* : « Les grands voyages ont ceci de merveilleux que leur enchantement commence avant le départ même. On ouvre les atlas, on rêve sur les cartes. On répète les noms magnifiques des villes inconnues[1]... » Ça, je savais faire, même à l'époque si proche où je ne jurais que par le music-hall. Pour le voyage et l'aventure, j'avais de qui tenir. Non de mes parents, qui n'avaient jamais franchi d'autre frontière que celle qui permettait l'accès à la rive droite du lac Léman, mais de mes grands-parents maternels. Issus de familles modestes des Côtes-du-Nord, ceux-ci avaient gagné les États-Unis dans le dernier tiers du XIXe siècle, envisageant une émigration définitive dont on parlait beaucoup à l'époque dans les plus pauvres des départements français. Vertigineuse plongée dans le passé que ma grand-mère, chez qui nous avions vécu de ma naissance jusqu'au déménagement pour le quartier des Ternes, évoquait parfois pour moi seul. Jamais elle n'en parlait devant mes parents avec lesquels elle ne s'entendait guère. La similitude de caractère – mauvais ! – avec ma mère ne pouvait que provoquer des étincelles. Quant à Amédée, mon père – « le tailleur » –, elle le tenait pour quantité négligeable, puisque à son mariage avec sa fille il était venu s'installer chez elle « comme un coucou », disait-elle, oubliant que c'était lui qui faisait bouillir la marmite ! En revanche, elle me réservait des trésors de gentillesse et d'indulgence qui n'étaient guère entamés par ses rapports avec autrui. Souffrant des jambes, et son appartement étant situé au quatrième étage – à l'époque, les ascenseurs, fort rares dans les immeubles de luxe, étaient inconnus dans les quartiers populaires –, elle avait décidé de ne plus le quitter et se contentait d'observer de sa fenêtre le spectacle de la rue, ainsi que les allées et venues de ses voisins. Par bribes, à mon retour de l'école communale où j'usais mes galoches, elle me racontait, au gré de son inspiration, la Bretagne de son enfance – elle était née à Paimpol en 1863 – où la campagne pratiquait davantage la langue bretonne que le français. Elle me

1. Joseph Kessel, *La Vallée des rubis*, Gallimard, 1955.

chantait *La Paimpolaise*, qui fut la première chanson que je retins en totalité, et me faisait frémir par ses souvenirs de la guerre de 1870. Elle avait alors mon âge, sept ans, et gardait encore en mémoire les échos qui parvenaient de Paris assiégé et de sa population qui, après avoir mangé les animaux du Jardin des Plantes, puis les chats et les chiens, en avait été réduite à manger du rat !

Fille de cultivateurs de Paimpol et de l'île de Ré, Anne-Yvonne Ollivier avait épousé à vingt-quatre ans un Yves-Marie Prigent, d'un an son cadet, originaire de Plestin-les-Grèves, qui, comme la famille de sa promise, avait préféré la culture d'un lopin de terre et l'élevage de quelques chevaux et vaches laitières à la pêche en haute mer à laquelle les générations précédentes avaient payé un trop lourd tribut.

– Chaque verre qui tinte est un marin qui meurt, me répétait mon aïeule tandis qu'elle énumérait les prénoms de sa nombreuse parentèle que je ne parvenais pas à situer tant les Yves, les Yvon, les Yvonne, les Claire, les Anne et les Anna s'entremêlaient et se retrouvaient en nombre à chaque génération.

Anne-Yvonne, qui préférait son second prénom sous lequel on la désigna dès son mariage, avait l'âme aventureuse. Tandis que son mari unissait ses petites économies aux siennes et envisageait un voyage de noces à Paris – destination fabuleuse pour de petits paysans bretons qui ne connaissaient même pas La Rochelle ni l'île de Ré, pourtant berceau maternel de la jeune épousée –, celle-ci décida d'un voyage d'une autre envergure. Il s'agissait de traverser l'Atlantique et de rejoindre le frère aîné de son mari qui avait émigré plusieurs années auparavant aux États-Unis où il avait fondé une laiterie dans la région des Grands Lacs. Les quelques lettres qu'Yves en avait reçues indiquaient le lieu et l'État : Saint-Paul, Minnesota. Saint-Paul était situé sur le Mississippi, à proximité du lac Supérieur, et ne manquait dans ses environs ni de vastes pâturages, ni de clientèle – la ville était en pleine expansion –, ni même d'Indiens dont le territoire commençait sitôt passé le fleuve immense. Yves était un homme tranquille qui aimait ses chevaux et considérait le métier de palefrenier, qu'il exerçait depuis sa sortie de l'école, voilà dix ans, comme le plus beau du monde à condition de le pratiquer dans un cadre familier, c'est-à-dire aux environs de Paimpol. Il était effrayé par la détermination de son épouse que rien ne semblait devoir arrêter dans la réalisation de son projet insensé. Leurs maigres économies étaient loin de suffire à payer le prix d'une traversée transatlantique à bord d'un de ces luxueux paquebots dont les affiches colorées ornaient les murs de Paimpol ou de Rennes. Qu'à cela ne tienne ! Yvonne avait plus d'un tour dans son sac. Elle étudia soigneusement les lettres où son beau-frère donnait des informations sur son voyage, sur les conditions dans lesquelles il avait émigré, et lui écrivit pour avoir de plus amples renseignements. À Paimpol, de vieux pêcheurs qui cabotaient de Brest à Boulogne lui expliquèrent qu'au Havre on trouvait facilement à embarquer pour New York sur l'un des nouveaux navires de la Compagnie générale transatlantique qui pouvaient transporter 1 200 passagers, dont 900 émigrants, et que, depuis bien avant sa naissance, des millions d'hommes et de femmes avaient quitté l'Europe pour tenter leur chance dans ce nouvel Eldorado.

– Ils venaient d'Angleterre, d'Allemagne, de Hollande, et surtout d'Irlande, d'Italie, d'Autriche-Hongrie, de Russie et de Pologne où les juifs étaient persécutés, m'expliquait ma grand-mère. L'année où nous sommes partis, en 1887, quelques semaines après notre mariage, il y avait presque soixante millions d'Américains venus d'un peu partout, mais pas beaucoup de Français, parce que, même si dans nos campagnes bretonnes on était pauvres, on n'était pas malheureux. Mais je voulais partir. Ton grand-père était moins aventureux que son frère aîné. Il avait peur de l'inconnu. Je lui ai dit qu'un bon palefrenier, on en avait toujours besoin, et que, sachant très bien faire mon ménage, coudre et cuisiner, je saurais bien me faire employer.

Ces récits tout simples me faisaient rêver. Moi aussi, je voulais découvrir ces horizons nouveaux et je ne connaissais même pas la mer, cadenassée par les ouvrages bétonnés de l'organisation Todt. On était en pleine occupation allemande et approcher les côtes de la Manche était devenu impossible, car de la Norvège au golfe de Biscaye se dressait le fameux « Mur de l'Atlantique », destiné à empêcher tout débarquement anglo-américain.

Jusqu'à notre départ du quartier Bel-Air, il ne se passera pas une semaine sans que ma grand-mère évoquât un aspect de ce voyage, puis de ce séjour aux États-Unis qui, pour moi, devenaient mythiques. Même après notre déménagement près de la place Péreire, mémé Yvonne, à laquelle j'étais très attaché, ne manquera jamais, à chacune de mes visites, d'évoquer la grande aventure de sa vie. À quatre-vingts ans, elle riait comme une enfant au souvenir de cet émigrant dont elle ne comprenait pas la langue, qui, à chaque rencontre sur le pont du navire qui l'emmenait en Amérique, tenait à lui donner l'heure en exhibant la magnifique chaîne de montre qui barrait son gilet mais au bout de laquelle, à la place du chronomètre vendu depuis belle lurette, il avait fixé une pomme de terre ! Elle me racontait le paquebot. Était-ce la *Champagne* ou la *Bourgogne*, elle n'en savait plus rien, mais ce dont elle était sûre, c'est qu'il était neuf, mesurait 155 mètres et que seulement un quart des passagers était des bourgeois aisés qui ne quittaient jamais leur pont confortable – il y avait même l'eau courante dans leurs cabines, ce qui n'existait pas dans la campagne paimpolaise ! –, tandis que les autres ponts appartenaient aux « pauvres », attirés par le rêve américain : liberté, égalité, tolérance. Ceux-là – Yves et Yvonne en faisaient partie – avaient été débarqués dès l'arrivée à New York sur Castel Garden, puis sur Ellis Island, îlot transformé en centre de tri pour les émigrants, tandis que « les riches » toucheraient le sol américain dans le confort de la gare maritime qui abritait les *piers* des grandes compagnies maritimes internationales, au-delà desquels commençait Manhattan. La découverte de la colossale statue de la Liberté, érigée l'année précédente sur l'îlot voisin, avait été le premier grand choc de ce voyage qui n'en fut pas avare. À force d'entendre les récits d'Yvonne, j'avais le sentiment de l'avoir accompagnée dans les longues files d'hommes et de femmes venus de toute l'Europe, et celui de connaître depuis toujours ces chapeaux melon ou ces casquettes, ces fichus, ces valises aussi fatiguées que la figure de ceux qui les portaient, ces vêtements froissés et usés qui étaient comme un uniforme pour ces futurs Américains prospères, attendant avec une infinie patience la vérification de leurs pauvres biens avant de laisser trace de leur entrée au pays de la Liberté dans l'immense *Registry Room* réservé à l'inspection sanitaire et au contrôle de police. Le bruit courait qu'Ellis Island recevait 5 000 personnes par jour ! De New York, ma grand-mère, qui ne connaissait même pas Paris, me raconta le métro aérien qui la faisait sursauter au passage de chaque rame, son étonnement devant la foule compacte, fourmilière où tous se ressemblaient malgré la diversité des pays d'origine, son horreur devant la saleté des bas quartiers de la ville, elle qui était d'une propreté maniaque et que je ne verrai jamais habillée autrement que d'une blouse blanche, mi-infirmière, mi-femme de chambre, et d'une coiffe immaculée, sa hâte de quitter New York aux ruelles sordides, aux chambres d'hôtel ignobles de Bayard Street, seules accessibles à leurs trop modestes moyens.

Le voyage pour le nord du pays où son beau-frère les attendait fut un soulagement. Le Minnesota, c'était à nouveau la campagne saine, à l'air aussi pur qu'à Paimpol. Le couple y retrouvait les vaches familières, les soins à prodiguer aux animaux, la laiterie et ses impératifs, les mêmes de part et d'autre de l'Atlantique. Mais ma grand-mère avait d'autres ambitions que d'être l'employée de la famille de son mari. Elle se fit bientôt engager comme femme de chambre dans un hôtel de Saint-Paul et dénicha pour Yves l'emploi qui lui permettrait de retrouver ses chers chevaux : cocher-palefrenier dans le même établissement.

– On a tout de suite très bien gagné notre vie, car nous étions propres, sérieux et travailleurs, me dira non sans fierté mémé Yvonne, un demi-siècle plus tard. Appréciés par la direction de l'hôtel – des protestants stricts et rigoureux qui se réjouissaient de nous voir aller à l'église tous les dimanches –, logés et nourris, nous avons fait de bonnes économies. Le gouvernement nous a donné quelques terres que nous avons complétées par des terrains achetés à très bon prix.

C'était l'époque où l'on parlait encore de la *frontière*. La ruée vers le Pacifique n'était pas terminée, et une frontière mobile avançait chaque année vers l'Ouest où, en allant à l'extrême pointe, tout homme devenait son propre maître et le propriétaire des terres qu'il touchait. Lorsque mes grands-parents arrivèrent à Saint-Paul de Minnesota en 1887, la *frontière*, frange mouvante entre la civilisation et la friche, touchait à sa fin. La période où la loi avait accordé cent soixante acres de terre (soixante-quatre hectares) à tout émigrant était terminée. S'il restait encore des terres libres dans l'immense territoire situé entre les montagnes Rocheuses et le Missouri, elles se distribuaient avec plus de parcimonie. C'est ainsi que, poussé par Yvonne, Yves avait acheté des terres de complément à proximité de Saint-Paul et de sa ville jumelle, Minneapolis.

– Je m'étais bien habituée aux Indiens dont le territoire ne commençait pas très loin de chez nous, à l'ouest du Mississippi, un fleuve magnifique qui naît dans le Minnesota, racontait mémé Yvonne, mais les Nègres... La première fois que j'en ai vu un, c'était près de l'hôtel, il sortait d'un petit bois tout proche. À Paimpol, je n'avais jamais vu d'hommes noirs. Sur le bateau, il n'y en avait pas et je n'en avais pas vu lors de notre bref passage à New York. Quelle peur j'ai eue ! Je savais que ça existait, mais en le voyant, j'ai imaginé qu'il venait de l'enfer !

Je serais né américain si mon grand-père, sur un coup de tête, après moins d'un an de séjour à Saint-Paul, n'avait décidé de revenir en France, à la grande fureur d'Yvonne, car le motif de ce départ précipité était d'une futilité ahurissante. Yves ne s'était pas habitué au whiskey et le vin rouge qui, en France, accompagnait ses repas, lui manquait cruellement ! En outre, il avait très mal supporté le froid qui s'abattait sur la région des Grands Lacs de novembre à février, au point que, dans le centre-ville, des tunnels de planches soigneusement calfeutrés permettaient de passer d'un commerce à l'autre sans avoir à sortir. Aujourd'hui, ce sont des « ponts de cristal » qui, enjambant les principales artères de Downtown, unissent les centres commerciaux entre eux. Colère, supplication, rappel de l'existence du terrain de Clifton Addition, lot 16, Black 1, enregistré comme étant la propriété de M. Yves Préjean *(sic)*, et qui concrétisait un début de réussite sociale : rien n'y fit. Yves était un très brave homme, mais il était têtu. Et nul n'est plus difficile à convaincre qu'un Breton têtu, adjectif qui, accolé à la province d'origine, relève du pléonasme ! Si ma grand-mère ne parvint pas à faire revenir son mari sur une décision qui ruinait ses espérances, elle en obtint pourtant de ne pas rentrer à Paimpol, mais de s'installer à Paris. Pour se loger à bon compte dans une ville dont les loyers lui paraissaient exorbitants, elle accepta de tenir une loge de concierge, 28, boulevard de l'Hôpital, à proximité de la gare d'Austerlitz, tandis que son mari trouvait une place de palefrenier-cocher à la laiterie Maggi où, jusqu'à sa mort subite en 1929, il partagea son temps entre la livraison matinale des bidons de lait aux crémiers de quartiers et les soins apportés aux chevaux. C'en était bien fini du rêve américain à peine entr'aperçu ! Les Prigent rentraient dans le rang en venant grossir la masse innombrable des « petites gens » de la capitale.

Yves avait retrouvé son vin rouge et Yvonne ne lui parla jamais plus du terrain qu'ils possédaient toujours entre Saint-Paul de Minnesota et Minneapolis. Pourtant, on allait encore rechercher longtemps les propriétaires du lot 16 Black 1 à Clifton Addition. Quatre ans après le retour en France, F. C. Boucher, agent consulaire français à Saint-Paul, retrouva la trace d'« Yves Préjean », mais mes futurs grands-parents avaient quitté la loge du boulevard de l'Hôpital pour s'installer dans les mêmes fonctions à un jet de pierre de là, 32, rue Poliveau, où naîtra ma mère en 1898. Par négligence, ils étaient partis sans laisser d'adresse, et la lettre du diplomate français leur conseillant vivement de payer les taxes et impôts afférents à leur terrain – soit 5 dollars et 4 cents à faire parvenir d'urgence à l'agent du Trésor du comté de Ramsey – fut retournée à l'envoyeur, *via* New York, où elle parvint le 20 avril 1892 alors que les compagnies de chemin de fer en construction offraient un bon prix de ces terres encore disponibles. Ma grand-mère connaîtra le fin mot de l'histoire un quart de siècle plus tard, en 1922, grâce à l'un de ses gendres, Don Camilo Ricart, un journaliste espagnol de Bilbao qu'avait épousé sa fille aînée, Claire, et qui avait mené son enquête *via* le Consulat d'Espagne à Chicago. Le terrain en question, propriété d'Yves Prigent en 1887, avait été déclaré vacant, faute qu'en eût été régularisée la situation fiscale... Le fonctionnaire créancier l'avait cédé à la compagnie de biens immobiliers Saint Paul Realty and Assets Company. Des annonces avaient été passées par voie de presse dans le Minnesota et en France jusqu'en 1916, mais mes grands-parents, trop occupés à survivre par ces temps difficiles, et soucieux de la santé de leur quatrième enfant, Léon, qui, à vingt-deux ans, se battait dans l'armée de Verdun, ne lisaient des journaux que les articles consacrés à la guerre.

– On aurait pu être riches, soupirait mémé Yvonne en me contant l'histoire de ses terres du Minnesota. Mais le bon Dieu ne l'a pas voulu. Et puis, sans doute qu'on n'avait pas l'âme de « proprios » !

Le 4 septembre 1918, alors que la Première Guerre mondiale n'était pas encore terminée, un M. Joseph C. R. Jungmann acquit auprès de la Saint Paul Realty and Assets Company son titre de propriété sur les terrains de M. Yves Prigent, « celui-ci ayant perdu tous droits pour n'avoir pas répondu à l'action intentée par le tribunal du comté de Ramsay pour non-paiement d'impôts ».

Ma brave grand-mère n'avait guère d'autres choses à raconter sur une longue vie de labeur que cette histoire de voyage en Amérique et de terres perdues par négligence, mais qui, à ses yeux, avaient le parfum des horizons lointains. « On ouvre les atlas… on répète les noms magnifiques des villes inconnues… » Sur la carte du continent américain, Saint Paul, Minnesota, rejoignit deux noms qui me fascinaient depuis l'enfance et que mon métier tout neuf de journaliste me permettrait de découvrir un jour : Valparaiso et Pernambouc. Deux lettres jaunies au tampon du French Consular Agent et du Consulado de España en Chicago, enfermées avec quelques pièces de cinq francs en argent dans une boîte d'acier bruni qui l'avait suivie toute sa vie, constituèrent tout l'héritage de mémé Yvonne qui, par ses récits, m'avait insufflé en outre le démon de l'aventure.

J'allais y répondre bientôt, au-delà de toute espérance.

3

Sacha, Georges et les autres

Tout à l'enthousiasme d'un métier qui, chaque jour, me plaisait davantage au point de lui sacrifier repos hebdomadaires et vacances, je savourais chacun des instants passés avec une équipe dont les membres étaient devenus ma seconde famille. C'était une joie sans mélange de savoir se retrouver chaque matin en ignorant ce que la journée allait nous apporter. Le soir, l'indicatif « envoyé », nous avions toutes les peines du monde à nous séparer et refaisions inlassablement la critique de l'émission du jour, que suivaient des digressions sans fin entre hommes passionnés, autour du bar de la mère Élie. Celle-ci, à l'imposante silhouette rivée à la caisse, tenait l'« annexe » de Radio-Luxembourg d'une main de fer, efficacement secondée par sa fille Odette, aussi charmante et affectueuse que sa mère était rogue. Toutes les vedettes qui passaient aux studios l'adoraient. Elle-même avait une très jolie jeune fille, Monique, qui passait parfois rue Bayard. Elle était technicienne dans le cinéma où on la disait douée – elle obtiendra quelques décennies plus tard le César du meilleur montage – et n'avait qu'un défaut que lui reprochaient plaisamment tous les habitués : être déjà mariée !

Le climat qui régnait entre nous et notre rédacteur en chef était tel que, même le dimanche et si nous n'étions pas de permanence, nous vivions autour d'Armand Jammot en une sorte de phalanstère. Nos rares parties de campagne auxquelles, divorcé, il mêlait ses enfants, devenus pour nous des petits frères et sœurs, ne dépassaient jamais Marly-le-Roi et, en cas d'événements graves, le journaliste de garde savait toujours où nous joindre. Un mercredi de juillet, tandis que j'assurais la permanence de midi et que mes confrères déjeunaient, je reçus l'appel d'un auditeur dont je ne retins pas le nom.

– J'habite au Champ-de-Mars près de l'hôtel particulier de Sacha Guitry, 18, avenue Élisée-Reclus. Il y règne depuis ce matin une certaine agitation. Des allées et venues nombreuses, bien que chacun sache que monsieur Guitry est très souffrant. Tout à l'heure, on a apporté des fleurs. Il doit s'être passé quelque chose de grave.

Bien que le téléscripteur n'annonçât aucune funeste nouvelle, je décidai de vérifier sur place l'information, laissant la permanence au stagiaire dernier arrivé.

Depuis l'adolescence, j'entretenais une certaine familiarité intellectuelle avec Sacha Guitry dont ma mère était une fervente admiratrice au point que, dans sa petite bibliothèque, *Mon père avait raison* voisinait avec *Corps et âmes* de Maxence van der Meersch et avec *L'Imitation de Jésus-Christ* ! Au cinéma du samedi soir, j'avais vu – et apprécié comme la majorité des spectateurs – les deux grosses machines qu'étaient *Si Versailles m'était conté* et *Si Paris nous était conté*, mais surtout *La Poison*, dont j'avais adoré l'humour acide, et *Ceux de chez nous*, cette petite merveille de moyen métrage – à peine quarante-cinq minutes – projetée probablement au Cinéac-Ternes, salle aujourd'hui disparue, comme toutes celles du quartier, qui ne présentait pas de grands films mais composait son programme de bandes d'actualités, de documentaires de qualité et de dessins animés. J'y avais découvert en mouvement des visages que je ne connaissais que figés dans les dictionnaires. Tous proches du père de Sacha, l'illustre acteur Lucien Guitry, artistes que le tout jeune homme avait eu le génie de filmer tout en devenant à son tour leur ami : Rodin, Rostand, Sarah Bernhardt, Saint-Saëns, Renoir, Claude Monet et bien sûr Lucien Guitry avec qui il s'était réconcilié après une brouille de treize années. Il y avait même ajouté Degas, filmé à la sauvette, qui n'était l'ami ni du père ni du fils, parce qu'il ne l'était de personne, mais n'en était pas moins un pur génie de la peinture impressionniste.

À l'époque de mes quinze ans où l'on écoutait encore, réunis autour du « poste », pièces radiophoniques et évocations littéraires rendues passionnantes grâce aux voix d'or de Pierre Divoire, Claude Dufresne ou Jean Topart, j'avais suivi en famille, mais dans le silence le plus respectueux, la grande série d'entretiens avec Alex Madis que Radio-Luxembourg avait programmée pendant deux mois en hommage à Sacha Guitry, qui fêtait alors ses noces d'or avec le théâtre. Arrivant avenue Élisée-Reclus, je n'étais donc pas en terrain totalement inconnu. À l'ombre de la tour Eiffel, la voie était d'une tranquillité qui touchait à la sérénité. Nulle agitation à la porte de l'hôtel particulier, pas même un passant devant le 18 de cette rue discrète. Ne cherchez plus aujourd'hui la demeure de l'auteur dramatique le plus célèbre, mais aussi le plus critiqué de son temps : elle a disparu au début des années soixante, victime de promoteurs tentateurs auxquels n'aura su résister la dernière Madame Guitry, Lana Marconi, qui, après Charlotte Lyses, Yvonne Printemps, Jacqueline Delubac et Geneviève de Séréville, partagea la vie et un peu – très peu – de la gloire du grand homme.

Après un instant d'hésitation, ajustant la courroie de mon Nagra sur l'épaule comme on resserre son nœud de cravate pour se donner un peu d'assurance, je me décidai à sonner. Un homme, à peine mon aîné, taille moyenne, rasé de frais et fort élégant, vint m'ouvrir. Je me présentai et, restant dans le vague, je lâchai :

« J'ai appris que Monsieur Sacha Guitry...

– Vous savez déjà ? Vous êtes le premier... Oui, il est mort cette nuit. À quatre heures du matin. Je suis son secrétaire. Si vous voulez bien me suivre... »

C'est ainsi que je croisais dans ces pénibles circonstances Stéphane Prince qui, à vingt-huit ans, était l'homme qui connaissait le mieux les dernières années de Sacha Guitry. Il était arrivé en 1951, avenue Élisée-Reclus, chargé par la télévision française encore balbutiante de réaliser un documentaire sur la célèbre collection de tableaux et d'objets précieux que l'auteur dramatique avait héritée de son père, puis complétée avec le goût le plus sûr qui soit. Séduit par les connaissances du jeune homme dans ce domaine, Sacha qui, d'autorité, l'avait appelé « mon Petit Prince », l'avait retenu pour en faire son secrétaire particulier. Je n'apprendrai ces détails que trois décennies plus tard, lorsque Prince, qui mettait ses immenses connaissances au service des plus grands éditeurs parisiens, vérifiera avec une remarquable méticulosité le texte de la biographie que je consacrerai chez Plon à Roger Vailland. Pour l'heure, après avoir franchi le hall ovale du rez-de-chaussée, il me fit gravir l'escalier de marbre rose qui conduisait au premier et unique étage de l'hôtel particulier. Lucien Guitry l'avait fait construire sur un terrain arraché au Champ-de-Mars grâce aux cachets rapportés par une tournée théâtrale en Amérique du Sud. Sacha l'occupait avec ses femmes successives depuis trente ans. L'escalier, dont la courbe faisait honneur à l'architecte qui l'avait conçue, supportait, magnifiquement encadrés, un Vuillard, deux Matisse, quelques Utrillo et, surprenant dans cet échantillonnage de peintres modernes, une toile de facture flamande dont j'apprendrai qu'elle était due à

Nicolas Largillière, artiste parisien du XVIIIe siècle dont j'ignorais jusqu'au nom, ce qui me fit toucher du doigt mes lacunes en la matière, moi qui croyais aimer la peinture autant que le jazz !

À l'étage, Stéphane Prince s'effaça pour me laisser pénétrer dans le salon qui faisait également office de cabinet de travail et dont les fenêtres ouvraient sur le Champ-de-Mars. Sur le vaste bureau recouvert de cuir rouge, comme la plupart des meubles du XVIIIe qui ornaient la pièce, des piles de livres, des monceaux de papiers, le large panama clair popularisé par les dernières photos du maître parues dans les magazines, les lunettes aux branches dépliées comme s'il venait de quitter la pièce, et, sur les murs, le musée qu'annonçait l'escalier. Cézanne y voisinait avec Van Gogh, Manet avec Modigliani, Toulouse-Lautrec avec Gauguin, Renoir avec Rouault, Vlaminck et Suzanne Valadon avec Monet, sans oublier quelques « petits » bronzes de Degas, de Daumier et de Rodin, et en y ajoutant en prime une colombe de Picasso ! La chambre mortuaire se trouvait dans la pièce contiguë à ce « petit Louvre » dont Sacha Guitry avait ouvert les portes au public cinq ans auparavant, moyennant un droit d'entrée de mille francs (en 1952, la France vivait encore sous le régime des anciens francs) pour combler un trou laissé dans la caisse de la Société des auteurs par quelques administrateurs imprudents. La visite, guidée par Henri Jadoux, éditeur et maquettiste de grand talent, le meilleur ami et futur co-exécuteur testamentaire de Guitry, et par Stéphane Prince, avait rapporté 1 794 000 francs, somme que Sacha avait arrondie aux 2 000 000 manquants dans la caisse. Preuve de la générosité de l'auteur dramatique à l'égard de collègues nécessiteux ! Celui-là même que d'aucuns taxaient de pingrerie en rappelant fielleusement les ardoises qu'il laissait volontiers chez certains de ses fournisseurs, tout comme dans les bureaux du fisc… Une certaine presse s'en donnait à cœur joie dans la calomnie, puisqu'il avait l'immense tort d'être adulé par le public dit « populaire », et honoré par les plus hautes autorités de la République après avoir été vilipendé à la Libération par des concurrents jaloux. On l'aimait ou on le détestait avec une égale vigueur. Moi, je l'aimais.

– Venez, me dit Stéphane Prince après m'avoir livré quelques renseignements sur le « musée ». Il est là.

Le visage amaigri à la suite des multiples maux qui le faisaient atrocement souffrir depuis plusieurs années – polynévrite, ulcère, troubles cardiaques, dermatose qu'il dissimulait sous une courte barbe – Sacha gisait sur le grand lit auprès duquel veillaient les fleurs et les fruits qu'il adorait et qui avaient inspiré ses peintres préférés. Auprès de ces chefs-d'œuvre – il disait en posséder plus de soixante ! –, c'étaient les fleurs fraîches des premières gerbes parvenues dans la matinée qui paraissaient artificielles...

Stéphane Prince avait revêtu le corps du frac des grandes premières. Sur la chemise à plastron immaculé éclatait le rubis de la cravate de Commandeur de la Légion d'honneur

Je remarquai la curieuse découpe des escarpins vernis, et m'en étonnai.

– Ce sont ceux que Monsieur Guitry portait lorsqu'il a joué en scène pour la dernière fois, précisa le secrétaire. Il avait les pieds si enflés qu'il a fallu couper le cuir. Même pour les grandes premières de gala auxquelles il a encore assisté à l'Opéra, pour *Napoléon* ou même *Si Paris nous était conté...*, il ne pouvait déjà plus marcher. Il s'est fait porter assis, de sa voiture à sa loge, par des laquais.

Depuis quelques instants, le téléphone ne cessait de sonner. Stéphane Prince sortit précipitamment, me laissant seul face au corps d'un homme que j'admirais et que j'aurais tant voulu rencontrer de son vivant. Je ne sais combien de temps je restai là, immobile, sans exploiter le moins du monde le fait que j'étais le premier journaliste à avoir appris une disparition qui, dans quelques heures, allait faire la une de tous les journaux. Mon trouble était tel que j'en oubliai mon reportage. Par bonheur, l'époque des « flashes » sur les radios périphériques n'était pas encore advenue. J'avais jusqu'au soir pour raconter cet après-midi exceptionnel.

Le retour du secrétaire me fit reprendre mes esprits.

– Voulez-vous faire quelques photos ? me dit-il en regardant la sacoche de cuir de mon magnétophone.

– Non, merci. Je travaille pour la radio.

– Alors, faites ce que vous avez à faire. Moi, je dois mettre un peu d'ordre dans la maison. Le défilé va commencer. Il avait tant d'amis…

Je pris quelques notes sur le décor exceptionnel dans lequel avait vécu et était mort Sacha Guitry. D'ordinaire, et selon la règle de l'époque qui réclamait des « échos sonores », j'enregistrais le plus possible d'éléments sur les lieux où m'amenait l'événement que j'étais chargé de « couvrir » afin que l'auditeur fût sensible à l'ambiance qui régnait sur les lieux aussi bien qu'à l'émotion que je ressentais. Cette fois, je transgressai la règle. Il m'était impossible de parler, d'enregistrer seul face à ce mort. Je m'éclipsai discrètement, écrivis mon papier sur le guéridon d'un bar-tabac de l'École militaire, et profitai de la proximité du studio d'un ami pour lui demander l'hospitalité de sa salle de bains. C'est là, entre le bac à douche et le lavabo, que j'enregistrai mon reportage *in situ* – Jammot préférait « sur le tas », mais, ce jour-là, l'expression était mal venue ! Selon mes prévisions, le carrelage donna à ma voix une résonance, une profondeur et une gravité qui seyaient à la situation, mais que l'âge me refusait encore. Le reportage très évocateur fit l'ouverture de *Dix Millions d'auditeurs* et contribua à m'établir une gentille réputation. Jamais je ne devais avouer ma « mise en ondes ». N'était-il pas normal d'en faire à la radio ? Après tout, je l'avais vu, Sacha, sur son lit de mort, dans l'hôtel particulier que lui avait légué ce « père qui avait raison », et où il avait passé plus de la moitié de sa vie. J'étais même resté seul à seul avec lui, et sans ternir le souvenir d'une rencontre inoubliable. Bien plus tard, mon ami Christian Millau assura[1] que jamais Stéphane Prince n'avait revu Lana Marconi, la dernière Madame Guitry, dont Sacha, prémonitoire, aurait dit, au moment de lui passer la bague au doigt, le jour de leur mariage : « Voici donc ces mains sublimes qui me fermeront les yeux et ouvriront mes tiroirs ! »

Toutes les rencontres que me procurait mon métier ne se déroulaient pas dans des circonstances aussi dramatiques, et, bien souvent, lors de la conférence du matin, je les provoquais, trop heureux de mêler intérêt journalistique, curiosité et désir personnel de me frotter à tel ou tel héros de l'actualité. C'est ainsi que je proposai, l'année de mes débuts, un entretien avec Georges Brassens, que j'appréciais depuis sa révélation Chez Patachou, puis aux Trois Baudets de Jacques Canetti. Son succès phénoménal était devenu tel qu'après des débuts difficiles sur disques Polydor, où Canetti l'avait imposé, Philips, qui pressait les microsillons de la petite marque, avait dû lui consacrer exclusivement une unité de gravure à l'usine ultramoderne de Louviers, pour l'inauguration de laquelle la firme avait rempli, au départ de la gare Saint-Lazare, un train entier d'invités prestigieux. Les deux vedettes en étaient Jacques Brel et Georges Brassens. Je connaissais le premier pour l'avoir souvent rencontré à Montmartre en compagnie du chanteur François Deguelt, avec qui je m'étais lié d'amitié au bar de la mère Élie, rue Bayard. Les deux jeunes artistes se produisaient au Tire-Bouchon, rue Poulbot, et Chez Plumeau, place du Tertre, modestes cabarets de la Butte mais qui constituèrent pendant plus d'une décennie un appréciable tremplin pour les talents les plus divers. Après quatre ans à courir le cacheton en se nourrissant de

1. In *Paris m'a dit*, De Fallois, 2001.

jambon-beurre, Jacques Brel commençait cette année-là une carrière exceptionnelle en interprétant sa première grande chanson, *Quand on n'a que l'amour*, en ouverture du spectacle de l'Alhambra dont je ne me souviens plus qui était la vedette. L'année suivante, ce serait l'Olympia, et la vedette, Philippe Clay. Quant à François Deguelt, qui chantait alors *Jonathan* et *Le Petit Bal de la marine* en attendant d'écrire quelques années plus tard le tube de l'été 1964, *Le Ciel, le soleil et la mer*, aujourd'hui encore dans toutes les mémoires, il était, avec Marcel Amont et Patachou, l'un des protégés des *Trente-Six Chandelles* de Jean Nohain. Avec sa belle gueule, sa voix chaude et magnifiquement travaillée – il était fils d'un chanteur d'opéra –, il séduisait aussi bien le public féminin que masculin, et venait d'obtenir le grand prix de l'Académie Charles-Cros. De trois ans mon aîné, il s'était lancé, comme j'aurais dû le faire si j'avais suivi mon inspiration première, dans le circuit des boîtes de nuit et de la vie de bohème dès le début des années cinquante. Sur Radio-Luxembourg, il animait fréquemment, de toutes les facettes de son talent, *Bon après-midi*, une nouvelle session de quatre heures en direct, confiée chaque jour à un présentateur différent qui en prenait la totale responsabilité, de la programmation des disques jusqu'à l'engagement des vedettes. C'était, dans le domaine des variétés, la réponse de l'antenne populaire au bouleversement de style apporté par Europe n° 1, tout comme *Dix Millions d'auditeurs* – qui se transforma à l'automne de cette année-là en journal complet diffusé midi et soir – l'était dans le domaine de l'information. *Bon après-midi* se voulait « l'assurance d'une nouvelle jeunesse pour la doyenne des stations privées », selon les termes de Jean Luc, directeur de l'antenne luxembourgeoise, grand spécialiste de la radio et de la télévision – il était le créateur de la Telma (télévision marocaine) –, qui, selon son ami Armand Jammot, avait la carrure et toutes les qualités nécessaires pour contrer les initiatives de Louis Merlin à Europe n° 1.

La guerre des ondes battait son plein et j'avais la chance d'en être l'un des voltigeurs. Je n'étais pas le seul.

Pour aider les animateurs des *Bons après-midi* à « tenir » durant les quatre heures du programme, Jean Luc avait fait appel à des jeunes gens talentueux qui avaient à peine vingt-cinq ans, parmi lesquels certains allaient faire une carrière prestigieuse, comme Paul Giannoli et Juliette Boisriveaud. Après avoir prêté sa plume et ses idées à ceux qui « parlaient dans le poste », Paul Giannoli, reporter à *Paris-Presse*, futur directeur de la rédaction de *Elle*, du *Journal du dimanche* et de *Télé 7 Jours*, allait passer de l'autre côté de la barrière pour créer l'événement et passionner bientôt les auditrices de Radio-Luxembourg en suscitant pendant douze semaines les confidences de Brigitte Bardot dans la rubrique *L'Amour en question*. Jamais la star ne se sera livrée devant un micro aussi librement qu'avec Giannoli. Quant à Juliette Boisriveaud, dont les animateurs se disputaient la présence et les textes – elle était fort jolie et écrivait à ravir des interventions sur mesure – elle sera la créatrice et pendant longtemps la directrice de la rédaction de *Cosmopolitan*, dernière-née, sur le modèle américain, des publications féminines du groupe Prouvost *(Paris-Match)*, avant de devenir celle de *Marie-France*, mensuel féminin et familial du groupe Amaury *(Le Parisien libéré)*. C'est dire si Jean Luc avait le nez creux dans le choix de ses collaborateurs, même occasionnels. Je m'entendais à merveille avec ces derniers, d'autant mieux que nous n'étions pas concurrents, mais qu'ils s'intéressaient à l'information comme moi je m'intéressais toujours aux variétés. Nous nous retrouverons, nous nous croiserons et recroiserons, toujours avec le même plaisir, en évoquant ces jours heureux, tout au long de quelque quarante-cinq ans de vie professionnelle.

Je crois bien que Paul et Juliette étaient du voyage à Louviers au cours duquel je devais faire la connaissance de Georges Brassens, grâce à Jacques Brel qui voyait en moi le copain de François Deguelt et non le journaliste de *Dix Millions d'auditeurs*. C'est pourtant à ce titre que je me présentai à Brassens, dont je connaissais toutes les chansons et dont *La Première Fille*… restait pour moi à jamais liée au souvenir de Raphaëlle, toujours présente dans ma mémoire. Brassens n'avait pas la réputation d'apprécier énormément les journalistes. Disons que, contrairement à nombre de ses confrères, il ne faisait pas plus d'efforts pour les séduire qu'il n'en faisait sur scène pour établir une étroite complicité avec le public. « Je suis comme je suis, et vous me prenez tel que je suis », semblait-il dire avec un demi-sourire derrière son épaisse moustache. Mais, dans le tohu-bohu de l'inauguration de l'usine où se pressaient les disques vinyle – 33 et 45 tours étaient apparus quatre ans auparavant, rendant obsolètes les fragiles 78 tours de mon adolescence –, la première poignée de mains échangée sous l'égide de Brel, je découvris un Brassens dont l'apparence chaleureuse démentait la réputation d'ours mal léché que lui avaient ciselée certains de mes confrères. Pourtant, je me rendis compte, à travers le jeu des questions-réponses qui devaient émailler mon reportage, que cette passive bonhomie restait superficielle. S'il acceptait toutes les questions, Brassens répondait seulement à celles qui lui convenaient. Ce n'était ni le lieu ni le moment de tenter de franchir la barrière qu'il avait établie. D'autant moins que je projetais un reportage plus conséquent. Je voulais parler de son œuvre avec le poète dans son environnement familier, chez cette Jeanne qui l'avait recueilli pendant la guerre, quand il s'était évadé du STO, et chez qui, malgré le succès, il habitait toujours. L'entreprise était osée, tant Brassens savait préserver sa vie privée et le noyau de ses amis fidèles, tous inconnus du grand public à l'exception de René Fallet, romancier, scénariste notamment de

Fanfan la Tulipe et de *Porte des Lilas*, que René Clair venait de mettre en scène. Je savais aussi que la fidélité de Brassens ne se limitait pas à ses amis, mais s'étendait à ceux avec lesquels il était amené à travailler et qui s'étaient révélés ses alliés aux heures difficiles des débuts. Malheureusement, Radio-Luxembourg n'était pas de ceux-là : l'irruption, sur les ondes dotées d'une clientèle familiale, d'un *gorille* en rut ou de robustes paysannes se colletant avec une escouade de gendarmes au marché de Brive-la-Gaillarde, était proprement impensable ; d'autant moins qu'au cours de cette *hécatombe* sans précédent dans la chanson française, l'une « Fourre avec rudesse / Le crâne d'un de ces lourdauds / Entre ses gigantesques fesses / Qu'elle serre comme un étau », tandis qu'une autre, « Ouvrant son corsage dilaté / Matraque à grands coups de mamelles / Ceux qui passent à sa portée » ! Lucien Morisse, le jeune responsable des variétés d'Europe n° 1, avait osé ce qui révulsait un Gilbert Cesbron, et *Le Gorille* et *Hécatombe* avaient ainsi obtenu le droit de passer sur les ondes rivales ! Quelques mois plus tard, devant le succès remporté auprès du grand public qui évoluait plus vite que ses stations préférées, la Radio nationale française, puis Radio-Luxembourg avaient fini par accorder leur visa à ce chantre de la chanson paillarde qui n'en oubliait pas pour autant de célébrer avec la plus raffinée des poésies *Les Sabots d'Hélène* ou le grand cœur de *L'Auvergnat*.

En 1962, je revivrai pareille mésaventure avec Claude Nougaro dont j'avais apprécié le talent, toujours à Montmartre, mais au Lapin agile, cette fois. J'avais été enthousiasmé par la modernité de ses dernières œuvres, en particulier *Une petite fille*, magnifique poème d'amour sur une musique de Jacques Datin, arrangée par Michel Legrand, jeune chef d'orchestre et compositeur bientôt célèbre dans le monde entier grâce au succès des *Parapluies de Cherbourg*. Je l'admirais pour la couleur jazz-cool donnée aux orchestrations qu'on lui commandait. Je n'avais eu aucun mal à écrire pour *Pilote*, magazine mensuel créé par Radio-Luxembourg à l'instigation de René Goscinny – collaborateur du service de presse et scénariste de la bande dessinée qui avait inventé en 1959, avec le dessinateur Albert Uderzo, le personnage d'*Astérix le Gaulois* –, le premier grand papier consacré au « Petit Taureau », comme tout le monde de la chanson allait bientôt surnommer Nougaro. Faire passer le disque – un 25 cm microsillon – sur les antennes de 1962 se révélera moins aisé. On me l'accordera comme une faveur – car, depuis mes débuts, j'avais acquis une certaine notoriété –, mais amputé d'un mot qui ne pouvait être prononcé sur une antenne aussi bien pensante. C'est ainsi que pour son premier passage, *Une petite fille* dira : « Une petite fille en pleurs / dans une ville en pluie / où est-elle nom de Dieu ? / Me voilà comme un (...) / place de la Concorde / Ça y est je la vois... » Hé oui ! La direction des programmes, si elle avait accepté le « nom de Dieu », avait ordonné le coup de ciseaux qui, sur la bande magnétique, supprimait la syllabe honteuse ! À sa décharge, le mot ne figurait alors ni dans le Littré, ni dans le Robert, ni dans le Larousse où il ne devait apparaître que des années plus tard sous la définition : « *Con*, n. m. Pop. Sexe de la femme. C*on*, *conne*, adj. et n. Pop. D'une grande stupidité. » On croit rêver devant une attitude directoriale qui était alors pourtant fort courageuse puisque, durant les cinq années que je venais de passer en Algérie en proie à la plus atroce des guerres, jamais un seul de mes reportages n'y avait été censuré !

Retour en arrière... Tout en sachant que Georges Brassens accordait toujours – et pour les raisons que nous savons – une priorité à Europe n° 1, je profitais de notre rencontre à Louviers et du climat de sympathie qui s'était instauré entre nous pour m'ouvrir de mon projet d'interview chez Jeanne, impasse Florimond. Prononcer ces deux noms, c'était déjà commettre une intrusion dans sa vie privée. Je redoutais sa réaction. Elle se borna à un laconique : « On verra », mais accompagné d'une présentation en règle à Pierre Onteniente, dit « Gibraltar », un bon pépère à lunettes, fonctionnaire des Contributions, connu dans les années quarante au Service du travail obligatoire (STO). Ce dernier devait son surnom à sa ressemblance à un roc – tant sur le plan moral que physique – qui lui valait aujourd'hui de jouer le rôle d'homme de confiance, imprésario, secrétaire, détenteur de l'agenda et du carnet de chèques du chanteur devenu en quelques mois l'un des chouchous du public français. Les numéros de téléphone échangés – Onteniente filtrait soigneusement demandes et propositions diverses –, j'avais tous les éléments nécessaires pour réaliser dans les semaines à venir l'entretien dont je rêvais. Je pris un rendez-vous assez rapproché pour ne pas me faire oublier.

La minuscule impasse Florimond s'encastrait dans la rue d'Alésia, au cœur du quartier Plaisance, alors le plus vétuste et délabré du XIVe arrondissement, à deux pas de l'épouvantable passage du Progrès *(sic)* dont le ruisseau tenait encore lieu de tout-à-l'égout ! L'impasse ne valait guère mieux que le passage. La demeure à un étage couverte de tuiles mécaniques où la Jeanne de la chanson avait caché un Brassens en rupture de STO ne ressemblait en rien aux pavillons de pierre meulière qui avaient poussé à la périphérie parisienne comme champignons après l'averse, et que leurs locataires ouvriers avaient amoureusement entretenus sur l'emplacement des « fortifs ». Celui de la Jeanne présentait une façade délabrée, écaillée, pour tout dire lépreuse, protégée par une grille rouillée délimitant une courette qui tenait de la basse-cour – la désormais célèbre *Cane de Jeanne* y figurait en bonne place –, du débarras de grenier, dont un vélo hors d'âge était la pièce maîtresse, et de lieux d'aisances avec sa porte ajourée d'un cœur ! La cabane des water-closets jouxtait celle qui abritait une ménagerie où coexistaient pacifiquement chats, chiens, serins, souris blanches, cochons d'Inde et même un splendide perroquet aux couleurs flamboyantes qui voletait de la courette à la cuisine où il savait retrouver sa cage pour la nuit, non sans avoir salué son maître d'un sonore : « Dodo, Georges ! » Toujours dans le capharnaüm à ciel ouvert de la cour, la « machine à laver » de la maisonnée était constituée de deux grandes lessiveuses et d'un seau remplis d'eau de la dernière ondée posés sur des chaises qui avaient été paillées au siècle dernier.

Maniaque de l'heure, j'étais arrivé exactement à celle fixée. Pierre Onteniente m'attendait derrière la grille. Il me conduisit par un escalier en colimaçon au premier étage, non sans que j'aie pu apercevoir au rez-de-chaussée la cuisine où plusieurs personnes étaient attablées devant des verres de vin rouge. La maison sentait le frichti du midi et le pipi de chat. Quand Onteniente m'ouvrit la porte du bureau, lui aussi minuscule, qui était la pièce à vivre et à travailler d'un des plus célèbres chanteurs français, ce fut pour moi comme un soulagement. Elle était d'une simplicité monacale et d'une propreté suisse, auprès de ce que j'avais aperçu depuis que j'avais franchi la grille de l'impasse. Murs recouverts de lattes de bois ciré ou occupés par plusieurs rayonnages formant une bibliothèque où dominaient les œuvres de poètes lus et relus : Hugo, Francis Jammes, François Villon, le cher Paul Fort, « prince des poètes », admirateur de Brassens qui le lui avait bien rendu en mettant en musique son *Petit Cheval*, ainsi entré dans les cours de récréation « tous derrière et lui devant ». Était-ce l'exiguïté ? Brassens me parut plus grand, plus massif que lors de notre rencontre au milieu de la foule de Louviers. Son mètre quatre-vingts supportait sans mal le quintal qu'affichait sa silhouette. Elle lui valait le surnom de « Gros », qu'il assumait volontiers en homme habitué depuis toujours à affubler ses proches de sobriquets imagés. Ainsi Jeanne, son aînée de trente ans, était-elle devenue « Gros Bidon », par dérision devant ses formes inexistantes. Chez les copains dont il commença à me parler plus volontiers que de lui-même – je m'étais bien gardé, dans un premier temps, de lui coller le micro de mon Nagra sous le nez –, il citait « Corne d'Aurochs » et « Gibraltar » pour les deux amis qu'il avait gardés de l'époque du STO et dont je connaissais déjà le second. Quant à Pierre Nicolas, dit Pierrot, le bassiste qui l'accompagnait et l'accompagnera toute sa vie, il m'expliqua comment il l'avait débauché de l'ensemble Léo Clarens aux Trois Baudets et Chez Patachou où il assurait la partie musicale. Brassens l'appelait « Grippe-chaussettes » depuis le jour où il avait fait disparaître cet accessoire du vestiaire des musiciens, provoquant la fureur de Patachou qui exigeait que ceux-ci soient impeccablement habillés. « Ils sont entrés en scène pieds nus dans leurs chaussures, et j'ai fait porter le chapeau à Pierrot ! » rigolait-il encore, cinq ans après la plaisanterie, pour le plaisir d'un jeune journaliste auquel il faisait oublier ainsi un trac bien légitime. Durant les dix années qui suivirent, j'aurai l'occasion d'interviewer bien des artistes, assez pour constater que les plus grands, les plus talentueux restent aussi les plus coopératifs, les plus modestes, les plus aimables. De plus en plus chaleureux, Brassens, loin de mettre son œuvre en avant, me parla de la Bretagne d'où Jeanne était originaire, et pour laquelle il s'était pris de passion. La conversation prenait un tel tour que je ne résistais pas au plaisir de citer les origines bretonnes de ma grand-mère maternelle et de faire allusion à son odyssée américaine. Quelques minutes plus tard, Brassens, à son tour en veine de confidences, me parla de son admiration de jeune homme, à Sète, pour Charles Trenet dont il connaissait par cœur tout le répertoire.

– Il y avait aussi Reda Caire, ajouta-t-il, mais ce nom ne doit rien vous dire…

Il se trompait. Je lui racontai comment j'avais rencontré le chanteur de charme chez les parents de Raphaëlle. Intime de Gaston Gabaroche, l'un des compositeurs les plus prolifiques du caf'conc' et l'un des préférés de la grande Damia, pour laquelle il avait écrit, parmi deux mille chansons, *La Femme à la Rose*, mon ancien « futur beau-père », profitant d'une tournée de son ami, l'avait invité à déjeuner dans sa demeure familiale en compagnie des deux vedettes du spectacle : Reda Caire, qui avait choisi pour pseudonyme le nom de sa ville natale – il était né sur les bords du Nil et s'appelait en réalité Joseph Ghandhour –, et Francis Blanche, au début d'une formidable carrière d'amuseur et de poète. Le second était encore le faire-valoir comique du premier dont le charme oriental et la voix de velours me laissaient parfaitement indifférent. Velours pour velours, je préférais encore celui qui entourait les cordes vocales d'André Claveau dont les *Cerisiers roses et pommiers blancs* séduisaient toutes les auditrices ! Comme Brassens me disait connaître par cœur les succès de Reda Caire au même titre que ceux de Trenet ou de Ray Ventura et ses « collégiens », je me gardai bien de donner mon avis sur le répertoire du chanteur cairote. Si Brassens l'appréciait, ce n'était sûrement pas sans raison, même si son talent m'échappait.

Il était temps d'en arriver au véritable but de ma visite et de faire tourner la bande magnétique de mon magnétophone. Je ne fis qu'effleurer la légende de Jeanne de Bretagne-la-bonne-hôtesse et de Marcel à qui *L'Auvergnat* devait beaucoup. Brassens me la confirma avec beaucoup de chaleur, non sans ajouter malicieusement que la Jeanne se montrait parfois exclusive dans son amitié, sinon jalouse, malgré la différence d'âge et la présence de son mari. Marcel, la retraite venue, s'occupait plus du renouvellement des bouteilles de « gros-qui-tache », chez le marchand de vin de la rue d'Alésia, que de son épouse qui achevait sans vergogne une soixantaine vigoureuse tout en regrettant que celle de son époux, à peine entamée, se révélât si maigrichonne !

Tout en reconnaissant que la *Chanson pour l'Auvergnat*, qui réunissait Marcel et Jeanne Planche en deux quatrains inoubliables :

« Elle est à toi, cette chanson
Toi l'Auvergnat qui sans façon
M'as offert quatre bouts de bois
Quand dans ma vie il faisait froid.

Elle est à toi cette chanson
Toi l'hôtesse qui sans façon
M'as donné quatre bouts de pain
Quand dans ma vie il faisait faim… »

constituait un remerciement sincère à des êtres simples et généreux qui l'avaient aidé dans des moments difficiles, Brassens ne s'en reprochait pas moins d'avoir forcé la dose dans l'étalage des bons sentiments. C'était pourtant le succès de *Chanson pour l'Auvergnat* qui l'avait propulsé à des sommets dépassant le petit monde du music-hall, pour le statufier vivant dans celui des poètes préférés des Français.

– Cela doit bien vous toucher quand tant de spectateurs vous disent, à la sortie de votre loge, combien les harpies du marché de Brive-la-Gaillarde ou le nombril des femmes d'agents de police les ont fait sourire, mais surtout à quel point l'Auvergnat et sa compagne les ont émus, lui dis-je après avoir parlé de ses sources d'inspiration puisées dans le quotidien.

– Bien sûr, mais que voulez-vous que je réponde à ces braves gens qui me disent : « Monsieur Brassens, on aime bien – ou on n'aime pas – vos chansons. » Il n'y a pas de discussion possible. Et même si j'ai été influencé par leur comportement généreux à l'époque de mes débuts, ce n'est pas directement pour Marcel et Jeanne que j'ai écrit *L'Auvergnat*, contrairement à ce que tout le monde croit… et écrit !

Au début de l'entretien, Brassens s'était tenu derrière la table de ferme qui lui servait de bureau et où, parmi lettres et papiers, trônait un pot à pharmacie dans lequel il puisait de temps à autre assez de tabac pour bourrer placidement sa pipe. Puis, une fois qu'il s'était animé, évoquant quelques événements personnels, il s'était levé et allait et venait, devant ou derrière moi, d'un pas à la fois souple et lourd, telle une bête en cage qui cherche à s'en échapper, prenant bien garde de ne pas écraser de son poids considérable les trois guitares posées par terre contre les livres et qui en avaient fait un interprète malgré lui.

Avant d'accepter de partager avec ses amis du rez-de-chaussée le vin rouge ou la bière qu'il me proposait aimablement, j'osai lui demander non une banale signature sur l'un de ses disques, mais quelques lignes de *La Mauvaise Réputation*. Je commençai ce jour-là une collection d'autographes que je poursuivrai des décennies durant. Elle sera parfaitement subjective, aucunement liée au degré de célébrité des auteurs, mais concernera exclusivement ceux dont j'ai estimé le talent et qui, par leurs œuvres, m'ont apporté émotion et bonheur. De sa fine écriture sans pleins ni déliés, Georges Brassens traça sur la demi-feuille de vélin du Marais que j'avais préparée à cet usage au cas où l'entretien se déroulerait sous des auspices favorables, six vers de la première strophe de la chanson qui, depuis ses débuts, était considérée comme sa carte de visite :

« Au village (sans prétention)
J'ai mauvaise réputation
Je ne fais pourtant de tort à personne
En suivant mon chemin de petit bonhomme.
Mais les braves gens n'aiment pas que
L'on suive une autre route qu'eux. »

Voilà presque un demi-siècle que, protégé par une vitre, cet extrait d'une des chansons les plus fameuses de Brassens orne le mur des différents bureaux que j'ai occupés. Il y a été rejoint au fil du temps par un couplet de *À Paris*, de Francis Lemarque, et un autre des *Moulins de mon cœur*, d'Eddy Marnay, auteurs dont j' estime particulièrement le talent et les qualités d'homme, et par un brouillon de lettre de Victor Hugo au cabinet de dessin Léon Sault qui lui demandait, en septembre 1877, la permission de publier son portrait-charge dans le journal *La Comédie* : « Monsieur, je suis pour la liberté absolue, répondait le poète. Je regrette que mon autorisation soit nécessaire. Il va sans dire que je vous l'envoie et que vous pouvez faire de ma ressemblance ce que bon vous semblera... » Je ne peux mieux définir le jeune homme que j'étais en 1957, auquel j'essaie encore de ressembler, qu'à travers ces quatre sous-verres qui protègent un hymne à la ville où je suis né et dont j'aime jusqu'aux pollutions, une déclaration d'amour à une femme qui « fait tourner de son nom tous les moulins de mon cœur », un hommage à la liberté absolue par l'homme des *Contemplations* qui, en un seul vers, a su si joliment vanter la beauté d'un corps féminin : « Tout au monde dit non, la nudité dit oui », pour finir par le refus anarchiste d'accepter les convenances et tabous d'une société où « les braves gens n'aiment pas que l'on suive une autre route qu'eux »...

Dans la cuisine, cœur de la maisonnée réunie autour de la toile cirée, je fis la connaissance de Jeanne, Marcel, Pierre Nicolas, et celle du perroquet Jacquot dont Brassens sera obligé de reconnaître le véritable sexe du jour où il pondra un œuf ! Accueil chaleureux. Marcel, mince, presque maigre, cheveux clairsemés, petite moustache grisonnante, servait avec générosité le vin rouge « trois étoiles » dont plusieurs litrons déjà vidés traînaient sur la table. Dans son gilet de laine « tricoté main » ouvert sur une chemise de flanelle à carreaux, on l'imaginait aisément à la sortie de l'atelier de carrosserie où il avait passé une vie de peintre au pistolet. Il savourait avec discrétion une retraite bien méritée, agrémentée d'une aisance que le récent succès de Georges Brassens apportait dans le modeste foyer de l'impasse Florimond, qui tenait de la Cour des Miracles autant que de la Maison du bon Dieu. À soixante-six ans, la Jeanne, en blouse de ménage qu'elle n'allait tout de même pas quitter sous prétexte d'une visite étrangère, conservait un reste de coquetterie dans sa façon d'arranger ses cheveux blancs à la finesse exceptionnelle et de couver du regard « son » Georges en qui, malgré son manque d'instruction et de culture, elle avait cru dès que ses premiers poèmes avaient vu le jour. Ce qui ne l'empêchait pas de l'engueuler comme un gosse au moindre prétexte. Même si Brassens ne l'avait pas écrit en pensant uniquement à eux, j'avais devant moi l'original de *L'Auvergnat* et celui de la Jeanne de la chanson, pas très reluisants physiquement, mais si généreux pour le jeune poète fauché à l'époque où « tous les gens bien intentionnés s'amusaient à le voir jeûner… » !

Si j'en avais douté un jour, j'eus à cet instant la certitude que la poésie embellit la réalité dès qu'elle est maniée avec talent par un homme de cœur.

Décidément, au bout de neuf mois d'exercice, je constatais que cette profession m'allait comme un gant. J'y trouvais la preuve que, même autour d'une modeste toile cirée à fleurs, on pouvait faire les rencontres les plus rares.

C'est autour d'une autre toile cirée – à carreaux rouges et blancs, celle-là – que, la même année, je fis la connaissance de celui qui allait devenir mon plus ancien et fidèle ami dans ce métier qui m'avait choisi plus que je ne l'avais choisi : Auguste Le Breton.

4

Monsieur Rififi

De l'immédiat avant-guerre au début des années cinquante le cinéma français n'avait pas fait la part belle aux films policiers. Ceux-ci restaient l'apanage du cinéma américain avec ses inoubliables vedettes qu'étaient, entre autres, Edward G. Robinson, James Cagney, George Raft ou Humphrey Bogart, que j'appréciais particulièrement. Il y avait bien eu quelques chefs-d'œuvre hexagonaux devenus des classiques, comme *Pépé le Moko*, *Les Disparus de Saint-Agil*, *Quai des brumes* et *Quai des Orfèvres*, *Manon* ou *Le Corbeau*, et la rafale des grandes œuvres d'Yves Allégret, *Dédée d'Anvers*, *Une si jolie petite plage* et *Manèges*, sans compter la demi-douzaine réalisée à partir de romans de Georges Simenon, mais il s'agissait davantage de films d'atmosphère plus ou moins glauque que de véritables policiers. On y cherchait en vain une description en profondeur du « milieu » français, pourtant florissant depuis les lendemains de la Libération si l'on en jugeait d'après la lecture des faits divers exploités par la grande presse où les méfaits de Pierrot le Fou, de Mimile Buisson et du « gang des tractions avant » occupaient le haut des colonnes. À partir de 1945, l'arrivée de tous les grands films noirs américains au réalisme impressionnant, tournés depuis cinq ans et évidemment interdits par l'occupant allemand, avait accentué le décalage entre « policiers » américains et français. Le succès des premiers auprès du public prouvait aux producteurs aussi bien qu'aux éditeurs qu'il y avait en France un large public pour ce type de récits.

Dès 1945, Marcel Duhamel, complice de longue date de Jacques Prévert, avait créé pour Gaston Gallimard une collection uniquement consacrée au genre policier : la Série Noire. Ainsi baptisée par l'auteur de *Paroles*, elle avait connu un succès immédiat. Sous une couverture jaune et noire, on y trouvait tous ces auteurs anglo-saxons – Peter Cheney, James Hadley Chase, Horace MacCoy, Raymond Chandler ou Dashiell Hammet – que Marcel Duhamel, parfaitement bilingue, avait eu le génie de prospecter aux États-Unis et d'amener, souvent traduits par ses soins, à la vénérable maison de la rue Sébastien-Bottin. Le premier titre paru en 1945 avait été *La Môme vert-de-gris*, de Peter Cheney. Succès immédiat. Si vif que Duhamel publia désormais une vingtaine de titres par an sans que, pour autant, les producteurs du Fouquet's, quartier général de la profession, aux Champs-Élysées, y décèlent le filon qui pouvait faire leur fortune. Le premier à le flairer – mais seulement sept ans après la parution du premier volume de la série ! – avait été le producteur et distributeur Raymond Borderie, grande figure du cinéma français, qui, entre autres titres de gloire, avait permis à Marcel Carné de tourner *Les Enfants du paradis*, à Yves Allégret de donner *Une si jolie petite plage*, et à Henri-Georges Clouzot de réaliser *Le Salaire de la peur*. Accordant depuis toujours sa confiance à de jeunes réalisateurs de talent, tout en n'oubliant jamais les goûts du grand public, il avait confié à son fils Bernard le soin d'adapter et de réaliser *La Môme vert-de-gris* qui imposa au cinéma des années cinquante tout un folklore basé sur le personnage de l'agent fédéral US Lemmy Caution, tombeur de vamps blondes, pilier de bars de nuit porté sur le whisky, et fomentateur de bagarres réglées comme elles l'étaient à l'époque dans les chorégraphies de l'Empire ou du Châtelet. Le rôle était tenu par Eddie Constantine, un chanteur américain de troisième zone issu des chœurs pléthoriques du Radio City Music Hall de New York, et venu tenter sa chance à Paris. Son physique athlétique et un visage grêlé mais séduisant avaient tapé dans l'œil d'Édith Piaf qui, tout en l'élevant au rang de chevalier servant du moment, l'avait imposé comme partenaire principal de *La P'tite Lily*, opérette montée à l'ABC, salle mythique des Grands Boulevards. Malgré l'échec cuisant du spectacle, l'un des rares essuyés par la grande chanteuse, Eddie Constantine, grâce à Lemmy Caution, n'en fit pas moins une entrée triomphale dans le cœur des spectateurs français sensibles à son charme, à son accent et à son humour. D'un jour à l'autre, il devint l'une des valeurs sûres du cinéma européen. Dans les dix années suivantes, sa carrière d'agent secret-détective privé-journaliste en quête de révélations explosives allait permettre à l'Américain de tourner une vingtaine de films plus ou moins réussis dont le succès atteignit une ampleur qu'on a peine à imaginer aujourd'hui.

Enfin, en 1953 et 1954, arrivèrent les deux premiers auteurs français aux numéros 148 et 185 de la Série Noire ! Ils allaient à leur tour révolutionner le monde du roman noir et fournir aux plus talentueux cinéastes de leur temps quelques-uns de leurs meilleurs scénarios.

Enfant du quartier de La Chapelle, Albert Simonin, la cinquantaine rondouillarde, familier des bals populaires de la Bastille, en coquetterie dans sa jeunesse avec la justice de son pays, rangé des voitures en devenant chauffeur de taxi, puis journaliste sportif, dans les années trente, et typometteur en page à *Cinémonde* après la Libération, ouvrit le feu en apportant à Marcel Duhamel le premier « polar » à la française destiné à être publié sous la couverture jaune et noire, qu'il suivait fidèlement depuis la publication de *La Môme vert-de-gris*. Persuadé qu'il saurait faire aussi bien que tous ces « Amerloques », et que l'argot pratiqué dans la faune clandestine, de Montmartre au Trocadéro, valait bien le *slang* utilisé de New York à Los Angeles, il écrivit en quelques semaines *Touchez pas au grisbi* qui, pour la première fois, faisait pénétrer le lecteur dans le monde de la pègre parisienne débarrassée du romantisme du héros perdu. Coup de cœur chez Gallimard où l'on fit lire le manuscrit à Pierre Mac Orlan. Enthousiaste, le romancier de *Quai des brumes* et de *La Bandera*, licencié ès mauvais garçons mais membre de l'Académie Goncourt, se fendit d'une préface. Celle-ci attira l'attention du monde littéraire, qui décerna au nouveau venu le très renommé prix des Deux-Magots 1953, ainsi que celle du grand public qui se rua sur cette histoire de deux gangsters à la retraite, débonnaires et pantouflards, mais fidèles à l'amitié nouée lors d'une jeunesse agitée. Le tirage avait dépassé les 250 000 exemplaires quand le grand metteur en scène Jacques Becker s'empara de l'histoire et en fit une des réussites majeures du cinéma français. Elle permit à Jean Gabin, dont la carrière était en demi-teinte depuis la guerre, de retrouver la faveur des spectateurs – il obtiendra le prix d'interprétation masculine à Venise en 1954 –, à Lino Borrini de débuter au cinéma où on le connaîtra désormais sous le nom de Lino Ventura, et au grand pianiste et compositeur Jean Wiener de faire, d'une brève et simple ligne mélodique jouée à l'harmonica, un succès d'une prodigieuse fortune : cinquante ans plus tard, elle résonne encore à nos oreilles ! Lancé, Albert Simonin, que son confrère et poète Léo Malet surnommait déjà « le Chateaubriand de la pègre » en raison d'un langage châtié parsemé d'expressions argotiques, délaissera bientôt la littérature pour le cinéma, plus rémunérateur. Il n'empêche que la réussite de *Touchez pas au grisbi*, qui « avait donné au fait divers de commissariat le droit d'entrer dans la littérature (P. Mac Orlan) », avait mis à la mode les histoires de truands français, totalement dégagées de l'influence américaine. L'heure d'Auguste Le Breton était arrivée.

Rien de semblable à la bonhomie « enveloppée » de Simonin chez ce quadragénaire au torse sec et aux traits émaciés, qui avait l'allure et la gueule des plus durs de ses héros. Son expérience de la rue et du monde des truands, parmi lesquels il vivait depuis sa première évasion, vingt-cinq ans auparavant, d'une maison de correction où une société bourgeoise pour laquelle il n'avait que mépris avait massacré sa jeunesse de pupille de la Nation, et sa connaissance de l'argot pratiqué par les « vrais de vrai », dont certains, les meilleurs, avaient constitué sa seule famille, avait donné à son premier roman policier une dimension inégalable dans un genre que le public appréciait de plus en plus. *Du rififi chez les hommes*, suivi presque immédiatement par *razzia sur la chnouf* et par *Le Rouge est mis*, fit un triomphe, et, d'un jour à l'autre, le nom d'Auguste le Breton devint synonyme de succès. C'était Marcel Sauvage, juré du prix Renaudot, poète et grand reporter apprécié des principaux journaux à grand tirage de l'avant-guerre, qui, conscient de la nouveauté de *Touchez pas au grisbi*, avait conseillé à son ami Auguste d'écrire lui aussi « un bouquin en argot ». La presse de l'époque relata la réaction du nouveau venu : « Cela a donné le *Rififi chez les hommes*, écrit à contrecœur, car je me foutais de l'argent et du snobisme. » Ce qu'il voulait, c'était voir publier *Les Hauts Murs* et *La Loi des rues*, romans autobiographiques qu'il s'était juré d'écrire si un jour il avait un enfant. Le moment venu, il avait tenu sa promesse en racontant avec une brutalité bouleversante les heures atroces de sa jeunesse. Durant sept ans, les éditeurs avaient refusé ces histoires désespérées qui n'étaient pas à la gloire de la société. « L'auteur de ce livre n'était nullement destiné à la carrière des lettres, écrivit Marcel Sauvage dans la préface qu'il donna au *Rififi chez les hommes.* À peine a-t-il acquis le rudiment primaire sur les bancs de l'Assistance publique. Mais il s'est astreint patiemment, durant des années, aux disciplines nécessaires pour exprimer une espérance et une révolte qui valorisent en lui un espoir majeur. Son langage, en ce qu'il a d'argotique, est strictement celui de la dernière heure sur la butte Montmartre. » Le raz-de-marée du *Rififi* – le mot entra instantanément dans le vocabulaire populaire des années cinquante et, aux premières années du millénaire suivant, il y figure toujours – abattit comme par miracle les obstacles éditoriaux. Le succès littéraire fut conforté par celui de l'adaptation cinématographique, au moins aussi réussie que celle de *Touchez pas au grisbi.* S'il contribua au triomphe du roman, le film marqua la renaissance de son metteur en scène américain, Jules Dassin, et les circonstances dramatiques du tournage nourrirent avantageusement les papiers des journalistes spécialisés. Depuis le début des années cinquante, le « maccarthysme » régnait aux États-Unis. Obnubilé par les éventuelles conséquences de la guerre froide où Moscou et Washington se livraient à un chantage permanent, usant les nerfs de leur population en menaçant alternativement de déclencher un troisième conflit mondial, une commission d'enquête sénatoriale, placée sous l'égide du sénateur républicain Joseph Mac-Carthy, recherchait tous les communistes ou sympathisants communistes susceptibles de noyauter les départements essentiels du gouvernement américain. Cette « chasse aux sorcières » n'affectait pas seulement les milieux politiques, mais touchait aussi bien les acteurs et metteurs en scène les plus en vue de Broadway et de Hollywood. Empêchés de travailler, boycottés par les *major companies*, certains d'entre eux, et non des moindres, furent amenés à s'exiler. Un Charlie Chaplin, mis en cause par la commission des activités anti-américaines, s'intallera ainsi en Suisse, liquidera tous ses biens aux États-Unis et rendra même son passeport au consul américain à Genève.

John Berry, ancien de la troupe d'Orson Welles au Mercury Theater, brillant assistant de Billy Wilder, réalisateur estimé de cinq films « noirs » à Hollywood, dut fuir également les États-Unis pour s'installer à Londres, puis à Paris où il réalisa *Ça va barder* en 1954, et *Je suis un sentimental* en 1955, les deux meilleures prestations d'Eddie Constantine dans son rôle de sympathique aventurier.

Même itinéraire pour Jules Dassin qui dut s'exiler après les accusations de son confrère Edward Dmytrik, pourtant considéré aux USA comme un metteur en scène d'extrême gauche. Celui-ci, après un bref séjour en Angleterre, ne trouva que ce moyen peu glorieux pour se dédouaner et regagner, blanchi, Hollywood : dénoncer à la commission des activités anti-américaines un certain nombre d'anciens communistes dont il était l'ami ! Dassin, pour son malheur, était de ceux-là. Après avoir tourné *Les Forbans de la nuit* à Londres, passage obligé pour ces réalisateurs anglophones, Jules Dassin vit toutes les portes se fermer devant la pression exercée par Hollywood sur le milieu cinématographique international. Quand on sut au bar du Fouquet's que l'un d'entre eux, Henri Bérard, qui avait acheté les droits du *Rififi* dès sa sortie en librairie, avait choisi Dassin, malgré les menaces américaines, les échotiers flairèrent la bonne histoire et multiplièrent papiers et interviews à sensation, pour le plus grand bonheur de Le Breton, devenu une vedette de l'actualité en moins d'un an et dont les livres s'arrachaient comme des petits pains. Dassin se garda bien de raconter les circonstances réelles de sa collaboration avec l'auteur à la mode. Je ne les appris moi-même que deux ans plus tard, en allant interviewer pour la première fois l'auteur de *Rafles sur la ville* et du *Rififi chez les femmes*, qu'Alex Joffé s'apprêtait à porter à l'écran. Sept livres publiés en deux ans, dont six adaptés au cinéma, valaient bien un sujet dans *Dix Millions d'audi-*

teurs. Ma proposition acceptée par mon rédacteur en chef, je me rendis au rendez-vous fixé par la nouvelle vedette du roman policier français qui, courtisé par les éditeurs du genre, venait de quitter la Série Noire pour répondre au chant des sirènes des Presses de la Cité où il rejoignait Georges Simenon. C'est dans un de ces bars inquiétants de Saint-Ouen où il avait fait à la fois ses classes et ses universités, que je m'attendais à rencontrer l'homme qui, quelques semaines avant la guerre, avait lancé le mot *Rififi* sur le quai de la Fosse, haut lieu de la voyoucratie nantaise. Le lieu aurait convenu à ce « prince de l'argot et des bas-fonds », ainsi que l'avait baptisé la presse populaire. Je fus quelque peu déçu en poussant la grille aveugle qui protégeait le gazon soigneusement peigné, le gravier bien propre des allées et le pavillon cossu du Vésinet, grande banlieue chic à l'ouest de la capitale, où l'aventurier dont on parlait tant avait déposé son sac. Ne manquait que l'accorte servante en robe noire et petit tablier blanc pour m'ouvrir la porte ! Mais c'est lui qui vint, avec sa gueule ravinée et son accent parigot bon teint, malgré les origines bretonnes qui lui avaient valu son surnom dans le Milieu. La poignée de main était solide et franche, tout comme le regard. Je sus sans délai que le succès n'avait en rien entamé les qualités de l'homme que plusieurs confrères m'avaient vantées. Il me fut aussitôt sympathique.

Si la Série Noire avait fait un succès du *Rififi chez les hommes*, transformer l'ouvrage en matériau de départ pour le film de Jules Dassin n'avait pas été chose aisée. Dès la sortie du livre, Yves Ciampi, médecin passé à la mise en scène, qui avait obtenu un immense succès avec *Un grand patron*, et Jean-Pierre Melville qui, en deux films, *Le Silence de la mer* et *Les Enfants terribles*, s'était hissé au rang des meilleurs réalisateurs français, voulaient porter le livre à l'écran. « C'est Dassin qui l'a remporté, choisi par le producteur Henri Bérard sans doute pour des raisons financières, m'expliqua d'emblée Le Breton. Moi, je préférais Melville. Je me suis rattrapé l'année dernière en écrivant pour lui *Bob le flambeur*. Ce qui n'a jamais été dit, c'est qu'au début Dassin n'a rien compris à mon bouquin. Non seulement je l'avais écrit en argot sur les conseils de mon pote Marcel Sauvage, mais j'y avais introduit pour la première fois des dialogues en *verlen*. Un langage à l'envers qui, adapté à l'argot, devient totalement incompréhensible au Français non initié ! Alors, vous parlez, un Amerloque ! Par exemple, chez nous, un revolver, c'est un calibre. Traduit en *verlen*, ça devient un brelica. J'y avais ajouté des expressions en manouche, pratiqué en Allemagne et en Europe centrale, et du gitan venu en droite ligne du langage des Maures. Sans compter quelques expressions de *louchebem*, qui est l'argot ancestral des bouchers. Ça a beaucoup plu aux critiques et au public pour lesquels j'ai dû ajouter un glossaire à la fin du *Rififi chez les hommes*. Ils y ont vu de l'"authentique". Ce qui n'était pas faux, puisqu'en liberté ou en prison les voyous s'expriment d'une seule façon : en argot. Le *louchebem*, tout comme le *verlen*, est depuis longtemps banal dans le Milieu. »

La rue que j'avais beaucoup fréquentée depuis mon enfance m'avait appris certaines expressions d'argot, mais je ne me doutais pas que le *verlen*, devenu *verlan*, envahirait un jour le langage des banlieues, se teinterait ensuite d'un certain snobisme, avant d'entrer dans le français courant de la fin du siècle. Plus personne aujourd'hui n'ignore ce qu'est une *meuf*, un *beur* et une *beurette*, ou un *keuf*. « Se faire alpaguer en sortant d'un clandé où des harengs enfouraillés ont profité de la descente de la maison poulaga pour rafler l'artiche des mises, vous fait passer pour un branque en deux coups les gros », n'a plus besoin de traducteur autre que votre lycéen de fils ou de petit-fils au cas peu probable où vous n'auriez pas compris la version originale ! Jules Dassin, lui, n'avait rien entendu au *Rififi chez les hommes* que le producteur lui avait fait lire à haute voix par un collaborateur bilingue. Peu convaincu et décidé à déclarer forfait, il avait réfléchi, au moment de refuser, à la chance qui s'offrait à lui grâce à ce film. Boycotté par le maccarthysme, il n'avait pas travaillé depuis cinq ans et, financièrement, était au bout du rouleau. *L'Ennemi public n° 1* qu'il devait tourner trois ans auparavant lui avait été retiré quelques semaines avant le tournage sous la pression de Hollywood. C'est Henri Verneuil qui l'avait réalisé . « Mon bonheur de retravailler était tel que j'aurais fait n'importe quoi », confia-t-il à Le Breton. Le tandem fonctionna parfaitement. En dix jours, Jules Dassin peaufina le scénario en se promenant dans les rues de Paris avec une secrétaire qui prenait des notes. À la première lecture de l'adaptation, Auguste Le Breton ne reconnut pas le déroulement de son livre. Puis, sans renier le moins du monde son enfant, il admit que l'idée de faire du cambriolage de la bijouterie la scène-clé du film était excellente, même si, dans la version initiale, l'affectueuse amitié entre Tony le Stéphanois, vieux truand tuberculeux sorti de prison, et son cadet Jo le Suédois, qui rêve de vie bourgeoise tout en préparant le casse du siècle, occupait la place principale. Dès lors, Le Breton entreprit de familiariser le metteur en scène avec quelques figures renommées entre la Madeleine et Pigalle. C'est ainsi qu'il l'emmena à l'enterrement en grande pompe de Pierre Cuc, corse et juge estimé du milieu, abattu par Robert Jouan au Charivari, un bar de la rue Godot-de-Mauroy. L'Américain, me raconta Auguste Le Breton, put ainsi observer les Corses qui, devant le cercueil de Cuc, firent ce jour-là serment de vengeance. Promesse qui serait tenue quatre ans plus tard. L'autre grand apport de Jules Dassin au *Rififi* fut de tourner la scène du cambriolage et du parapluie qui recueille les gravats provenant du percement du plafond sans que les protagonistes prononcent un seul mot. Mieux encore, le metteur en scène refusa la musique que le producteur et l'auteur souhaitaient pour illustrer la séquence. Georges Auric, dont chacun appréciait le talent, écrivit néanmoins un morceau pour cette scène essentielle. Le réalisateur fit deux projections, l'une avec musique, l'autre sans. Là encore, Le Breton reconnut que Dassin, soutenu par Auric, avait raison. Le résultat fut époustouflant et la longue scène silencieuse du cambriolage entra aussitôt dans l'anthologie du cinéma des années cinquante. Sorti en avril 1955, *Du rififi chez les hommes* se vit décerner, en mai, le prix de la mise en scène au huitième Festival international du film de Cannes, et allait obtenir un succès mondial. À New York, il tint deux ans en exclusivité et, au fil des années, passa cinquante-deux fois à la télévision américaine. « La connerie des hommes est telle, me rappela Auguste Le Breton, que, malgré le chef-d'œuvre qu'il avait réalisé à partir de mon bouquin, Jules Dassin eut encore à souffrir de la chasse aux sorcières hollywoodienne. Comme si l'exil n'était pas suffisant ! À Cannes, un acteur américain s'est caché sous une table pour éviter une photo en sa compagnie ! J'ai vu Dassin traverser la rue afin de ne pas embarrasser certains de ses amis. Un matin, tandis qu'il allait vers le Palais, il a aperçu Gene Kelly. Il a tout fait pour l'éviter, mais le héros de *Chantons sous la pluie* a couru vers lui, le pestiféré, l'a pris dans ses bras et l'a embrassé devant tous les photographes qui traînaient sur la Croisette. Il a été le seul. Ça, pour moi, c'est un homme, un mec, un qui en a ! »

Ce jour-là, avec Auguste Le Breton, le temps passait sans que je m'en aperçoive. Au fil de l'histoire du *Rififi*, puis des livres récemment parus ou adaptés au cinéma, dont *Razzia sur la chnouf*, violent réquisitoire contre le trafic et l'usage de la drogue que l'écrivain abhorrait, des personnages hauts en couleur apparaissaient. J'apprenais le milieu et l'évolution de ses mœurs depuis un quart de siècle avec le meilleur prof qui soit. J'étais fasciné, même si la morale n'y trouvait pas son compte. Encore que…

Je n'étais qu'au tout début de mes découvertes. Commencée en début de matinée, notre conversation ne s'était interrompue que le temps nécessaire à changer la bande magnétique de mon Nagra. Le Breton en était à vitupérer le nouveau milieu où les *crouilles*, les *crouillats*, les *troncs*, les *ratons* – tous voyous originaires d'Afrique du Nord – avaient détrôné les Corses de Pigalle, qu'il appréciait entre tous, lorsque son épouse, un petit bout de femme au dos arrondi par une scoliose d'enfant mal nourrie, mais au sourire éclatant sous une coiffure blond platine, vint interrompre notre dialogue :

– Ben, vous avez l'air de bien vous entendre, dit-elle en regardant sa montre.

– Voilà Margot, mon Vieux Soldat, présenta Le Breton. Qu'est-ce que t'as fait à briffer ?

– Un pot-au-rif. Vous restez, Monsieur… ?

J'acceptai sans hésiter et me retrouvai dans la salle à manger autour de la toile cirée à carreaux rouges et blancs, ignorant tout du plat qu'avait préparé madame Le Breton.

– C'est la reine du pot-au-feu, traduisit Auguste. T'en mangeras jamais de meilleur.

Mon vocabulaire s'enrichissait : je découvrais que *rif*, en argot, signifiait feu – et je dégustai le plus savoureux « pot-au-rif » que j'aie jamais goûté. C'était le premier des plats que cette cuisinière hors pair allait me préparer tout au long d'une sincère et affectueuse amitié. J'apprendrais successivement le gigot à l'ail croustillant et doré à l'extérieur, « saignant et tendre comme un cul de nourrisson à l'intérieur », selon le maître de maison, la morue à la sauce blanche, le lapin à la moutarde, ou encore le ragoût d'agneau avec une sauce blonde odorante que trois ou quatre tranches de pain de campagne parvenaient à peine à assécher. À cette époque, personne ne me parlait encore de cholestérol. Et que cette cuisine sentait bon ! À la préparer, Margot mettait tout son cœur, une éternelle gauloise au coin de la bouche, une chanson au bord des lèvres. Son répertoire de refrains des années trente, appris auprès des chanteurs des rues sur les trottoirs de Montmartre ou de Saint-Ouen, était incommensurable. Parmi ces goualantes chères au petit peuple, sa préférée était *Le Dénicheur*. C'est sur sa mélodie qu'elle avait dansé pour la première fois avec Auguste au Bal du Petit Jardin, avenue de Clichy, tandis que l'accordéon de Gus Viseur faisait s'envoler les couples :

> « On l'appelait le Dénicheur
> Il était rusé comme une fouine
> C'était un gars qu'avait du cœur
> Et qui dénichait des combines... »

À l'époque, Auguste avait dix-huit ans, Margot ne les avait pas, mais la vie ne lui avait pas fait plus de cadeaux qu'à celui qu'elle avait élu l'« homme de sa vie ». Quand ils avaient décidé de vivre ensemble, c'était une gigolette qui en avait assez de partager le même lit avec trois de ses six frères et sœurs couchés tête-bêche, et de se faire cogner par un père, brave terre-neuvas mais sujet à de brusques accès de violence dus à une double trépanation durant la guerre de 14-18. Ces crises rendaient l'atmosphère infernale dans le minuscule appartement de la rue Sainte-Rustique, sur la Butte, où le pêcheur avait espéré en vain mener une existence plus facile que sur la côte bretonne. La misère avait attiré mes grands-parents sur les rives du Mississippi, et une inconséquence semblable les avait fait échouer, eux, dans une loge de concierge du Ve arrondissement après avoir tout raté. Quand elle apprendra ces détails, Margot ne m'appellera jamais autrement que « Mon frère Yves », m'assimilant au héros du roman de Pierre Loti, l'un des premiers livres qu'elle avait lu dans le meublé où elle attendait que son homme eût raflé au bonneteau ou à la passe anglaise, dont il menait des parties acharnées sur l'emplacement des anciennes fortifs, les quelques francs qui leur permettraient de survivre au jour le jour. C'est là qu'ils avaient connu les derniers spécimens de voyous de barrière qui tenaient le quartier. Ils portaient encore pantalons à pattes et casquettes à carreaux, et leurs filles – jupe plissée, lèvres sanglantes, petit foulard autour du cou – étaient souvent l'enjeu de meurtrières rixes au couteau avant de se retrouver à « tapiner sur le ruban ». Auguste avait ainsi noué de solides amitiés avec les apaches de Saint-Ouen ou d'Argenteuil dont il avait appris le langage et toutes les techniques du jeu de cartes ainsi que des dés jetés à même le sol sur une couverture pliée en quatre. « Taper la berlue » dans ces conditions exigeait un regard acéré et une attention de tous les instants pour détecter le voyou plus habile que les autres à pratiquer la « pincette » en coinçant les dés entre le pouce et l'index après avoir amené au préalable des 7 ou des 11 sur leurs faces : les chiffres du bonheur, à la passe anglaise !

Après avoir exercé un peu tous les métiers, de terrassier à dépanneur d'ascenseur en passant par garçon couvreur, Auguste Le Breton s'était consacré au jeu, approfondissant sa connaissance du milieu sans jamais participer directement à ses spécialités : hold-up, casse, racket, prostitution. Protégé par Milo Jacquot, une « pointure » de l'époque qui appréciait sa « mentalité » et sa discrétion, le jeune homme rencontra dans ces bals musettes qui l'attiraient près de la place Clichy les truands de haut vol avec lesquels il allait frayer toute sa vie et dont certains tiendraient la vedette des chroniques judiciaires. Accueilli par le milieu, Le Breton fut sauvé d'un avenir incertain – ou trop prévu – par l'amour que lui portait Margot, malgré le caractère difficile du bonhomme qui ne tolérait ni la moindre confidence, ni la plus petite explication tant sur ses activités que sur ses projets. Par des attentions de tous les instants, elle aida à la recalcification miraculeuse de deux « cavernes » dans le poumon, conséquence de la vie misérable qu'il avait menée d'orphelinats en maisons de redressement. Se retrouver clochard à dix-sept ans, l'estomac vide, couchant l'hiver contre les grilles du métro, sans soins ni médicaments, aurait dû lui être fatal. Il s'agissait bien d'un miracle ! Le temps passant, avec Margot qu'il appelait indifféremment « la Guitte », « mon Poulbot », en souvenir du célèbre dessinateur des gosses de Montmartre qui l'avait croquée quand elle était gamine, ou encore « Blondie » lorsque, les cheveux platinés, elle chantait le répertoire musette de Gus Viseur au Petit Jardin de l'avenue de Clichy, il s'était éloigné de ses copains de misère comme Dédé La Glace, son *homme de barre* [associé et surtout fidèle compagnon], pour se lier avec des aînés à ses yeux plus prestigieux. « C'était pas de sa faute, ni de la mienne, s'expliquera-t-il. Il préférait rester avec les arsouilles de nos vingt ans, je fréquentais ceux de Montmartre, allant du Jardin au Cristal, de l'Ange rouge au Royal, *entiflant* [entrant] même chez Graft, le haut lieu des bordeliers et des grands marchands de viande. Pour pénétrer dans ces endroits à dorures et clinquants, il avait fallu que je me fasse violence, que j'étrangle les foutus complexes, cadeau des orphelinats, héritage des mises en garde haineuses des flics et des *gaffes* [gardiens de prison ou de maison de redressement], de toutes ces autorités qui nous vouaient au bagne, aux pendaisons, à la guillotine et autres joyeusetés. Ça paraît simple, pourtant il est duraille de se débarrasser du costard de maudit, de bon à rien, de vomi de la société qu'on vous a taillé dès l'enfance. En réagissant, on parvient à faire bonne figure, à tromper les autres, mais non soi-même, car on porte à l'intérieur, à jamais gravés dans l'âme, des lambeaux de ces vacheries[1]. »

Avec le succès, les complexes s'étaient estompés. Grâce à lui, *Les Hauts Murs* et *La Loi des rues*, souvenirs d'une jeunesse tragique où avaient manqué la présence d'un père « mort au champ d'honneur » et la tendresse d'une mère qui n'avait été qu'indifférence et cruauté, avaient été

1. Auguste Le Breton, *Ils ont dansé le Rififi*, éditions du Rocher, 1991.

édités. Les plus grands noms du cinéma – Henri Decoin, Jacques Becker, Henri Verneuil, Lino Ventura ou Jean Gabin – se succédaient dans la maison bourgeoise du Vésinet, autour de la toile cirée à carreaux que je découvrais, mais, au fil du temps, je m'apercevais que seuls ses « potes » du milieu comptaient réellement pour Auguste. En plus des amitiés de jeunesse, la guerre en avait soudé d'autres, d'une solidité exceptionnelle.

Durant l'Occupation, réfractaire au STO, Le Breton avait continué à diriger les parties de passe anglaise et de poker dans des lieux clandestins, dont Le Petit Trou, un restaurant de marché noir qu'il avait monté rue Henner, entre Blanche et Pigalle, avec trois associés dont l'un faisait partie de la Carlingue – la terrible Gestapo française, dirigée par Pierre Bonny et Henri Lafont –, mais engagés à la demande du commissaire Chenevier, de la Sûreté nationale, qui œuvrait pour la Résistance et dont l'homme était un des indics ! C'est que rien n'était simple en cette époque troublée. Qui trahissait qui ? Malgré son âge – il n'avait pas atteint la trentaine – Le Breton était encore un homme des temps anciens. Le milieu de sa jeunesse était celui où la vie d'un flic pouvait se respecter, où celle d'un enfant était chose sacrée. « Les voyous d'envergure répugnaient à ce genre de pratique, dira un jour Robert Broussard, le fameux créateur de la brigade antigang dont Le Breton s'inspirera, dans les années 70, pour sa série *L'As des antigangs*. Ils partageaient un même besoin de se conformer à l'image traditionnelle, presque caricaturale, du voyou rebelle, libre, fidèle à la parole donnée... Sans reprendre le couplet "hommes d'honneur, hommes de parole", il y avait un peu de cela. L'image d'Épinal n'était pas que légende[1]. »

Jeannot R. était de ceux qui s'y conformaient. Auguste l'avait connu à Bordeaux, avant la guerre. À trois ans

1. Commissaire Robert Broussard, *Mémoires*, Plon, 1997.

d'écart, ils avaient tous deux beaucoup roulé, beaucoup appris, beaucoup retenu d'une existence semblable dans un milieu de fauves et de misère qui les avaient marqués à jamais. Au début de l'occupation allemande, Jeannot avait rencontré Henri Lafont, repris de justice en cavale pour avoir tenté de doubler Allemands et Français collaborateurs dans une histoire d'escroquerie. Quand celui-ci plongea définitivement dans la collaboration la plus active et créa la Carlingue, après s'être rabiboché avec ses anciens partenaires allemands, il invita nombre d'amis bordelais à le rejoindre. Jeannot, qui avait déjà pris des contacts avec la Résistance, répondit à l'invitation, encore une fois sur ordre du commissaire Charles Chenevier qui lui conseilla de laisser Lafont s'implanter dans la capitale tout en surveillant ses activités, il serait temps d'aviser après. La réputation de la Carlingue, installée dans un hôtel particulier de la rue Lauriston, entre l'Étoile et le Trocadéro, fut bientôt établie. Elle rivaliserait en férocité avec la Gestapo nazie. Jouant de ses succès dans la chasse aux résistants, dont il démantela plusieurs réseaux, Henri Lafont devint bientôt le Français collaborateur le plus puissant de Paris. Sa réputation ne fit que grandir lorsqu'il recruta dans sa bande quelques figures du milieu comme Georges Boucheseiche, Nez-de-Braise, Étienne le Stéphanois ou Abel Danos, dit le Mammouth, l'un des braqueurs du premier hold-up de l'Occupation, au cours duquel deux encaisseurs du Crédit industriel avaient laissé la vie et huit millions s'étaient envolés. Intouchables, couverts de l'or de leurs rapines, tous ces malfrats étaient clients du Petit Trou et du Chapiteau, un luxueux cabaret de la place Pigalle que Jeannot R, arrivé de Bordeaux, avait ouvert avec la bénédiction de la Résistance. Y avait-il meilleur endroit qu'une boîte de nuit de classe, fréquentée par des officiers supérieurs allemands, des BOF du marché noir, ainsi que par les collaborateurs les plus notoires de l'occupant, accompagnés des plus jolies putains de Paris, pour recueillir des renseignements de première main qui allaient parvenir en droite ligne à Londres ?

Pour plus d'efficacité, Jeannot s'était associé à Henry de la Palmeira, patriote convaincu et résistant intransigeant, en qui le commissaire Chenevier avait toute confiance et qui travaillait en liaison étroite avec le commandant Maréchal, de l'état-major de l'Air à Vichy. Outre l'inventaire des terrains d'atterrissage et l'aménagement d'aires pour gros porteurs, Maréchal avait déjà fait parvenir à Londres, *via* Georges Bidault et Jean Moulin, toutes sortes de renseignements collectés par différents agents que leurs fonctions conduisaient à côtoyer officiers supérieurs et collaborateurs français de l'armée d'occupation nazie[1]. Jeannot R. était de ceux-là. Pour mieux dissimuler ses dangereuses activités, il s'était adjoint un second associé, Robert Moura, qui, avec son frère, était un de ces hommes du milieu qui n'avaient pas résisté aux propositions de « Monsieur Henri » et l'avaient rejoint rue Lauriston où sévissait déjà l'ancien inspecteur de la Sûreté Pierre Bonny. Créateur et patron incontesté de la Carlingue, Henri Lafont avait choisi ce dernier comme adjoint en raison de son professionnalisme et de son manque total d'exigence morale. Bonny avait eu son heure de gloire en 1934, durant l'affaire Stavisky, lorsque le garde des Sceaux en personne l'avait baptisé « premier policier de France » pour les résultats qu'il avait obtenus, avant que l'on ne découvre qu'il était un homme lige de l'escroc et que sa réputation ne sombre définitivement dans une affaire de chantage.

Ainsi, ses arrières protégés, Jeannot R. tenait publiquement et avec brio son rôle de tenancier de boîte de nuit

---

1. Le lieutenant-colonel Maréchal fournit à Londres tant de renseignements de première importance que le général de Gaulle demanda à le rencontrer avant de le charger de coordonner toute l'action militaire en zone Nord. De retour à Paris, Maréchal, trahi, avala lors de son arrestation la pilule de cyanure dont on l'avait équipé. Cf. Alain Guérin, *Chronique de la Résistance*, Omnibus, 2000.

tout acquis à la collaboration et, dans l'ombre, celui de fournisseur d'armes et de renseignements de première main pour la Résistance. De son côté, Le Breton, tout en supervisant son restaurant et contrôlant avec ses associés deux bars du XVIIe arrondissement où l'on jouait au moins autant que dans l'arrière-salle du Petit Trou, s'occupait activement de la fabrication de fausses cartes de pain dans laquelle il avait des intérêts et qui rapportait gros. La clientèle de ces établissements, tout comme celle du Chapiteau, dépensait sans compter. Ruffians, trafiquants, gestapistes, patrons de bordels et de bars semblables aux siens roulaient sur l'or. Jamais Auguste n'avait si bien mené sa barque. Grâce à l'argent qui coulait à flots et aux fausses cartes d'alimentation dont il disposait, la famille de Margot et pas mal de déshérités de sa connaissance amélioraient leur ordinaire, car si, tout comme son ami Jeannot, il se refusait apparemment à prendre parti, à se mêler aux querelles idéologiques et à juger les options prises par certains, l'homme avait du cœur. Dans le secret de leurs établissements, tandis que collabos et officiers d'état-major occupaient chaque jour nombre de leurs tables, les deux amis poursuivaient des activités résistantes commencées avec les rapports réguliers transmis au commissaire Chenevier qu'ils n'auraient jamais approché avant guerre, de peur de passer l'un ou l'autre pour une balance ! Le Breton avait effectué ses premières missions quand Franz, un de ses amis gitans, lui avait demandé de cacher des armes provenant d'un parachutage, jusqu'à ce que mitraillettes, pistolets et revolvers soient dissimulés dans la cave du Petit Trou sous la provision de charbon destiné à la cuisine, les armes des livraisons suivantes atterrirent chez Jeannot ; personne n'aurait eu l'idée de les chercher dans le double plafond de la boîte dont le décor figurait un chapiteau de cirque et que Lafont et ses hommes affectionnaient entre toutes. Après la réussite de plusieurs missions auxquelles Margot apporta sa participation active en transportant en plein jour des armes en vélo-taxi, Le Breton fut officiellement incorporé dans le réseau Marco Polo que dirigeait le jeune capitaine Michel depuis l'arrestation du colonel Saint-Cast, précédent patron de ce qui était devenu l'une des plus importantes organisations parisiennes. Quand, après la guerre, le groupe sera dissous par l'officier liquidateur Charles Lefaucheux, il comptera 929 membres, tous enregistrés à Londres. Le Breton, de son vrai nom Montfort, y figurait sous le nom de Lamaury, jeu de mots autour de Montfort-L'Amaury, village de Seine-et-Oise réputé pour les splendides propriétés qu'il abritait.

Si les rapports que Jeannot R. entretenait avec « Monsieur Henri » paraissaient excellents, il n'en allait pas de même avec les sbires qui l'entouraient. Dès qu'il était devenu l'adjoint du chef de la Carlingue, l'ex-inspecteur Bonny, fort de la totale impunité que lui valait cette « promotion », avait voulu exercer son pouvoir sur le patron du Chapiteau. Venu dîner au champagne avec six de ses hommes, il avait cru pouvoir recommander au maître d'hôtel de « donner l'addition au patron ». Celui-ci l'avait sèchement rembarré : « Bonny ou pas, chez moi on règle ! » Sachant les rapports qu'entretenait son chef avec Jeannot – les deux hommes se tutoyaient et Lafont appréciait le sang-froid et le calme olympien qu'affichait son ami en toutes circonstances –, Bonny n'avait pas insisté mais ne venait plus que rarement dans la boîte. Ce n'était pas le cas de deux des redoutables tueurs de la bande, Michel Chave, dit Nez-de-Braise, et Étienne Sisteron, dit le Stéphanois, qui appréciaient l'atmosphère du Chapiteau où ils menaient grand train de la façon la plus bruyante qui soit. Admirateurs de l'orchestre d'Aimé Barelli et de sa chanteuse Lucienne Delyle, ils avaient pris en grippe un jeune artiste récemment engagé par Henry de la Palmeira et que le public commençait d'apprécier : Yves Montand. Portés sur la bouteille, les deux tortionnaires, qui avaient la réputation de profiter du pouvoir de la Carlingue pour régler des comptes personnels liés à des trafics ou même à des querelles d'ivrognes, s'étaient mis dans la tête que le nouveau venu ne chantait en anglais une ballade tirée du folklore américain que pour les narguer. À plusieurs reprises, ils avaient menacé Jeannot de « faire la peau » au jeune homme s'il poursuivait son manège. Une nuit plus arrosée que d'habitude, ils annoncèrent à Jeannot R. que son protégé ne verrait pas l'aube se lever. L'ami d'Auguste eut beau promettre aux truands que, dès le lendemain, le chanteur aurait changé de répertoire, le Stéphanois clama sa détermination : cette nuit-là, il « buterait » l'énergumène qui, devant lui, osait chanter l'Ouest américain ! Trop soûl pour lui être de quelque utilité, Nez-de-Braise resta avec les deux entraîneurs qui les avaient accompagnés tout au long de la soirée, tandis qu'Étienne s'éclipsait pour mettre ses menaces à exécution. Estimant la situation désespérée, Jeannot n'hésita pas un instant : sans prendre le temps de passer un manteau sur son smoking, mais armé d'un 7,65 Beretta équipé d'un silencieux, cadeau du commissaire Chenevier, il rattrapa le Stéphanois qui préparait son embuscade dans la rue Pigalle vidée de ses passants par le couvre-feu. Persuadé que le voyou allait exécuter le chanteur dès que celui-ci sortirait, le patron du Chapiteau abattit l'agent de la Gestapo française de deux balles dans la tête avant que celui-ci ait pu dégainer son arme. « Il était ahurissant de calme, dira Auguste Le Breton, admiratif. Qui pouvait croire que même pas un quart d'heure auparavant..., tout ça pour sauver la mise à un jeune type qui ne lui était rien, sinon sympathique[1] ? » Tel était l'homme qu'Auguste considérait comme son meilleur ami et à qui il pouvait tout demander.

La guerre terminée, les deux camarades, décorés l'un et l'autre de la croix de guerre 1939-1945 pour leur action

1. Auguste Le Breton, *Deux Sous d'amour,* Vertiges du Nord/Carrère.

dans la Résistance, fermèrent les établissements qui leur avaient rendu tant de services et s'en retournèrent à leurs occupations antérieures. Le Breton vivra du jeu jusqu'au succès du *Rififi chez les hommes*, et Jeannot R. se livrera à des activités sur lesquelles il ne s'étendait jamais. Bien que portant un nom célèbre dans l'île de Beauté d'où sa famille était originaire, l'ancien patron du Chapiteau avait grandi à Lyon, dont il connaissait tous les arcanes. Sa double influence sur les Corses et les Lyonnais du milieu, le sang-froid à toute épreuve dont il avait fait montre durant l'Occupation, le prédestinaient à devenir à la fois le parrain et le juge de paix des bandes les mieux organisées de Paris, qui le respectaient unanimement. Ce que ne manquaient pas de souligner les policiers chargés de lutter contre la pègre et qui, d'autorité, l'avaient fiché au grand banditisme sans apporter contre lui la moindre preuve. Un temps, il dirigea des casinos, puis une galerie de peinture. « Un des rares hommes à m'avoir épaté, dira Le Breton. Doué pour tout, sachant évaluer comme personne le prix d'une pierre précieuse, d'un meuble, d'un tableau, d'un tapis… la valeur morale d'un homme… » Tant de dons ne pouvaient que conforter les soupçons des enquêteurs, indifférents à la médaille de la Résistance et à celle des Combattants volontaires que Jeannot arborait auprès de sa croix de guerre avec palme. Sans jamais l'écrire noir sur blanc dans les livres de souvenirs qu'ils publieront, les meilleurs policiers l'imaginaient sans peine en receleur des casses de bijouteries les plus célèbres, et en responsable du règlement des conflits violents entre gangs rivaux. Lors d'une ultime perquisition dans sa maison de campagne, le commissaire et les hommes qui le traquaient depuis des années, à la recherche d'une preuve, en firent retourner à la bêche allées, plates-bandes et gazon. « Vous remettrez tout cela en état quand vous aurez fini », leur dit simplement Jeannot, plus impassible que jamais. Puis, se tournant vers sa femme Nini, qui était comme un double du Vieux

Soldat et portait à son homme la même dévotion que Margot à Auguste, il ajouta : « Il est midi et demi. J'ai faim. Prépare-moi un bifteck. » Et il déjeuna le plus tranquillement du monde sur une table du jardin, goguenard devant les policiers dont les travaux agricoles se terminèrent en fiasco ! Une fois de plus, la « perquise » avait été un échec.

Douze années après notre première rencontre autour de la toile cirée, prélude à une amitié fraternelle avec Auguste Le Breton, j'eus l'occasion de mesurer l'influence que son vieux complice conservait dans le milieu. Devenu écrivain, je publiais dans *Le Temps des léopards*, deuxième volume de *La Guerre d'Algérie*, le récit détaillé de la Bataille d'Alger au cours de laquelle le FLN s'était assuré, bon gré mal gré, de la collaboration des maquereaux corses qui contrôlaient une grande partie de la prostitution dans la Casbah : un fait historique dûment vérifié au cours de la longue enquête à laquelle je m'étais livré tant du côté français qu'algérien. Mais ces révélations ne furent pas du goût de tout le monde. En particulier de certains proxénètes d'origine corse, rapatriés comme la plupart des pieds-noirs à l'approche de l'Indépendance : ils y virent une insulte à leur honneur. Les menaces affluèrent au téléphone. De jour comme de nuit. Chez moi comme chez mon éditeur. Durant la dernière année de la guerre, j'avais passé mon temps entre la France et l'Algérie en m'évertuant à la prudence, ce qui, à l'époque, n'était guère dans mon caractère. Le cessez-le-feu, puis l'Indépendance avaient mis fin à cette période agitée de notre vie. Et voilà que sept ans après, si j'en croyais ces coups de fil inquiétants, le cauchemar allait reprendre, toujours à cause de cette Algérie à laquelle j'avais déjà consacré tant d'années ! Comment convaincre ces hommes à l'accent chantant, persuadés à tort que j'en voulais à leur communauté, alors que je ne pensais qu'à reconstituer la véritable histoire d'un pays passionnément aimé ?

Auguste Le Breton s'était réjoui du succès de mon premier ouvrage, *Les Fils de la Toussaint*, tout comme il se réjouissait à présent des articles élogieux qui saluaient le second. Je m'ouvris à lui des réactions exprimées par certains Corses de Paris qui réagissaient si violemment – et si désagréablement – au téléphone.

– C'est seulement un malentendu, me dit-il. Bouge pas. Ne préviens personne. Je m'en occupe !

Encore quarante-huit heures de harcèlement menaçant, puis le téléphone se tut comme par miracle. Jeannot R. était passé par là. Puisque son pote Le Breton garantissait l'honnêteté de mon comportement et la solidité de notre amitié, il était intervenu auprès d'une demi-douzaine de compatriotes influents pour savoir d'où venait l'attaque et la faire cesser sans délai. Il fut obéi. « Comme d'habitude », me dit Auguste quand, peu après, il me présenta à son ami. Ce jour-là, j'entrais définitivement dans la famille. Depuis mon premier « pot-au-rif », j'étais devenu un familier du Vésinet. J'avais vu grandir Maryvonne, la fille unique, dont la naissance avait décidé de la carrière d'écrivain de l'homme du *Rififi*. Estelle, épousée l'année suivant mon premier reportage sur Le Breton, avait été aussitôt adoptée par Margot, puis Nini qui avaient reconnu en elle une femme de leur trempe : de celles qui sont toujours attentives, toujours présentes, partageant bons et mauvais jours d'une existence peu tranquille, courageuses au-delà de ce qu'on peut imaginer, prêtes à défendre leur homme bec et ongles sans se soucier des risques encourus. Lors des fêtes de famille et anniversaires qui nous réunirent par la suite au Vésinet, Nini était toujours à la droite d'Auguste, Estelle – qu'il s'obstinait à orthographier Esthelle, c'était devenu une plaisanterie dans les dédicaces – à sa gauche. Sur le petit carton manuscrit qui faisait partie du plan de table, il ne la nommait jamais autrement que La Compagne. Jamais non plus il ne la tutoiera, pas plus qu'il ne le faisait avec Nini. « Dans notre monde, m'avait-il expliqué de longue date, on ne tutoie pas les femmes d'amis. » Je me pliai à la coutume qui devint une habitude personnelle alors que, dans les milieux journalistiques et de l'édition que je fréquentais professionnellement, le tutoiement était de rigueur. Il faudrait l'arrivée de nouvelles strates d'amis pour que leurs compagnes me fassent perdre cette habitude. Et encore… Quarante ans après, je vouvoie toujours Erna, la femme de Guy Darbois, homme de télévision avisé et l'un de mes amis les plus chers, sans que nos sentiments d'affection soient mis en cause d'une quelconque façon.

Pour enquêter sur le sujet de chaque livre à venir, Auguste voyageait beaucoup et avait des contacts dans le monde entier. Devenu grand reporter, je voyageais tout autant. Quand nos escales à Paris coïncidaient, nous nous retrouvions avec plaisir au Vésinet, chez moi ou dans des lieux qu'il fréquentait volontiers. Sous sa conduite, je découvris ainsi, rue de la Gaîté, Les Îles Marquises, restaurant très apprécié par les artistes – Édith Piaf était une copine du patron –, mais aussi par quelques lascars trop bien habillés dont le gagne-pain arpentait le trottoir entre Bobino et La Gaîté-Montparnasse. J'eus bientôt mes entrées au Bada Club, rue Balzac, proche des Champs-Élysées, boîte à la mode animée par Dani, jolie chanteuse aux dons multiples – actrice mise en scène par Vadim et François Truffaut, rockeuse androgyne, sex-symbol et star de variétés née de la vague yé-yé, meneuse de revue à l'Alcazar – dont le Tout-Paris était fou, à commencer par Izi Spighel, Juif hongrois, patron du célèbre établissement où Auguste fut mon parrain comme je serai un jour le sien Chez Lipp auprès de Roger Cazes qui l'impressionnait par son extraordinaire entregent. Il sera heureux de retrouver grâce à lui un vieux copain perdu de vue en la personne de Robert-André Vivien, résistant, député, baroudeur hors pair à l'époque de la guerre de Corée et de la lutte contre l'OAS. Les relations entre Le Breton et Izi étaient les meilleures du monde, mais mon copain du Vésinet ne me renseigna jamais sur les activités occultes de l'homme qui allait être abattu dans le garage de son immeuble du XVIe arrondissement, au soir du 17 octobre 1975. Il faudra la publication des mémoires de mon ami Robert Broussard, puis celles du commissaire Leclerc, son patron de l'époque, bientôt directeur de la Criminelle, pour que j'apprenne qu'Izi Spighel était en étroite relation « d'affaires » avec l'un des frères Zemour, héros – si l'on peut dire – de la fusillade du café Le Thélème, le 28 février 1975, épisode sanglant de cette guerre des gangs qui, de tout temps, émailla l'histoire de la pègre française.

Un jour que je préparais un voyage à New York, Le Breton, qui en revenait, me raconta combien un de ses jeunes amis, Marcel Barokhel, un Juif oranais dont j'apprendrai, en lisant encore Robert Broussard, qu'il faisait partie du gang dit des Siciliens ou des Lyonnais, adversaires acharnés des Zemour, l'avait aidé à réunir la documentation nécessaire à l'écriture du *Rififi à New York*, l'un de ses meilleurs livres. À sa parution, l'ouvrage devait faire aussi bien l'admiration de Marcel Achard et d'Edmond Heuzé, de l'Institut, que de Dominique Ponchardier, agent secret, diplomate aventurier, Compagnon de la Libération et créateur du *Gorille*. Marcel le Coréen – ainsi nommé en raison de son passé militaire – lui avait ouvert des portes qui, sans lui, seraient restées cadenassées, comme celles qui protégeaient la loterie des Nombres, aussi impossible à expliquer que les règles du football américain ou du base-ball à qui n'a pas vécu de longs mois outre-Atlantique. « Va le voir de ma part, me recommanda Auguste. Il a un carnet d'adresses comme j'en connais peu. À New York, tu peux le fréquenter sans danger. Je n'en dirai pas autant à Paris. » Une fois encore, Marcel le Coréen était en difficulté avec flics et malfrats parisiens. Il s'était réfugié dans une garçonnière fort luxueuse, au coin de Park Avenue et de la 79e Rue, où ses amis de la loterie des Nombres avaient trouvé à employer ceux de ses multiples talents qui ne me regardaient pas. La simple recommandation de Le Breton, mais surtout le fait que je connaisse le surnom de Margot – c'est lui qui l'avait baptisée « le Vieux Soldat » en hommage à son courage –, suffirent à transformer Marcel en un correspondant d'une efficacité à toute épreuve, comme un journaliste souhaiterait pouvoir en disposer dans toutes les grandes villes du monde. Avec lui, tout était simple. À une époque où Harlem était devenu malsain pour qui était trop clair de peau, il avait ses entrées chez tous les amis de Ray Sugar Robinson, au Baby Grant comme au Small's où, mêmes noirs, les chauffeurs de taxi ne souhaitaient pas conduire un passager blanc. Garçon magnifique au sourire éclatant, il collectionnait les bonnes fortunes. Comme prévu, son carnet d'adresses était d'une richesse incomparable et partout il était accueilli avec des démonstrations de la plus vive amitié. Même Monna Lisa ne lui résistait pas ! Cette visite sans précédent était d'ailleurs le sujet de mon reportage. Prêtée par le gouvernement français, *La Joconde* franchissant pour la première fois l'Atlantique était l'objet de mesures de sécurité exceptionnelles, aussi importantes que l'intérêt suscité par le tableau le plus célèbre du monde auprès du public américain. Le Coréen m'en expliqua le détail, tout comme il avait démonté pour Auguste le dispositif protégeant les chambres de sûreté que l'on retrouvait dans le *Rififi à New York* : on est spécialiste ou on ne l'est pas ! Grâce au Coréen, mon reportage sur Monna Lisa prit une ampleur que je n'avais pas soupçonnée en quittant Paris. Avant de nous séparer, et après les remerciements d'usage, Marcel me chargea de remettre à sa sœur, qu'il adorait et qui habitait rue Dulong, dans le XVIIe arrondissement, à quelques encablures de mon domicile de l'époque, un paquet contenant, m'assura-t-il, des pellicules de Polaroïd que l'on ne trouvait pas encore en France.

J'étais désolé mais, depuis que mon métier m'entraînait vers des horizons lointains, je m'étais fixé une règle absolue : ne jamais transporter de paquet dont je n'eusse pas vérifié le contenu.

– Tu as tout à fait raison, on n'est jamais assez prudent, me rassura mon hôte. Ouvrons le colis !

Il contenait effectivement les pellicules annoncées, qui me valurent à Paris les remerciements émus de sa sœur, laquelle, m'avait prévenu Auguste, ne savait rien des activités marginales de l'enfant prodigue – moi-même, j'en ignorais l'essentiel, si ce n'est qu'elles justifiaient la vie agitée de Marcel, toujours en bagarre avec un clan ou un autre. Ce qui m'importait, c'est qu'il eût sauvé par la rapidité de son intervention la vie de mon ami, victime à New York d'une terrible hémorragie, séquelle d'un ulcère à l'estomac trop longtemps négligé. Et qu'à la simple évocation de son nom et de celui du Vieux Soldat, il eût mis ses connaissances à ma disposition.

Rabiboché avec ses ennemis d'hier, Marcel revint à Paris ; avec Le Breton, je dînai une ou deux fois en sa compagnie dans des lieux où il s'affichait sans crainte. Jamais je ne devais le revoir. Il se fit arrêter à Genève alors qu'il repérait les lieux d'un braquage avec une équipe de casseurs que les policiers parisiens de l'Antigang filaient depuis Paris. Après avoir purgé une peine au cours de laquelle ce garçon si charmant et si dévoué à ses amis donna libre cours à la violence qu'il avait dans le sang – même emprisonné, il avait réussi à se faire de solides ennemis ! –, Marcel le Coréen revint à temps à Paris pour participer au conflit sans précédent qui opposa le clan Zemour à celui des Lyonnais-Siciliens. Il inspirera plus tard au metteur en scène Alexandre Arcady *Le Grand Pardon*, avec Roger Hanin, et provoquera une hécatombe dans le milieu. Robert Broussard, patron de l'antigang, notera : « Déclenchées en mars 1973, les hostilités ne cesseront qu'en septembre 1976, après la mort de trente et une personnes liées à ces deux bandes[1]. » Parmi les premières victimes, Marcel Barokhel. Le 13 octobre 1973, *France-Soir* titra : « Marcel le Coréen est abattu à bout portant, rue Dulong. Bon fils, il allait voir sa mère. » Mieux encore, ce forban, incorrigible coureur de jupons, comme l'appelait affectueusement Le Breton, vivait avec cette dernière dans l'appartement où il occupait à nouveau sa chambre de jeune homme, heureux de pouvoir entourer la *mamma* de mille attentions.

Durant toute ma vie, je rencontrerai peu d'êtres capables de susciter autant de dévouement qu'Auguste Le Breton, surtout de la part d'hommes qu'il était préférable d'avoir pour amis, ou dont il était prudent de se tenir éloigné.

À chaque sortie de nos livres, nous en échangions un exemplaire affectueusement dédicacé. Il savait pouvoir compter sur moi, comme moi sur lui. Quand je décidai de quitter le grand reportage, il fut, avec Joseph Kessel que j'avais connu dans des circonstances historiques dont je reparlerai, le seul à me proposer de m'aider financièrement dans le métier aléatoire que j'avais choisi. Je n'eus pas à accepter son offre généreuse, mais le cadeau était d'importance et prouvait l'estime dans laquelle il me tenait. Tout d'une pièce, il ne tolérait pas de voir trahie la confiance accordée à un tiers qui l'avait assuré de son amitié. Fin connaisseur de l'Amérique du Sud et, comme moi, amateur de pierres de préférence vertes ou rouges, ou encore taillées en brillants, il m'avait recommandé, avant mon départ pour le Brésil, un bijoutier de Rio de Janeiro, proche parent d'un homme politique important, au cas où l'envie me viendrait d'en offrir une à ma compagne. Quand il apprit de ma bouche que le si sympathique joaillier, fournisseur de nombreux équipages de compa-

1. Commissaire Robert Broussard, *Mémoires*, Plon, 1997.

gnies aériennes, et lié à quelques figures du milieu parisien, m'avait arnaqué de belle façon et refusait de me rembourser la bague vendue au triple de sa valeur, il entra dans une de ces colères froides qui le rendaient si redoutable même à ses éditeurs.

– Il a tous les culots, me dit-il peu après. Non seulement il t'a repassé alors que tu venais de ma part, mais il veut me voir pour claper ensemble ! Car il est de passage à Paris, ce loquedu ! Il a laissé son numéro. Je vais le recevoir de première !

Ses arguments devaient être convaincants car, dès le lendemain, l'escroc était chez moi, nous procédions à l'échange et je récupérais ma mise. Le bonhomme n'était pas fier d'avoir cédé. Et moi non plus d'avoir eu recours à un vieil ami pour me faire respecter. Quant à Le Breton, il était rasséréné : son influence restait intacte dans un monde où n'est pas voyou qui veut.

Je connaîtrai encore quelques figures du milieu qui, lorsque des catastrophes sans nombre s'abattront sur Auguste, se conduiront à son égard comme les plus dévoués et affectueux des fils. Ils seront tous là, au petit cimetière du Vésinet, lors des obsèques du Vieux Soldat, décédée après sept ans de paralysie, réunis, les yeux humides, autour de la tombe devant laquelle, selon la dernière volonté de Margot, le célèbre accordéoniste Jo Privat jouera *Le Dénicheur*. Parmi eux, des truands, des casseurs, des professionnels de haut vol qui se livraient au trafic d'armes, d'objets d'art, de voitures de luxe, sans oublier le racket et le commerce des filles, mais aussi les seconds rôles, tenanciers de bars, hôteliers, patrons de boîtes, tous prêts à « aider un poteau en cavale », et bien connus de la police qui avait délégué à la cérémonie quelques représentants venus pour observer les visages et s'apercevoir que tel ou tel, perdu de vue depuis un bail, était à nouveau présent dans la région parisienne. Ils se retirèrent discrètement quand tous les assistants se retrouvèrent au célèbre restaurant Les Ibis, loué par Auguste pour le traditionnel repas de funérailles. Il y avait là Nini et Jeannot R., grâce à qui j'étais rassuré sur la « moralité » d'un musicien de talent avec lequel un de mes proches envisageait de s'associer dans l'exploitation d'une boîte de jazz à Montmartre : « Ton gars est blanc-bleu, m'avait transmis Le Breton. D'après notre enquête, il n'a aucun rapport avec les voyous du quartier. Il est même tellement honnête qu'il ne fera jamais fortune dans le métier de taulier ! » Pour obtenir en si peu de temps autant de renseignements sur un inconnu, il m'aurait fallu au moins l'influence d'un commissaire divisionnaire…

Entourant Auguste de leur chaude affection, je retrouvai ceux qu'il appelait « les garçons », quatre frères lyonnais dont l'aîné, Nat, était une des personnalités les plus redoutables du milieu parisien, et leur ami François le Grec, un parrain respecté, tous familiers des dîners d'anniversaire dans le pavillon du Vésinet où je les avais connus en famille, ainsi que Jacques Risser : celui-ci avait payé de cinq ans de détention son trop vif intérêt pour l'efficacité d'une marque de coffres-forts, et devait se reconvertir avec un certain talent dans le roman policier, tout en devenant le chauffeur, homme à tout faire, coursier et garde du pauvre corps délabré d'Auguste quand celui-ci, atteint d'un cancer de la gorge, verrait ses forces décliner. C'est aux Ibis que je découvris ce jour-là les mesures de précaution prises par ces aventuriers dans leur vie quotidienne, leurs pires ennemis ne se trouvant pas dans les rangs de la police, mais parmi ceux de clans rivaux. Je ne savais rien de leurs activités, ni même, pour la plupart, de leurs noms de famille, mais je pouvais constater qu'aucun d'entre eux ne tournait le dos à une porte, et que, enterrement ou pas, ceux que je connaissais et qui me saluaient d'un *abrazo* chaleureux ne sortaient pas sans artillerie ! Je ne mesurerai leur place réelle dans la hiérarchie de la profession, au moins aussi codifiée que celle de la haute bourgeoisie, qu'en apprenant la façon dont certains policiers se servaient de leur influence dans le milieu pour passer des messages à quelques-uns de ses membres les plus importants. Un exemple parmi d'autres : quand les commissaires Leclerc et Broussard, respectivement numéros 1 et 2 de la Brigade antigang, auront acquis la certitude que les frères Zemour – dont un membre avait été tué lors de la fusillade du Thélème – criaient vengeance et avaient lancé un « contrat » sur leurs têtes, c'est François le Grec et Nat qu'ils convoquèrent au Quai des Orfèvres pour leur mettre les points sur les « i » et les barres sur les « t ». Le message que leur délivra Broussard fut parfaitement entendu. Que les rumeurs de vengeance persistent, et c'est la brigade tout entière qui leur rentrerait dedans ! Deux jours après, dix-sept éminents représentants de la Grande Truanderie française tenaient réunion chez un célèbre avocat parisien où il fut vivement conseillé aux plus excités de renoncer à des projets suicidaires pour les affaires du milieu parisien qui, comme chacun sait, a besoin de calme et de sérénité pour prospérer heureusement.

Ce jour des obsèques de la si gentille Margot, où nombre de bouteilles de champagne furent vidées en son souvenir, resta gravé dans ma mémoire. J'avais le sentiment de vivre une scène de cinéma semblable à celles du film de Henri Decoin, *Razzia sur la chnouf*, dans lequel Auguste Le Breton, jouant son propre rôle, tenait une partie de passe anglaise, entouré d'hommes à l'œil dur qui n'avaient rien de figurants professionnels puisqu'on remarquait, au premier rang des joueurs, Gaby le Flambeur, dont le sobriquet disait la passion, et Victor l'Algérien, abattu six mois après le tournage !

Au fil des années – il y en aura dix-sept avant qu'Auguste ne rejoigne son Vieux Soldat –, je verrai s'effacer ces truands fidèles à certaines valeurs que les jeunes voyous ne respectaient plus et qui – lorsqu'on s'abstenait de les juger – les rendaient parfois si attachants. Disparus,

Jeannot R. et Nini, Jacques Risser, devenu la nounou du vieil écrivain solitaire ; la dévouée Geneviève, dite Bouton d'or, que Nat et ses frères avaient déléguée auprès de leur ami, après la mort de Margot, et qui l'avait aidé à surmonter son cancer, sans pouvoir résister elle-même à celui qui l'attaqua sournoisement ; François le Grec, évanoui après qu'on l'eut vu se recycler un temps dans la production de cinéma…

J'eus parfois des nouvelles des « garçons » qui m'invitèrent dans le paradis sud-américain où ils s'étaient retirés à temps et où notre vieil ami passa ses dernières heures heureuses en famille. Mais ce n'était pas la mienne…

Les policiers qui se déplacèrent par habitude au cimetière du Vésinet quand on mit notre ami en terre au son de binious que son neveu à la mode de Bretagne, Gilles Durieux, responsable du choix des films pour une grande chaîne de télévision, avait commandés, ils ne reconnurent personne. Pas le moindre « beau voyou » à citer dans leur rapport. Seulement José Giovanni, Alphonse Boudard et moi-même, parce qu'ils nous avaient vus à la télé dans quelques émissions littéraires et que les deux premiers avaient eu, en leur temps, quelques sérieux démêlés avec la justice avant de devenir écrivains et cinéastes célèbres. Moi, je n'avais eu, grâce à mon cher Auguste, que d'innocentes « mauvaises » fréquentations. Je ne les regrettais pas.

5

Sous le signe de Mars

Comme nombre de moments importants de ma vie, mes souvenirs les plus lointains restent liés à la guerre. J'avais quatre ans lorsque fut déclarée celle de 1939-1945. À trente ans, mon père était en âge de la faire. Il rejoignit donc le 5e Tirailleurs marocains au sein duquel il avait fait son service militaire à Bourg-en-Bresse. La « drôle de guerre » battait son plein – dans la plus profonde léthargie ! – quand il fut terrassé par une bienheureuse pleurésie qui le rendit à son foyer, réformé temporaire, puis définitif. De son bref passage sous les drapeaux il m'avait rapporté quelques pièces de son uniforme : l'imposante ceinture de flanelle garance maintenue par le ceinturon à double ardillon, et la chéchia d'épais feutre rouge qui coiffait alors les tirailleurs. Elles constituèrent mes jouets favoris durant les quatre années suivantes, période peu propice au renouvellement des joujoux, devenus aussi rares que les produits de la ferme dont ma mère et ma grand-mère rêvaient en tentant de donner un goût aux rutabagas et topinambours dont j'apprenais l'insipidité. Quand, à la veille de l'invasion allemande de mai 40, je vis ma ceinture et ma chéchia portées

« pour de vrai » par le plus magnifique mannequin qu'on puisse imaginer, en l'occurrence un permissionnaire du 5e Tirailleurs venu rendre visite à son compagnon de chambrée désormais réformé, j'en voulus à mon père d'une faiblesse pulmonaire qui me privait de pouvoir donner la main dans la rue à un héros aussi magnifiquement vêtu que ce Fillardais. Soixante ans plus tard, je me souviens encore de son nom, tant j'avais été sensible au prestige de l'uniforme et aux cuirs du sac à dos qui contenait tout son paquetage. Dès le lendemain, tandis qu'il rejoignait le front de la Somme où il disparaîtrait, je me déguisai, chéchia sur la tête, drapé dans le métrage de flanelle écarlate, inaugurant un jeu que je pratiquerais longtemps, tant j'aimais me glisser dans la peau d'un autre et me raconter des histoires. Je ne me séparerai de la séduisante étoffe rouge qu'en août 1944, quand mon père me la reprendra pour participer à la fabrication du drapeau tricolore qui ornera notre balcon des Ternes, lors de la libération de Paris.

C'est de cet événement historique vécu au jour le jour dans la rue que datent mes souvenirs les plus précis. À l'exception de l'épisode Fillardais qui m'avait fait toucher du doigt la guerre, je ne savais rien de l'occupation nazie. On ne voyait guère d'uniformes vert-de-gris dans le quartier Daumesnil, au fin fond du XIIe arrondissement. Il n'en était pas de même de la bourgeoise place Péreire, proche des Champs-Élysées, où flottaient par dizaines les drapeaux rouges frappés du svastika, en particulier sur la façade de l'hôtel Astoria, réquisitionné par l'état-major de la Wehrmacht, et où, à la fin des années cinquante, Marcel Bleustein-Blanchet, succédant à l'état-major du général Eisenhower, installera le premier drugstore français que je fréquenterai assidûment entre la fin de mon adolescence et mes débuts de journaliste. C'est dans ce quartier des Ternes, si proche de la plaine Monceau où je vivrai la majeure partie de ma vie, que je pris véritablement conscience de la guerre. Je sus bientôt qu'écouter cette Radio-Londres que mon père captait avec difficulté sur un poste en noyer, avec son haut-parleur protégé par un fin tissu marqué d'un diapason, emblème de la marque Ducretet, constituait un acte délictueux – en tout cas selon les lois de Vichy édictées par le beau vieillard dont le portrait ornait la salle de classe de l'école privée où mes parents m'avaient inscrit en cours d'année 1943, au sortir de la communale, et que nous saluions chaque jour en braillant *Maréchal, nous voilà !* Elles avaient un goût, ces années de fin de guerre : celui, acidulé, des pastilles roses « vitaminées » que la maîtresse ou l'instituteur déposait sur notre langue lors de la rentrée du matin, avec les gestes d'un prêtre donnant la communion. Les bourratifs biscuits caséinés qui devaient pallier l'absence de lait étaient réservés à la « récré » de 10 heures, si propice aux confidences entre copains. Bavard de nature, j'avais toutes les peines du monde à obéir aux injonctions paternelles me recommandant de cacher, « même à mon meilleur ami », l'écoute des *Français parlent aux Français*, l'émission quotidienne à laquelle je ne comprenais rien mais qui, déformée par le brouillage, avait comme un parfum d'aventures mystérieuses. La recommandation me parut particulièrement judicieuse quand un de nos camarades de classe nous révéla, au cours d'une de ces récréations, que son père était milicien et faisait la chasse aux « mauvais Français qui écoutaient Londres » et aux « terroristes » de la Résistance. Le garçon avait une tête de musaraigne, était d'une faible constitution qu'il compensait en parlant sans cesse du pouvoir de son père et en bombant son torse malingre. Me montrant un jour un petit cylindre nickelé tiré de sa poche, il me fit croire qu'il s'agissait d'une sirène puissante que lui avait remise son père pour alerter, en cas de danger, tous les miliciens des alentours. « Avec ça je suis tranquille, me dit-il en confidence, je ne crains personne. Mais je ne dois l'utiliser qu'en urgence... » Le père du malheureux gamin sera fusillé lors de l'épuration. Je revis mon condisciple une quinzaine d'années plus tard, au coin d'une rue du XVIIe que je réintégrais après une absence prolongée. Son visage en pointe était inoubliable. En revanche, le torse jadis bombé avait disparu, tandis que le dos s'était arrondi comme sous le poids des avanies qu'il avait sans doute subies au seuil de l'adolescence, comme tant de fils de « collabos ». Par bonheur il ne me reconnut pas. Je n'aurais rien eu à lui dire, empêtré que j'étais alors dans la guerre d'Algérie. Mais, en un éclair, je revécus ces heures torrides du printemps 1944 où je découvrais la violence et la mort.

Ce furent d'abord les bombardements systématiques des gares de triage ceinturant la capitale. Ils étaient aussi bien diurnes que nocturnes. Un jeudi après-midi, Porte Maillot, sortant de Luna Park – un parc d'attractions qui exerçait sur moi une telle fascination que pour pouvoir m'en payer plusieurs entrées, je vendrai à un copain de classe, plus pieux que moi qui ne l'étais guère, un très beau missel à la couverture de cuir repoussé que m'avait offert ma mère – j'assistai au passage d'une escadrille de « forteresses volantes » de retour d'une de ces missions de bombardement. La *flak* allemande toucha un des chasseurs de protection qui amorça une vrille tandis que son pilote, qui s'était dégagé du cockpit en feu, descendait mollement au bout de son parachute. J'avais devant les yeux l'illustration de ces apartés parentaux où mon père racontait à ma mère – discrètement, croyait-il – comment il échangeait une valise de bon anthracite, accompagnée d'un kilo de beurre, contre la même valise remplie de vêtements civils abandonnés depuis la guerre dans son atelier de la rue Saint-Honoré. Son intermédiaire – un apiéceur alsacien qui faisait des extra en jouant les interprètes auprès d'officiers allemands de l'hôtel Meurice, siège de la Kommandantur du Gross Paris, désireux de s'encanailler à Pigalle ou rue de Lappe – les destinait à des aviateurs alliés abattus par la DCA et pris en charge par un réseau dont il faisait partie.

Peut-être le pilote, que je voyais se balancer à l'extrémité du parachute, serait-il demain vêtu en bourgeois grâce à mon père ? J'apprendrai plus tard que ces raids anglo-saxons contre les gares de triage des alentours parisiens firent 747 morts durant les quelques semaines qui précédèrent la Libération. Parmi ceux-ci figuraient sans doute les victimes que l'on releva après le pilonnage de la gare des Batignolles, à moins de deux kilomètres de notre domicile. C'était la première fois que je voyais le jour en pleine nuit, tant les fusées éclairantes illuminaient le ciel d'où provenait un fracas assourdissant. Je n'avais jamais assisté à un feu d'artifice et quand, plus tard, je verrai mon premier, un 15 août à Évian, je le trouverai bien plat, comparé à ce cyclone qui pouvait apporter la mort d'un instant à l'autre. Au début de la guerre, la sirène des alertes aériennes nous faisait descendre à la cave, puis mes parents s'étaient lassés. N'ayant aucune conscience du danger, je me contentais d'admirer l'illumination imprévue. La peur serait pour demain, quand j'aurais réalisé ce qui s'était réellement passé.

Les combats pour la Libération de la capitale commencèrent le 19 août. C'était un samedi, et le dimanche, ma mère me dispensa de la messe à Saint-Ferdinand. Les coups de feu secs dans lesquels nous vivions depuis quarante-huit heures m'inquiétaient autrement que les gigantesques explosions du récent bombardement des voies ferrées voisines. Ils étaient plus sournois. On ne voyait pas la mort venir. Pourtant, elle rôdait dans les rues quasi désertes d'où parvenaient les échos d'accrochages entre FFI mal armés et soldats de la Wehrmacht d'autant plus redoutables qu'après avoir dominé le monde ils perdaient la guerre. Je crois que c'est ce dimanche-là que je vis un cadavre pour la première fois de ma vie : un soldat allemand tué sur le pont qui enjambait la voie de chemin de fer de la Petite Ceinture, à l'intersection du boulevard Péreire et de la rue Laugier. Un filet de sang coulait de la commissure de ses lèvres. Quand des infirmiers en blouse, brandissant un drapeau blanc à croix rouge, enlevèrent le corps, une large tache sombre maculait la chaussée, seule trace d'un drame qui s'était joué au pied de notre immeuble, comme il s'en joua par centaines dans tous les quartiers de Paris. Des drapeaux tricolores fleurissaient à tous les étages des immeubles. Malgré le danger toujours présent, l'atmosphère était à l'euphorie. Pour fêter la Libération en cours, le caviste du boulevard qui vendait le vin au litre, chez qui mon père se fournissait, avait fait sauter la bonde de ses tonneaux et tirait sans relâche de quoi remplir les six bouteilles soigneusement rincées que l'on apportait dans un casier en fer à poignée de bois. Celui-ci n'avait pas servi depuis 1941, quand le vin, rappelait mon père aux voisins venus profiter du coup de folie du commerçant patriote, avait été rationné à deux litres hebdomadaires, puis à un seul depuis le début de l'année 1944, sans doute la plus difficile en matière de ravitaillement. Quelques jours avant les combats pour la Libération, mon père était allé à vélo en grande banlieue pour tenter de s'approvisionner. Il avait rapporté fièrement un chou-fleur et deux litres de lait soigneusement couchés dans une musette provenant de l'armée – avec la ceinture et la chéchia ! – et qu'il tenait contre sa poitrine. Épuisé par une course bien trop lointaine pour un corps affaibli par la pleurésie et les privations, il était tombé sur le trottoir, au bas de notre maison, et les deux bouteilles de lait s'étaient brisées. C'est la seule fois où, enfant, j'ai vu mon père pleurer.

Cette équipée n'était plus qu'un mauvais souvenir tandis que nous attendions devant les Caves Péreire de pouvoir approcher de la tireuse, dispensatrice du précieux nectar pour lequel mon grand-père maternel avait quitté l'Amérique ! Tout à coup, on entendit de ces claquements secs, devenus familiers, tandis qu'une voiture longeant les grilles du chemin de fer se dirigeait à vive allure vers notre petit groupe. Je me suis senti enlevé, séparé de mon père, passé de bras en bras jusqu'à me retrouver protégé derrière le bar en bois massif qui occupait l'arrière-boutique du caviste. J'étais le seul enfant, et tous ces braves gens avaient pensé à ma sécurité avant la leur. En fait de véhicule redoutable, il s'agissait d'une de ces tractions frappées de la croix de Lorraine, les lettres FFI peintes en blanc sur les portières noires, qui rôdaient dans les rues en faisant un peu de cinéma, deux tireurs allongés sur les ailes avant, à la mode des républicains espagnols. Bizarrement, mon père, qui était le plus sensé des hommes et le plus éloigné de l'aventure, fût-elle héroïque, se sentit rassuré sur mon sort par l'attitude de ses concitoyens et ne m'interdit nullement de poursuivre mes pérégrinations dans les rues du quartier, pourtant en proie à la fièvre insurrectionnelle. C'est ainsi que je vis une autochenille équipée d'un canon qui s'employait à réduire une barricade confectionnée avec des arbres abattus place Péreire par des résistants qui entendaient gêner la fuite des Allemands. Son servant n'eut pas le temps de tirer un deuxième obus qu'un très jeune homme en bras de chemise – il n'avait pas le double de mon âge – attaqua le véhicule blindé avec un cocktail Molotov qui transforma deux des occupants en torches vivantes, tandis que les autres fuyaient l'explosion inéluctable des obus de réserve. Avec le copain de classe qui m'accompagnait, et malgré l'euphorique inconscience de l'enfance, je pris mes jambes à mon cou et remontai l'avenue Niel en direction des Magasins Réunis – emplacement aujourd'hui occupé par la FNAC des Ternes – où nous attendait une scène encore plus dramatique. Était-ce pour répondre coup pour coup aux actions de la Résistance, mais nous aperçûmes, heureusement à temps pour nous mettre à l'abri, un camion de la Wehrmacht hérissé de fusils. Descendant l'avenue à tombeau ouvert, il prenait pour cible les Parisiens qui n'entendaient pas vivre la Libération calfeutrés dans leur appartement. Leur ligne de mire chahutée par les cahots, les tirs des *feldgrau* n'atteignirent personne cet après-midi-là.

Autrement efficaces étaient les mystérieux tireurs des toits – on parlait de miliciens aux abois, comme le père de mon condisciple – qui prenaient tout leur temps pour faire un carton sur les passants. Désespérés, ces jusqu'au-boutistes, plutôt que de fuir en compagnie des Allemands qu'ils avaient choisi de servir, se vengeaient d'avance d'un sort qu'ils pressentaient fatal. Comme un peu partout dans Paris, les FFI du XVIIe investissaient les toits d'où partaient les coups de feu. Une véritable bataille s'y livra durant quelques jours. On ne s'y fit pas de quartier. Avenue Niel – elle était encore pavée en bois de campêche, « le bois d'qu'empêche les ch'vaux d'glisser », disait le populo, et y subsistaient encore les rails du défunt tramway –, je complétais mon expérience de la mort : après le cadavre du soldat nazi de la rue Laugier, ceux des hommes-torches de la place Péreire, c'est un de ces tireurs des toits que je vis basculer dans le vide du haut de l'immeuble qui abritait la petite salle de cinéma L'Abri, un ancien marché couvert qui avait servi de refuge contre les effets dévastateurs de la Grosse Bertha durant la précédente guerre. Le drame avait été précédé d'un violent échange de coups de feu qui dut m'effrayer. Je ne garde pourtant aucun souvenir de cette peur légitime, si ce n'est celui d'une certaine exaltation provoquée par les événements vécus durant ces heures inoubliables. Avec quelques autres, tout aussi tragiques, l'image de ce corps désarticulé s'écrasant sur le bitume du trottoir, s'inscrivit pour toujours dans ma mémoire. Elle ouvrait un album que je nourrirai, quatorze ans plus tard, d'autres clichés, peut-être plus exotiques, mais comparables en horreur à ceux qui avaient marqué la fin de mon enfance. Je me demande si, malgré l'émotion qui m'étreignait, je n'éprouvais pas déjà une certaine fascination pour la guerre.

*

* *

L'année 1957, ma première année de journaliste à plein temps, se terminait en beauté. *Dix Millions d'auditeurs* était maintenant solidement installé sur l'antenne de Radio-Luxembourg. Les deux éditions quotidiennes justifiaient le développement de l'équipe. De nouveaux éléments, dont certains ne manquaient pas d'expérience, nous rejoignaient. C'en était fini de la petite bande familiale dont les membres se tassaient dans le « placard » du boulevard Haussmann. Nous avions désormais une salle de rédaction au siège de la rue Bayard où se trouvaient les studios d'enregistrement, les ateliers de maintenance et les bureaux administratifs. Mon salaire avait doublé en moins d'un an. Cent mille francs par mois étaient alors une belle somme. Les humbles besognes du journaliste débutant avaient fait place à des sujets plus importants. Je sortais de Paris. Je prenais l'avion et c'était la première fois. Cet émerveillement semble puéril aujourd'hui où l'on se déplace si aisément. Mais, à cette époque, et venant d'un milieu modeste…

Je découvrais un autre monde, celui des aéroports, des grands hôtels et des restaurants renommés que je n'avais fait qu'apercevoir à l'époque de ma liaison avec Raphaëlle. Nous vivions une expérience passionnante. Un renouveau du journalisme comme seuls, peut-être, avaient pu le vivre nos aînés qui avaient eu vingt ans à la Libération. On donnait leur chance à de très jeunes hommes, dont j'étais. Mon nom commençait à être connu sur l'antenne, je recevais du courrier en provenance d'auditeurs qui semblaient apprécier la façon dont je traitais l'actualité. L'avenir était peint en rose.

C'est alors que la guerre qui avait marqué mon enfance d'une empreinte indélébile me rattrapa. Depuis trois ans le pays s'enlisait en Algérie dans un conflit dramatique qui mettait à feu et à sang trois départements français. Quatre cent mille hommes y étaient mobilisés en permanence. Tout au long de l'année 1957, la Bataille d'Alger avait opposé la structure rebelle du FLN aux régiments de la 10e division parachutiste du général Massu à qui le ministre-résidant Robert Lacoste avait confié la charge du maintien de l'ordre. J'avais suivi avec attention ses principaux épisodes, ainsi que les polémiques suscitées par les méthodes employées par l'armée pour juguler la rébellion. Avec attention, mais aussi avec regret : celui de ne pas participer sur le terrain à « l'histoire en train de s'écrire ». Fort de mes premiers succès, je me promettais de faire le siège de mon rédacteur en chef pour en obtenir mon billet pour Alger, quand l'autorité militaire s'employa à prévenir mon désir. Le sursis que je faisais traîner depuis 1955 – millésime de ma classe – était résilié, et le ministère de la Défense nationale attendait mon arrivée sous les drapeaux aux premiers jours de l'année nouvelle. La catastrophe était là, et bien là. Malgré quelques gentilles réussites, ma jeune réputation serait oubliée vingt-huit ou trente et un mois plus tard, puisque telle était à l'époque la durée du service armé. Le service militaire proprement dit était de dix-huit mois et, selon les aléas de la situation, le contingent était maintenu sous les drapeaux pour dix à treize mois supplémentaires. J'étais bon pour deux ans et demi d'absence.

Les premiers succès de *Dix Millions d'auditeurs* et sa transformation en journal quotidien à deux, puis bientôt trois éditions, avaient entraîné de profonds changements. Armand Jammot n'en était plus l'unique patron. Il était maintenant flanqué d'un second rédacteur en chef – appelons-le Michel Michel –, soutenu par une partie de la direction et coiffé par un directeur de l'Information – Michel Moine – et par un directeur du journal parlé – Pierre Jeancard. Tous étaient des politiques, surtout ce dernier qui, au lendemain de la guerre, avait été chargé de mission (« service psychologique ») au cabinet d'André Malraux, alors ministre de l'Information, avant de devenir le responsable à la propagande du RPF pour la région parisienne, puis d'occuper des postes importants dans les cabinets de trois ministres durant ce qu'on appela la « traversée du désert », dont j'allais vivre la fin. Devenu journaliste à *Paris-Match*, puis rédacteur en chef politique de *Jours de France*, son rôle était d'unifier, rue Bayard, les diverses tendances d'un journal qui se structurait et se développait à une vitesse étonnante, mêlant dans sa rédaction des hommes provenant d'horizons bien différents, sinon opposés. Il fallait son passé, sa croix de guerre et sa médaille de la Résistance pour faire cohabiter le résistant Jammot et « Michel Michel » que l'on soupçonnait d'avoir joué un rôle ambigu durant l'Occupation. Soupçons qui devinrent certitude quand on apprit que cet ancien reporter de Radio-Paris avait été arrêté le 16 mars 1945, inculpé d'intelligence avec l'ennemi et d'apologie de l'Armée allemande pour avoir décrit avec complaisance l'entrée des troupes collaborationnistes de la LVF et leur défilé sur les Champs-Élysées. Disposant d'appuis puissants, mais aussi poursuivi par de tenaces vindictes, « Michel Michel » avait été libéré après quatre mois de prison préventive. Incarcéré de nouveau le 11 décembre de la même année, il avait été condamné à un an de prison ferme avant de se faire oublier à Radio-Maroc, puis de réapparaître en cette fin d'année 1957 à la tête du journal de Radio-Luxembourg où il devint évident qu'une bataille sans merci allait l'opposer à Jammot. Bien sûr, je tenais pour Armand, dans l'ombre duquel j'avais appris les rudiments du métier. Le grand patron de l'antenne, Jean Luc, qui ne rendait de comptes qu'à la direction grand-ducale luxembourgeoise, me conseilla paternellement de ne pas me mêler de querelles de clans et de rivalités qui n'iraient qu'en s'exacerbant, et de me dégager de mes obligations militaires dans les meilleurs délais. Puisqu'il me manifestait tant d'intérêt, je m'ouvris de mes inquiétudes : à mon retour, qui se souviendrait du jeune reporter que j'étais ?

– Moi, me dit Jean Luc en rejetant la fumée de son éternel cigarillo. Je vous garantis que, dès la fin de votre service militaire, vous retrouverez votre place dans l'équipe.

Et, pour appuyer ses dires, il m'annonça que la direction me garantissait un demi-salaire mensuel durant mon absence, aussi longue fût-elle. Il ne s'agissait nullement d'une aumône, mais d'une pige représentant dix interventions sur l'antenne si, comme il le pensait, l'Armée me permettait de temps à autre de participer à une édition de *Dix Millions d'auditeurs.* Dans le cas contraire, la somme me resterait acquise. Jamais je ne retrouverais cette solidarité quasi familiale durant toute ma carrière journalistique...

La feuille de route que je reçus bientôt me prouva que les promesses de Jean Luc, réitérées affectueusement par Jammot, mais aussi – avec toute la chaleur dont cet homme rétracté était capable – par son alter ego « Michel Michel » qui, à cette occasion, me dit tout le bien qu'il pensait de mes reportages, n'étaient pas paroles en l'air. J'étais affecté pour la durée de mes classes à la 10e Compagnie régionale du Train, unité sans prestige basée au camp de Linas-Montlhéry, non dans la caserne ultramoderne de Saint-Eutrope, fréquemment montrée à la presse comme vitrine d'une armée à la pointe du progrès, mais dans des baraquements disséminés dans les clairières qui abondaient à proximité de la forêt de Biscorne. Ces baraques en bois avaient été construites en 1939 pour abriter les officiers allemands que l'état-major français entendait faire prisonniers parmi les troupes du IIIe Reich qui auraient l'audace de s'aventurer jusqu'aux lisières sud de la banlieue parisienne ! On sait ce qu'il advint de ce projet mirifique : le camp fut abandonné tandis que les officiers supérieurs de la Wehrmacht prenaient possession, pour quatre années d'occupation, de tous les grands hôtels parisiens ! Ces baraquements minables, devenus vétustes, avaient néanmoins repris du service, quinze ans plus tard, à l'automne 1955, quand la guerre s'était installée en Algérie, que le Conseil des ministres avait décidé le rappel de contingents récemment libérés, et que 380 000 hommes se préparaient à franchir la Méditerranée. La 10e CRT n'avait rien de glorieux, mais présentait l'immense avantage de se trouver à vingt-cinq kilomètres de Paris, de laisser à ses hommes une liberté quasi complète dès l'instant qu'ils avaient accompli l'entraînement prévu par le règlement – les clôtures de barbelés et les postes de garde se contournaient avec une étonnante facilité – et de constituer le marchepied idéal pour des affectations privilégiées. On y entrait 2e classe, on en sortait 2e classe, mais chauffeur, secrétaire, maître d'hôtel ou cuisinier au mess des officiers, quand ce n'était pas au service personnel d'un colonel ou d'un général. En un mot, on savait à merveille y utiliser – mais seulement sur recommandation ! – des compétences déjà acquises dans le civil. Mon ami François Deguelt, dont la notoriété grandissante se transformait en succès populaire, et qui, comme moi, se désolait de devoir interrompre une carrière en plein essor, était ainsi promis au Théâtre aux Armées, tandis que le service de presse du ministère de la Défense nationale, qui entretenait les meilleurs rapports avec Michel Moine et Pierre Jeancard, attendait que j'eusse terminé mon instruction militaire pour m'embaucher dans ses rangs. Bref, si nous devions interrompre des métiers où la réussite était si fragile, on nous permettait de ne pas perdre la main. C'était le principal.

Nous avions tout juste eu le temps de passer une paire de semaines dans la promiscuité de chambrées odorantes, de recevoir les inoubliables piqûres TABDT qui vous protégeaient contre à peu près toutes les maladies, y compris le typhus, et d'effectuer quelques séances de maniement d'armes, quand nous nous retrouvâmes chargés d'animer et de diriger le club de loisir de cette unité un peu particulière. Le confort y était succinct, mais l'avenir riche de promesses, compte tenu de la situation politique fluctuante. Disposant d'une chambre particulière, nous organisions notre vie comme nous l'entendions. L'essentiel était que le bar fût bien tenu et correctement approvisionné – on y consommait plus de canettes de bière que de sodas – et que nous montions deux soirées artistiques par semaine. Outre François Deguelt, vedette incontestée de notre plateau, un garçon du même âge faisait un tabac dans un genre tout à fait différent : le comique paysan. C'est au club du camp de Linas-Montlhéry que les soldats de la classe 57-2C découvrirent les premiers Ricet Barrier et sa *Servante du château*, portrait rabelaisien qui connut un triomphe militaire avant de remporter un succès immédiat et durable auprès du grand public. Quand, sous les flashes des photographes, André Claveau, vedette adulée de l'époque, vint nous rendre visite pour les besoins d'un reportage destiné à *Luxembourg Sélection*, mensuel édité par Radio-Luxembourg, et à l'*Almanach* de la station la plus populaire de France, ce fut du délire. Nous jouions les vedettes sous l'œil indulgent d'un colonel en fin de carrière pour qui nous organisâmes, au cœur de l'hiver, un gala à la mairie du XVIIIe arrondissement de Paris au profit d'une œuvre de bienfaisance qu'il présidait. Ravi de notre efficacité, ce brave homme fermait les yeux sur la façon bien particulière dont nous envisagions le service militaire. François, qui possédait une voiture, m'emmenait souvent à Paris où il se produisait parfois dans quelques boîtes de nuit de Montmartre, trop heureuses de la présence de cet invité-surprise, tandis que je rendais visite à la rédaction de mon journal, histoire de ne pas me faire oublier et de profiter de quelques bonnes fortunes qui rompaient la monotonie des soirées solitaires à l'ombre de la tour de Montlhéry. Toutes ces fantaisies sans la moindre permission !

Le service militaire était long, mais commençait sous d'heureux auspices. Néanmoins, j'avais hâte de renouer avec mon métier. Encore fallait-il que je rencontre au ministère de la Défense un chef aussi compréhensif que me le promettaient mes patrons de la rue Bayard. J'avais flâné pendant trois mois, il s'agissait maintenant de préparer l'avenir. L'Algérie m'intéressait, mais comme journaliste. Pas comme combattant vissé sur un piton de Kabylie ou des Aurès. Les événements qui se mijotaient – nous étions en avril 1958 – allaient combler tous mes désirs. La guerre qui avait marqué mes premiers souvenirs d'enfant m'attendait sans que j'en éprouve d'avance la moindre crainte. Elle m'excitait plutôt.

*
* *

Après les baraques délabrées pour semi-clochards du camp de Linas-Montlhéry, un sort bienveillant m'apprit les palais de la République. Au cœur du faubourg Saint-Germain, celui qui abritait le ministère de la Défense – jadis ministère de la Guerre – était parmi les plus prestigieux. Depuis un siècle et demi, il occupait le vaste hôtel de Brienne qu'en fils attentionné Napoléon avait offert à sa mère au temps de sa splendeur. Le bâtiment central – rez-de-chaussée toscan, premier étage ionique avec son grand fronton triangulaire et ses pilastres à chapiteaux grecs – avait conservé quatre salons ornés des vestiges du mobilier et de la décoration des appartements de Madame Lætizia. Sa pompe convenait parfaitement à la résidence d'un ministre dont le rôle était essentiel dans un gouvernement de la République. L'hôtel de Brienne était flanqué de bâtiments annexes qui s'ordonnaient sur un vaste quadrilatère entre la rue Saint-Dominique et le boulevard Saint-Germain. Le titulaire du prestigieux portefeuille dans le cabinet que présidait le radical Félix Gaillard était Jacques Chaban-Delmas. À trente-huit ans, Gaillard était le vingtième président du Conseil depuis l'élection de la première Assemblée nationale de la IVe République, ce qui en disait long sur la stabilité des ministères ! Quant à Chaban, gaulliste historique, responsable de premier plan dans la Résistance, délégué militaire du Gouvernement provisoire de la République française avec rang de général de brigade à moins de trente ans, président du petit groupe des rép' soc' (républicain sociaux), fidèles au général de Gaulle dans l'hémicycle du Palais-Bourbon tout en participant à de nombreux cabinets ministériels de la IVe, il entretenait de longue date les meilleures relations avec la nouvelle direction de Radio-Luxembourg. Michel Moine et Pierre Jeancard m'avaient chaudement recommandé auprès de ses collaborateurs. Arrivant rue Saint-Dominique, mes classes terminées, je fus d'autorité affecté au service d'information du ministre. On y avait besoin de journalistes capables de faire des synthèses d'écoute à partir des bulletins émis par les principales chaînes radiophoniques. Habitué aux reportages sur le terrain, je fus déçu de me retrouver dans la peau d'un rédacteur rivé à son bureau, mais c'était me familiariser avec la politique et juger des différentes façons de la traiter selon les antennes. Et puis, les avantages étaient considérables. Désormais soldat du 1er Régiment du Train, je dépendais théoriquement de la caserne Dupleix, à deux pas de la tour Eiffel, mais on me fit comprendre que personne ne m'y attendait avec impatience, tandis qu'à l'Information le commandant et le capitaine responsables du personnel avaient besoin de mes services. Ils m'indiquèrent les conditions de travail que je devrais respecter. Une fois rédigée ma synthèse d'écoute quotidienne, je serais libre de mon temps ; domicilié à Paris, on m'autorisait même à coucher « en ville », et, dans la foulée, comme j'appartenais à une section dépendant directement du ministre, on me conseilla de prendre mon poste en civil. La carte d'identité qui me donnait accès au ministère comportait cette autorisation exceptionnelle.

Sans attaches sentimentales et depuis toujours familier de la nuit, je me portai volontaire pour les écoutes nocturnes et les journaux du petit matin qui ne tentaient guère mes rares confrères appelés sous les drapeaux. Mon travail remis aux sténos, j'avais toute latitude, après quelques heures de sommeil grappillées ici et là, de reprendre certaines activités au sein de la rédaction de *Dix Millions d'auditeurs*. Je dois avouer que, jusque-là, je n'avais guère eu l'âme politique ; l'Histoire en marche m'y plongea sans délai.

J'étais encore à Montlhéry, organisant les distractions des soldats de ma classe, quand s'était déclenchée l'affaire de Sakiet. Le 8 février 1958, ripostant à des tirs de mitrailleuses en provenance du territoire tunisien contre un appareil français, l'aviation avait bombardé le village frontalier de Sakiet-Sidi-Youssef, où se dissimulait une unité du FLN mêlée à la population. Bilan : 69 morts et 130 blessés, tous civils. Portée par le président Bourguiba devant le Conseil de sécurité des Nations unies, l'affaire avait connu un retentissement mondial, et ébranlé un peu plus la faible cohésion de l'Assemblée nationale. Félix Gaillard, qui n'avait pas désavoué le raid de représailles, avait pourtant obtenu la confiance des députés à une large majorité. Coincé entre Bourguiba, qui exigeait l'évacuation de toutes les bases militaires françaises de son pays, y compris Bizerte, et la plainte déposée par la France contre la Tunisie pour « l'aide apportée aux rebelles algériens », le président du Conseil avait dû accepter une mission de « bons offices » anglo-américaine menée par Harold Beeley et Robert Murphy. Quelques jours seulement après que j'eus pris mes habitudes rue Saint-Dominique, et rendu compte à la satisfaction de mes nouveaux patrons des différents commentaires suscités sur les ondes par cette affaire délicate, Félix Gaillard présenta à l'Assemblée les résultats de la mission Murphy-Beeley : évacuation des forces françaises de Tunisie et négociation sur le statut de la base de Bizerte. Préconisant l'acceptation de ces propositions, le président du Conseil fut mis en minorité par une coalition qui réunissait aussi bien Jean-Marie Le Pen, ex-député poujadiste devenu indépendant, que Jacques Soustelle et tout le groupe des rep' soc', dont Chaban-Delmas – ministre de la Défense d'un gouvernement que ses amis mettaient en minorité – était l'un des leaders ! J'appris, à l'écoute quotidienne de confrères plus chevronnés, la subtilité des engagements politiques, la complexité du problème algérien et les paradoxes qu'il engendrait.

Le gouvernement Gaillard renversé le 15 avril 1958, les consultations du président de la République René Coty commencèrent dès le lendemain en vue de former le 24e gouvernement de la IVe République. À mes yeux, le premier résultat de cette crise politique était le départ de « mon » ministre, d'où une grande incertitude sur mon propre sort. Tant rue Saint-Dominique que rue Bayard, on me recommanda de ne pas me soucier de ces péripéties et de poursuivre un travail que chacun appréciait. Renversé, le gouvernement n'en expédiait pas moins les affaires courantes, et personne n'entendait modifier les services du ministre de la Défense. La nuit et au petit matin, j'écoutais et résumais donc les échos recueillis sur les ondes de l'évolution de la politique française, dominée par un problème algérien de semaine en semaine plus crucial. Le jour, mon Nagra en bandoulière, je changeais de casquette et reprenais ma place parmi la cohorte des reporters qui assiégeaient le perron de l'Élysée, de Matignon et des différents ministères où, l'un après l'autre, les principaux dirigeants s'efforçaient de former un nouveau gouvernement après d'interminables consultations. Le cabinet Gaillard avait été mis sur pied à l'automne 1957, après trente-cinq jours de crise. Celle ouverte l'année suivante par sa chute prenait le même chemin. J'enregistrai les espoirs puis les regrets de Georges Bidault que ses amis du MRP se refusaient à soutenir, ceux de René Pleven, compagnon de la Libération, animateur avec François Mitterrand de l'UDSR (Union démocratique et socialiste de la Résistance), deux fois président du Conseil et ministre cinq fois, ce qui n'empêcha pas ce champion de la « Troisième Force », qui voulait la participation conjointe des socialistes aussi bien que des indépendants, d'échouer après quatre semaines de tractations aussi bien avec le radical Édouard Daladier, dinosaure de la IIIe République, signataire des accords de Munich, qu'avec le MRP Pierre Pflimlin. Celui-ci, qui osait évoquer la négociation avec les hommes du FLN dans *Le Petit Strasbourgeois*, et prôner, dans une interview au *Nouvel Alsacien*, une politique assurant « une application loyale et libérale de la loi-cadre », cet homme-là, et quelques autres du même acabit, Alger l'européenne les détestait depuis toujours, et savait comment les museler. La recette avait été mise au point deux ans auparavant, lorsqu'en février 1956 Guy Mollet, alors président du Conseil, avait voulu imposer le général Catroux comme ministre-résident en Algérie. Selon les « ultras » – le mot apparaissait maintenant dans tous les comptes rendus –, Catroux, réputé libéral, venait pour « brader » l'Algérie en imposant le collège unique et l'égalité des droits entre Européens et Algériens ! Une pluie de tomates et une volée de mottes de terre avaient réduit à néant ces velléités « libérales ». La même recette allait resservir dans un proche avenir, assuraient les « milieux bien informés ». Je suivais l'évolution de la situation avec l'intérêt que j'aurais éprouvé en dévorant le dernier Raymond Chandler, si j'avais eu le temps de lire en ces heures que chacun pressentait décisives. J'apprenais la politique à la meilleure école qui soit, celle du terrain. Bien sûr, j'étais loin de l'Algérie, mais je m'aperçus bien vite que l'hôtel de Brienne était le réceptacle de toutes les conspirations dont Alger semblait s'être fait une spécialité.

Le service d'information du ministre, dont je n'étais qu'un rouage modeste mais passionné, était placé sous l'autorité d'un jeune lieutenant-colonel, Jean Gardes, qui, à peine quadragénaire, était sur le point de recevoir ses cinq galons pleins. Les briscards du ministère le voyaient général dans les cinq ans à venir. Sa carrière était déjà une légende : combattant héroïque en 1939-1940 de Belfort à la Loire en passant par la Somme, prisonnier évadé, parvenu après mille aventures en Afrique du Nord, il avait été grièvement blessé pendant la campagne d'Italie. À peine rétabli, il avait contribué, au sein de la 1re Armée, à la libération de Montbéliard, avant de s'illustrer à Talheim, en Allemagne. Sa conduite lui avait valu de devenir aide de camp du général Béthouart, commandant en chef de la zone d'occupation française en Autriche. Volontaire pour l'Indochine, il y fut alors associé à des opérations en pays thaï et à la frontière chinoise, où il fit preuve d'un talent certain pour le renseignement. Remarqué par le général de Lattre de Tassigny, il se vit confier la responsabilité de son service de presse et d'information. Poste d'importance confirmé par le général Salan, successeur de De Lattre. Muté au Maroc tandis que la guerre d'Algérie commençait dans les Aurès, le commandant en chef l'y chargea du 2e Bureau. C'est à ce poste qu'il transmit, en octobre 1956, les renseignements nécessaires à l'arraisonnement de l'avion de Ben Bella et de trois autres chefs historiques du FLN, dont je devais dix ans plus tard raconter l'itinéraire secret. La voie du colonel Gardes était toute tracée : homme de l'ombre, son domaine était désormais celui du renseignement à l'état-major. Il y était arrivé au début de cette année 1958, alors que tant d'événements essentiels pour la France allaient partir d'Algérie. Devenu ministre de la Défense, Chaban-Delmas, qui s'y connaissait en hommes de qualité, s'assura de sa collaboration dans la préparation de l'opération – d'aucuns diront le « complot » – dont la réussite devait aboutir au retour au pouvoir du général de Gaulle. Ainsi que me l'expliqua Pierre Jeancard dans son petit bureau de Radio-Luxembourg proche de la rédaction – dès que j'avais un instant libre, je m'efforçais de « marquer » ma place comme un chien de chasse son territoire –, le colonel Gardes disposait en outre d'un atout majeur qui séduisait son ministre : une parfaite connaissance de la guerre subversive, acquise en Indochine, et l'expérience de l'« action psychologique » dont il serait le théoricien en prenant bientôt la tête du 5e Bureau. C'est cet homme plein de fougue, au charisme certain – ses passages en coup de vent dans les locaux où œuvraient comme moi de simples appelés du contingent étaient toujours accompagnés d'un mot aimable et de phrases encourageantes –, que Jacques Chaban-Delmas avait choisi non seulement pour diriger son service d'information, mais pour être son agent de liaison entre Paris et Alger. Le ministre de la Défense y avait implanté dès la fin de l'année 1957 une « antenne » destinée à le tenir au courant de la température d'une ville bouillonnante qui pouvait exploser d'un instant à l'autre.

Plongé la journée dans les péripéties de la crise ministérielle provoquée par la chute de Félix Gaillard, et vivant la nuit à l'écoute d'Alger, j'étais aux premières loges pour découvrir puis observer de plus en plus attentivement les rapports étroits existant entre les milieux les plus actifs – voire « activistes » – algérois et certains officiers parisiens dont le colonel Gardes était l'un des plus représentatifs. Malgré les consignes de discrétion qui nous avaient été prodiguées dès notre arrivée dans le service, et même si je n'étais pas au courant de tout ce qui se tramait à l'« antenne » – bien que j'eusse à l'époque le sentiment d'être dans le secret des dieux –, je recueillais, parallèlement à mon travail de journaliste militaire, suffisamment de détails que j'engrangeais avec une âme de collectionneur. J'ignorais qu'ils me permettraient, une petite décennie plus tard, de reconstituer le rôle joué par certains dans le retour du général de Gaulle aux affaires. Vu de mon observatoire privilégié, le système était simple : le ministre de la Défense partait du principe que l'armée tout entière était en Algérie, donc que son cabinet devait avoir une « succursale » sur place, tout comme Salan représentait à Alger l'état-major des armées. En réalité, Chaban voulait être informé « en direct », et non « en ministre » à qui l'on cache soigneusement les « coups tordus » dont Alger s'était faite championne. Il savait qu'inéluctablement le Parlement en arriverait un jour – poussé par une opinion publique lasse des guerres coloniales – à rechercher un cessez-le-feu. Et que, ce jour-là, l'armée se soulèverait. Le but de Chaban, aux yeux de qui seul de Gaulle pouvait régler le problème algérien, était de ramener – en profitant du malaise de l'armée – le Général au pouvoir. Chaque jour on m'en apportait la preuve, à commencer par « mon » ministre lui-même qui se défendait de comploter contre un « système » auquel il appartenait de longue date : « Il n'a jamais caché qu'il profiterait de tous les postes qu'on pourrait lui offrir pour contribuer le plus efficacement possible au retour du général de Gaulle », m'expliquait encore Pierre Jeancard, ravi de me voir adhérer de toute mon inexpérience aux idées gaullistes. De mon observatoire du ministère, et par mes conversations avec certains aînés, j'apprenais à connaître, sans les avoir jamais rencontrées, les deux chevilles ouvrières de l'« antenne » d'Alger dont le rôle allait se révéler essentiel dans les semaines à venir. Pour moi comme pour le grand public, il s'agissait de parfaits inconnus.

Léon Delbecque, trente-huit ans, directeur d'une société lilloise, avait abandonné ses activités commerciales pour rejoindre Chaban auprès duquel il jouait les conseillers en guerre subversive, technique qui le passionnait depuis qu'il avait servi en Algérie dans les « commandos noirs » de Paris de la Bollardière avant de diriger la Fédération du

Nord des républicains sociaux. C'est à ce gaulliste pur sucre que le ministre avait confié la tâche de créer l'« antenne » officiellement chargée de faciliter les rapports entre Alger et Paris, entre le commandement en chef et la rue Saint-Dominique. En réalité, il était là pour informer Chaban plus rapidement que ne le faisait la hiérarchie militaire dont la voie n'était pas renommée pour sa célérité. Il était secondé dans cette mission par Jean Pouget, l'un des plus jeunes commandants de l'armée française, héros de Diên Biên Phu, rescapé du camp n° 1 – camp de rééducation viet pour prisonniers « irréductibles » –, qui s'était fait connaître en Algérie non seulement pour avoir maté les rappelés les plus « contestataires » de 1956, parqués à Bou-Saada, mais pour les avoir transformés en une unité d'élite. Pour lui, archétype de ces paras révolutionnaires qui rêvaient d'une Algérie rénovée, ainsi que pour nombre de jeunes officiers de son âge, seule une égalité totale et sincère entre Européens et musulmans pouvait sauver l'Algérie française. Quand Delbecque avait rencontré Pouget, celui-ci était sur le point de démissionner, victime de ce malaise de l'armée que personne ne savait dissiper, à commencer par ces « guignols » de parlementaires et ces généraux d'état-major incapables, à l'image de la IVe République, de mener une politique cohérente et suivie en Algérie.

Je vis le tandem à l'action, à peine dix jours après la chute du gouvernement Gaillard. En théorie, mon ministre n'était plus rien, mais ses hommes étaient partout en place. Le 26 avril 1958, les anciens combattants, forts du soutien d'un « comité de vigilance » regroupant vingt-deux associations et mouvements politiques, organisèrent à Alger – malgré l'interdiction du ministre-résidant Robert Lacoste – une manifestation qui rassembla, selon les informations qui nous parvinrent rue Saint-Dominique, plus de quinze mille participants autour du monument aux morts du plateau des Glières, haut lieu de toutes les cérémonies officielles, mais aussi de tous les rassemblements activistes algérois. Il s'agissait, selon les déclarations des organisateurs, largement reproduites par toutes les radios et tous les organes de presse, d'« exprimer, dans le calme et le silence que commande la gravité de l'heure, la volonté inébranlable de l'Algérie de rester française, d'éloigner tout esprit d'abandon, de s'opposer à toute ingérence étrangère dans les problèmes français [allusion aux bons offices anglo-américains qui avaient provoqué la chute du gouvernement Gaillard], et enfin de voir se constituer un gouvernement de salut national ». C'était, aux termes près, le schéma de la manifestation qui allait se dérouler trois semaines plus tard, un certain 13 mai 1958 ! Mais rien d'étonnant à cela, puisque celle du 26 avril (tout comme celle du 13 mai), officiellement organisée par les associations d'anciens combattants et le Comité de vigilance, était en fait l'œuvre de l'« antenne » installée à El-Biar, quartier chic d'Alger, qui télécommandait cette mouvance turbulente et était devenue le relais de l'action des gaullistes en Algérie, en prévision d'événements que l'on devinait imminents. Au sein du service du colonel Gardes dont je faisais toujours partie – et, je l'espérais, pour longtemps – régnait une atmosphère de complot et de pré-guerre civile où revenait inlassablement le nom de De Gaulle. Elle ne cessa qu'aux journées qui suivirent le 13 mai, où elle se stabilisa. Faute de vivre sur place les événements d'Alger et de participer à la sourde lutte que se livraient gaullistes et activistes – ceux-ci, dirigés par Robert Martel, l'homme du « non » à toutes les réformes, et Pierre Lagaillarde, leader des étudiants, étaient loin de souhaiter le retour du Général –, je les reconstituais grâce aux rapports permanents de l'« antenne ». Ils étaient au cœur de toutes les conversations, tant rue Saint-Dominique, où le colonel Gardes avait le visage gris de barbe et de fatigue, que rue Bayard où l'équipe de *Dix Millions d'auditeurs* avait le sentiment d'écrire l'Histoire en répercutant le cours des événements et les échos que notre correspondant Armand-Henri Flassch nous faisait parvenir du Forum d'Alger en folie.

De mon côté, militaire de nuit, journaliste de jour, je rendais compte, tant dans mes papiers que dans mes rapports, du climat qui régnait dans la capitale. Jamais le divorce entre la police et le pouvoir n'y avait été aussi flagrant. En Algérie l'armée, à Paris les forces de l'ordre étaient au bord de la révolte. Jamais, dans aucune République depuis 1792, pareille gangrène n'avait atteint le bras séculier de l'État. Sur les rives de la Seine, les défilés se succédaient. Les uns, de droite, aux Champs-Élysées, favorables à l'Algérie française, ponctués de coups de klaxon – trois brefs, deux longs –, les autres, de gauche, hostiles à de Gaulle et aux mouvements créés à Alger, réunissaient côte à côte, bras dessus, bras dessous, Pierre Mendès France, François Mitterrand ou Gérard Philipe, l'idole des jeunes, marchant de la Nation à la République. Chaque jour, les manifestations patriotiques se faisaient de plus en plus nombreuses, de plus en plus violentes. La République vacillait – du moins la IVe. Policiers et CRS restaient sagement dans leurs cars après avoir accompli l'impensable : ils avaient été des milliers à manifester devant le Palais-Bourbon, deux mois auparavant. Chargé par ma rédaction de prendre la température de la capitale depuis qu'Alger avait gagné la bataille du 13 mai sans effusion de sang, je circulais dans Paris à bord d'une voiture crème sur laquelle le sigle de Radio-Luxembourg s'inscrivait en lettres bleues. Passant le long des véhicules de police postés aux points névralgiques, on ne pouvait que constater avec quelle passivité les représentants des forces de l'ordre laissaient la ville manifester. Derrière les vitres grillagées, les hommes en uniforme me souriaient en faisant le « V » de la victoire. Chacun attendait que de Gaulle se déclare.

Quelques heures après la prise du Gouvernement général par Lagaillarde et les ultras, l'armée, qui figurait maintenant dans chaque comité de salut public, à commencer par celui d'Alger présidé par le général Massu, avait canalisé tous les complots avec l'aide de l'« antenne » de Delbecque, Pouget et consorts. Le commandant en chef Raoul Salan, d'ordinaire si prudent, avait terminé sa courte allocution au balcon du GG par un vibrant « Vive la France ! Vive l'Algérie française ! » suivi, après un temps d'hésitation, par le « Vive de Gaulle ! » que sollicitait avec insistance Léon Delbecque, le *deus ex machina* de l'affaire à Alger, et qui libérait chacun. Son acclamation, suivie par les vivats de la foule massée sur le Forum, faisait écho à l'appel lancé par Alain de Sérigny, le tout-puissant patron de *L'Écho d'Alger*, dans les colonnes de son journal : « Je vous en conjure, parlez vite, mon Général, vos paroles seront une action ! » Depuis, de chaque côté de la Méditerranée, le pays retentissait des coups de klaxon, trois brefs et deux longs, devenus signe de ralliement. Relatant dans mon papier du soir cette quasi-unanimité, à Alger comme à Paris, et en en retransmettant les vibrations enthousiastes prises sur le vif, des Grands Boulevards aux Champs-Élysées, grâce à mon Nagra, je me fis épingler dès le lendemain par *L'Humanité*. C'était la première fois qu'un quotidien citait mon nom. « Radio-Luxembourg ou Radio-Massu ? » titrait l'organe du Parti communiste français, avant de poursuivre : « *Radio-Luxembourg* ou *Radio-Factieux* ? On se le demande. Hier, “Dix Millions d'auditeurs” (?) ont dû subir les échos sonores des klaxons fascistes scandant : “Al-gé-rie... fran-çaise” et “De Gaulle... au-pouvoir”. Le nommé Yves Courrière ne présentait pas. Il exultait ! Le poste émetteur du “Comité de salut public” d'Alger était nettement battu sur son propre terrain ! » Je n'avais fait pourtant que restituer l'ambiance qui régnait dans les rues de Paris, tout en me gardant de prendre parti, comme me l'avait enseigné Armand Jammot et ainsi qu'il seyait au reporter d'un journal de grande information dont la clientèle s'étendait de la droite à la gauche de tout l'éventail politique. À la lecture de cet articulet contenant plus de faux que de vrai, j'appris néanmoins à modérer l'expression de mes sentiments, même si, le plus honnêtement du monde, je n'avais fait que traduire l'enthousiasme d'une grande partie de la population. Il est vrai que, sans avoir jamais rencontré le grand homme dont les photos, tanguant au-dessus des cortèges parisiens ou algérois, dataient pour la plupart des années de guerre, j'éprouvais une vive sympathie pour le général de Gaulle.

Rien ne pouvait me faire un plus grand plaisir que le bristol que me tendit mon rédacteur en chef, à la fin de la semaine qui avait vu le 13 mai changer le destin de la France. C'était une invitation à assister à la conférence de presse – la première depuis trois ans – que donnait, le lundi 19 mai 1958, le général de Gaulle dans le grand salon du palais d'Orsay. Cet hôtel luxueux occupait l'aile droite de la gare du même nom qui, aujourd'hui, abrite le magnifique musée des Arts du XIXe siècle (de la révolution de 1848 à la Première Guerre mondiale), quai Anatole-France, sur la rive gauche de la Seine. Non seulement « couvrir » cet événement que la France entière attendait après que le Général se fut déclaré, quatre jours plus tôt, « prêt à assumer les pouvoirs de la République », était une magnifique preuve de confiance qu'accordait mon journal à un jeune reporter qui n'avait encore que quatorze mois d'expérience – et était militaire de surcroît ! C'était aussi m'offrir l'occasion de découvrir « en chair et en os » le « plus illustre des Français », ainsi que le président de la République, René Coty, allait désigner bientôt son futur successeur dans un message au Parlement que l'Histoire aura retenu. Dire que j'étais ému en franchissant les barrières et cordons de police qui entouraient le palais d'Orsay, est un euphémisme. Sur le trottoir se pressaient fidèles, invités et journalistes qui devaient exhiber le précieux carton, accompagné de leur carte professionnelle. Je possédais les deux : premier miracle pour un gamin de vingt-deux ans ! Un imposant service d'ordre en tenue d'apparat était inspecté par M. Jules Moch en personne : le nouveau ministre socialiste de l'Intérieur du gouvernement Pflimlin, investi le 13 mai alors qu'à Alger se produisaient les événements que l'on sait, s'agitait comme un beau diable. Je le reconnus à son nez busqué, énorme, et à sa moustache fournie qui faisait la joie des caricaturistes. Voir un ministre d'État dont l'attitude résolue et efficace, lors des grèves insurrectionnelles de 1947 et 1948, restait dans toutes les mémoires, contrôler les forces de l'ordre qu'il avait mises en place comme un simple commissaire divisionnaire, révélait à quel point l'autorité de l'État était mise à mal. À mon habitude, j'étais arrivé en avance sur l'horaire indiqué, mais le grand salon était déjà bondé, les chaises dorées prises d'assaut. Par bonheur, représentant une radio périphérique des plus écoutées, les organisateurs me firent signe d'approcher de la table où je fixai le micro de mon Nagra parmi la forêt de ceux déjà installés par les confrères de la presse audiovisuelle internationale.

Et il apparut. À quelques mètres de moi.

Accroupi au pied de la table de conférence, je distinguais les moindres détails de ce visage que le monde entier avait connu mince et anguleux durant – et sitôt après – la Deuxième Guerre mondiale. C'était le même, mais empâté, creusé de rides, raviné de sillons, le ventre bedonnant sous le sombre costume croisé, le cheveu grisonnant et rare, la moustache presque blanche estompant la lèvre supérieure pour dégager, gourmande, la lèvre inférieure, l'œil rond comme celui d'un éléphant, perçant sous d'épaisses paupières au milieu d'un cerne profond et noir – un visage en tous points semblable au magnifique portrait (plume et encre de Chine) qu'en ferait le grand peintre Raymond Moretti des années plus tard.

Au premier rang du public siégeait Joseph Kessel – l'auteur du *Chant des partisans* – dont, sans l'avoir jamais rencontré, j'admirais le talent de romancier et de journaliste. Je suivais avec passion – et quelque envie – les grands reportages qu'il donnait régulièrement à *France-Soir*, alors le journal le plus lu du pays. Entrant quelques minutes plus tôt dans le vaste salon, j'avais profité des remous de la foule pour écouter indiscrètement l'interview impromptue qu'il donnait à mon confrère Pierre Lhoste, de *L'Heure de Paris* : « Ma préoccupation majeure, avait déclaré l'auteur du *Lion*, roman qui venait de paraître en ce mois de mai 1958, se résume en ce moment à une question : "Où va la France ?" Il existe des mariages de raison et des mariages d'amour. J'ai fait un mariage d'amour avec la France que mon père, russe et juif, m'a fait adorer... Je suis consterné de voir ce malheureux pays incapable de se gouverner... Un homme qui vivrait comme vit l'État mourrait ; une société gérée comme l'est l'État, serait instantanément en faillite. Mais un pays ne meurt pas. Un pays continue. Alors, sous quelle forme ? » Le général de Gaulle était là, à deux mètres de moi, pour apporter la réponse. Bien que trop jeune pour mesurer l'étendue de ma chance, j'étais tout de même conscient de vivre des heures exceptionnelles, sinon historiques. Après les applaudissements nourris qui avaient suivi son entrée, le Général lut d'une voix sourde une déclaration assez courte, et répondit aussitôt aux questions de l'assistance avec ironie, sincérité, dédain aussi pour les insinuations perfides de certains de mes confrères autrement plus politisés que moi. Après s'être longuement étendu sur les événements d'Alger dont je suivais les fluctuations aux premières loges, rue Saint-Dominique, il réagit aux questions formulées en d'autres lieux par Guy Mollet, encore patron incontesté et respecté du Parti socialiste : « Je réponds, martela le Général, que si de Gaulle était amené à se voir déléguer des pouvoirs exceptionnels, pour une tâche exceptionnelle, dans un moment exceptionnel, cela ne pourrait évidemment se faire suivant la procédure et les rites habituels, tellement habituels que tout le monde en est excédé... mais, vous le savez, quand les événements parlent très fort et qu'on est d'accord sur le fond, les procédures comportent une flexibilité considérable. Toute mon action est là pour le prouver. »

J'ai dit la vive sympathie que j'éprouvais pour le général de Gaulle, mais la connivence que je pouvais vérifier, au ministère, entre des colonels de grande valeur et les tenants de mouvements activistes algérois, dont certains professaient un fascisme affiché, n'était pas sans m'inquiéter. Je ne supportais pas l'idée que les accusations de *L'Humanité* à mon encontre pussent s'avérer. De Gaulle qui, depuis le début de la conférence, n'avait pas consulté une seule de ses notes, qu'il tapotait machinalement, pas plus qu'il ne s'était servi – par coquetterie, saurai-je plus tard – des lunettes qu'il tenait repliées dans sa main gauche, balaya soudain mes inquiétudes : « Je suis un homme qui n'appartient à personne et qui appartient à tout le monde... Je souhaite donner courage et vigueur aux Français qui veulent l'unité nationale, qu'ils soient d'un bord ou de l'autre de la Méditerranée. Car c'est cela la question ! Le reste, ce sont des histoires d'un univers qui n'est pas le mien. » Tout en notant les passages qu'il conviendrait de conserver pour l'édition du soir, je me réjouissais d'un langage dont aucun homme politique n'avait jusque-là usé devant moi, et qui me toucha d'autant plus qu'il précédait une mise au point réduisant à néant les principales critiques que, déjà, ses ennemis adressaient au Général : « Certains traitent de généraux factieux des chefs qui n'ont été l'objet d'aucune sanction de la part des pouvoirs publics, lesquels, même, leur ont délégué toute l'autorité. Alors, moi qui ne suis pas actuellement les pouvoirs publics, pourquoi voulez-vous que je les traite de factieux ? » Arriva alors la question anonyme jaillie de cette salle surchauffée, sans que l'on sache vraiment qui l'avait proférée : « Est-ce que vous garantiriez les libertés publiques fondamentales ? » La réplique jaillit, sans un temps de réflexion, tant elle sortait du cœur : « Est-ce que j'ai jamais attenté aux libertés publiques fondamentales ? Au contraire, je les ai rétablies quand elles avaient disparu. Y ai-je une seconde attenté ? Jamais ! Pourquoi voulez-vous qu'à soixante-sept ans je commence une carrière de dictateur ? » Le jeu des question et des réponses, destiné ce jour-là à assurer la survie de la République, était clos. D'une voix ferme, le Général conclut : « J'ai dit ce que j'avais à dire. À présent, je vais rentrer dans mon village et m'y tiendrai à la disposition du pays. »

Regagnant la rédaction de *Dix Millions d'auditeurs*, j'appris que l'ordre de grève lancé par la CGT pour 15 heures dans la région parisienne n'avait été que très mollement suivi. Aux appels en faveur de « la défense de la République » s'opposaient ceux qui préconisaient l'appel au général de Gaulle. En ces heures où la confusion ne faisait que croître et où, sur un air de guerre civile que je ne percevais que trop rue Saint-Dominique, on redoutait – de la gauche à la droite – la montée des extrêmes, la réunion du palais d'Orsay avait éclairci un point essentiel : le Général n'avait pas condamné l'action d'Alger, mais avait affirmé qu'il ne s'emparerait pas du pouvoir « illégalement ». Il ne fallait pas être grand augure pour prévoir des négociations auxquelles poussait Antoine Pinay et s'activait « mon » ministre, Chaban-Delmas, et auxquelles Guy Mollet lui-même consentirait bientôt sans trop se faire prier.

Un incident vécu durant ces journées agitées en compagnie d'un héros de la Seconde Guerre mondiale me persuada de l'imminence de la victoire gaulliste et du changement qu'allait vivre la France. Tandis que, fin mai, le général de Gaulle annonçait qu'il avait « entamé le processus régulier nécessaire à l'établissement d'un gouvernement », je me trouvais, rue de Solférino, en compagnie d'une haute figure du gaullisme de gauche,

Yvon Morandat, qu'Armand Jammot avait eu comme patron à l'Agence européenne de presse, au sortir de la Résistance, et à qui il m'avait présenté. Commandeur de la Légion d'honneur, compagnon de la Libération dont il était membre du conseil de l'Ordre, cet homme de quarante-cinq ans avait vécu un vrai roman d'aventures. Issu d'une famille de pauvres agriculteurs bressans, il avait commencé son existence laborieuse à dix ans comme berger, avait obtenu son certificat d'études dans les années 1925, avait poursuivi une éducation d'autodidacte tout en exerçant le métier de valet de ferme, puis celui, moins misérable, de vendeur aux Nouvelles Galeries à Chambéry. Militant chrétien, il avait participé à la fondation de la Jeunesse agricole (JAC) avant de devenir, à vingt-trois ans, secrétaire général permanent des syndicats chrétiens de la Savoie. Mobilisé en 1939 dans les chasseurs alpins, il s'était retrouvé à Londres après l'héroïque opération de Narvik d'avril 1940 où troupes norvégiennes et alliées avaient tenté de couper la « route du fer » aux forces de l'Axe. Il avait ainsi été parmi les premiers à répondre à l'Appel du 18 juin, et, dès 1941, avait été nommé délégué du Gouvernement provisoire de la France libre. Parachuté à plusieurs reprises en France occupée, il y avait rempli avec grande efficacité des tâches de plus en plus dangereuses, tout en participant à la création du « Mouvement ouvrier français » où se retrouvèrent des dirigeants de la CGT et de la CFTC, puis en aidant à la structuration du réseau et du journal *Libération*, d'Emmanuel d'Astier, enfin en procédant à l'unification des réseaux de résistance avec Jean Moulin. Membre de l'Assemblée consultative d'Alger à trente ans, sa fidélité au général de Gaulle était sans limites. Tout comme était célèbre le panache avec lequel il avait accompli certaines missions, dont la plus connue – parce que la plus spectaculaire – était celle au cours de laquelle il avait pris, sans aide extérieure, l'hôtel Matignon pendant les combats de la libération de Paris : il était arrivé à vélo avec Claire, son agent de liaison qu'il épouserait au lendemain de la guerre, et, affichant un culot monstre, il s'était fait livrer le siège du gouvernement dont il avait pris possession au nom du général de Gaulle non sans s'être fait rendre les honneurs par une unité de gardes mobiles armés ! Cet épisode a été raconté, six ans après les événements de mai 1958, par Larry Collins et Dominique Lapierre dans leur ouvrage *Paris brûle-t-il ?*, puis dans l'adaptation cinématographique qu'en fit René Clément en 1966, où le rôle d'Yvon Morandat fut tenu par l'un des acteurs préférés des Français, Jean-Paul Belmondo.

Après avoir rendu compte de la démission spectaculaire de l'éphémère président du Conseil Pierre Pflimlin, à laquelle j'avais assistée dans la cour de Matignon au soir du 28 mai 1958, je constatai, en regagnant mon poste nocture de la rue Saint-Dominique, la satisfaction des militaires, qui n'auraient sans doute pas à transformer en réalité la rumeur d'une très prochaine intervention des parachutistes venus d'Alger. Le départ des ministres modérés du gouvernement Pflimlin, nouvel avatar du jeu dangereux auquel se livraient les « partis » à l'égard desquels de Gaulle n'avait pas de mots trop cruels, avait suffi à provoquer le retrait du président du Conseil, lequel avait pourtant obtenu une confortable majorité à l'Assemblée nationale sur la réforme constitutionnelle. C'étaient les derniers soubresauts de la IVe République. Le retour du Général n'était plus qu'une question d'heures, surtout après l'appel du président Coty au « plus illustre des Français », dans lequel le vieil homme avait mis sa démission dans la balance au cas où il ne serait pas entendu. Après la constitution d'un Comité de salut public à Ajaccio, où des parachutistes avaient été amenés de Calvi, le risque de guerre civile se précisait d'autant plus que certaines fédérations socialistes prenaient contact avec les fédérations de la CGT. Nombre de gaullistes de gauche, tel Yvon Morandat, craignaient à juste titre que les palinodies des responsables politiques ne provoquent la création d'un courant, voire d'un mouvement débouchant sur un Front populaire, voire, pis encore, sur une démocratie populaire. Ce que l'armée ne tolérerait pas. Une fois le processus de *pronunciamiento* engagé, qui pouvait dire quand et comment on pourrait l'arrêter ? Le temps pressait si l'on voulait que l'accession au pouvoir du Général se passât dans la légalité et que les menaces de troubles fussent écartées.

Le 5 de la rue de Solférino où, durant la « traversée du désert », de Gaulle venait une fois par semaine rencontrer quelques trop rares fidèles et constater avec une sombre délectation la déliquescence du régime des partis, était devenu, maintenant que le retour du grand homme n'était plus qu'une question d'heures, un point de rencontre obligé pour ceux, de plus en plus nombreux, qui s'en réclamaient. Au lendemain de la démission du président du Conseil, j'y rejoignis Yvon Morandat qui distribuait des paquets de tracts à des militants chargés de porter la bonne parole dans les quartiers limitrophes. J'en pris un, qui nourrirait mon papier du soir. Un agent de police se trouvait en faction devant le café La Légion d'honneur, au coin du boulevard Saint-Germain et de la rue de Solférino. Notre petit groupe semblait vivement l'intéresser, sans qu'il intervînt d'une façon ou d'une autre ne fût-ce que pour s'assurer que l'ordre n'était pas troublé. Mais qui se souciait encore d'un détail aussi futile ? Soudain, Yvon Morandat, auprès de qui je me trouvais, sa pile de tracts à la main, fit un faux mouvement, et le pistolet qu'il avait passé dans la ceinture de son pantalon – les temps n'étaient pas sûrs, et bien des armes de la Résistance sortaient de leurs cachettes ! – tomba sur le trottoir, glissa sur le macadam et vint achever sa course à un mètre du gardien de la paix. Innocemment, j'envisageais déjà qui prévenir pour tirer notre ami de ce mauvais pas, quand je vis l'agent détourner pudiquement les yeux, esquisser un sourire et, nous tournant ostensiblement le dos, se passionner pour la circulation du boulevard Saint-Germain. Morandat ramassa tranquillement son arme et me dit : « Cette fois, c'est dans la poche ! Tout le monde est avec nous. »

Quatre jours plus tard, le général de Gaulle recevait dans une légalité absolue l'investiture de l'Assemblée nationale, obtenait les pleins pouvoirs pour une durée de six mois et les moyens d'élaborer une nouvelle Constitution soumise aux Français par référendum. Grâce à Pierre Jeancard, membre actif du Rassemblement du peuple français depuis sa création en 1947, et à Yvon Morandat, j'avais – bien que ne m'étant jamais mêlé de politique – toutes les raisons de devenir gaulliste. D'autant que ce dernier me relata les circonstances dans lesquelles il avait posé au général de Gaulle, onze ans plus tôt, lors d'une conférence de presse, la question essentielle sur les buts que le RPF se proposait d'atteindre. La réponse, dont je retrouverai en 1970 le détail, lors de la publication des *Discours et messages*, avait été à peu de chose près la même que celle que j'avais enregistrée au palais d'Orsay le 19 mai précédent (seul le ton était alors devenu plus véhément) :

– Mon général, avait demandé Morandat, pouvez-vous nous dire quelles seraient les relations avec les partis existants, et si vous ne craignez pas de devenir un parti unique ?

– Cher ami, nos relations avec les partis existants, je pense qu'il appartiendra aux partis de les déterminer eux-mêmes, avait répondu de Gaulle. Nous ne prétendons pas être un parti, bien sûr, pas plus que la France combattante, dont vous étiez, comme moi-même, n'en était un. Notre plan est supérieur à celui-là. Quant au parti unique, permettez-moi de rire. Nous nous connaissons depuis assez longtemps pour que nous puissions rire ensemble. Un parti unique, qu'est-ce que c'est ? On en fait l'expérience dans certains pays que vous connaissez. On l'a faite aussi avant-hier dans d'autres, qui, finalement, ne s'en sont pas trouvés très bien. Le parti unique est une dictature. Nous voulons, nous, au contraire de la dictature, et justement pour l'éviter, organiser la démocratie d'une manière différente dont elle l'est. Mais la source de tout pouvoir n'a jamais été, n'est et ne sera jamais pour nous que la volonté du peuple s'exprimant par le suffrage universel et libre, et comportant le choix des hommes que le peuple investit de tel ou tel mandat soit directement, soit par intermédiaire. Voilà ce que je veux vous dire, et vous savez que ce que je dis est vrai.

Cinq jours après l'incident du pistolet, le général de Gaulle, nouveau président du Conseil investi par la majorité des députés qui, la veille encore, s'en défiaient, entamait un voyage en Algérie. Sa première étape fut l'occasion d'un discours dont les premières phrases, acclamées par une foule en délire, entrèrent aussitôt dans l'Histoire : « Je vous ai compris ! Je sais ce qui s'est passé ici. Je vois ce que vous avez voulu faire. Je vois que la route que vous avez ouverte en Algérie, c'est celle de la rénovation et de la fraternité. Je dis la rénovation à tous égards. Mais très justement vous avez voulu que celle-ci commence par le commencement, c'est-à-dire par nos institutions, et c'est pourquoi me voilà. Je dis la fraternité parce que vous offrez ce spectacle magnifique d'hommes qui, d'un bout à l'autre, quelle que soit leur communauté, comme unis dans la même ardeur, se tiennent par la main. Eh bien ! de tout cela je prends acte au nom de la France ! Et je déclare qu'à partir d'aujourd'hui la France considère que dans toute l'Algérie il n'y a qu'une seule catégorie d'habitants. Il n'y a que des Français à part entière. Des Français à part entière avec les mêmes droits et les mêmes devoirs ! »

Ma guerre d'Algérie commençait sur ce colossal malentendu : le nouveau maître que s'était donné la France faisait acclamer ce que les plus ultras et les plus influents des Français d'Algérie avaient toujours refusé : l'égalité. J'aurais donné cher pour entendre ces paroles dans la chaleur du Forum. Pourtant, retransmises par le canal de l'« antenne », et aboutissant soit aux studios de la rue Bayard, soit dans les locaux du ministère d'où l'idée avait été soutenue, elles avaient quelque chose d'émouvant. Peut-être aussi y ajoutais-je, plus ou moins importante, une part d'imagination. Malgré mon jeune âge, je connaissais déjà – de par ma position professionnelle et les relations que je m'y étais faites – beaucoup de choses sur l'Algérie. Il me restait à les vérifier sur place.

6

Grands débuts en Afrique

Cette année 1958 que j'avais par avance détestée puisque, selon toute probabilité, elle devait m'arracher au métier que j'aimais déjà tant, se révéla l'une des plus bénéfiques de mon existence. Même si je n'avais pu assister à la grandiose et folle réception qu'Alger avait réservée à de Gaulle, j'avais néanmoins toutes les raisons de croire en ma bonne étoile. Après avoir loupé – mais qu'y pouvais-je ? – le « Je vous ai compris ! » du 4 juin à Alger, mes patrons de Radio-Luxembourg avaient obtenu du colonel Gardes et du commandant P., qui dirigeait rue Saint-Dominique le service de presse auquel j'appartenais depuis trois mois, que je suive, à la fois pour le ministère de la Défense et pour la chaîne périphérique, le deuxième voyage du Général en Algérie. Le nouveau président du Conseil (il avait été investi par l'Assemblée nationale, le 1er juin, par 329 voix contre 224) entendait le consacrer presque exclusivement aux problèmes de l'Armée.

Pour que ma situation hybride pose le moins de problèmes possibles – ce qui n'était pas évident – j'avais dû changer de nom, dans l'urgence, pendant les événements de mai. Soldat je restais Gérard Bon – mon nom patronymique, sous lequel j'avais débuté rue Bayard ; journaliste, je devins à l'antenne Yves Courrière, pseudonyme sous lequel on me connaîtra désormais avant que le Conseil d'État, quelques années plus tard, n'entérine par décret ma nouvelle identité.

C'est sous celle-ci que j'entrai, le 1er juillet, dans la caravane présidentielle qui devait m'emmener dans les confins de l'Est algérien. À Télergma, aérodrome militaire proche de Constantine, je foulai pour la première fois ce sol algérien qui, durant les dix années à venir, allait jouer un si grand rôle dans ma vie. Le secteur était particulièrement exposé – c'est entre les Aurès et la petite Kabylie que tout avait commencé, le 1er novembre 1954 –, mais mieux valait une immersion au sein des troupes implantées dans le bled plutôt qu'un trop long séjour dans cette ville surexcitée et riche d'intrigues qu'était Alger. Chez les Européens, dont l'opinion se reflétait dans *La Dépêche de Constantine* qui, avec quelques autres médias, se situait dans la mouvance des défenseurs acharnés de l'Algérie française, on réclamait l'« intégration » qui tenait lieu à la fois de revendication depuis le 13 mai, de programme et même de mystique. L'armée « tout entière derrière le général Salan, lui-même derrière le général de Gaulle » : tel fut le premier slogan qui nous accueillit dans l'Est algérien. Priorité à l'armée ! répétaient Guy Mollet, ministre d'État socialiste, Edmond Michelet, sénateur rép'soc', ministre des Anciens Combattants, et Pierre Guillaumat, un haut fonctionnaire devenu « mon » nouveau ministre des Armées, qui accompagnaient le Général. Celui-ci s'était réservé, en sus de sa fonction de président du Conseil, celle de ministre de la Défense nationale, comme pour bien faire comprendre à certains colonels et généraux qui avaient participé, sans qu'il le leur demandât, à son retour aux affaires, qu'ils avaient désormais un chef peu enclin à leur témoigner une quelconque reconnaissance. Ce n'est pas à eux qu'il s'adressa directement dès le début de ce voyage, mais aux bidasses parmi lesquels, moins chanceux, j'aurais dû me retrouver : ceux des postes isolés, des unités engagées à la fois dans la lutte et dans la reconstruction, et à leurs responsables locaux. Le général de Gaulle, que je suivais le micro à la main, prêt à enregistrer le moindre de ses propos, semblait très satisfait, presque détendu. Bien différent, en tout cas, dans son uniforme kaki, de l'homme en gris que j'avais découvert six semaines plus tôt au palais d'Orsay. À chacune des escales de son circuit dans l'Est algérien, ses questions prouvaient avec quelle attention il étudiait les problèmes que lui présentaient les commandants de secteur, les officiers de SAS (Sections administratives spécialisées) et les sous-préfets. De Constantine à Tizi-Ouzou en passant par Fort National, discours et allocutions traduisaient son souci de s'attaquer sans tarder à ces deux fléaux de l'Algérie : le chômage et l'analphabétisme des populations musulmanes, en mettant l'accent sur les problèmes de la main-d'œuvre et de la scolarisation. Des problèmes qui n'auraient jamais dû exister si l'Algérie était la France, comme se plaisaient à répéter ceux qui jamais ne l'avaient accepté, et qui, déjà, quarante jours à peine après le fol espoir du 13 mai, se demandaient s'ils avaient bien fait de tirer ce général de sa paisible retraite de Colombey-les-Deux-Églises ! À chacun de ses arrêts, le chef du gouvernement insistait sur la coopération nécessaire entre l'Algérie et la métropole : « Cette terre d'Algérie, soulignait-il inlassablement, mérite un grand et prospère destin. Elle peut l'avoir, mais à une seule condition, c'est que les hommes qui l'habitent et les hommes de la métropole soient fraternellement associés… »

Au cours du premier des dizaines de voyages qui m'entraîneront à la suite du Général, j'appris la technique de parfait « suiveur ». Comment jaillir de la voiture où ma place était réservée, avant l'arrêt complet de la DS, et comment la reprendre au vol quand le cortège se remet en route, portière encore ouverte, sans me laisser déséquilibrer par les douze kilos du Nagra. Essentiel aussi : me faire connaître de Jean Chauveau, chargé de mission (presse) à l'Élysée, que l'on considérait comme l'ombre de De Gaulle, de Pierre Lefranc, aux épaules de rugbyman, fidèle parmi les fidèles depuis 1940, chef de cabinet du Général, et des « gorilles », garants d'un périmètre de sécurité autour de l'homme d'État, appelé familièrement et indifféremment, dans le feu de l'action, « Le Vieux » ou « Pépère » ! Ils avaient pour noms Paul Comiti, venu du service d'ordre du défunt RPF, Roger Tessier, restaurateur dont la carrure dissuasive faisait sensation même chez les habitués de sa salle de boxe, René Auvray, propriétaire d'une prospère auto-école, et Henri Djouder, au crâne lisse et bronzé, le seul de ces mousquetaires à être directement issu du corps des commissaires de la Police nationale, qui dissimulait derrière le miroir de lunettes fumées un regard perpétuellement aux aguets ; d'origine kabyle, le sort de l'Algérie le concernait plus encore que les autres. Avec eux, dont l'efficacité m'impressionna aussitôt, je me familiarisai avec les techniques de protection en usage autour du Général. En compagnie de leurs collègues des Voyages officiels, policiers de métier, ils dressaient autour de lui comme un mur invisible. Ne pouvaient le franchir que les officiels, généraux, colonels ou préfets qui le recevaient dans leur secteur, et le premier cercle des collaborateurs directs. Tel photographe que je repérais rapidement et qui multipliait des clichés apparemment sans intérêt se révélait être un agent des Renseignements généraux dont les photos servaient, le soir venu, à mettre en lumière d'éventuelles failles dans le dispositif de protection. Au bout de trois ou quatre voyages, j'avais noué avec les « gorilles » des liens de sympathie puis d'amitié qui me furent bien utiles pour approcher au plus près le Général et recueillir avec la meilleure qualité de son d'éventuelles déclarations ou échanges de vues. Grâce à eux, je fus promptement *persona grata* dans le périmètre réservé, et la confiance partagée devint telle qu'au cours d'un voyage, je ne sais plus où, je me vis confier un sac de cuir contenant plusieurs de leurs armes de rechange, à charge pour moi de les ramener à l'hôtel où nous cohabitions !

Ce voyage de juillet 1958 s'acheva par Alger dont la physionomie était bien différente de celle de Constantine ou des centres kabyles que je venais de parcourir dans un grand concours de populations musulmanes aux costumes bariolés. Pas de bain de foule algéroise pour le président du Conseil. Seulement une intervention télévisée pour confirmer d'importantes mesures économiques et sociales, l'instauration du collège unique refusée depuis 1945 par les groupes de pression européens, et le droit de vote aux femmes musulmanes. Une véritable révolution ! Pour les journalistes de la caravane présidentielle, le décalage politique et psychologique entre Paris et Alger était palpable. À la suite de ses deux dernières réunions, le Comité de salut public d'Algérie et du Sahara, né du 13 mai, avait publié un communiqué ambigu dans lequel il demandait, par l'intermédiaire du général Salan, la suppression des partis politiques et l'abrogation de la loi-cadre par le général de Gaulle, lequel ne lui avait pas envoyé dire qu'il considérait cette démarche comme « fâcheuse et intempestive ». Épluchant les journaux algériens, on pouvait dire, sans trahir la vérité, que la plupart d'entre eux témoignaient d'une retenue certaine dans le compte rendu des journées précédentes, omettant par exemple de signaler l'enthousiasme quasi général de l'Armée pour les directives reçues du chef du gouvernement, et regrettant pour le moins la présence, au côté du général, de Guy Mollet qui, à leurs yeux, symbolisait le « système » et se montrait hostile à la politique d'intégration qu'ils préconisaient. D'ailleurs, soulignait-on au Comité, Jacques Soustelle, qui en était le porte-drapeau, n'accompagnait pas le chef du gouvernement, pas plus qu'il n'avait reçu à Paris de poste officiel à sa mesure, tandis qu'un Mollet était bombardé ministre d'État ! Le mouvement du 13 mai n'avait pas deux mois que l'incompréhension entre Alger et la capitale n'était déjà plus au stade embryonnaire.

Pour bien enfoncer le clou, le Général, qui avait reçu de nombreuses personnalités musulmanes dans sa résidence algéroise du palais d'Été, fit savoir à une délégation du Comité de salut public que son « emploi du temps extrêmement chargé ne lui permettait pas de s'entretenir avec eux ». De Gaulle fit une seule exception pour le général Massu, non en tant que président du Comité de salut public, préfet d'Alger ou commandant de la 10e division aéroportée, mais à titre personnel, « en tant que général Massu ». Nulle trace, dans l'intervention télévisée du soir, du fameux mot d'« intégration ». En revanche, de Gaulle énuméra les mesures concrètes que son gouvernement entendait appliquer sans délai et qui, d'évidence, lésaient nombre d'intérêts particuliers. Toutes étaient prises avec l'approbation de l'armée qui proclamait une fois de plus qu'elle courait des risques pour garder l'Algérie à la France, et non pour sauvegarder les privilèges d'une minorité pour laquelle elle n'avait jamais ressenti une grande sympathie.

De retour à Paris sans avoir eu le temps de découvrir tous les charmes de la Ville blanche, que j'aurais le loisir de parcourir de long en large dans les mois à venir, je fus chargé par mes doubles « employeurs » d'assurer, sur les Champs-Élysées, le reportage de la grandiose parade militaire du 14 Juillet, et de mettre l'accent sur la participation des troupes venues d'Algérie, de quatre mille anciens combattants musulmans et de deux mille jeunes Algériens. Sans oublier la présence, dans la tribune officielle, de nombreuses notabilités d'Afrique noire invitées par le général de Gaulle et reçues par René Coty, encore président de la République pour quelques mois. La veille au soir, le président du Conseil avait annoncé, au cours d'une allocution prononcée à la radio, l'évolution des rapports de la France avec les territoires d'outre-mer transformés en une vaste et libre communauté. C'était le coup d'envoi d'une longue tournée africaine qu'on appellera plus tard le « voyage de la décolonisation », au cours duquel le chef du gouvernement, qui avait déjà fait entrer dans son cabinet l'Ivoirien Félix Houphouët-Boigny avec le titre de ministre d'État, allait développer cette idée révolutionnaire : « bâtir de nouvelles institutions, établir sur le mode fédéral les liens d'une union nouvelle, organiser un grand ensemble politique, économique et culturel qui réponde aux conditions modernes de la vie et du progrès ». Apprenant la nouvelle, je pensais à la chance des journalistes qui, à travers l'Afrique, assisteraient à la transformation d'un Empire en une Communauté sans précédent. Mais seuls les « grands reporters » vivraient cette révolution ; j'étais bien trop jeune dans le métier, et ma situation trop précaire pour l'envisager.

Et puis, le miracle se produisit ! Un matin de la fin juillet, alors que je remettais ma « copie » – ainsi appelais-je mon compte rendu quotidien – au commandant P., celui-ci m'apostropha sans trop d'aménité :

– Alors, vous allez visiter l'Afrique aux frais de la princesse ? Le colonel a accédé aux vœux de vos anciens patrons.

Visiblement, il réprouvait l'indulgence de son supérieur à mon égard. C'est ainsi que j'appris le choix de Radio-Luxembourg : je suivrais le « voyage de la décolonisation » qu'entreprenait le général de Gaulle, de Madagascar à l'Algérie, en passant par le Moyen-Congo, la Côte d'Ivoire, la Guinée et le Sénégal...

Pour un reportage si important et si lointain, et pour pallier toute défaillance technique, la station m'équipa d'un second Nagra que le contrôleur des télécommunications, grand patron de tous les services techniques de la rue Bayard, révisa lui-même avec un soin tout particulier.

Dans les radios périphériques, le temps n'était pas encore venu de faire accompagner les reporters d'actualité par un ingénieur du son. Passé la porte des studios, le journaliste devait se débrouiller seul. J'étais assez expérimenté dans le maniement de l'appareil pour ne pas craindre la prise de son ni le raccordement aux lignes à longue distance, nécessaire pour transmettre les reportages à Paris. À mes débuts, j'avais connu le magnétophone de taille plus réduite, mais doté d'un moteur d'entraînement mécanique qui nécessitait d'actionner toutes les trois minutes une manivelle de remontage, sous peine d'entendre l'enregistrement « dégueuler » effroyablement. Nos confrères des actualités filmées hebdomadaires avaient le même problème avec la caméra Bell-Howell, qu'il fallait également remonter comme un réveil. En contrepartie, les « outils » étaient d'une résistance exceptionnelle, et la qualité de l'image et du son parfaite. En radio, l'ingénieur Kudelski avait encore perfectionné son appareil, substituant au moteur mécanique le même moteur fonctionnant grâce à douze grosses piles de 1,5 volt que l'on ne risquait pas de trouver sur les marchés indigènes des capitales qui m'attendaient. Le contrôleur des télécoms détaché rue Bayard – homme affable et souriant que tous les journalistes adoraient et surnommaient familièrement Pon-Pon, sans s'imaginer qu'un jour, tenté par la politique, il y ferait une éblouissante carrière et qu'il deviendrait l'un des principaux personnages de la République ! –, m'en confia donc plusieurs jeux qui, ajoutés au poids des deux Nagra, alourdirent encore mes bagages. C'est donc chargé comme un baudet que je me présentai au comptoir d'enregistrement de l'UTA (Union aéromaritime de transport), au Bourget.

D'ordinaire, c'était la compagnie Air France qui, une fois par semaine, assurait au départ d'Orly la ligne Paris-Tananarive-La Réunion-Île Maurice, dite « Étoile des Isles », en passant par Le Caire et Nairobi, avec des escales techniques de plus d'une heure à chaque atterrissage du

Constellation. Pour ce voyage exceptionnel, et afin d'éviter au président du Conseil de toucher une terre étrangère, ce qui aurait entraîné une réception officielle de la part des autorités égyptiennes puis kenyanes – avec leur cortège d'épineuses susceptibilités diplomatiques alors que l'affaire de Suez datait d'à peine deux ans et que le Kenya vivait tragiquement la révolte des Mau-Mau –, on décida que l'avion présidentiel et celui de la presse n'atterriraient qu'en terre française. Les quatre moteurs du Constellation pouvaient se contenter de faire le plein à mi-chemin des onze mille kilomètres qui séparaient Tananarive – on disait « Tana » – de Paris. L'idéal était de faire escale à Fort-Lamy, haut lieu symbolique de l'épopée gaullienne, puisque c'est là que Félix Éboué, gouverneur du Tchad, avait été le premier à se rallier, dix-huit ans plus tôt, à la France Libre, et où s'était constitué le 1er régiment de marche du Tchad, qui devait s'illustrer sous les ordres de Leclerc. Jusque-là, mon plus long voyage avait été celui d'Algérie, effectué à bord de cette merveille d'élégance et de technologie qu'était la Caravelle. Le Constellation, avec ses quatre moteurs à hélice, ses énormes réservoirs et sa carlingue sans fin, m'impressionna par ce qui me semblait être alors son gigantisme. Mais, devant mes confrères, je me gardai bien d'exprimer mon émerveillement et affichai l'attitude détachée du vieil « habitué » des lignes internationales. Pendant plus de dix jours, nous allions travailler, manger, dormir à son bord plus encore que dans les différents hôtels où nous serions logés par Matignon. C'était une époque où les grands reporters connaissaient personnellement hôtesses et stewards affectés aux destinations lointaines. Je ne manquai pas de me mêler à leur groupe. Mon voisin de fauteuil était François Gerbaud, confrère reporter d'Europe n° 1, dont j'admirais le talent d'improvisation et devais apprécier bientôt la modestie – ce qui ne l'empêcherait nullement de devenir chef des Informations de la radio concurrente de la mienne, présentateur apprécié du Journal télévisé, puis tenté lui aussi par la politique, député UDR et conseiller général de l'Indre où il était né quelques années avant moi. Après un certain nombre d'heures de vol consacrées à l'étude de dossiers des territoires d'outre-mer qui nous attendaient, il me confia son inquiétude : il souffrait d'atroces douleurs à la colonne vertébrale, que n'arrangeraient pas les cavalcades à la suite de notre grand homme, sous un climat tropical puis équatorial de plus en plus humide et chaud quand nous quitterions l'Afrique de l'Est. Nous comparâmes la liste des adresses des différents répéteurs[1] où nous devions nous rendre pour envoyer nos reportages à Paris. Rassurés par leur similitude, je lui offris mon aide physique en portant le plus souvent possible son Nagra, geste qui scella notre amitié.

Nous précédions de deux heures le Constellation du Général. C'était un peu court pour visiter Fort-Lamy (aujourd'hui N'Djamena) où nous arrivâmes en pleine nuit. Nous restâmes donc à l'aéroport. Des dizaines de petits marchands nous y attendaient, malgré l'heure plus que matinale. Faisant quelques pas à l'extérieur du modeste bâtiment, je foulai pour la première fois le sol de l'Afrique noire et je gonflai mes poumons de cet air à la fois soyeux et moite, à l'odeur d'épices, dans lequel, désormais, les yeux fermés, je reconnaîtrais la nuit africaine. J'achetai pour un prix qui me parut dérisoire trois gazelles en bronze que le vendeur identifia « gazelle de Grant, gazelle de Thomson », et dont je découvrirais les élégantes silhouettes en action, bien des années plus tard, dans la savane du Kenya et celle du Cameroun. En attendant, l'heure n'était pas au safari-photo, mais à recueillir la première déclaration du général de Gaulle devant la foule colorée qui s'était massée aux abords du petit aérodrome.

1. Répéteur : organe qui amplifie le courant passant sur une ligne téléphonique (relais amplificateur).

Profitant de cette courte escale nocturne à Fort-Lamy, il annonça en quelques phrases les grands thèmes qu'il allait proposer aux populations : « Dans quelque temps va se lever un jour nouveau ! Un jour de travail, d'efforts et d'espoir commencera. Cette aube nouvelle aura le nom de Communauté. Car c'est ensemble, habitants de la métropole française et ceux des territoires d'outre-mer, que nous travaillerons et unirons nos efforts vers de nouvelles destinées ! » J'assistai en pleine nuit, sur un aérodrome provincial, à l'annonce de la fin d'un empire colonial qui avait fait une part de la richesse de la France depuis plus d'un siècle.

Le temps de terminer le plein du Constellation, nous reprîmes le vol pour 5 500 kilomètres au-dessus de l'Oubangui-Chari, bientôt République centrafricaine, du Congo belge, du lac Tanganyika et de l'océan Indien. Sur la carte, je lisais ces noms exotiques dont j'avais toujours rêvé : Ruanda, Burundi, Zanzibar, Dar es-Salaam, le canal de Mozambique, Mayotte puis Madagascar, atteint après plus de vingt-six heures de vol depuis le départ du Bourget ! Nous étions jeunes, hôtesses et stewards nous avaient gâtés, maternés d'une façon dont on n'a plus idée aujourd'hui, même en classe « Affaires » où règne l'anonymat ; j'arrivai en pleine forme sur la grande île où se concrétisa tout ce que j'avais lu à son propos. Détachée de l'Afrique, mais pas véritablement africaine, guère plus chaude que Nice mais avec une population dont les traits évoquaient des similitudes inattendues avec celles du Sud-Est asiatique ou des îles malaises et mélanésiennes, ayant toutefois peu de points communs avec celles, négroïdes, de ce continent africain dont l'île n'était séparée que par les 300 à 400 kilomètres de large du canal de Mozambique, Madagascar était un monde à part. Même les vêtements des femmes y affichaient une discrétion bien éloignée de l'exubérance africaine. Quant aux noms des quartiers de Tananarive, découverts sitôt mes bagages déposés à l'hôtel Colbert – fleuron des Frères Gay qui possédaient en outre le Grand Hôtel Fumaroli, La Taverne (« le restaurant de l'Élite », proclamait leur papier à lettres) ainsi que le Caveau, « dancing de nuit » –, ils étaient carrément imprononçables pour des Européens : Faravohitra *(le bout du village)*, Ankazotokana, Mana Kambahiny, Mahamasina *(qui rend sacré)*... C'est au stade de Mahamasina que le Général prononça le premier discours important de ce voyage historique devant un grand déploiement de populations venues des quatre coins de l'île. Pour les autochtones, le lieu était magique. Non seulement le stade installé à cet emplacement était l'un des plus beaux de l'océan Indien, mais c'était là que, par trois fois, des souverains malgaches avaient été couronnés après être montés sur la pierre sacrée Vato-Masina, dont j'ignorerai toujours si la tribune présidentielle y avait été érigée. C'est d'abord à l'Assemblée représentative que le Général réserva ses premiers propos, annonciateurs du monde nouveau qu'il entendait forger : « Les rapports de la métropole avec les territoires d'outre-mer et en particulier de la République française avec Madagascar, doivent être profondément renouvelés. Nous offrirons en particulier à Madagascar toutes les possibilités imaginables. Les textes proposés aux peuples, je dis *aux peuples* au pluriel, n'excluront aucune solution, même la sécession. Selon qu'ils approuveront ou non ces textes, ils décideront de leur sort et pourront alors se séparer de la métropole. » S'adressant à la foule du stade, enthousiaste mais raisonnablement, selon la nature malgache, de Gaulle reprit ses propositions, définit l'option ouverte et termina son allocution par ces mots qui annonçaient au monde la politique de décolonisation choisie par la France : « Si Madagascar, comme je le crois et l'espère, ainsi que les autres territoires d'outre-mer et la métropole, décident de ce choix [de la Communauté], par le vote des hommes et des femmes, de mettre en commun ce que je propose, alors l'avenir, un grand avenir nous est ouvert à tous, car nous vivons une grande époque d'immenses possibilités humaines, car c'est aussi l'époque des plus grands dangers que le monde ait jamais connus. »

Pour la première fois, je pus me rendre compte *de visu* de la fascination que cet homme de fer bientôt septuagénaire exerçait sur les foules. Je n'en regrettai que plus le rendez-vous manqué du Forum d'Alger. À peine le discours terminé, et sans avoir achevé l'article qui l'encadrait, je me précipitai au « répéteur » situé à quatre kilomètres du centre, que personne ne connaissait. Je mis l'ultime touche à mon premier papier de grand reporter moins de cinq minutes avant que ne retentissent les premières notes de l'indicatif de *Dix Millions d'auditeurs*. Par bonheur, en mon absence, les agents des télécoms, dont je ne saluerai jamais assez l'esprit d'initiative et le dévouement, avaient établi la liaison avec Paris, que, ce jour-là, de nombreux radioreporters manquèrent, à la fureur de leurs rédacteurs en chef – j'entendais leurs éructations avec la satisfaction du débutant fier comme un petit coq d'avoir été le seul à « passer » son papier dans les délais. J'aurai d'autres occasions de « manquer l'édition », cette hantise de l'envoyé spécial qui, en quelques minutes, voit le travail d'une journée bon à jeter à la poubelle. Et il était épuisant, ce travail que je découvrais dans l'urgence, n'en admirant que plus l'exceptionnelle résistance à la fatigue dont faisait preuve celui que nous escortions !

Quittant Tananarive pour Brazzaville, je retrouvai avec bonheur notre Constellation, ses stewards et ses hôtesses, comme on regagne une demeure familière. Je me sentais chez moi depuis qu'à l'aller, survolant le continent africain au sud de Fort-Lamy, un Neptune d'opérette m'avait « baptisé » au passage de l'Équateur. À bord, j'étais en effet le plus jeune de la troupe, je n'avais jamais « passé la ligne » et avais eu droit au cocktail effroyablement épicé du commandant, proclamant solennellement devant tous mes camarades que « le néophyte Yves Courrière a bien dûment franchi la limite de nos États, dessus le beau navire aérien portant couleurs de la gente Nation française, notre alliée et amie de tous temps… En présence de notre cour, de par notre royal baptême, a mérité le titre de Citoyen des districts équatoriaux qui lui est solennellement conféré à bord. Fait et délivré en nos Domaines équatoriaux et enregistré au Rôle des Grands Navigateurs ! » Nous assistions à l'Histoire en marche, et dans le même temps, participions à l'atmosphère de collège en balade qui régnait dans la caravane présidentielle ! Grand navigateur consacré, je n'en avais pas moins assisté – costume bleu et chemise blanche – au dîner froid offert, la veille, par le président du Conseil des ministres, lequel m'avait prié, sur bristol gravé, de « lui faire le plaisir de venir à la Résidence, le vendredi 22 août 1958 à 20 h 30 ». Vivre à moins de vingt-trois ans de pareils événements valait qu'on se moquât des horaires de travail, des rendez-vous galants manqués, des vacances à prendre, et même de braver l'hostilité – encore discrète, mais pour combien de temps ? – de certains officiers de la rue Saint-Dominique !

Serein et confiant à Madagascar, chaleureux à Brazzaville et Abidjan où le résident général était Pierre Messmer, et dont le principal acteur politique, Félix Houphouët-Boigny, était encore ministre d'État du Général, le dialogue avec les leaders africains se tendit à Conakry. À l'Hôtel de France, le principal de la Guinée française, les « locaux » nous signalèrent à quel point la situation était difficile, et combien l'avenir des Français dans ce pays était compromis. À l'Assemblée territoriale bondée, je n'oublierai jamais la haute et massive silhouette drapée de blanc de Sékou Touré, maire de Conakry, député à l'Assemblée nationale française, et vice-président du Conseil de Guinée, quand il s'opposa presque physiquement à ce vieux roc né de l'Histoire, vêtu de kaki. Affrontement pathétique, à travers deux hommes, de deux conceptions politiques. D'entrée de jeu, le leader africain proclama avec une certaine arrogance ses exigences : « Pour que nous votions la Constitution, il faut qu'elle précise, non seulement dans son préambule, mais dans son texte même, le droit des peuples d'outre-mer à l'indépendance sans restrictions... » La réponse jaillit, cinglante : « Cette communauté, la France la propose, personne n'est tenu d'y adhérer. On a parlé d'indépendance ; je dis ici, plus haut encore qu'ailleurs, que l'indépendance est à la disposition de la Guinée. Elle peut la prendre le 28 septembre [date fixée pour le référendum] en répondant "NON" à la proposition qui lui est faite, et, dans ce cas, je garantis que la métropole n'y fera pas obstacle. » C'était la confirmation – mais sur un ton d'une tension qui m'impressionna – de ce qu'avait proclamé de Gaulle la veille, au stade Félix-Éboué de Brazzaville, devant une foule enthousiaste menée par son maire, vice-président du Conseil du gouvernement du Congo, un personnage vibrionnant et imprévisible toujours vêtu d'une soutane blanche : l'abbé Fulbert Youlou. « Chacun des territoires sera libre de choisir l'indépendance lors du référendum ou ultérieurement, avait martelé le Général... La métropole pourra, si elle le juge nécessaire, rompre les liens de la Communauté avec tel ou tel territoire, car il ne peut échapper à personne que la Communauté imposera à la métropole de lourdes charges, et elle en a beaucoup à porter... »

Ce voyage était riche en personnalités africaines tantôt pittoresques, tantôt caractérielles, que je découvrais avec un intérêt croissant. Sur les rives du Congo, Fulbert Youlou – qui devait une bonne part de son prestige à sa condition sacerdotale, bien qu'il eût été suspendu par sa hiérarchie avant de se marier et de devenir père de famille – agaçait prodigieusement les catholiques traditionalistes, choqués de le voir porter une soutane blanche comme le pape. C'est lui qui, lors d'un entretien avec de Gaulle, eut le front de lui lancer : « Mon Général, je vous avise que je ne vous ai pas encore entendu en confession ! » La repartie ne se fit pas attendre : « Moi non plus ! » Youlou était un clown qui faisait tailler ses soutanes chez Christian Dior ; Sékou Touré, un haineux qui portait ce sentiment sur son visage, et dont la gauche française allait faire une de ses coqueluches quand il proclama, devant la « caravane de la décolonisation », vouloir se séparer de la France « afin de faire de la Guinée une véritable démocratie ». On sait ce qu'il en advint : Sékou Touré se transforma (mais y avait-il transformation ?) en l'un des tyrans les plus féroces de ce malheureux continent que les colonisateurs n'ont pas su amener à la démocratie et où, quarante ans plus tard, des flots de sang continuent de couler au Rwanda et au Burundi, en passant par le Zaïre. Sékou Touré, le premier leader africain à proclamer l'indépendance de son pays au lendemain du référendum, le transforma en une nation ruinée par vingt-six ans d'une implacable dictature où la torture fit partie de l'exercice habituel du pouvoir.

Le lendemain 26 août, à Dakar, si la chanson avait des couplets semblables, l'air en était différent. De bruyantes manifestations, prévues par les syndicats ouvriers et certaines fractions politiques, accueillirent le Général et sa suite en réclamant, avec une vigueur sans violence, l'indépendance. La place qui portera bientôt le même nom était bondée. Aux premiers rangs de la foule, les traditionnelles danseuses, les musiciens et percussionnistes transpirants, attiraient micros et objectifs autant que les portraits de De Gaulle imprimés sur les boubous de cotonnade joliment colorés drapant fesses et poitrines opulentes. Au-dessus de cette foule, judicieusement disposées, des pancartes aux lettres trop bien tracées pour être spontanées étaient brandies au bout de piquets de bois blanc. Le général de Gaulle ne chercha pas à ruser avec la difficulté. Il attaqua « bille en tête » les protestataires : « Je veux dire un mot d'abord aux porteurs de pancartes. Je veux leur dire ceci : s'ils veulent l'indépendance, qu'ils la prennent le 28 septembre !... » Des hurlements accueillirent cette phrase, et quelques brutaux mouvements de foule traduisirent la versatilité de la population africaine, guidée par quelques meneurs patentés. De Gaulle la reprit en main avec une habileté confondante, mais aussi en confirmant les précisions données à Brazzaville avec une sincérité dont il « n'admettait pas qu'on puisse la mettre en doute ». Les leaders africains avaient désormais le marché en main : accepter ou rejeter la Communauté, programme nouveau et hardi, bien éloigné des dispositions colonialistes d'hier. À l'issue de cette tournée, tous ne se rallièrent pas d'emblée, mais, bientôt, les partis les plus importants, en particulier le Rassemblement démocratique africain (RDA) de Côte d'Ivoire, dont Félix Houphouët-Boigny était l'un des fondateurs, annoncèrent leur adhésion et leur approbation au futur référendum. Plus réservé me parut Léopold Sédar Senghor, leader du Parti du regroupement africain (PRA), député du Sénégal, homme de grande culture et futur membre de l'Académie française, qui sut néanmoins canaliser un courant d'opposition à la France que cet agrégé de l'Université était loin de partager. Fondateur du Parti du regroupement africain, il devait rester, avec Houphouët-Boigny, l'un des principaux soutiens de la politique africaine du général de Gaulle. Représentant la tendance socialiste humaniste favorable au maintien des liens avec la métropole, sans cesser de proclamer sa négritude, il s'opposa aux tendances nationalistes radicales qui s'étaient manifestées à travers les « porteurs de pancartes ». La visite présidentielle n'était pas terminée que l'on pouvait dire avec Félix Houphouët-Boigny que si le PRA de Senghor était plus réservé que son RDA, on pouvait être assuré une fois de plus sur les véritables sentiments des populations laborieuses envers la France : « Malgré les incidents très regrettables de Dakar, que tous les Africains conscients déplorent sincèrement, déclara le leader ivoirien dès son retour à Paris, je ne puis vous affirmer, sans crainte d'être démenti, que les responsables africains et les populations africaines voteront “oui” au référendum. »

Plus qu’à une évolution, c’est à une véritable révolution qu’il m’était donné d’assister. C’est ce que me confirmaient mes confrères de la rue Bayard avec lesquels j’étais en relation chaque fois que j’envoyais mon ou mes reportages du jour ; soit jusqu’à quatre papiers, tant les auditeurs étaient demandeurs d’informations sur ce qui se passait en Afrique ! Dans l’ensemble, me rapportait mon rédacteur en chef, l’opinion française approuvait la politique qu’expliquait le président du Conseil à chaque étape de son parcours africain. C’est que l’Algérie restait au centre des préoccupations, même si le nom de cette épine au flanc de la France n’était jamais prononcé. En huit jours, la décolonisation de l’Afrique s’est mise en marche, remarquait la gauche à travers les articles de ses principaux commentateurs. Il faut prendre acte de ces novations, étaient obligés d’admettre ceux qui, hier encore, se présentaient comme les plus virulents opposants à la politique du gouvernement du général de Gaulle, tout en prônant une évolution accélérée outre-mer.

La grande tournée africaine se termina encore par Alger où j’entrai pour la deuxième fois en quelques semaines. J’y trouvai la même atmosphère délétère, que traduisaient les déclarations des « patriotes opposés à toute politique d’abandon ou de concession ». « Le général de Gaulle, que les patriotes d’Algérie avaient appelé comme le sauveur de ce qui reste d’empire, a solennellement offert l’indépendance à l’Afrique noire…, regrettaient les adversaires les plus résolus de toute la politique libérale. Ce qui nous alarme et ce contre quoi nous ne cesserons d’appeler à la vigilance, c’est l’effroyable malentendu dont nous risquons de faire les frais. » Durant quarante-huit heures, de Gaulle ne bougea pas de sa résidence du palais d’Été. Il souhaitait s’y remettre de la fatigue et de la tension physique et morale de son périple africain – j’étais moi-même épuisé par la cadence infernale que ce diable d'homme imposait à son escorte – aussi bien que se consacrer à des entretiens approfondis avec les membres des deux communautés algéroises. La liste de ces invités resta secrète, tant pour protéger les personnalités musulmanes des représailles du FLN que pour éviter, chez les Européens, des remous divers dont on ne pouvait prévoir où ils conduiraient. Avant de regagner Paris, au soir du 29 août, le Général prononça à Radio-Alger une allocution essentiellement consacrée au référendum du 28 septembre sur la nouvelle Constitution et aux conséquences de la tournée africaine sur cette consultation : « Le vote contribuera aussi à établir sur des bases nouvelles les rapports de la métropole aussi bien que de l'Algérie avec les territoires de l'ensemble français situés au sud du Sahara… Par leur vote, enfin, les habitants de l'Algérie vont fournir une réponse à la question de leur propre destin. Car, si dures que soient les épreuves où les place une lutte fratricide, quelle que puisse être l'idée que se fassent les uns ou les autres de ce vers quoi devrait tendre le statut de leur pays, une fois la paix revenue et les déchirements dépassés, les bulletins qu'ils mettront dans l'urne auront sur un point capital une claire signification. Pour chacun, répondre oui, dans les circonstances présentes, cela voudra dire, tout au moins, que l'on veut se comporter comme un Français à part entière, et que l'on croit que l'évolution nécessaire de l'Algérie doit s'accomplir dans le cadre français. »

À peine revenu à Paris, je repris mon service habituel et ma double casquette : militaire de nuit, puis, au petit matin, journaliste civil. Conscient de l'hostilité de certains des officiers du service de presse du ministère, mais incapable de résister aux propositions de reportages que me faisaient mes patrons, je multipliais les imprudences. Rentré d'Afrique où mon travail avait été apprécié, je repartis quelques jours plus tard à Bruxelles où toute la rédaction s'était déplacée pour rendre compte en détail de l'Exposition universelle, événement d'importance couronné par l'inauguration de l'Atomium, aujourd'hui encore l'un des monuments les plus visités de la capitale belge. « Ne t'en fais pas, Gardes te couvre », me répétait le tandem Moine-Jeancard. Je voulais les croire : puisque mes directeurs le disaient !

Je volais sur un petit nuage. Non seulement je réussissais dans un métier qui me passionnait, mais j'avais rencontré, rue Bayard, la jolie attachée de presse d'une importante maison de disques, loin de laquelle, dès le premier soir, il m'avait paru que je ne pourrais désormais vivre. Au bout d'une semaine, peu enclin à différer les décisions concernant mon avenir, je lui avais demandé de m'épouser. Ce qu'elle avait accepté et qui aurait été fait avant même mon voyage africain si j'en avais reçu l'autorisation. Comme j'appartenais au ministère de la Défense, la jeune femme, née en Algérie, devait faire l'objet d'une enquête de la Sécurité militaire dont l'avis favorable était indispensable à la concrétisation de mon coup de foudre. Je n'en recevrais le précieux consentement que quatre mois plus tard ! Le temps, pour ma future femme, d'apprendre à vivre auprès d'un compagnon-courant d'air…

Après avoir assisté, le 4 septembre, à la grand-messe gaulliste place de la République, où, dans une débauche de drapeaux tricolores, le Général, expert en mise en scène et dramaturgie, avait présenté à la France la nouvelle Constitution qui devait être approuvée par le peuple le 28 septembre, je pris à nouveau le chemin de l'Afrique pour assister au référendum à Dakar. Personne n'avait oublié l'adresse de De Gaulle aux « porteurs de pancartes », que j'avais retransmise le mois précédent. J'avais mis dans mon reportage politique assez de couleur et de « choses vues » pour satisfaire mes rédacteurs en chef qui, s'ils ne s'entendaient guère, étaient tombés d'accord pour me renvoyer dans le pays de la Communauté où l'on supposait que les réactions de la population, travaillée par une opposition très active, risquaient d'être des plus « chaudes ». Arrivé à Dakar plusieurs jours avant la consultation, je repris contact avec André Célarié, directeur de Radio-Inter-occidentale, qui, lors du voyage du Général, s'était montré le plus coopératif des confrères, me permettant d'utiliser le confort de ses studios et le savoir-faire de ses techniciens pour monter et transmettre mes reportages. Ce futur rédacteur en chef de l'Information à TF1, de treize ans mon aîné, était l'heureux père d'une petite Meryem qui, sous le nom de scène de Clémentine Célarié, deviendrait, au théâtre comme au cinéma, une des actrices préférées du public français. Il me donna une nouvelle fois l'hospitalité, sans se soucier d'une éventuelle concurrence que nombre de ses confrères auraient invoqué pour montrer moins d'amicale solidarité. Il me confirma qu'à Dakar les jeux n'étaient pas faits, même si Léopold Sédar Senghor, député du Sénégal à l'Assemblée nationale et figure marquante du Parti du regroupement africain (PRA), appelait la population à voter « oui ». Le personnage était des plus attachants. Ancien élève de l'Institution des pères du Saint-Esprit, agrégé de grammaire, ex-professeur à l'École nationale de la France d'outre-mer, le futur président de la République sénégalaise, auteur de cinq ouvrages de poésie, seulement connus d'un petit cercle de lettrés parisiens, n'avait jamais caché que – attaché à la France intellectuelle, mais farouchement hostile à la colonisation – l'adhésion à la Communauté n'était pour lui qu'une étape vers l'indépendance complète, tout en se déclarant favorable à des accords d'association passés avec la France. L'aile la plus radicale de la population sénégalaise prônait de brûler cette étape, à l'instar de la Guinée où Sékou Touré appelait, lui, à voter « non ». C'est à cette aile minoritaire hostile qu'appartenaient les « porteurs de pancartes » d'hier. C'est d'elle que les unités de l'armée française chargées du maintien de l'ordre craignaient aujourd'hui le déclenchement de troubles dont on ne savait où ils pouvaient entraîner une population inconstante. Au centre de presse qui enregistrait la présence des journalistes, on me recommanda, tout comme à mes confrères, de ne pas circuler seul dans certains quartiers, en particulier, le 28 septembre, jour du référendum, aux abords des bureaux de vote les plus populaires.

Lors de mon premier passage à Dakar, je n'avais guère eu le temps de visiter la ville qui n'était pas dénuée de charme. C'est au cours de ce second voyage que je succombai à la fascination des marchés africains et des paysages qui entouraient la cité. Le marché Kermel en occupait le centre, à deux pas de la place Prôtet, cœur du berceau historique de la capitale de l'AOF où, cent ans plus tôt, le capitaine de vaisseau du même nom avait, le premier, hissé le drapeau français. On était au cœur de la colonie dont je n'imaginais pas que je vivais les dernières heures. Le marché Kermel était le domaine des femmes, belles bourgeoises africaines drapées dans des pagnes multicolores et coiffées de volumineux turbans recouverts de gaze légère, qui négociaient avec âpreté ce qui composerait le repas de midi ou le dessert du soir. C'était une merveille que de contempler papayes, goyaves, noix de coco, corossols, mangues, citrons verts, fraises artistement empilées en cônes, petites collines ou impressionnantes montagnes dont les couleurs chatoyantes le disputaient à celles des fleurs disposées en brassées et dont les noms m'étaient parfaitement inconnus, aussi bien que les légumes locaux, ignames, manioc en feuilles aphrodisiaques, tomates-cerises, tous si frais qu'ils semblaient laqués. Les senteurs des melons se mêlaient à celles des épices. Palabres, discussions, marchandages se déroulaient sous l'œil intéressé de gamins qui, un carton dans les bras, à l'affût d'une piécette, se proposaient de transporter les achats d'une population féminine blanche qui vivait là la fin d'une époque. De l'autre côté de la place Prôtet, à l'extrémité de l'avenue William-Ponty, l'une des voies les plus animées de

Dakar, un grand bâtiment de style néo-soudanais abritait le marché couvert de Sandaga, haut lieu du petit commerce et du pittoresque dakarois, encore plus grouillant que le Kermel. Dans cette pénombre qui protégeait de la chaleur d'une matinée de septembre, le mois le plus chaud de l'année, battait le vrai cœur de l'Afrique, avec ses mille arômes épicés, ces poudres mystérieuses en petits tas destinées à protéger de tous les sorts – ou à les jeter – comme à guérir de toutes les maladies. Si le Kermel était le domaine des femmes surveillant leurs étals ou s'y approvisionnant, le marché de Sandaga et plus encore le marché Tilène, en entrant dans la médina, était celui des hommes, qui y régnaient ou s'y fournissaient en gris-gris, poudres miracles, cornes de potions magiques efficaces pour rafistoler des amours branlantes, protéger des voleurs ou réussir le concours d'entrée dans une administration, signe indubitable d'une réussite sociale et garantie d'un salaire mensuel assuré. Avenue Jauréguiberry, autre poumon du commerce local, les magasins de tissus se succédaient, proposant cotonnades, satins, popelines, teints à la main avec de l'indigo, du kola et vingt autres colorants naturels. Dans les ruelles adjacentes, soudés à leurs machines à coudre, tailleurs et couturières en plein air confectionnaient en moins de vingt-quatre heures boubous ou modèles européens copiés sur les catalogues expédiés de la métropole, tout comme les artisans de la Cour des Maures fondaient, martelaient, ciselaient des bijoux d'argent et d'or selon la tradition séculaire des Hommes Bleus venus jadis du pays des Touareg. Les plus futés d'entre eux, l'œil rivé sur les premiers touristes séduits par « la Colonie », copiaient déjà les modèles reproduits dans des catalogues parisiens acheminés depuis la rue de la Paix par on ne sait quel mystérieux canal. Si tout le commerce artisanal était cantonné dans le centre de Dakar, il fallait sortir de la ville, construite sur une péninsule, pour découvrir la beauté de paysages encore épargnés par l'explosion démographique. Le Dakar que j'explorais et faisais partager aux auditeurs de Radio-Luxembourg dont la majorité ignorait encore le Club Méditerranée et les voyages organisés en charter, comptait alors moins de 200 000 habitants, dont une importante colonie française qui se regroupait pour les moins aisés dans le centre aux rues tirées au cordeau, pour les autres dans de splendides villas enfouies parmi la végétation tropicale de la Corniche, qui est à Dakar ce que le Cap est à Antibes-Juan-les-Pins. Il y avait d'ailleurs du Cannes dans cette cité bâtie sur la moitié sud de la presqu'île du Cap-Vert. Au nord de la ville, face à l'île de N'gor, l'hôtel du même nom offrait une architecture de pur style 1930 digne des palaces azuréens. Malgré la beauté du paysage et le confort du N'gor, j'avais choisi de m'installer dans le second hôtel de la cité, La Croix du Sud, plus central – N'gor était à 18 kilomètres de la ville, et le professionnel que j'étais devenu se souciait plus de la proximité de lignes téléphoniques et de la position de l'établissement par rapport au palais du Gouvernement général, où afflueraient les résultats, que de l'agrément touristique qu'il présentait.

La route de la Corniche, à l'autre bout de la presqu'île, n'était pas encore lotie d'hôtels sacrifiant à la trilogie « soleil, sable et mer », et l'on ne pouvait imaginer les charmes de la vie coloniale qu'en contemplant les riches propriétés dominant l'océan. On y apercevait le cap Manuel, point le plus occidental du continent africain, l'Anse Bernard, ainsi que l'îlot de Gorée, lieu historique tristement célèbre pour avoir été l'entrepôt et le « centre de triage » d'esclaves le plus important d'Afrique au XVIIIe siècle, et l'escale obligatoire, au XIXe, des vaisseaux ralliant l'Amérique et l'Asie. Le Cap-Vert était aussi la dernière terre africaine que Mermoz eût survolée après avoir arraché de Saint-Louis du Sénégal, le 12 mai 1930, les cinq tonnes et demie du *Laté 28* « Comte de la Vaulx », emportant 130 kilos du premier courrier aérien parvenu d'Europe pour gagner l'Amérique du Sud ; trente ans après, le souvenir de Mermoz était partout présent à Dakar, depuis la stèle érigée au bout de l'ancienne piste d'atterrissage jusqu'au bas-relief d'une petite chapelle des environs qui se flatte toujours de représenter le plus fidèlement le profil de l'archange – tandis qu'une simple et modeste plaque commémore celui de Savorgnan de Brazza, mort au début du siècle à l'hôpital principal de la ville. Je m'apercevrai, à mon retour en métropole, à travers le courrier des auditeurs, que ces découvertes touristiques faites à la faveur d'un reportage de nature politique leur plaisaient beaucoup. Le mélange des genres avait fortement contribué au succès de *Dix Millions d'auditeurs*, et aucun des nouveaux venus à sa direction n'était allé à l'encontre de l'esprit insufflé par Armand Jammot, lequel avait suivi en cela les recommandations de Pierre Lazareff. Pour lui comme pour le patron de *France-Soir*, tout reportage devait receler une histoire riche en couleurs, représentative de l'événement que le reporter était chargé de relater.

Au matin du référendum du 28 septembre, pour illustrer cette règle, il ne s'agissait pas seulement d'observer le déroulement du vote dans les quartiers bourgeois du centre et de la Corniche, mais de se rendre dans les bureaux populaires de la médina où étaient supposés demeurer les fameux « porteurs de pancartes », même s'il fallait transgresser pour cela les règles de sécurité édictées par l'autorité militaire. Conscient de notre détermination, celle-ci mit à notre disposition un nombre important de Jeep conduites chacune par un officier prêt à nous accompagner sur les lieux qui nous paraissaient les plus intéressants. Je faisais équipe avec un journaliste de *Paris-Match*, hebdomadaire avec lequel je n'étais pas en concurrence et dont je partageais néanmoins les objectifs : observer au plus près le vote de ces quartiers sensibles. Claude Azoulay était l'un des meilleurs photographes de la prestigieuse équipe qu'avaient constituée, sous la houlette de Jean

Prouvost, ses hommes de confiance, Hervé Mille et Roger Thérond. Sans être amis, nous avions eu parfois l'occasion de travailler ensemble de la plus agréable façon. Au moment de monter dans la Jeep, et lorsque nous exprimâmes le but qu'en commun nous nous étions fixé, le lieutenant qui tenait le volant réitéra les mises en garde à propos des risques encourus à parcourir les ruelles de la médina. Face à notre résolution, le jeune officier haussa les épaules et, comme pour montrer qu'il ne plaisantait pas, manœuvra ostensiblement la culasse de son Colt 11,43 et introduisit une balle dans le canon, provoquant chez moi une petite poussée d'adrénaline, comme à chaque fois que j'approchais d'une arme à feu.

Jusqu'à 11 heures du matin, nous sillonnâmes la ville sans assister à la moindre échauffourée. À la porte des bureaux de vote, l'affluence était grande et si quelques agents électoraux locaux prônaient le « non » au référendum, allant ainsi à l'encontre des consignes du député-maire Senghor, la majorité des Dakarois que j'interrogeai manifestaient leur accord avec enthousiasme. Claude Azoulay prenait ses photos tandis que j'interviewais des électeurs, hommes et femmes, celles-ci se montrant les plus empressées à accomplir leur devoir électoral. Lors d'une joute verbale accompagnée de quelques gestes menaçants entre opposants – enfin, il se passait quelque chose ! –, j'eus la fâcheuse idée de sauter de la Jeep pour me rapprocher plus rapidement du lieu de l'altercation. Déséquilibré par le poids de mon Nagra, je me tordis violemment la cheville. Le lieutenant qui nous accompagnait, et qui était breveté parachutiste, diagnostiqua la fracture du même nom. « Quand on se reçoit mal à l'atterrissage, juste avant le roulé-boulé, ça arrive très souvent, expliqua-t-il. La “fracture du parachutiste” n'a rien de grave, mais est très douloureuse. Il faut aller au plus tôt à l'hôpital pour vous faire plâtrer, puis vous reposer. » Je me contentai de bander ma cheville blessée avec mon mouchoir que je serrai au plus fort. Deux éditions du journal m'attendaient à 13 heures, puis 19 heures. Pas question d'interrompre mon reportage ni d'entraver celui d'Azoulay ! Avec un rare esprit de camaraderie, celui-ci me proposa son aide. Partout où il souhaitait aller, j'irais, et lui-même m'accompagnerait en me soutenant de son mieux sur les lieux où je voudrais me rendre. Tout en accomplissant son métier, il me servit ainsi de béquille tout au long de la journée. Grâce à lui, je pus expédier mes papiers comme si de rien n'était.

Le scrutin avait attiré un nombre de votants exceptionnel, et partout le « oui » l'emportait : à 97 % au Sénégal, à près de 100 % en Côte d'Ivoire. Deux jours plus tard, je regagnai Paris, la cheville dans le plâtre, mais riche pour la vie d'un nouvel ami. À travers cet incident mineur, j'appris ainsi la loi de fraternité entre grands reporters. Nos employeurs respectifs avaient beau se livrer une concurrence acharnée, notre solidarité était absolue. Quel que fût l'enjeu, on ne laissait jamais un confrère en difficulté au bord de la route. J'avais aidé François Gerbaud tout au long du voyage de la décolonisation, le référendum sénégalais donnait à Claude Azoulay l'occasion de me rendre la pareille. J'avais désormais le sentiment de faire partie de la confrérie.

7

Grand reporter

De retour d'Algérie, je n'étais plus le même. Vingt-huit mois de service militaire, dont plus de douze à sillonner le pays, m'avaient permis d'acquérir une expérience rare et de rencontrer nombre de protagonistes du drame qui ensanglantait le pays depuis près de six ans. Grâce à la guerre, j'avais conquis mes galons de grand reporter, tout comme nombre de mes aînés l'avaient fait à travers le deuxième conflit mondial, puis l'Indochine, avant de plonger dans le chaudron algérien. Celui-ci bouillonnait encore avec allégresse, même si aucun politique n'admettait officiellement l'existence d'une véritable guerre que l'on dissimulait avec une belle hypocrisie sous le vocable « événements ». Ainsi je n'avais pas fait la guerre en Algérie, mais participé seulement aux « événements d'Algérie » ! L'existence de la guerre ne sera explicitement reconnue que quarante ans plus tard, le 10 juin 1999 !

Durant mon séjour, j'en avais assez vu pour ne guère me bercer d'illusions sur l'avenir de l'Algérie française en laquelle j'avais renoncé à croire dès que je m'étais aperçu de l'ampleur des dégâts provoqués dans les esprits par des années de refus de l'égalité entre FSE (Français de souche européenne) et FSNA (Français de souche nord-africaine), selon la terminologie encore trop souvent employée malgré les assurances gaulliennes de juin 1958 : « Il n'y a plus ici que des Français à part entière. » En deux ans, la situation n'avait fait que se dégrader. Partout dans le monde, on reconnaissait le droit des peuples à disposer d'eux-mêmes, sauf en Algérie. Impossible de parler de décolonisation puisqu'en théorie il n'y avait sur cette terre que des départements français.

La France n'était pas la seule à se débattre avec ses problèmes africains, même si la Communauté était un succès provisoire. La Belgique y était confrontée depuis longtemps déjà, sans avoir eu à faire face à une révolte meurtrière. Pas encore... J'étais à peine revenu de la Guadeloupe – où l'on m'avait envoyé dès le surlendemain de mon retour en métropole pour suivre la partie antillaise du voyage que le Général avait entrepris, depuis la mi-avril, au Canada et aux États-Unis – que le roi des Belges, Baudouin, reconnaissait l'indépendance du Congo. L'événement était d'importance pour mon journal, écouté par une large majorité de la population belge francophone. J'étais trop heureux d'avoir retrouvé ma place au sein de la rédaction – sur ma carte de presse, « grand reporter » avait remplacé la mention « stagiaire » qui y avait figuré jusque-là – pour faire valoir mon droit à quelque repos après l'épisode mouvementé de mon service militaire. Pour consolider ma situation, tout comme je l'avais fait jusque-là, j'acceptais indifféremment tous les reportages qui se présentaient, à tel point qu'au soir de mon mariage, début décembre 1958, j'étais parti à Nîmes interviewer un brave garde-barrière dont la conduite héroïque avait évité une catastrophe ferroviaire. Mon rédacteur en chef avait tout de même offert le voyage à ma femme !

Ce qui ne fut pas le cas lorsque, quinze jours plus tard, profitant de ma permission de mariage à laquelle s'ajoutaient les jours que, sur le papier, je n'avais pas pris, je partis à Cuba pour un reportage sur l'électrification de La Havane et le percement d'un tunnel sous la baie par une importante société française. À cette occasion – je ne voulais manquer les Caraïbes sous aucun prétexte – j'avais fait renouveler illégalement mon passeport, grâce à une carte de presse parfaitement en règle, opération alors interdite à tout jeune homme en âge de servir en Algérie. Je n'étais pas à une imprudence près. À mes risques et périls (on pouvait m'accuser de désertion), j'effectuai ainsi mon premier grand reportage dans un pays étranger, celui de la décolonisation ne m'ayant pas fait quitter un sol encore sous domination française. Un an et demi plus tard, enfin libéré de mes obligations militaires, j'avais pu constater que mon directeur, Jean Luc, n'avait qu'une parole. Non seulement il m'avait payé tout au long de ces mois interminables, mais aucun autre grand reporter n'était venu me remplacer. Dans ces conditions, comment refuser ce reportage au Congo belge, possession qui devenait indépendante dans de douloureuses convulsions ?

J'y aurais eu pourtant quelques raisons. Le jour de l'été, mon épouse, auprès de laquelle, depuis notre rencontre, je n'avais pas été souvent présent, avait mis au monde une belle petite fille. Une fois encore, je partais sur les routes au moment précis où une femme a le plus besoin de la présence de son compagnon. J'osai à peine lui annoncer mon départ. On ne dira jamais assez combien les compagnes des grands reporters sacrifient une part essentielle de leur vie à la passion que leurs maris vouent à l'actualité. La vraie rivale est là. De nombreux couples ne résistent pas à cette dualité. Quand Estelle m'accompagna à l'aéroport, au petit matin, c'était sa première sortie après l'accouchement ! L'angoisse qui l'étreignait était justifiée. Le 30 juin 1960, après avoir signé l'acte consacrant l'indépendance du Congo, le roi Baudouin avait assisté avec Kasavubu, président de la nouvelle république, et Patrice

Lumumba, chef du gouvernement, à la proclamation solennelle de l'indépendance devant le parlement de Léopoldville. Après le discours conciliant du souverain, Lumumba avait fait une entrée tonitruante sur la scène internationale en prononçant un violent réquisitoire contre l'œuvre du colonisateur. Moins d'une semaine plus tard, soldats et sous-officiers congolais s'étaient soulevés et avaient arrêté leurs officiers européens. Aussitôt, de violents combats les avaient opposés aux commandos belges qui évacuaient en hâte des milliers de colons en butte aux exactions de l'« armée » congolaise. N'Dolo, l'aéroport de Léopoldville, était le théâtre de sérieux affrontements, tandis que parvenaient les échos des tortures et sévices subis par les ressortissants belges dans des régions plus reculées. Depuis lors, le pays était fermé. On ne pouvait entrer au Congo que clandestinement, en rejoignant d'abord Brazzaville, puis en franchissant le fleuve à ses risques et périls. Les informations les plus inquiétantes émanaient de la poignée de journalistes restés après les cérémonies d'Indépendance pour assister aux premiers pas d'hommes libres d'un peuple neuf. Les échos des fusillades qui avaient bientôt opposé les soldats de la Force publique africaine aux commandos belges venus à la rescousse, nous étaient parvenus grâce à l'intrépidité et au courage de Jacques Danois, notre correspondant à Bruxelles accrédité auprès du roi des Belges. À ce titre, il avait assisté aux festivités et, devant la dégradation de la situation, appelait du renfort. C'est ainsi que je me retrouvai à Orly, en cette fin d'après-midi du 13 juillet, pour la plus aléatoire des destinations. Ma femme à mon bras pour encore quelques minutes, ma valise au bout de l'autre et le Nagra sur l'épaule, je passai en revue tout ce dont j'aurais besoin sur place. J'avais fait le plein d'argent, en billets de cent dollars soigneusement pliés dans une large ceinture à fermeture Éclair. Dans les conditions où j'allais me trouver – et pour peu que je parvienne en territoire interdit –, il ne fallait compter ni sur les chèques, ni même sur les traveller's. Et les cartes de crédit n'étaient pas encore nées ! Seuls les billets verts me permettraient d'assurer ma mission. Au comptoir d'Air France à destination de Brazzaville, peu nombreux étaient les candidats au départ, une veille de jour férié. J'y retrouvai un copain photographe de l'agence Dalmas, Philippe Letellier, qui m'annonça en effet que nous serions les seuls passagers à emprunter un Super Constellation spécial qui apportait vivres, vêtements, couvertures et matériels divers nécessaires aux réfugiés qui avaient fui précipitamment leur pays avec un sac ou une valise bouclée à la hâte. La présence d'un homme de Dalmas, agence photographique spécialisée dans les coups durs, et le fait de voyager seuls à bord d'un des plus gros porteurs de la flotte internationale destiné à rapatrier les colons vers Paris, puis Bruxelles, n'étaient pas pour rassurer ma femme. À juste titre ! Ayant en horreur les adieux sur les quais de gare ou dans la salle d'embarquement d'un aéroport, je les abrégeai pour juguler l'émotion qui nous gagnait et qui n'était pas faite pour calmer l'inquiétude d'une jeune accouchée !

Le voyage fut sans histoire, si ce n'est la vive répulsion de la plus jeune des hôtesses quand, au passage de la « ligne » qu'elle n'avait encore jamais franchie, l'équipage lui fit goûter l'affreux mélange de moutarde, sel, poivre, huile, sauce Worcester, Ketchup, jus d'ananas et whisky qu'en compagnie de mon ami photographe j'avais concocté à la demande du commandant de bord… Je me réjouis d'avoir pour ma part « passé la ligne » deux ans auparavant, en me rendant à Tananarive !

Éternels oiseaux migrateurs, nous évoquions nos souvenirs de Brazzaville et les qualités de patience et d'abnégation dont devaient faire preuve nos conjoints respectifs, quand j'entrepris de faire le compte des professionnels qui devisaient aimablement entre les travées désertes de l'appareil. Outre Philippe Letellier, il y avait là la jeune hôtesse, remise de ses émotions, deux de ses aînées, un chef steward et son second, le chef mécanicien, le radio, le copilote et le commandant de bord qui levait son verre au succès de notre équipée congolaise. Je m'inquiétai soudain : « Mais… qui dirige l'avion ? » Il partit d'un grand éclat de rire : « Vous n'avez jamais entendu parler du pilotage automatique, mon vieux ? » Nous fêtions le franchissement de la « ligne » par une gentille blondinette, tandis que, grâce aux miracles de l'électronique, l'avion nous menait seul en droite ligne à Brazzaville ! À cette époque, le ciel était moins encombré qu'il ne l'est aujourd'hui, même au centre de l'Afrique. Et puis, comme l'ajouta malicieusement le commandant : « Nous n'avons aucun passager… On peut se permettre une petite folie… »

Après douze heures de vol, le quadrimoteur nous déposa à Maya-Maya, l'aéroport de Brazzaville, à six mille kilomètres de Paris. Il était 7 heures du matin, le 14 juillet 1960. Fini la plaisanterie ! Il s'agissait maintenant de traverser le Congo. D'ordinaire, il ne fallait que vingt minutes au ferry-boat pour franchir les cinq kilomètres qui séparent les deux capitales jumelles. Vingt minutes d'une course en crabe pour vaincre le courant et hacher, grâce à la puissance du moteur, les jacinthes qui prolifèrent dans les eaux jaunâtres du second fleuve africain. Seulement, le ferry-boat avait été mis hors service par les mutins de la Force publique dont on ne savait s'ils obéissaient réellement à Lumumba. De son côté, celui-ci avait donné l'ordre de fermer les frontières du pays, et instauré le couvre-feu. Au *beach* de Brazza, encombré de réfugiés belges en provenance du Katanga où les rebelles de Moïse Tschombé avaient suivi leur chef comme un seul homme quand il avait décidé la sécession de la plus riche province congolaise et proclamé son indépendance, on nous confirma nos informations parisiennes : le pays était bouclé.

Trouver un passeur clandestin relevait de la gageure. « Peut-être dans les cafés de Poto-Poto… Là-bas, tout est possible. On y fait parfois d'intéressantes rencontres », nous recommanda-t-on. Nous déposâmes nos bagages chez Faignon. C'était un café-restaurant-dancing haut en couleur du quartier africain où jouaient à toute heure guitares et balafon tandis que s'y encanaillaient fonctionnaires, hommes d'affaires, touristes et aventuriers de tout poil. C'est parmi ceux-ci, franco-belges et africains des deux rives du Congo, que nous prospectâmes durant une grande partie de la journée. En vain. Je recueillis néanmoins auprès des réfugiés de nombreux récits sur l'extraordinaire panique qui avait saisi les Européens, quand ceux-ci avaient appris les exactions dont avaient été victimes leurs compatriotes de la province du Bas-Congo, alors que tout restait calme au lointain Katanga. Mais pour combien de temps ? Des six cents Français qui vivaient à Léo, seuls les hommes étaient restés sur place. Femmes et enfants avaient été évacués peu avant notre arrivée, grâce aux derniers bateaux disponibles. On racontait les viols de femmes et de jeunes filles blanches à Thysville, ainsi que des sœurs belges du Bas-Congo pour lesquelles une dérogation des autorités religieuses autorisant l'avortement était déjà envisagée. Mais rien de tel à Léopoldville, malgré la proximité du « Belge » – ainsi appelait-on la ville africaine, moitié bidonville, moitié cité construite en dur, qui abritait trois cent mille Noirs vivant à cinq cents mètres du centre européen.

Dans l'impossibilité de pénétrer au Congo belge, c'est de Brazzaville que j'allais transmettre mon premier reportage. Pour le nourrir j'accumulai dans la journée les témoignages de quelques Européens qui, depuis quinze jours, cédant à la panique, avaient quitté Léopoldville, abandonnant leurs villas ouvertes et, aux alentours du *beach*, leurs voitures avec parfois les clefs de contact sur le tableau de bord ! Malgré la situation dramatique dont j'avais fait l'expérience presque quotidienne en Algérie depuis juillet 1958, je n'imaginais pas encore que, deux ans plus tard jour pour jour, je serais témoin en Algérie du même exode, les milliers de colons belges remplacés par un million de pieds-noirs aussi paniqués pour les mêmes raisons.

Faute d'avoir trouvé à la mi-journée un moyen de pénétrer dans le pays au bord du chaos, je m'adressai au radio-répéteur de Brazzaville, d'où je transmis à Paris l'état de ma situation et les « choses vues » sur la rive ex-française du Congo. Celles-ci feraient office de premier papier du soir. Ne doutant pas qu'à un moment ou à un autre Le Tellier et moi parviendrions à nos fins, je relevai soigneusement le numéro de téléphone du répéteur et m'entendis avec les techniciens des télécommunications pour que, le cas échéant, ceux-ci établissent la liaison avec la rue Bayard, si d'aventure je parvenais à les joindre depuis Léopoldville. Pour effectuer l'impossible traversée, les techniciens européens et africains de Brazza, formés « à la française », me conseillèrent – plutôt que d'attendre, au confortable café Faignon, un hypothétique passeur – de traîner au crépuscule dans les établissements minables installés autour de l'embarcadère, là où la vie portuaire de la capitale était concentrée. Ils me signalèrent l'existence d'une sorte d'aventurier suisse fort populaire, qui avait l'immense avantage de posséder un hors-bord grâce auquel il commerçait d'une rive à l'autre du fleuve. La nature de son activité principale ? Un haussement d'épaules répondit à ma question incongrue. En ces heures difficiles, je n'avais pas à me montrer trop regardant. C'était en tous les cas mon homme. Nous partîmes à sa recherche en fin d'après-midi. Avec Philippe, nous nous partageâmes la tâche. Au troisième troquet, je le trouvai une bière à la main : la trentaine, cheveux châtains frisés, taille moyenne, chemise kaki maculée de cambouis et de sueur, short bleu effrangé et « copain comme cochon » avec tous les tenanciers de bars crapoteux du *beach*. Un accent vaudois à couper au couteau justifiait son surnom. Je lui expliquai la situation. Il n'était pas plus curieux de notre activité que nous de la sienne. Journalistes ou acheteurs de diamants de contrebande, peu lui importait. Ce que nous voulions, c'était passer sur l'autre rive du Congo. À n'importe quel prix, et au plus tôt. « À n'importe quel prix » était l'expression juste ! Le sien était de deux cents fois celui du passage en ferry-boat. « Vous comprenez, c'est très dangereux, se justifia-t-il. Les billes de bois et ces saletés de jacinthes qui risquent de se prendre dans l'hélice rendent l'expédition très aléatoire... De toute façon, on ne peut pas passer avant le lever du jour... » Sans visa ni autorisation du nouveau pouvoir, c'était justement ce que nous voulions éviter.

Comme partout sous les tropiques, la nuit était tombée brusquement. Les remous boueux du fleuve n'étaient guère engageants. « Je n'ai qu'un hors-bord, protesta le Suisse. De nuit, c'est de la folie. Si je ne vois pas un obstacle, que ma coque éclate ou que l'hélice se mette en drapeau, on est bons pour les rapides de Kinshuka, et eux ne pardonnent pas... » Le Suisse nous expliqua avec force détails inquiétants que, pour vaincre le courant, il fallait remonter le Congo sur au moins dix kilomètres, car six kilomètres en aval des cités jumelles le fleuve se précipitait dans les rapides de Kinshuka, les premiers du gigantesque escalier qui le fait tomber jusqu'à l'océan Atlantique. La justesse de ses arguments fit monter les enchères. L'aventurier céda à quatre cents fois le prix du passage en ferry-boat ! Embarquement immédiat : le Suisse au gouvernail, bagages et matériel au centre, Philippe à droite, moi à gauche, tous à genoux car le hors-bord promis n'avait pas usurpé son nom. Le plat-bord de la coquille de noix dépassait à peine le niveau de l'eau. L'opération était sans doute risquée dans l'obscurité, mais le pilote avait des yeux de chat et gouvernait avec une habileté qui démontrait une longue pratique. Il louvoyait entre les grands tourbillons qui entraînaient les eaux boueuses dans une sarabande effrénée. « Surtout, ne bougez pas ! » nous criait-il dans le fracas du moteur. J'avais bien trop peur pour esquisser le moindre mouvement. Les brusques changements de direction grâce auxquels le Suisse évitait troncs d'arbres et bancs de jacinthes me suffisaient amplement !

Après cinquante minutes d'une course qui me parut une éternité, notre marin d'eau douce nous déposa sains et saufs sur la berge déserte. Nous étions au Congo belge et la nuit était complète. Un clair de lune voilé nous permettait néanmoins de nous guider. « Vous êtes environ à huit kilomètres de Léo, nous dit notre passeur. Moi, je préfère rentrer tout de suite à Brazza, car comme me l'a dit hier un de mes copains noirs en bouffant les "r" : "Mon cher ami, ces Congolais d'en face ils ne sont pas mûrs pour l'indépendance !" Il n'a pas tort, malgré le comique de sa réflexion : les Congolais ex-belges, ici, tirent pour un oui, pour un non. Ils ne savent même pas pourquoi ! Mais rassurez-vous : mes copains du chantier vont vous aider à gagner Léo. »

Deux Français tenaient un petit chantier de réparations navales à une centaine de mètres de notre point d'accostage. Ces bons amis du Suisse nous accueillirent à bras ouverts et, après nous avoir offert une bière, afin de nous faire oublier notre gorge asséchée par la peur, nous conduisirent en Jeep à la lisière de la partie européenne de Léopoldville, à l'extrémité de l'immense boulevard Albert-Ier où se trouvait le Memling Hôtel, seul établissement confortable – c'est-à-dire capable d'établir une liaison téléphonique avec l'Europe. « On va vous abandonner ici. On n'a pas de laissez-passer. Et les Congolais sont nerveux. Le Memling est à dix minutes. Faites attention ! » Matériel sur l'épaule, valises à la main, Philippe et moi traversâmes une ville déserte, alanguie sous ses palmiers et ses manguiers, qui contrastait avec Poto-Poto que nous venions de quitter tout livré à la musique. Ici c'était un silence lourd, oppressant. Nos rangers, d'ordinaire silencieux, paraissaient claquer comme des talons ferrés. Au moment de franchir l'interminable boulevard qui nous séparait de l'hôtel dont le hall illuminé représentait pour nous le salut, une patrouille congolaise déboucha d'une voie adjacente. La seule solution était de poursuivre notre chemin comme si de rien n'était. Une canette de bière à la main, une mitraillette dans l'autre, les soldats nous croisèrent sans nous accorder un simple regard. Ils étaient visiblement éméchés, parlaient fort et rigolaient beaucoup. Quatre d'entre eux tenaient à bout de bras deux caisses de cette bière Polar dont on disait qu'à l'époque des Belges – c'est-à-dire la veille –, la vente était interdite aux Noirs. Visiblement, ils se rattrapaient. Mon expérience militaire toute récente et le bref entraînement de commando qu'on m'avait inculqué avant mon départ en Algérie m'avait familiarisé avec deux armes : le Colt 11,43 et le pistolet mitrailleur Mat 49. C'était ce dernier qui équipait les hommes de la patrouille que nous croisions. Au passage, je remarquai que leurs mitraillettes étaient toutes armées, une balle engagée dans le canon et la culasse en position de tir. Je savais que, dans ce cas, la Mat est une arme extrêmement dangereuse. Il suffit d'un geste maladroit, d'un simple coup sur la culasse pour que la rafale parte sans même qu'on ait touché à la détente. Mais ce détail semblait laisser indifférents les Africains de la Force publique. La démarche titubante de ces amateurs justifiait les pires craintes. Il n'y avait pas vingt-quatre heures que j'avais quitté Paris, et j'avais éprouvé coup sur coup deux des plus belles frayeurs de ma vie. Jamais whisky ne me parut plus savoureux que celui dégusté au bar du Memling, devenu ce soir-là havre de grâce, où nous retrouvâmes les confrères qui étaient à Léopoldville depuis les festivités de l'Indépendance, quinze jours plus tôt.

Dès l'aube je pris la température de la ville. Ubu y était roi. Des groupes de soldats noirs sans cadres, sans chefs, sans consignes suivies avaient pris possession de la ville européenne avec autant d'étonnement que de ravissement. Je les vois arrêter les rares Européens qu'ils rencontrent. Selon l'humeur du chef improvisé, ils les acclament ou les passent à tabac sans la moindre justification. Tout dépend de la réaction des Blancs interpellés. La carte de presse française barrée de tricolore est un véritable sésame. Les mutins de la Force publique sont les maîtres quasi absolus du pavé. Ils semblent apprécier les Français qui ont eu le bon goût de procéder à temps à l'affranchissement de leurs anciennes colonies. Ils sont à l'affût d'armes, de munitions, de « traîtres » (mais à qui, et lesquels ?), de femmes aussi. Blanches, naturellement. Marcel Niedergang, grand reporter à *France-Soir*, que je rencontre toujours avec autant de plaisir, me raconte les jours qui ont immédiatement suivi la déclaration d'Indépendance, occasion de scènes grotesques, ridicules ou dangereuses, dont les Noirs en armes sont encore les acteurs. Ils arrêtent les voitures des Européens, les fouillent, les laissent repartir, les arrêtent encore, les fouillent à nouveau, font descendre conducteurs et passagers, se concertent, inventent le racket à leur profit. Ils ne connaissent pas le mot anglais, mais le baptisent « amende », qu'ils réclament avec insistance. Le montant dépend de l'humeur du plus décidé des membres de la patrouille et de l'origine de l'Européen contrôlé :

– Flamand ou Wallon ?

– Wallon…

– Alors c'est cent francs.

Les émeutiers vont jusqu'à rendre la monnaie ! Deux jours plus tard, la rançon monte à deux cents francs pour un Wallon et à cinq cents pour un Flamand[1] ! Taxe fluctuante, assortie d'insultes par lesquelles ils libèrent la haine du Belge qui, depuis des années, dort au fond des cœurs :

1. Marcel Niedergang, *Tempête sur le Congo*, Plon, prix Albert-Londres, 1961.

« Sale Flamand !... », moins souvent « sale Wallon ! » Sans doute parce que la majorité de ceux qui, hier encore, détenaient l'autorité étaient flamands et s'exprimaient dans une langue que les Congolais ne comprenaient pas, alors que le français leur était familier. « Sale Flamand ! » répond au « sale macaque ! », insulte suprême employée par les femmes des officiers belges de la Force publique ou des fonctionnaires de Léopoldville, et lancée à leurs boys ou aux porteurs trop indolents. Elle fait écho aux « ratons », « troncs de figuiers » et autres « melons », injures que j'ai trop souvent entendues il n'y a pas si longtemps en Algérie, de celles qui inspirèrent au poète Mouloud Mammeri les neuf vers qui résument à mes yeux toutes les révoltes coloniales :

« Quand trop de sécheresse brûle les cœurs
Quand la faim tord trop d'entrailles
Quand on verse trop de larmes
Quand on bâillonne trop de rêves
C'est comme quand on ajoute bois sur bois sur le bûcher
À la fin il suffit d'un bout de bois d'un esclave pour faire
Dans le ciel de Dieu
Et dans le cœur des hommes
Le plus énorme incendie. »

Incendie plus facile à allumer qu'à éteindre. La plus formidable pagaille règne à Léopoldville, qui est à l'image du pays : en plein chaos. À sa tête – si l'on peut dire –, deux hommes que tout sépare : Kasavubu, président de la toute jeune République qui ne s'appelle pas encore Kinshasa, et Patrice Lumumba, leader du Mouvement national congolais, chef du gouvernement. Seul le nom de ce dernier est parvenu en Europe, de la façon que l'on sait. Il s'efforce de rétablir un semblant de discipline parmi ses troupes. Je me rends compte en quelques jours que le Congo ex-belge, blessé à mort, n'a nul besoin de soldats.

En revanche, il a besoin d'administrateurs, de juges, de fonctionnaires, de techniciens. Il faut d'urgence des médecins, des agronomes et des ingénieurs pour faire tourner un immense pays (plus de quatre fois la France) qui regorge de richesses dont l'exploitation ne s'improvise pas. « Pourquoi veux-tu partir, patron ? » est le leitmotiv que l'on commence à entendre parmi les couches sociales africaines les plus lucides. Au sein de la Force publique chargée de faire respecter l'ordre, on n'a jamais vu un Noir parvenir à un grade supérieur à celui de sergent. Encore les Belges ont-ils pris bien soin d'y mélanger les ethnies. « Pas de fraternisation avec la population locale, pas d'histoires », a toujours été chez eux l'équivalent du slogan des autorités civiles : « Pas d'élites, pas d'ennuis... » Or la plupart de ces sergents, de ces commis aux écritures, de ces saute-ruisseaux, de ces représentants de commerce en brousse sont persuadés qu'ils peuvent devenir contremaîtres ou directeurs, commandants, colonels ou généraux. Grades que les plus ambitieux se sont arrogés sans même que Lumumba ait approuvé ces promotions fulgurantes. Il a d'autres chats à fouetter. La sécession du Katanga contient tous les germes de l'internationalisation du conflit : rivalités personnelles, politiques et tribales...

J'assiste à des scènes ahurissantes. Je vois certains colons revenus chercher la voiture dans laquelle, à l'heure de la panique, ils ont dû abandonner leurs biens les plus précieux. Depuis que la frontière est fermée et le ferry indisponible, ils sont soudés à leur volant. Certains n'ont pas fermé l'œil depuis quatre jours, pour décourager les pillards. Des milliers d'habitants du « Belge », vivant au jour le jour, n'ont pas été payés depuis le départ de leurs patrons. Les banques sont fermées, les caissiers se sont envolés. Les hommes, ne pouvant nourrir leur famille, se sont répandus dans la ville blanche. Tous ne sont pas des voleurs. Beaucoup cherchent seulement à manger.

À un jet de pierre de l'hôtel Memling, mon attention est attirée par un attroupement. Des Congolais vocifèrent autour d'un petit commando de paras belges qui protègent un Blanc en fâcheuse posture. Je me renseigne. Il s'agit d'un garagiste européen qui a tué un de ses boys africains à la suite d'on ne sait quel conflit. Pillage ou discussion de salaire ? On ne saura jamais. Une demi-heure plus tard, aux alentours du *beach*, des Congolais plus terrorisés qu'agressifs m'affirment que les Blancs vont tuer tous les Noirs ; que, dans certaines régions, le massacre a déjà commencé. L'histoire du garagiste s'est démesurément amplifiée. La tension monte. Les visages sont durs, fermés, hostiles. Mon ami Niedergang, avec qui je fais équipe, doit exhiber à plusieurs reprises sa carte de presse française. Il a le malheur d'avoir le teint très clair et les cheveux blonds. Une vraie gueule de Flamand ! J'ai la chance d'avoir les cheveux bruns et les yeux marron, ce qui est le meilleur sauf-conduit auprès de ces populations incultes. Mes explications sur notre nationalité les satisfont. À une centaine de mètres, des colons, protégés par des bérets verts belges, attendent avec impatience les premiers casques bleus de l'ONU. De grands Noirs glapissants agitent comme des fous d'énormes liasses de billets congolais. La dévaluation a suivi sans délai les désordres, faisant la fortune de trafiquants de toutes sortes, accourus comme des charognards. Ils changent à trente pour cent au-dessous du cours. Demain, ce sera à cinquante pour cent : 130 francs congolais pour un dollar. Je me réjouis à la pensée des billets verts qui dorment dans ma ceinture. Bientôt, Léo devient un immense marché aux voleurs. En quelques heures, on m'y propose montres en or, cires perdues de collection, transistors et appareils photo à des prix défiant toute concurrence. Même une poignée de diamants bruts pour cinquante dollars ! Seulement, ceux-ci ressemblent à s'y méprendre à des cristaux de sel gemme... Quels sont les vrais, quels sont les faux ? Quelle importance… Je ne suis pas là pour faire du commerce, mais pour raconter à l'Europe ce qui se passe sur les rives du Congo. Et il s'en passe de belles ! Certaines histoires, ahurissantes, dépassent l'entendement. Près du *beach*, une jeune femme qui arbore une robe de vichy rose largement décolletée sur une poitrine aussi laiteuse que rebondie, insulte des débardeurs noirs qui ne s'effacent pas assez vite devant la splendide Lincoln blanche qu'elle conduit nonchalamment. Les poings se serrent sur les crochets de docker, les yeux s'emplissent de haine. Le drame est imminent. Par bonheur, deux bérets verts belges se précipitent et détournent la luxueuse voiture, non sans en frapper les ailes de la crosse de leur mitraillette, histoire de prouver à cette folle que quelque chose a changé et que le Congo « belge » n'existe plus. L'attitude raisonnable des paras calme la foule, prête à exploser devant pareille provocation.

Incohérence. Anarchie. La ville est au bord de la catastrophe. Partout, des drapeaux français, anglais, américains, suisses ou hollandais ont surgi aux fenêtres. On affiche sa nationalité comme le plus sûr des sauf-conduits. Je vérifie que les villas dont les fenêtres sont vierges d'étendard ont bien été abandonnées. Pour la première fois de ma vie, je pénètre dans plusieurs demeures sans qu'on m'y ait convié. L'absence de verrouillage prouve l'étendue de la panique qui a saisi les propriétaires. Aucune de celles que je visite n'a été pillée, mais toutes portent la trace d'une vie domestique soudainement interrompue. J'ai le pénible sentiment d'entrer pour quelques secondes dans la peau d'un cambrioleur. D'ailleurs, le reportage se déroule sous le signe de la plus parfaite illégalité. Mais qu'est-ce qui est légal, en ces heures de délire ? À la poste centrale à demi détruite par les combats du premier jour, un seul technicien subalterne africain surveille quelques rares circuits de télétypes, indispensables aux journalistes pour câbler leurs dépêches. L'idée d'établir une « ligne longue distance » avec Paris suscite de sa part la plus profonde hilarité. Je ne suis pas sûr qu'il sache de quels circuits la radio a besoin. J'obtiens pourtant – efficacité du bakchich judicieusement distribué – qu'il me mette en relation avec le répéteur de Brazzaville dont j'ai relevé le numéro lors de mon récent passage. Au-delà du fleuve, la communication téléphonique ordinaire est aisément établie. Je sais pertinemment que, pour me satisfaire, le technicien congolais a débranché au hasard la ligne d'un abonné. Il a neuf chances sur dix pour que celui-ci ait fui et n'ait plus besoin de téléphone. À ma grande honte, je ne me pose d'ailleurs pas de questions. L'important est d'avoir obtenu un circuit avec Brazza. Les techniciens, hier encore français, me branchent alors sur une ligne à longue distance qui aboutit au central Archives, à Paris. La liaison fonctionne. Je n'en demande pas plus. Les fonctionnaires parisiens me promettent de se mettre à mon écoute deux fois par jour, aux environs de midi et de 18 heures. Il me suffira de répéter inlassablement au micro de mon Nagra « Ici Léopoldville qui demande Paris ». Avec un peu de chance, ils établiront un circuit direct entre Léo et la rue Bayard, *via* Brazzaville. L'essentiel pour moi est de maintenir cette foutue petite liaison illégale entre Léo et Brazza. Dans la situation de dénuement où se trouve la population, je n'ai aucune difficulté à louer les services d'un postier au chômage qui, pour dix dollars quotidiens, surveillera nuit et jour ma précieuse connexion. Pendant toute la durée de mon reportage, il s'acquittera scrupuleusement de sa tâche… d'autant mieux que j'ai pris la précaution de le payer deux fois par jour !

Le change illégal, le vol pur et simple ne sont pas le fait des seuls Noirs qui recèlent, trafiquent, revendent au plus bas prix objets, tableaux, bibelots de toute une vie. Certains Blancs ne sont pas les derniers à profiter de la situation en exploitant le désarroi de compatriotes qui ne veulent pas, comme eux, risquer leur vie pour sauver quelques bien matériels ou en acquérir à bon prix. Léon est de ceux-là. Gros homme transpirant et jovial, Français d'Afrique du Nord naturalisé belge de longue date, l'un de ces petits Blancs qui n'a jamais fréquenté la bonne société coloniale, il tient un estaminet louche, digne de celui où j'ai dégoté mon trafiquant suisse, au *beach* de Brazza. Lui n'a pas cédé à la panique. Il a vivoté pendant des années et ne va pas manquer cette occasion inespérée de « faire des ronds ». Il n'y a presque plus de Belges, mais des journalistes parviennent chaque jour du monde entier. Son restaurant est l'un des rares à proposer un plat chaud. Son menu est toujours le même : salade de tomates et steak-frites. Cependant les tomates sont fraîches, la viande savoureuse, et son vin se laisse boire. Tandis que, même au Memling qui pratique les tarifs d'un palace, les vivres commencent à manquer, Léon a toujours ce qu'il faut pour nourrir ses clients. Au prix fort. Il loue aussi aux reporters étrangers des voitures qu'il a « empruntées » aux alentours de l'embarcadère et qu'il alimente en essence. Il me propose la plus belle de son « parc » :

– Vous êtes français, alors je vais vous faire un prix.

– Mais, Léon, je fais comme vous : ces voitures, je préfère les voler moi-même. Cela me coûte moins cher !

Cet aveu cynique me valut le cognac de l'amitié. Elle se révéla bientôt fort utile. Léon achetait tout : diamants, montres, bijoux, aux Noirs venus de l'intérieur, chargés d'un butin parfois considérable qu'ils ne pouvaient négocier qu'à la capitale. Or ces Africains bavardaient avec leur receleur. J'eus ainsi, grâce à Léon, de précieuses informations sur ces villes isolées du Bas-Congo et sur la situation dramatique qui y régnait. Il se révéla bientôt que Matadi, avant-port de Léopoldville, à proximité de l'embouchure du Congo, était le centre de la révolte de la Force publique. Le Bas-Congo était devenu en quelques jours la région la plus effervescente de tout le pays, alors que sa population était l'une des plus pacifiques et des plus évoluées de l'excolonie belge. C'était la région de Joseph Kasavubu, président de la République et grand rival de Lumumba ; leader tranquille, aussi bonhomme que silencieux, rusé et naïf, il était tout à l'opposé de celui dont le monde entier parlait depuis deux semaines et dont les déclarations à l'ONU, où il devait se rendre dans un proche avenir, étaient impatiemment attendues. Faute de pouvoir être à la fois à Léopoldville et à Matadi, je conclus un accord avec Marcel Niedergang, résolu à s'y rendre au plus tôt. Puisque la liaison téléphonique fonctionnait encore convenablement entre les deux villes distantes de trois cents kilomètres, alors que Paris était injoignable depuis Matadi, Niedergang m'enverrait son papier chaque après-midi au Memling où je l'enregistrerais en y ajoutant les informations recueillies dans la journée à Léopoldville, tandis que je puiserais dans son reportage du jour tout ce qui me semblerait utile à l'actualisation du mien. J'enverrais le tout grâce à la liaison établie entre la poste centrale, où « mon » *chaouch* protégeait « ma » ligne avec Paris. Trop heureuses de recevoir le papier de leur envoyé spécial, nos rédactions respectives ne se poseraient pas trop de questions sur les chemins tortueux empruntés pour y parvenir.

Le système fonctionna parfaitement. J'étais seulement quelque peu frustré de sentir mon camarade au cœur de l'émeute fomentée par les soldats noirs des bataillons de la Force publique. Tout était parti du camp bâti en surplomb de Matadi, dominant à la fois les cités africaines et la ville européenne où mille huit cents Blancs et soixante-cinq mille Noirs vivaient côte à côte. C'est au centre de la ville blanche qu'avaient été perpétrés des viols par dizaines. Des centaines d'autres femmes et jeunes filles y avaient échappé grâce à l'intervention d'un prêtre noir. Le même qui, quelques jours plus tard, une fois venu le temps des représailles, allait éviter le massacre des mutins par un commando belge. Tandis que des familles affolées réussissaient à fuir par la piste de brousse en direction de l'Angola portugaise toute proche, des soldats révoltés et plus encore des civils africains ivres enfermaient dans la promiscuité du luxueux Hôtel Métropole des centaines de « mauvais Blancs » qu'il s'agissait de garder pour faire tourner l'économie. Mais quels étaient les « bons », quels étaient les « mauvais », dans cette monstrueuse pagaille ? Et qui en décidait ? En tout cas, c'est là que le président de la République, Kasavubu, et le Premier ministre, Lumumba, arrivés par avion afin de tenter de remettre un peu d'ordre, viendraient personnellement les délivrer, sincèrement bouleversés – dira Niedergang – par le sort de ces malheureux et par les heures de terreur qu'ils avaient vécues durant ces journées de folie. « Nous vous présentons nos excuses pour tout ce qui est arrivé ici, dirent-ils aux Européens encore sous le choc. Vous êtes libres. Ceux qui veulent partir le peuvent, mais, nous vous en supplions, ne partez pas ! Nous avons besoin de vous... » Rares, très rares furent ceux qui n'embarquèrent pas à bord de l'aviso belge venu de Boma s'ancrer dans le port de Matadi. Malgré l'intervention des casques bleus du colonel marocain Driss, la confiance n'était pas près de revenir.

L'évolution politique, l'arrivée des premiers soldats de l'ONU, les divers mouvements agitant la population congolaise, les récits des rescapés de l'intérieur suffisaient à donner de l'intérêt à des papiers dont ma rédaction parisienne paraissait satisfaite. Pourtant, je nourrissais l'ambition d'interviewer ce Patrice Lumumba dont le nom, inconnu aux premiers jours de juillet, faisait à présent la « une » de la presse internationale et que Marcel Niedergang n'avait qu'entrevu à Matadi. J'avais eu beau déposer une demande à l'embryon de service de presse du Premier ministre, j'en avais reçu pour toute réponse que Monsieur Lumumba était surchargé de travail et n'avait que le temps de s'adresser à la population congolaise ; inutile d'insister. Jusque-là, Patrice Lumumba n'avait accordé aucune interview. Je n'obtins qu'un laissez-passer – simple feuille de papier à en-tête tapée à la machine :

« République du Congo. Cabinet du Premier ministre. Conformément aux décisions arrêtées par le Conseil des ministres le 8 juillet 1960, établissant l'état d'exception dans la ville de Léopoldville ainsi que dans la zone annexe, M. Yves Courrière est autorisé à circuler pendant les heures du couvre-feu et à parcourir le territoire de la République en qualité de journaliste. Signé, pour le Premier ministre, ministre de la Défense nationale P. E. Lumumba – Groothaert. »

Le Belge qui m'établit le précieux sauf-conduit était l'un des quatre collaborateurs européens que le chef du gouvernement congolais allait remplacer quelques semaines plus tard, lors de son retour au pays, en provenance de l'ONU, par l'un des plus curieux personnages à graviter autour de lui durant ces heures troubles : Serge Michel. Apatride d'origine russe, revendiquant la nationalité algerienne, speaker à Radio-Tunis, militant FLN de l'entourage de Ferhat Abbas, Serge Michel travaillait pour les services d'information algériens dans la capitale tunisienne quand Lumumba le débaucha avec l'aval du président du GPRA. Je le verrai devenir, fin juillet, chef du bureau de public-relations, « chargé de mission par le FLN dans le cadre de l'assistance technique du GPRA au jeune Congo indépendant », et attaché de presse du président du Conseil, au grand dam des Congolais qui avaient déjà pris la place sans pour autant en manifester la moindre capacité. Leur inefficacité avait néanmoins suscité chez moi le fol espoir d'obtenir la rencontre que chaque envoyé spécial se voyait refuser depuis l'accession au pouvoir de Lumumba. En vain…

Patrice Lumumba s'était installé dans la résidence de l'ex-gouverneur général du Congo belge, une magnifique villa blanche située dans le quartier chic de Kalina. Dissimulée derrière des buissons de flamboyants orange et de bougainvillées multicolores, à peine visible au bout d'allées que les jacarandas en fleur transformaient en tunnels mauves, la résidence où je brûlais d'entrer était gardée par des policiers congolais de la Force publique. Dès que mon reportage me laissait un instant de répit, je pris l'habitude de stationner près d'eux et d'engager la conversation. J'appris ainsi qu'il s'agissait de Batetelas, ethnie guerrière du Kasaï, province centrale du Congo, dont Lumumba était originaire. Au début, ils me regardèrent avec suspicion, mais, après quelques visites, parurent flattés que j'eusse remarqué que c'étaient les mêmes qui étaient en faction – « Monsieur le Premier ministre doit avoir une grande confiance en vous… » –, si bien qu'un sous-officier accepta mes cigarettes, puis la bière fraîche dont je pris soin de me munir dès le lendemain. Petit à petit, ledit sergent s'habitua à moi. Je venais le voir, je lui demandais son avis sur la situation. « Patrice – il prononçait Patouisse – va arranger tout cela, mais il faut que les Belges restent travailler ici, car autrement, on ne peut rien faire… » Il n'aurait pas parlé autrement d'un frère de lait ! J'enregistrai ses réponses et il n'en fut pas peu fier. C'était la première fois qu'il entendait sa voix ! Nous étions loin d'être entrés dans l'ère du walkman, et le Nagra lui paraissait une mystérieuse machine.

Mes relations avec la garde présidentielle étaient devenues des meilleures, mais je restais toujours à la porte de la résidence. Mon salut vint de trois négrillons qui jouaient tout nus sur le gazon de la propriété, à quelques mètres de la grille d'entrée grande ouverte. La sentinelle les regardait avec attendrissement se taquiner comme trois chatons autour d'une bobine de fil. Je fus pris d'une brusque inspiration. Le matin même, j'avais recueilli dans le Nagra le fameux *Indépendance Cha-Cha*, l'air à la mode en passe de devenir l'hymne national congolais. Je remontai la bande et diffusai le morceau sur mon magnétophone, le haut-parleur poussé au volume maximum. Fascinés, les gamins vinrent vers moi, puis m'entraînèrent sur le gazon sans que le sergent y vît un inconvénient. Je leur fis passer le morceau à plusieurs reprises. Tout le monde dansait et riait aux éclats. L'aîné des enfants me tira alors vers une aile arrière de la résidence où, par une fenêtre ouverte, je vis une femme noire préparer le déjeuner.

– C'est maman, il faut lui faire entendre…

Je remis mon magnétophone en marche. La femme avenante, habillée simplement d'une blouse à l'européenne, ainsi qu'il convenait à une cuisinière de bonne maison, me sourit. J'acceptai le verre d'eau fraîche qu'elle me proposait, bienvenu sous la chaleur de plomb de cette journée de juillet. J'engageai la conversation et, après les compliments d'usage sur la vivacité des enfants, je lui dis que j'étais journaliste français et que je donnerais n'importe quoi pour pouvoir m'entretenir quelques minutes avec le Premier ministre. Par malheur, son entourage empêchait tout contact avec la presse, arguant qu'il avait trop de travail pour me recevoir.

– Ça, c'est bien vrai, me dit la jeune femme avec un charmant sourire. Mon mari ne dort pas quatre heures par nuit !

J'étais stupéfait. La « cuisinière » était Madame Lumumba, et les trois « négrillons » ses propres enfants !

– Mais vous avez de la chance, poursuivit-elle ; il est là, dans la salle à manger. Il est en conseil avec ses ministres. Quand il sortira, vous pourrez le voir. En attendant, installez-vous sur la terrasse.

Une demi-heure plus tard, elle me fit signe d'approcher. La sentinelle avait disparu. Le conseil était terminé.

Patrice Lumumba sortit le dernier de la salle à manger. À ma vue, il parut d'abord contrarié, puis sembla rassuré par mon aspect. Nous étions à une époque où, quel que soit le climat, un journaliste ne se présentait pas autrement qu'en costume-cravate, de préférence sombres. J'annonçai ma fonction ; l'homme d'État accepta l'interview impromptue. Pendant près d'une heure il m'expliqua les buts de sa politique, les raisons de son prochain voyage à New York, devant l'ONU, son désir de coopérer avec les deux blocs, sa joie d'avoir débarrassé son pays du colonialisme. D'une voix douce, légèrement voilée, qui contrastait avec le ton, frôlant l'hystérie, qu'il employait lors de ses discours publics devant les foules congolaises, il m'expliqua combien il était conscient de la politique menée par les blocs de l'Est et de l'Ouest qui se penchaient avec autant d'inquiétude que d'avidité sur le nouveau Congo, cherchant leurs atouts et leurs alliés pour une nouvelle manche de la guerre froide. « Dites bien à vos auditeurs que je ne suis pas communiste, comme mes adversaires en ont répandu le bruit pour dissuader de voter pour mon parti… » Conscient de la double influence que mon journal exerçait sur l'opinion publique belge et française, Patrice Lumumba analysa avec beaucoup d'habileté les répercussions immédiates de la politique que de Gaulle avait exposée à Brazzaville, lors du voyage auquel j'avais participé deux ans auparavant. L'écho, de l'autre côté du fleuve, en avait été immense. Quand, le 29 août 1958, le Général avait offert aux Congolais sous domination française le libre choix d'association à la métropole, en précisant que « l'indépendance, quiconque la voudra pourra la prendre aussitôt », son offre avait provoqué une onde de choc qui avait traversé comme un éclair le Stanley-Pool et frappé au plus profond les cités africaines de Léopoldville. Le discours de Brazzaville n'avait pas été étranger à la décision prise à Bruxelles.

L'homme, auprès duquel je marchais sur le gazon merveilleusement entretenu de l'ancienne résidence du gouverneur belge, faisait, à travers mon micro, et à la veille de s'envoler pour l'Amérique, un geste en direction de l'Occident au moment même où ses adversaires l'accusaient de communisme. À travers cette interview qui devait tout au hasard, il préparait la conférence de presse qu'il s'apprêtait à donner à New York après avoir été reçu par Daag Hammarskjoeld, secrétaire général des Nations unies, et à laquelle allaient se précipiter des centaines de correspondants, désireux de voir de près l'homme dont on parlait le plus de par le monde depuis quelque deux semaines. J'avais la chance d'être le premier d'entre eux. Dès le lendemain, les principaux organes de presse internationaux devaient reprendre en « une » les propos que j'enregistrais à cet instant. Je tenais un « scoop » de premier ordre ! Le seul « scoop » d'intérêt mondial que j'aurais jamais l'occasion de réaliser dans ma carrière journalistique…

Mon reportage dont l'interview exclusive de Patrice Lumumba était le point d'orgue parvint à Paris lors de la liaison de 18 heures, à temps pour l'édition vespérale de *Dix Millions d'auditeurs*. J'en ajoutai les temps forts au papier que Marcel Niedergang me fit parvenir par téléphone de Matadi, et que, selon mes instructions, ma rédaction envoya à *France-Soir*, assez tard pour que le grand journal du soir ne risquât pas de « griller » mon reportage par une de ces éditions spéciales dont il était coutumier. La collaboration avec Marcel avait été d'une loyauté absolue, mais je n'allais tout de même pas mettre en cause mon exclusivité par excès de confiance ! Celle que je portais à mon camarade était sans réserve, mais j'étais moins sûr de celle du rédacteur en chef entre les mains duquel le papier arriverait rue Réaumur[1]. Malgré l'admiration que la plupart des grands reporters lui portaient, chacun d'entre nous connaissait la rivalité féroce qui opposait Pierre Lazareff à ses principaux concurrents. Ce n'était pas par hasard que son journal était depuis des années la plus forte vente de la presse française…

L'interview terminée dans l'intimité de la salle à manger où s'était déroulé le Conseil des ministres, Patrice

1. La rédaction et l'imprimerie de *France-Soir* se trouvaient alors au 100, rue Réaumur, sur l'emplacement de la Cour des Miracles.

Lumumba me raccompagna fort courtoisement jusqu'au vestibule où l'on aurait cherché en vain le moindre garde du corps. Sa femme, qui de loin avait suivi l'entretien qu'elle avait facilité, me fit un petit geste d'adieu par la fenêtre de la cuisine. Je ne devais revoir la charmante Mme Lumumba que six mois plus tard, sur l'écran des Actualités télévisées qui, peu à peu, faisaient leur entrée dans les foyers français. Elle avait les seins nus, le visage griffé. Entourée de pleureuses de sa tribu, elle gémissait derrière le cercueil de son mari. L'ancien postier, violent et passionné, ce Patrice Lumumba qui avait conduit son pays à l'Indépendance, n'avait su que se détruire lui-même, accroissant comme à plaisir le nombre de ses adversaires, jouant l'Ouest contre l'Est, puis l'Est contre l'Ouest. Le principal acteur du drame congolais qui avait failli mettre le feu au monde avait été destitué par son fidèle ministre chargé des questions politiques et administratives, Mobutu Sesé Seko, promu chef d'état-major et nouveau chef des armées. Lors de son coup d'État de janvier 1961, l'ancien compagnon de route allait s'empresser de le livrer à Moïse Tschombé, leader de la sécession katangaise, qui le fit torturer puis assassiner par l'un de ses « ministres ». De la carrière éclair de Lumumba, croisé par un de ces hasards miraculeux qui ont jalonné ma vie, ne devait rester qu'une université tristounette portant son nom, que le pouvoir soviétique fit ériger à Moscou. Les étoiles noires et blanches du monde progressiste le vénérèrent désormais comme un « martyr », à l'instar d'un Guevara du continent africain – un « Che » dont il n'eut néanmoins jamais ni l'aura, ni le sens politique.

8

De Jérusalem à Bombay

Pendant la grosse dizaine d'années que dura ma carrière de grand reporter, je n'eus de cesse de voyager, à tel point que neuf mois de l'année j'étais absent de Paris qui restait néanmoins mon port d'attache. Ma boulimie de reportage était satisfaite par l'extraordinaire succession d'événements de première importance qui jalonnèrent les années 60. Celles-ci s'étendirent en réalité de 1958 à 1968, des abords de la guerre civile née en Algérie à l'amorce d'une fastueuse prospérité que le pays n'avait encore jamais connue et qui allait durer un tiers de siècle : les « Trente Glorieuses ». La guerre d'Algérie, le retour au pouvoir d'un personnage aussi considérable que le général de Gaulle, le passage de la IVe à la Ve République, la partition que jouait à nouveau la France dans le concert des grandes nations mondiales dont on l'avait crue définitivement écartée, jusqu'à un pape qui pour la première fois depuis des siècles quittait la quiétude du Vatican pour parcourir le monde, furent autant de prétextes à de multiples déplacements qui m'aidèrent à découvrir certains des mille et un aspects de la planète.

Mon premier contact avec la papauté s'était produit en octobre 1958 alors qu'à vingt-trois ans, je venais d'entrer dans le monde fascinant du grand reportage à travers mon périple africain dans la suite du général de Gaulle. Le 9 octobre, reprenant mon service nocturne au ministère de la Défense, j'avais appris la mort de Pie XII à Castelgandolfo, après une longue agonie ponctuée d'un hoquet persistant. Il avait quatre-vingt-deux ans, avait vécu la montée du nazisme en Allemagne où il avait été nonce apostolique, et connu les temps terribles d'Auschwitz et d'Hiroshima. On lui avait beaucoup reproché, jusque chez les catholiques les plus fervents, de ne pas s'être suffisamment élevé contre les camps de concentration, tout en conservant à l'Église ses traditions les plus autocratiques. J'avais relaté, dans ma « copie » du matin, les rites observés au chevet du pape, tels que rapportés par les spécialistes de la religion catholique des différentes chaînes de radio. C'était un Français, le cardinal Tisserant, doyen du Sacré Collège, qui avait frappé, selon la tradition, le front du cadavre avec un marteau d'argent, et prononcé les quatre mots rituels : « *Vere Papa mortuus est* » (le Pape est vraiment mort). Éloigné de la confession catholique depuis le lendemain de ma communion solennelle, plus curieux de la signification des principales fêtes du judaïsme, approchées dans le cercle de ma belle-famille qui m'avait accueilli comme un fils, je ne nourrissais qu'un médiocre intérêt pour le rituel qui allait entourer l'élection du successeur de Pie XII. À vrai dire il m'était indifférent. En revanche, les obsèques grandioses du défunt souverain pontife et l'élection du 262e successeur de saint Pierre, avec, à la clef, la découverte de Rome et du Vatican, constituaient un reportage qui ne se refusait pas, malgré une méconnaissance des arcanes de la religion que je cachais soigneusement à la direction d'une chaîne aussi catholique que celle qui m'employait. Un ecclésiastique spécialiste du Vatican se chargea des obsèques proprement dites, tandis que me revenaient les péripéties de l'élection que je devais commenter en direct, chaque après-midi, quand apparaissait, s'échappant du toit de la chapelle Sixtine, la fumée provenant de la combustion des bulletins de vote des cardinaux réunis en conclave. Tant que l'élection n'était pas faite, la fumée était noire. Blanche, elle signifiait que les cardinaux s'étaient décidés pour celui qui, désormais, dirigerait l'Église catholique.

Pour pallier mes lacunes, je m'étais muni d'une documentation succincte provenant du service des archives. Dès mon arrivée à Rome, je pris possession de « mon » studio. En effet, la radio vaticane avait installé sous la célébrissime colonnade de la place Saint-Pierre un certain nombre de cabanes en bois qui avaient le charme des baraques de chantier, mais équipées d'une ligne à longue distance et dont le vitrage permettait une vision directe sur la fameuse cheminée ainsi que sur la foule étonnante accourue de tous les coins de la planète dans l'espoir d'applaudir le nouveau pape. Dès le début, je m'aperçus que ce reportage en direct, chaque jour, avec pour seul événement saillant la sortie d'un mince filet de fumée sur les toits du bâtiment central du Vatican, n'aurait rien d'une sinécure. La diversité de la foule des fidèles dépeinte au plus près, je piochai dans l'évocation de la vie du Bernin et de ses deux œuvres principales dans la Cité papale : le baldaquin et la colonnade de la place Saint-Pierre. Par ses multiples activités et par le rôle qu'il avait joué à Rome grâce à la faveur des papes et des grandes familles romaines, Gian Lorenzo Bernini, sculpteur, architecte, décorateur, peintre, dramaturge et poète italien, avait une personnalité aux traits assez variés pour me permettre d'enrichir un reportage quotidien dans lequel il ne se passait strictement rien. Une fois décrits le baldaquin sous lequel se tenait le pape durant les cérémonies qui se déroulaient à Saint-Pierre de Rome – œuvre colossale aux quatre colonnes torses tout en dorures et bronze sombre, mais à l'incroyable légèreté, à laquelle Le Bernin avait consacré près de dix ans de sa vie – et la célèbre colonnade de la place aux ailes légèrement convergentes, où la sculpture s'intégrait parfaitement à l'architecture, j'avais fait le tour de ce qui me semblait possible de montrer de ce lieu sur lequel tous les regards de la chrétienté étaient braqués. Pour le reste, il me fallait broder autour d'un sujet que j'avais insuffisamment préparé, persuadé que l'affaire de l'élection du nouveau pape se réglerait en quarante-huit heures. Elle allait durer onze jours ! À ma troisième reprise d'antenne, au cours de laquelle je ramai comme un galérien, je reçus une leçon d'humilité que je ne serais pas près d'oublier et dont je tirai aussitôt la conclusion : ne jamais se lancer dans l'aventure d'un direct sans se munir de « biscuits » en plus grand nombre qu'il ne paraît raisonnable. L'antenne rendue après avoir pataugé lamentablement, je me précipitai au bureau de Jean Neuvecelle, l'envoyé spécial permanent de *France-Soir*. Il connaissait Rome mieux que tous les papes qui s'y étaient succédé, et mit à ma disposition assez de documentation pour assurer plusieurs heures de reportage. Je passai la soirée et une partie de la nuit à établir des fiches sur tous les *papabili* en mesure d'occuper bientôt le trône de saint Pierre, ainsi que sur les diverses coteries entre lesquelles se jouait l'élection. Qui était susceptible de succéder à Pie XII, ce pape sévère et autocrate ? Sans doute touché par mon inexpérience, mon confrère, homme d'expérience deux fois plus âgé que moi, et qui savait tout du monde feutré du Vatican, me confia que la tâche était rude pour les membres du Sacré Collège réunis dans la chapelle Sixtine sous l'archicélèbre *Jugement dernier* de Michel-Ange. D'après lui, le défunt pontife mariait qualités et défauts d'un pape à la fois du Moyen Âge et de la Renaissance. Mystique, il avait cru voir le soleil tourner à Fatima, et n'avait pas été loin de se croire doué, à la fin de sa vie, du don de prophétie ! Le pape étant de tradition italien, j'éliminai de mes fiches tous les cardinaux qui ne l'étaient pas, et concentrai ma documentation sur les prélats italiens qui avaient un quelconque rapport avec la France.

Ange Joseph Roncalli, patriarche de Venise, était de ceux-là. Même si, comme le disait mon confrère, son extraction paysanne ne lui laissait aucune chance d'être élu, il constituait pour moi un excellent sujet de papier, à placer après une fumée noire pour combler mon temps d'antenne quotidien. Vieil homme de soixante-dix-sept ans, Mgr Roncalli avait été de 1944 à 1953 nonce apostolique en France où il avait succédé à Mgr Valerio Valeri, noble et distingué prélat au mieux avec l'occupant allemand, lequel, à la grande fureur de Pie XII, avait été jugé indésirable après la libération de Paris. Le pape avait alors eu cette réflexion : « Puisque les Français ne veulent pas d'un prince de l'Église, nous allons leur envoyer un paysan ! » Et ce gros homme sans éclat, aux traits lourds mais à la vivacité rustique et au solide bon sens, avait plu à la République et à son président Vincent Auriol, dont la simplicité et l'accent rocailleux de Haute-Garonne n'étaient point éloignés de celui du nouveau nonce. Mgr Roncalli était devenu la coqueluche de l'Élysée et des salons parisiens où l'on avait apprécié sa bonhomie simplette et ses plaisanteries que les plus snobs jugeaient parfois rustaudes. Quand, à la surprise générale et au onzième tour de scrutin, la fumée sortit enfin blanche de la cheminée sur laquelle le monde avait les yeux rivés, et que l'on apprit le nom du 262e successeur de saint Pierre : Mgr Angelo Giuseppe Roncalli, j'étais prêt à assurer une heure d'antenne. De guerre lasse, le Sacré Collège avait choisi le « paysan » !

Les spécialistes parlèrent aussitôt d'un « pape de transition » pour succéder aux années de dictature imposée par un Pie XII admiré plus qu'il n'avait été aimé. Et voilà que le lourdaud aux petits yeux malins et au sourire de brave maquignon se révéla, en l'espace de quelques semaines, d'un charisme prodigieux qui allait bouleverser en un tournemain le cœur des foules et susciter chez elles une véritable adoration sur les cinq continents. Trois mois à peine après avoir coiffé la tiare pontificale, le nouveau pape, qui avait pris le nom de Jean XXIII, convoquait un concile œcuménique qui inaugura l'*aggiornamento*, une mise à jour révolutionnaire destinée à adapter l'Église au monde moderne. Outre le pape et plus de deux mille pères conciliaires, des experts, des observateurs non catholiques et quelques auditeurs laïques participèrent à Vatican II, qui devait bouleverser profondément l'Église et préparer l'unité des chrétiens. Un bouleversement qui fit dire à une fraction de ces derniers que Jean XXIII, à sa mort, n'avait laissé que des décombres en « fichant l'Église en l'air », tandis que les plus nombreux voyaient souffler à travers son œuvre un grand vent qui avait tout nettoyé et ouvert enfin à tous le message du Christ. Une œuvre que devait poursuivre son successeur Paul VI, premier souverain pontife à courir le monde, et que je devais suivre, six ans après ma première et douloureuse expérience romaine qui, à l'arrivée, m'avait néanmoins plus servi que nui.

Lorsque, en janvier 1964, le nouveau Saint-Père décida de consacrer à la Terre sainte son premier voyage pontifical, les dirigeants de mon journal se souvinrent que j'avais somme toute été l'un des premiers journalistes à parler avec un certain bonheur du cardinal inconnu, devenu l'une des grandes figures de l'Église. Ils me confièrent donc la mission de rendre compte du voyage historique du successeur de Jean XXIII. Une fois encore, le hasard m'avait été favorable ! Je préparai si bien le pèlerinage à Jérusalem, Bethléem et surtout Nazareth que, même en l'absence du Saint-Père, j'aurais pu décrire dans ses moindres détails le sol qu'il allait fouler. Pour m'y employer, je me plongeai en terre inconnue, une terre à peine effleurée à l'époque d'un catéchisme déjà lointain : la lecture attentive des Évangiles dont le grand écrivain catholique Daniel Rops, membre de l'Académie française, s'était servi pour écrire son remarquable *Jésus en son temps*, que je dévorai avec passion. J'en parlai avec tant d'enthousiasme à mon rédacteur en chef que celui-ci me chargea d'assurer en plus le reportage de la messe de minuit – de tradition au Luxembourg – dont la retransmission se ferait depuis une église de Jérusalem, quelques jours avant l'arrivée du Saint-Père. Pour me lancer dans cette aventure et éviter qu'elle ne se transforme en catastrophe – ma dernière expérience remontait à l'enfance, et je n'avais plus fréquenté d'églises que pour des raisons strictement professionnelles ou familiales –, j'acquis dans une librairie spécialisée de la place Saint-Sulpice un *Missel quotidien vespéral et rituel par les moines bénédictins de l'abbaye de Clervaux, lectures et chants dans la traduction de la Bible de Jérusalem*[1], tout semblable à celui que ma mère, fort pieuse, m'avait offert jadis et que j'avais vendu, déjà mécréant, pour me payer quelques entrées à Luna Park ! L'ouvrage religieux, que je potassai avec l'intensité d'un jeune clerc se frottant au grand séminaire, me permit de répéter la messe de minuit dans ses moindres détails. J'y piochai même l'historique du choix du 25 décembre pour commémorer la naissance de Jésus. Les moines de Clervaux en donnaient une explication satisfaisante pour l'historien, même agnostique, qui déjà sommeillait en moi :

> « Nous ignorons le jour où le Christ est né, me soufflaient les bons pères. Très tôt, cependant, la piété chrétienne semble avoir commémoré la Nativité du Seigneur. La fête de Noël, à la date du 25 décembre, a son berceau à Rome. Elle y existe certainement avant l'année 336. Avant la fin du IVe siècle, elle est répandue partout : en Italie, en Gaule, en Espagne, en Afrique et même en Orient.
>
> « Comment cette date fut-elle adoptée ? Le 25 décembre correspondait au *Natalis invicti* des

1. Brepols, éditeurs pontificaux, Turnhout, Paris.

Romains, c'est-à-dire la fête du solstice d'hiver, consacrée à la divinité du Soleil. Il semble assez naturel que l'Église ait choisi cette date afin d'opposer à la divinité solaire l'apparition du vrai Soleil, qui est Jésus-Christ. D'autre part, saint Jean Chrysostome raconte que, d'après les actes du recensement de Quirinus, la Nativité du Seigneur a dû tomber précisément ce 25 décembre. Saint Augustin défend également l'historicité de cette date. Selon lui, Dieu lui-même a choisi ce jour en coïncidence avec une fête romaine et païenne afin de souligner la prérogative du Christ comme "Lumière du Monde".

« Toutefois, la coïncidence de ce jour avec une fête romaine et païenne semble s'expliquer encore autrement. À cette époque déjà, le 25 mars était considéré comme étant la date à la fois de la mort et de la conception du Christ. Quand on fixa la Nativité au 25 décembre, la date du 25 mars a donc pu exercer une influence. »

Entre la messe de minuit et l'arrivée du pape à Jérusalem, puis à Nazareth, devaient s'écouler onze jours que je décidai de mettre à profit pour m'octroyer sur place les vacances d'hiver auxquelles tout journaliste avait droit en sorte de remplacer les jours fériés non chômés dans la profession. Jusque-là, et au fil des années, ma femme m'avait vu décoller un jour pour le Maghreb, le Danemark, l'Autriche ou la Pologne, un autre pour l'Espagne, le Royaume-Uni, la Grèce ou l'URSS, de Moscou à Kiev en passant par Volgograd, ou encore pour de nombreux pays d'Afrique noire, de l'Atlantique à la mer Rouge, via Djibouti, l'Éthiopie puis l'Égypte, sans compter les États-Unis, les Antilles et Cuba, entre autres destinations tentantes, sans qu'elle eût la possibilité de m'accompagner. Lorsque j'étais arrivé pour la première fois en Israël dans des conditions sur lesquelles je reviendrai, tant ce voyage fut riche en inoubliables rencontres, ma situation n'était pas encore suffisamment assurée pour demander à mon employeur l'autorisation de me faire accompagner, même en payant le voyage de mon épouse. En revanche, en cette fin d'année 1963, non seulement mon rédacteur en chef m'avait logé au King David, le plus grand et luxueux hôtel de Jérusalem, mais il m'avait recommandé de ne pas abandonner ma chambre après la messe de Noël, sous peine de ne plus trouver de logement, tant le voyage de Paul VI attirait de journalistes internationaux. Que ma femme profitât de ma chambre ne grevait en aucune façon le budget de mon journal, qui n'alla tout de même pas jusqu'à lui offrir le passage d'Orly à Tel-Aviv ! J'aurais eu mauvaise grâce à le lui reprocher, après le geste fort généreux qu'avait eu ma direction durant un service militaire exceptionnel au cours duquel j'avais sillonné l'Algérie tout en poursuivant l'exercice de mon métier. C'est donc en couple que, le reportage de la messe de minuit assuré, nous entreprîmes de visiter un pays où les distances sont si réduites que quelques minutes de voyage seulement séparent les montagnes des plaines et les villes de la campagne. Je pouvais servir de guide à ma compagne jusqu'aux portes du Néguev, que j'avais parcourues lors de mon précédent voyage, mais je ne savais rien du désert proprement dit, jusqu'à Eilat, sur les rives de la mer Rouge, qui nous attirait irrésistiblement. Nous nous apprêtions à gagner d'abord la mer Morte et la forteresse de Massada, c'est-à-dire la porte à côté de Jérusalem – relier Rosh Hanikra, sur la frontière libanaise, à la station balnéaire d'Eilat, ne requiert pas plus de cinq heures en voiture – quand un appel téléphonique de ma rédaction parisienne stoppa net nos communs projets touristiques. Une fois de plus, à Chypre, Grecs et Turcs s'affrontaient. Il me fallait d'urgence gagner Nicosie, aéroport que l'on ne pouvait atteindre, au départ de Tel-Aviv, qu'en passant par Athènes : la guerre civile entre Chypriotes turcs et grecs ne tentait aucune grande compagnie internationale ! Nos vacances israéliennes seraient donc pour plus tard. Pour une fois que ma femme m'accompagnait en reportage, les impératifs du métier se mettaient en travers de ses projets. Les renseignements que je glanai auprès de l'Agence France-Presse et du PIO (Press Information Office) me dissuadèrent de la laisser m'accompagner à Chypre où de sporadiques mais violents combats opposaient les deux communautés, décision qu'elle fut loin d'accepter sans vivement protester. Restée au King David, elle fut quelque peu rassurée de me voir m'envoler pour Nicosie en compagnie d'Alexis Agrikolianski, ingénieur du son avec lequel, depuis l'Algérie, je faisais équipe lors de reportages d'importance, comme le voyage du pape en Terre sainte. À Chypre en guerre, son professionnalisme et sa remarquable pondération me seraient d'une grande utilité pour établir la liaison radio quotidienne avec Paris et prendre le moins de risques possible.

Avant même de juger de la situation et d'entreprendre les démarches nécessaires pour obtenir une interview de Mgr Makarios, leader de la communauté grecque, nous devions loger dans l'hôtel le plus important de Nicosie, seul apte à nous procurer un numéro de téléphone à Paris dans des délais convenables. La perle rare était le Ledra Palace. Fallait-il encore qu'il n'eût pas été pris d'assaut par les confrères attirés, sans doute en grand nombre, par l'événement sur le point d'acquérir une portée internationale. Quand le taxi nous déposa à l'entrée de l'hôtel, nous découvrîmes que les clients ne s'y bousculaient pas. Le Ledra Palace était situé dans une sorte de no man's land entre les positions grecques et turques, et sa façade portait les traces des récents combats. Pour le reste, il était transformé en bunker protégé par des sacs de sable et du fil de fer barbelé. Le réceptionniste, qui arborait à son revers les couleurs grecques – bleu et blanc –, nous donna des chambres ouvrant sur le dos de l'hôtel, zone contrôlée par le pays dont il se réclamait, tandis que la façade était occupée par des guetteurs et des tireurs d'élite à l'affût d'un homologue ou d'une éventuelle attaque turque.

D'abord colonie de la Couronne britannique, l'île de Chypre n'était indépendante que depuis moins de cinq ans et avait bien du mal à faire coexister les citoyens d'origine grecque et leurs cousins turcs, à l'antagonisme presque séculaire. L'indépendance était le fruit d'un accord garanti conjointement par l'Angleterre, la Grèce et la Turquie. Comme la communauté grecque était largement majoritaire, il avait été convenu que le président du nouvel État serait un Grec chypriote élu par les Grecs, le vice-président, un Turc chypriote élu par les Turcs de l'île, tandis que le Parlement et l'administration seraient composés proportionnellement de 70 % de Grecs et 30 % de Turcs, la garde nationale étant encadrée par les officiers grecs. Devenu président après la proclamation officielle de l'Indépendance en août 1960, Mikhaïl Khristodoulou Mouskos Makarios III, archevêque grec orthodoxe, champion de l'*énosis* – c'est-à-dire du rattachement de l'île à la Grèce –, qui avait jadis conduit la guérilla contre les forces britanniques, était devenu le premier président de la République nouvellement née. En cette toute fin d'année 1963, il se révélait incapable d'empêcher la poursuite des affrontements armés entre Grecs et Turcs. Comme je l'avais déjà vécu trois ans auparavant au Congo belge, une crise locale prenait des proportions internationales, et il était question d'envisager l'intervention des casques bleus de l'ONU pour prévenir les heurts entre les deux communautés. Le beau et fin visage de Makarios, surmonté de la haute coiffe des prêtres chrétiens orthodoxes, était apparu de plus en plus fréquemment à la une des journaux mondiaux. La majorité des Chypriotes grecs restait fidèle à l'*énosis* incarnée par lui, mais, tout en partageant leurs sentiments, il écartait cette solution comme devant aboutir inéluctablement à un partage de l'île. Avec son demi-million d'habitants et une étendue de 10 000 kilomètres carrés à peine, la minuscule Chypre devenait une carte appréciable dans la guerre froide qui, depuis plus de dix ans, opposait le bloc soviétique au bloc américain. L'importance stratégique de l'île en Méditerranée orientale incitait les grandes puissances à de discrètes interventions dans la question chypriote. Ma présence imprévisible à Jérusalem pour cause de messe de minuit, et la réaction rapide de mon rédacteur en chef m'avaient permis d'être – toujours le hasard bienveillant ! – l'un des premiers journalistes présents sur place pour rendre compte des affrontements entre Grecs et Turcs. Et me valurent d'être l'un des premiers à être reçu par Mgr Makarios.

Non seulement le prélat brossa à l'intention de mes auditeurs un bref panorama de la situation remarquablement compliquée de son île, mais il nous éclaira sur l'orientation qu'il entendait imprimer à la politique étrangère de son pays qu'un rien pouvait transformer en brûlot. Sa décision de changer la Constitution chypriote avait déclenché, un mois plus tôt, une crise d'importance planétaire qui était sur le point de devenir un sujet d'affrontement entre les États-Unis et l'Union soviétique : les premiers auraient vu sans déplaisir l'île rattachée à la Grèce, tandis que la seconde encourageait en sous-main le président chypriote sur la voie d'une totale indépendance, en lui promettant armes et soutien diplomatique. Les incessants accrochages entre membres des deux communautés auguraient mal de l'avenir dans cette partie de la Méditerranée orientale où l'ONU s'apprêtait à intervenir. Je me voyais déjà bloqué à Chypre pour une durée indéterminée quand ma rédaction, après m'avoir adressé des félicitations pour mes reportages en provenance de Nicosie – l'interview de Makarios avait fait grand effet –, décida qu'il était temps pour moi de regagner Jérusalem et de préparer la grande affaire du mois de janvier de cette année 1964 qui s'annonçait troublée : le premier voyage d'un pape qui suscitait chez nos auditeurs un intérêt bien plus puissant que les interminables bisbilles entre Grecs et Turcs.

Nous étions déjà le 31 décembre. Trop tard pour les vacances prévues avec ma femme, mais, avec un peu de chance, je pourrais être à ses côtés pour les vœux et le réveillon du nouvel an. Après un vol encore détourné par Athènes, j'atterris enfin sur l'aérodrome israélien. Jamais je ne conduisis si vite sur la route récemment élargie reliant Tel-Aviv à Jérusalem. À tel point qu'Alexis dut freiner mon ardeur. Nous arrivâmes au King David dans une tenue qui convenait peut-être au no man's land de Nicosie, en aucun cas à l'atmosphère luxueuse du palace où robes du soir et smokings faisaient assaut d'élégance. À la réception, le concierge m'annonça qu'après m'avoir longuement attendu dans le hall, mon épouse avait regagné sa chambre, lasse d'avoir à décliner les invitations masculines que sa solitude lui valait en ce soir de fête ! Nous étions à quelques minutes de minuit, et j'arrivais la bouche en cœur, sans le moindre cadeau. Entre le bar et la salle à manger que l'on débarrassait, je raflai sans vergogne les petites roses qui garnissaient encore certaines tables et confectionnai à la hâte un assemblage multicolore qui prouvait au moins que j'avais pensé à elle. Je me rattraperais après le voyage du pape, quand je pourrais enfin lui offrir les vacances annulées pour cause de guerre civile sur une île perdue de la Méditerranée orientale… Quand je pus enfin l'embrasser au premier coup de minuit, « avec mon bouquet d'fleurs j'avais l'air d'un… », comme disait si bien mon cher Brassens !

Le surlendemain, nous partîmes de bon matin pour Nazareth qui – avec Jérusalem où le souverain pontife devait suivre le chemin de croix dans la vieille ville encore sous contrôle jordanien, donc interdite aux Juifs – était une étape essentielle du déplacement pontifical. Par solidarité avec mon épouse et mes confrères juifs, je refusai de me faire établir, comme on me le proposait, le certificat de baptême indispensable pour pénétrer sur des terres où ils étaient indésirables. Je choisis ainsi la partie du reportage qui se déroulait en Galilée, laissant la Jérusalem palestinienne, que je pouvais observer de la fenêtre de ma chambre du King David, au-delà des murailles séculaires de Soliman, à un autre membre de notre équipe parisienne, renforcée à l'occasion de l'événement. À titre de comparaison, *Paris-Match* transportait la moitié de ses effectifs à bord d'un Boeing 707 de location avec, installés en permanence à son bord, une salle de rédaction équipée de téléscripteurs, de laboratoires de tirage photographique et de tout le matériel de mise en pages nécessaire pour confectionner sur place un des numéros spéciaux les plus extraordinaires de son histoire ! Bien sûr, avant mon départ en Terre sainte, j'avais prévenu mes patrons des raisons de ma décision. Ce qui fit dire à l'un d'eux, par bonheur l'un des moins importants : « Il ne prend pas délibérément parti, mais on sait de quel côté il se range… » Je restais agnostique, mais affichais désormais mon appartenance à la communauté juive de mon pays.

Capitale de la Galilée, première ville chrétienne d'Israël, Nazareth en était aussi la plus importante agglomération arabe. Construite en amphithéâtre sur les collines entourant la vallée d'Esdrelon, elle disséminait ses trente et quelques milliers d'habitants dans l'aimable désordre qui règne au sein de toutes les cités moyen-orientales. Malgré leurs toits en terrasse et la végétation qui donnait à la région de faux airs d'Ombrie ou de Toscane, les maisons y gardaient quelque chose d'inachevé, comme si maçons, carreleurs et menuisiers avaient soudainement interrompu leur travail pour répondre à l'appel de l'au-delà. « Ces lieux interpellent, a écrit mon ami Victor Malka, que tous les guides locaux pillent avec allégresse. Une fraternité des pierres s'impose… Leur multiplicité, l'écho qu'elles éveillent ne peuvent faire oublier l'intangibilité qui les unit ; d'un lieu à l'autre, le même chant circule, celui des amants et des fous de Dieu de cette terre exsangue et surchargée d'esprit… »

Après avoir repéré notre hôtel où l'on nous prévint aimablement que les étages supérieurs où nous étions logés n'étaient pas chauffés, et que l'eau chaude n'y parvenait pas davantage – « la mauvaise saison est si courte », nous dit-on en guise d'excuse, non sans nous demander un confortable acompte sur la note à venir –, nous nous plongeâmes dans la foule de la rue Maria, que l'on appellera rue Paul-VI au lendemain de la visite pontificale, et de la rue Casa Nova, conduisant au souk dont les ruelles engorgées ne laissaient passage qu'à de petits ânes surchargés de ballots et d'ordures de toutes sortes. L'âne de la crèche et celui de la fuite vers Bethléem et l'Égypte étaient sans doute tout semblables. Peut-être moins battus.

Nazrath pour les Hébreux, En Nazra pour les Arabes, Nazareth « la Gardienne », selon la transcription grecque, méritait son nom. Dominé par les quatre-vingts tours, dômes et clochers étagés dans l'amphithéâtre des collines, le tombeau d'un saint musulman, Nabi Saïn, semblait veiller sur les lieux où, il y a deux mille ans, l'ange Gabriel se présenta devant Marie, jeune vierge fiancée à Joseph, effarouchée par l'inconnu. D'après saint Luc, il lui dit simplement :

> « Je vous salue Marie, pleine de grâce ; le Seigneur est avec vous ; vous êtes bénie entre toutes les femmes. Vous avez trouvé grâce devant Dieu. Voici que vous concevrez ; un fils vous naîtra, que vous nommerez Jésus. Il sera grand ; on l'appellera Fils du Très-Haut. Le Seigneur lui donnera le trône de David, son père, et il régnera à jamais sur la maison de Jacob.
>
> « – Comment alors cela se fera-t-il, puisque je ne connais aucun homme ? avait objecté Marie.
>
> « Mais l'ange : – L'Esprit saint va descendre sur vous ; la puissance du Très-Haut vous couvrira de son ombre. Voilà pourquoi le Saint qui naîtra de vous sera appelé Fils de Dieu. »

À chaque détour de Nazareth, les lieux saints illustraient la parole sacrée. Le principal d'entre eux était la basilique de l'Annonciation, bâtisse en cours de reconstruction après que les vestiges de l'ouvrage peu heureux de 1730 eurent été mis à bas pour faire place à ce que l'on annonçait comme devant être l'église la plus grande du Moyen-Orient[1]. On l'édifiait sur l'emplacement d'une crypte taillée dans le roc, déjà protégée par un édifice byzantin. C'était un chantier que le pape allait visiter. Il fallait toute la foi du chef de l'Église catholique pour voir la maison de la Sainte Vierge dans le vestibule dit « chapelle de l'ange » et dans une crypte creusée à même le rocher, vestiges d'une précédente basilique, byzantine elle aussi, dont ne subsistaient que quelques lambeaux de mosaïques et des colonnes de granit éparses. Là, disait la tradition, était la chambre de Marie. Dans la grotte proprement dite, un autel dont l'emplacement avait été changé à plusieurs reprises au cours de l'Histoire marquait l'apparition de l'Ange à la Vierge. Si une anfractuosité passait pour la sépulture de saint Joseph, il fallait parcourir encore quelques dizaines de mètres pour trouver une autre église, réédifiée au début du XXe siècle sur le tracé d'un plan médiéval recouvrant des vasques, grottes et silos, restes de l'ancienne bourgade et que l'on appelait depuis trois cents ans seulement l'« atelier de saint Joseph », selon les pères franciscains qui y avaient élevé leur nouveau couvent. C'est autour de ces modestes vestiges que l'on pouvait le mieux s'imaginer la situation de la famille dans laquelle Jésus avait vu le jour. Joseph et Marie étaient sans doute de pauvres gens, plus riches de courage que de drachmes, de ces humbles « que les pouvoirs trouvent toujours dociles et résignés », selon le mot de Daniel-Rops. Quand leur enfant naquit, pour acquitter l'offrande d'obligation au Temple, ils durent se contenter d'une paire de tourterelles ; l'achat d'un agneau eût outrepassé leurs moyens. Quant à leur habitation telle que la basilique de

1. Sa construction fut achevée trois ans après la visite du pape, à la veille de la guerre des Six-Jours.

l'Annonciation en avait conservé les traces depuis deux mille ans, c'était vraisemblablement une de ces masures à demi troglodytes où souvent la même pièce coupée en deux servait moitié pour le bétail, moitié pour les humains. À moins qu'il ne se fût agi d'une de ces maisonnettes de torchis, carrées, ouvertes de plain-pied sur le chemin qui courait à travers les olivettes, comme on en trouvait encore par milliers en Galilée quand on gagnait Notre-Dame de l'Effroi, chapelle édifiée sur une saillie du rocher, au sud de la ville, considérée comme le précipice où ses compatriotes agacés par ses prêches avaient tenté de jeter Jésus, provoquant la terrible angoisse de Marie.

La configuration des lieux, l'étroitesse des rues empêcheraient les journalistes de suivre le Saint-Père tout au long des étapes de son périple. Il était évident que je ne devrais compter que sur ma visite préalable et la documentation réunie à Paris pour décrire l'événement. La moitié de la matinée suffit amplement à visiter les Lieux saints, et la seconde moitié fut consacrée à parcourir, malgré une température bien peu orientale, la nature aimable des rives du Jourdain. J'imaginai Jésus parcourant tout cet environnement de Nazareth, avec ses collines piquées de cyprès noirs dressés autant dans les oliveraies que dans les vignes – Kafr Cana, le Cana des Évangiles et des Noces, n'était qu'à quelques minutes de route – ou les champs de blé et de grenadiers entourant la cité. Nature heureuse, avec ses jardins pleins de lys, de verveines et de bougainvillées aux couleurs chatoyantes, propices aux jeux de l'enfant qu'avait été Jésus durant son séjour à Nazareth. Un quelconque de ces gamins, devenus aujourd'hui juifs ou arabes, si vivants, nerveux, turbulents, la peau hâlée, le cheveu sombre, bouclé, qui, voici deux mille ans, constituaient un seul et même peuple, aussi agité que ses descendants. En tout cas, un enfant bien différent du chérubin blond en tunique blanche, représenté par l'imagerie sulpicienne, voire même né du pinceau d'un Léonard de Vinci. Toute la Galilée où la

Sainte Famille avait vécu donnait une impression de richesse et de beauté contrastant avec la sévérité désertique, parfois lunaire, de la Judée où prévalaient le roc et la pierre ocre de Jérusalem.

De retour à Nazareth, je repérai un café, au coin de la rue principale et de la rue Casa Nova, qui constituerait un parfait observatoire pour la procession du lendemain et qui, pour l'heure, nous offrait la douce chaleur d'un poêle à bois. Comme dans tous les cafés de l'Orient, on y aurait cherché en vain une présence féminine. Sur ma femme se concentrèrent tous les regards dont celui, particulièrement insistant, d'un homme d'une cinquantaine d'années qui avait tout du notable local, entouré d'une petite cour empressée. Occupé à classer et développer mes notes, je n'avais pas pris garde à son attitude quand j'entendis ma femme, peu encline à se laisser importuner, prier le garçon de faire cesser le manège. Sans prendre en compte ses desiderata, celui-ci nous expliqua avec force détails que le bonhomme avait entendu dire que nous étions français, qu'il parlait notre langue, avait déjà réglé nos consommations et nous invitait à sa table pour une nouvelle tournée d'*arak*[1]. « Monsieur le Maire aime beaucoup votre pays, apprécie la beauté des femmes au teint mat, et serait très honoré de pouvoir bavarder avec vous à la veille d'un événement aussi important pour notre ville ! » précisa le loufiat, fier d'être promu au rang d'intermédiaire diplomatique. L'occasion d'interviewer l'homme qui allait recevoir le pape nous était servie sur un plateau, et il n'était pas question de la repousser pour cause de susceptibilité féminine ! La belle « au teint mat », devenue en quelques années de vie commune aussi professionnelle que moi, troqua son regard noir pour des yeux de biche, et, en moins de temps qu'il n'en faut pour le dire, profita de son avantage pour susciter

1. Sorte d'anisette israélienne.

les confidences de l'élu, lesquelles prendraient place dans mon reportage du lendemain. Après avoir acheté à un des petits colporteurs qui en vendaient dans tous les lieux publics un lot d'images pieuses – leur recto était orné de quelques pétales de fleurs de Terre sainte et de fines lamelles de bois d'olivier de Gethsémani disposés en croix –, geste anodin mais qu'apprécia fort le très-chrétien maire de la ville, celui-ci nous convia à déjeuner à son domicile personnel. L'enregistrement d'une longue et passionnante interview se déroula dans un salon autour d'une bouteille de whisky qui ne laissait pas notre hôte indifférent. J'appris à cette occasion que l'église de l'Annonciation, dont le pape allait parcourir le chantier pour se rendre à la grotte sacrée, serait payée par tous les contribuables de l'État juif, et pas seulement par la communauté arabe chrétienne. Le temps passant, nous nous aperçûmes que l'invitation à déjeuner était totalement impromptue et que l'on s'activait frénétiquement en cuisine. Tandis qu'Alexis et moi aidions le maire à honorer Johnny Walker jusqu'à la dernière goutte, mon épouse fut invitée à rendre visite à sa femme, qui relevait de couches, et à admirer un gros bébé qui n'avait pas huit jours. De retour, et après les compliments d'usage, commença pour Estelle, qui n'avait d'ordinaire que peu d'appétit, une sorte de petit enfer. Uniquement arrosé de *gazous*[1] sucrée, tout le repas était composé de plusieurs sortes d'abats, tripes et andouillettes dont la première bouchée évoqua pour moi l'irrésistible définition qu'en donna Édouard Herriot[2] : « La politique, c'est comme une bonne andouillette, il faut qu'elle sente la merde, mais pas trop. » Celle-ci pêchait incontestablement par excès, dans le mauvais sens ! J'admirai l'héroïsme de ma femme qui, n'étant pas aidée comme nous par l'alcool absorbé à l'apéri-

1. En arabe, toute boisson gazéifiée.

2. Homme politique français (1872-1957) qui, élu maire de Lyon en 1905, conserva cette charge pendant un demi-siècle, jusqu'à sa mort.

tif, réprimait difficilement des haut-le-cœur, tout en s'extasiant sur la variété et l'originalité des manifestations prévues le lendemain pour honorer le Saint-Père. Par bonheur, notre hôte eut le bon goût de s'absenter un instant, le temps pour la malheureuse de vider son assiette moitié dans la mienne, moitié dans celle d'Alexis, et de se recomposer un visage en avalant coup sur coup deux verres d'eau fraîche. Absorber jusqu'à la dernière miette le dessert fait de gâteaux au beurre rance fut au-dessus de nos forces, mais l'honneur était sauf. Déplorant notre manque d'appétit, le brave homme, croulant sous les compliments pour l'excellence de son repas, tint à ce que nous emportions quelques-unes de ces spécialités, soigneusement emballées dans des serviettes en papier marquées aux armes de Nazareth. J'attendrai d'être, le lendemain, sur la route de Jérusalem, pour me débarrasser des encombrantes et odorantes pâtisseries dont l'origine était signée. Il eût été imprudent de le faire après avoir été pareillement honoré par le premier magistrat de la ville. Servitude et grandeur du métier de reporter… Jamais plus ma femme ne regrettera de ne pas m'accompagner à quelque invitation officielle que ce soit. Pas plus que je ne lui proposerai à l'avenir de mêler vacances et reportages, quelque attractive qu'en soit la destination. Celles-ci, complètement ratées, garderont à jamais le goût des tripes de Nazareth !

Le Saint-Père avait à peine regagné le Vatican, après avoir échangé le baiser de paix avec le patriarche Athénagoras au mont des Oliviers, geste qui bouleversa la chrétienté, que mon journal me réexpédia à Chypre où m'attendait un autre prélat, archevêque et ethnarque, plus jeune et plus belliqueux, celui-là ! Pour cause de trop grande réussite de mon premier séjour, Paris voulait encore « du Makarios », accompagné si possible d'une entrevue avec son alter ego turc, le Dr Kutchuk. Cette fois, mon épouse refusa fermement de rester seule à Jérusalem et exigea de m'accompagner à Nicosie où les combats fratricides avaient repris : après tant d'avanies, je ne pouvais, prétexta-t-elle, lui refuser une escale à Athènes sur le chemin du retour. Je dus en convenir. C'est ainsi que, faute de visite du Néguev et de séjour balnéaire à Eilat, elle rencontra en trois jours le pape Paul VI, croisé dans la rue Maria au milieu d'une foule en délire, Mgr Makarios, dont elle apprécia l'élégante silhouette drapée dans la soie noire d'une soutane admirablement coupée (sur laquelle se détachait une croix pectorale aux joyaux inoubliables aux yeux d'une femme), et le Turc Kutchuk, bedonnant et mal rasé, mitraillette au côté, qui ne se laissa approcher qu'à condition de tenir nos bras visiblement éloignés du corps durant les manœuvres qui nous conduisaient jusqu'à son poste de commandement.

Je n'en avais pas fini avec le pape puisque, à la fin de cette même année, je me retrouvai envoyé spécial à Bombay où se tenait, au mois de décembre, le XXXVIIIe Congrès eucharistique mondial. Par ce voyage au sein d'une des villes les plus importantes du sous-continent indien, où les chrétiens n'abondaient certes pas mais étaient tout de même dix-huit millions, Paul VI entendait intervenir publiquement, en tant que chef spirituel de la religion catholique, dans les affaires du monde. Cette plongée dans l'Asie profonde fut une des expériences les plus enrichissantes de ma vie journalistique. Fidèle à la méthode que, sous l'impulsion d'Armand Jammot, j'appliquais depuis mes débuts à *Dix Millions d'auditeurs*, je fus chargé non seulement de « couvrir » le Congrès eucharistique international, mais de faire découvrir à nos fidèles auditeurs le décor local, la vie quotidienne et quelques-uns des principaux problèmes qui se posaient à l'Inde, en proie à une effroyable misère doublée d'une natalité alors galopante. De l'équipe chargée de relater l'événement, j'étais maintenant celui qui avait le plus d'expérience du terrain, et on comptait sur mon sens pratique pour prévoir la logistique, le découpage et la répartition des sujets entre les cinq envoyés spéciaux que nous étions : Roger Bourgeon, remarquable organisateur de toutes les grandes opérations de la chaîne luxembourgeoise, à qui rien de ce qui touchait la religion catholique n'était étranger ; Robert Lassus, ordinairement correspondant à Lille, zone d'énorme écoute pour notre journal, pince-sans-rire sur le talent duquel on pouvait compter en toutes circonstances et à qui, quelques années plus tard, Thierry Le Luron devra ses meilleurs sketches ; les deux ingénieurs du son – on s'attendait à devoir affronter tant de problèmes qu'Alexis Agrikolianski, avec lequel je formais un tandem qui avait fait ses preuves, était secondé par l'excellent technicien qu'était Marcel Villette ; et moi-même, chargé de chapeauter l'équipe, bien que, dans la hiérarchie luxembourgeoise, Roger Bourgeon occupât un poste directorial.

Les ennuis commencèrent dès l'aéroport de Bombay où Alexis et moi arrivâmes en voltigeurs. Plusieurs Nagra, qui représentaient une fortune, et le matériel nécessaire à la retransmission en direct de la messe pontificale, parurent poser d'emblée des problèmes insolubles aux fonctionnaires des Douanes, que nous découvrîmes encore plus paperassiers et tatillons que ceux qui, d'ordinaire, nous accordaient toute leur attention en France. Des heures de palabres et des dizaines de formulaires à remplir en trois exemplaires nous furent nécessaires avant de gagner, avec nos bagages techniques, le taxi qui devait nous conduire à notre hôtel. Quoique notre adresse à Bombay, le Taj Mahal hotel, *the most distinguished address in India*, eût favorablement influencé les gabelous, le moins que l'on puisse dire était qu'on ne nous avait pas attendu avec les magnifiques colliers de fleurs fraîches par lesquels les Indiens honoraient dans le hall d'arrivée familles, amis ou voyageurs invités. Après le désolant spectacle des *slums*, bidonvilles surpeuplés qui bordaient la route de l'aéroport, au bord de laquelle les habitants se soulageaient sans la moindre gêne, puis s'essuyaient de la main gauche – la « main impure », dans une religion dont nous avions tout à apprendre –, l'arrivée au Taj Mahal, dont les portiers étaient habillés comme des maharadjas, relevait de l'entrée au paradis. Par malheur, les réservations faites depuis Paris n'étaient valables que pour trois jours. Ensuite, le palace était complet pour toute la durée du congrès. À moi de trouver sur place de quoi loger toute notre équipe !

Si, entre Jérusalem et Nazareth, en passant par Haïfa et Tel-Aviv, je n'avais jamais eu le sentiment de parcourir l'Asie, ainsi que l'atlas me l'indiquait pourtant, je m'y sentis plongé dès le premier contact avec la terre indienne. D'abord la chaleur : intense, humide, étouffante, qui m'agressa dès la sortie de l'avion d'Air India à bord duquel je venais d'effectuer, en première classe, le voyage le plus confortable de ma vie, grâce au billet que ma direction avait eu le bon goût de négocier avec la compagnie aérienne. En quelques minutes, le costume d'alpaga et la chemise blanche ne furent plus que linges défraîchis qui me collaient à la peau. Quoique nous fussions encore loin de la mousson, attendue pour le mois de juin, le tarmak surchauffé venait d'essuyer une averse tropicale, rare en décembre. Elle avait transformé le terrain et la route de l'aéroport en étuve qui enveloppait d'une gaze légère l'incroyable magma de ferrailles et d'humains étroitement imbriqués que constituait l'embouteillage où le chauffeur sikh semblait avoir l'habitude de s'engluer jour après jour. Entre l'humanité misérable qui peuplait les *slums* et celle aux vêtements colorés qui s'entassait dans et sur les véhicules, je compris mieux ce que signifiaient les chiffres étudiés avant mon départ. Avec Calcutta, le centre de Bombay présentait la plus forte concentration de population au monde, avec près de deux cent mille habitants au kilomètre carré ! Et c'était là que le pape allait effectuer la majeure partie de son voyage ! Mais lui ne verrait jamais le spectacle dont je recensais les moindres détails. Dans les nuages de gaz d'échappement où dominait l'odeur de gas-oil, au milieu d'un tintamarre de cris, d'injures, de coups de klaxon ou de corne, de sonnailles de grelots plus aigus les uns que les autres, s'emmêlaient inextricablement autobus surchargés de grappes humaines, camions peints comme des idoles avec des yeux cernés de khôl de chaque côté du radiateur, charrettes bondées, cyclo-pousse aux larges roues derrière lesquels s'échinait l'homme à vélo qui gagnait péniblement sa survie à la sueur de ses mollets. Les plus riches parmi les propriétaires qui les louaient avaient remplacé le vélo par le scooter pétaradant, mais encore fallait-il avoir les moyens de les utiliser. On se demandait comment cette lave mi-mécanique, mi-humaine pouvait s'écouler. Et pourtant, le flot compact avançait tant bien que mal, dominé çà et là par un chameau attelé, voire, découvert derrière un énorme camion, un éléphant bâté, les pattes enchaînées, qui nous regardait de son œil rond. Dès la première heure du premier jour, il fallut s'habituer aux regards des miséreux, myriades de mendiants qui tendaient la main par la portière aux glaces abaissées, exhibant plaies, pustules, doigts rongés par la lèpre, tristes spécimens d'une foule innombrable défigurée par la misère. Contraste entre la pire détresse et le luxe le plus raffiné : le Taj Mahal en était la pièce maîtresse, au cœur même de Bombay, à quelques dizaines de mètres de la Gateway of India. Cette mythique Porte des Indes, symbole de la ville, sur laquelle ouvrait la fenêtre de ma chambre, était un arc de triomphe érigé au début du siècle en l'honneur de George V et de la reine Mary pour marquer le souvenir de leur première visite, en 1911. Cette masse de basalte blond, seul monument d'une cité qui n'en possédait aucun d'époque ancienne, à l'exception de l'île d'Elephanta, à dix kilomètres au large, était construite face à la mer d'Oman et changeait de couleur selon la position du soleil : de son lever à son coucher, elle se teintait de nuances passant de l'or à l'orange puis au rose.

Les principales étapes de la visite du pape allaient se concentrer au cœur de la cité, à quelques centaines de mètres du Taj Mahal qui, au moins autant que la Porte des Indes, sa cadette de vingt-trois ans, faisait office de monument historique inévitable. Avec ses sept étages d'une largeur peu commune – on l'appelait volontiers l'hôtel aux mille regards –, sa façade ressemblait par sa couleur à un pain d'épices tarabiscoté, décoré à la chantilly. S'y mélangeaient les styles les plus divers, du roman au gothique en passant par le Renaissance, agrémentés des pignons de fenêtres à encorbellements dignes d'un chalet de l'Aga Khan, à Klosters, tandis que quatre tours et un dôme monumental, aussi vaste que celui du Panthéon, lui conféraient l'indispensable tonalité indienne.

Depuis son ouverture dans les dernières années du XIXe siècle, le Taj Mahal n'avait jamais cessé d'être le lieu de rendez-vous le plus smart de Bombay, où se retrouvaient maharadjahs, hommes d'affaires, musiciens, danseuses et acteurs célèbres, familiers pour beaucoup d'entre eux de la dynastie des Tata, famille parsie dont les ancêtres, venus de Perse, avaient fait fortune grâce à leur génie du commerce et à une remarquable vision de ce que pouvait être l'avenir industriel de leur pays d'adoption. L'Inde que je découvrais était marquée du sceau des Tata. L'héritier du nom, dont un membre du bureau de presse me racontait la saga, possédait la compagnie aérienne qui m'avait conduit à Bombay, ainsi que l'hôtel où je logeais, sans oublier un empire industriel qui contrôlait des hauts fourneaux, des usines hydrauliques et de constructions mécaniques, des manufactures de textile, des fabriques de corps gras. On volait, on roulait, on logeait, on s'assurait Tata, à tel point que le révérend Herman D'Souza, officier d'Information, qui enregistra mon accréditation, m'aurait dit qu'un Tata devait accueillir le pape, le 2 décembre suivant, qu'il ne m'aurait pas surpris outre mesure. La fabuleuse réussite des Tata me fit regretter que cette industrieuse famille ne possédât point la chaîne de radio indienne qui était censée nous apporter son aide technique. Les installations que nous visitâmes, munis de notre carte de presse beige délivrée par le XXXVIIIe Congrès eucharistique, et celle, verte, de correspondant de presse du gouvernement indien, qui étaient censées nous ouvrir toutes les portes, nous firent mal augurer de l'avenir. Après de multiples contrôles, parvenus dans le saint des saints, c'est-à-dire un studio qui devait nous relier à Paris, nous nous aperçûmes qu'à Bombay la glace séparant la cabine speaker de la console technique n'avait pas encore été inventée ! Nos confrères locaux, enfermés dans un studio aveugle, devaient appuyer sur un interrupteur pour envoyer un élément sonore entrant dans un « papier » général ! Quant à faire tirer une ligne pour relier la place de l'Oval, où devait être dite la messe célébrée par le Saint-Père, et nos studios parisiens, il ne fallait pas y compter. On n'avait jamais fait cela à Bombay. On n'y avait même jamais songé ! Heureusement, l'opiniâtreté d'Alexis valait la mienne, et la gentillesse doublée de bonne volonté de nos confrères indiens était sans limites, bien qu'ils affichassent toutes les « qualités » extrême-orientales : nonchalance, flegme et fatalisme. Ayant apporté notre matériel technique, nous parvînmes, après quarante-huit heures de formation accélérée, à convaincre les techniciens de Bombay que la chose était faisable. Ce problème essentiel réglé, et après avoir – à regret – quitté le Taj Mahal pour le Ritz Hotel, dont le nom ronflant dissimulait mal la médiocrité, puis un vaste appartement meublé de Churchgate Reclamation, entretenu par un valet de chambre, un boy et une gouvernante, ce qui réglait une fois pour toutes nos problèmes de logement et d'intendance, nous nous employâmes à suivre pas à pas l'itinéraire que le pape allait emprunter.

À tous les niveaux, l'inorganisation semblait être considérée comme un des beaux arts. Les curés de l'équipe du révérend D'Souza ne semblaient connaître aucune étape du voyage. Je me procurai enfin le programme grâce à la coopération de l'Agence France-Presse dont on ne pouvait qu'apprécier une fois de plus, dans toutes les régions du monde, la remarquable efficacité. Le lieu géométrique des cérémonies serait l'immense espace vert de l'Oval Maidan, le Hyde Park de Bombay, qui d'ordinaire prêtait ses pelouses à des meetings politiques et aux réunions mondaines dont la capitale du Mahârâstra raffolait. Arbres et mâts de toutes sortes étaient déjà pavoisés aux couleurs jaunes et blanches du Vatican, et ornés de drapeaux frappés du chapiteau de la colonne d'Ashoka. Ce chapiteau, sculpté trois siècles à peine avant la naissance du Christ, et trouvé à Sarnath, à quelques kilomètres de Bénarès, était surmonté de quatre avant-corps de lions dressés au-dessus de la Roue de la Loi, symbole de la foi bouddhique. À l'Indépendance, cette sculpture, vieille de vingt-trois siècles, avait été choisie comme emblème de l'Union indienne.

Déjà, une marée de petits vendeurs de cartes postales, de drapeaux aux couleurs des deux États, de jouets en bois, de figurines en papier mâché, violemment colorées, d'offrandes de toutes sortes à Shiva, mais aussi d'images pieuses à l'effigie de Paul VI, avaient pris place sur l'Oval Maidan, bien décidés à la garder jour et nuit jusqu'aux cérémonies dont la population indienne applaudissait par avance le faste, auquel elle était très sensible. La place attendait un demi-million de visiteurs – une occasion que les milliers de colporteurs attirés par l'événement n'allaient pas retrouver de sitôt. Pour les protéger des voleurs, ils avaient déjà monté et ficelé sur les branches des banians et autres principaux arbres de la place les lits de sangles ou les *charpoï* en corde qui leur servaient de couchage, ainsi qu'à tous ceux – et ils étaient nombreux – qui vivaient dans la rue où ils exerçaient leurs petits métiers. L'un des plus singuliers, qui me fascina dès que je l'eus découvert, était celui de *dabbawalla*. Chaque fin de matinée, à deux pas de notre appartement de Churchgate Reclamation, des centaines de coursiers (*walla*), vêtus de simples *dhoti*, le chef couvert du calot blanc popularisé par Gandhi et le pandit Nehru, descendaient d'un train spécial des milliers et des milliers de gamelles (*dabba*) collectées chez les particuliers, jusque dans les localités les plus éloignées du Grand Bombay. Ces livreurs, qui constituaient une organisation unique au monde, classaient selon des signes cabalistiques ces boîtes à repas compartimentées, isothermes pour les plus modernes d'entre elles, sur le quai d'arrivée ou dans les rues voisines de Churchgate où les membres d'une autre équipe de *dabbawalla* les prenaient en charge et les livraient à leurs destinataires, cadres, petits fonctionnaires ou employés de bureau au centre-ville. Quand on savait que plus de trois millions de personnes y déferlaient chaque matin, on imaginait l'importance que représentait le marché de la restauration. Ce n'était pourtant pas seulement pour des raisons économiques que les travailleurs faisaient appel à leurs services, mais surtout pour respecter certains tabous. Grâce aux *dabbawalla,* ils étaient sûrs de la pureté rituelle observée par la personne qui avait préparé le déjeuner, et de la manière de cuire les mets. J'appris ainsi qu'il était encore interdit à de nombreux Indiens d'accepter de la nourriture préparée n'importe comment et par n'importe qui.

Durant les trois jours précédant la visite du pape, dont le « clou » serait la cérémonie sur l'Oval Maiden, je m'efforçai d'incorporer au reportage concernant le Congrès eucharistique à proprement parler, qui ne me passionnait pas outre mesure, les aspects les plus étonnants de la vie de Bombay et la visite des hauts lieux de la ville : aussi bien celle du Prince of Wales Museum, l'un des grands musées de l'Inde, que celle du temple de Walkeshwar, au bord d'un vaste bassin où les *dhobi* (blanchisseurs) battaient énergiquement le linge et le faisaient tournoyer à bout de bras avant d'en frapper une pierre plate pour l'essorer. Pas plus que le mystère de l'identification des gamelles à Church Station, je ne saurai comment les *dobbi* retrouvaient le linge sans marques de leurs clients, étalé à perte de vue le long de la mer d'Oman !

En comparant soigneusement le programme du pape avec le site des principales étapes, je découvris celui d'une exposition qui soulignait à quel point les croyances et toutes les cultures de l'Inde étaient représentées à Bombay, y compris la religion catholique depuis le XVIe siècle, ce qui m'expliqua le choix de cette ville lointaine à majorité hindoue pour la tenue d'un Congrès eucharistique d'une grande importance pour Rome. Dans les années 1530, alors que les nababs musulmans régnaient encore sur la région, ceux-ci l'avaient abandonnée aux Portugais en échange de leur aide contre les Moghols. Ce fait historique était à l'origine d'une vaste communauté chrétienne à majorité catholique qui, au cours des siècles, avait édifié de nombreuses églises. Ces sanctuaires firent même appeler « Église portugaise » deux différents quartiers de la ville. On pouvait encore admirer, dans le faubourg éloigné de Bandra, l'église St Andrew, dont la façade constituait un très bel exemple de ce type d'architecture. En outre, la légende attribuait à saint Thomas, l'un des apôtres, l'évangélisation de la région du delta de l'Indus, avant de subir le martyre dans la région de Madras où existait encore l'une des plus anciennes colonies chrétiennes de la péninsule. L'impossibilité de se rendre en pèlerinage dans ces hauts lieux du catholicisme indien avait guidé le choix de cette exposition, somme toute modeste dans le programme chargé du Saint-Père. Négligée par mes confrères, cette étape me parut offrir la seule possibilité d'approcher Paul VI, que je n'aperçus que de très loin lors des cérémonies de l'Oval Maiden. Celles-ci se déroulèrent dans un déploiement inouï de foules dont la moitié des effectifs n'étaient pas catholiques, loin de là. Leur ferveur indubitable ne s'expliquait pourtant pas seulement par la célèbre courtoisie indienne, mais par un profond amour populaire pour les manifestations religieuses de toutes sortes et de toutes origines. Qu'elles fussent entourées d'un tel faste – les dignitaires de l'Église accompagnant le Saint-Père avaient bien fait les choses : mieux, pouvais-je en juger, qu'à Nazareth où le cortège papal avait touché au dénuement – n'avait fait que multiplier l'intérêt de la foule.

À peine terminée la cérémonie de Maiden, j'abandonnai mes camarades et me rendis à l'exposition, si méprisée par la presse que je pus m'introduire, grâce à mes cartes d'accréditation, dans le lieu même où devait se dérouler la brève visite. Sans me dissimuler le moins du monde, je me postai dans un couloir que devait emprunter le cortège réduit et, anxieux à l'idée de me faire expulser sans ménagement, j'attendis le passage du Saint-Père. Celui-ci, entouré d'une poignée de prélats, parmi lesquels je reconnus la haute et impressionnante silhouette de Mgr Marcinkus, que l'on disait l'un de ses plus proches collaborateurs, s'avança dans le couloir où j'attendais. C'était le moment ou jamais de tenter d'obtenir du Saint-Père quelques mots de commentaire sur la portée symbolique que revêtait ce voyage hors du commun, et surtout sur la façon donc il avait reçu les vivats de tout un peuple. Ce n'était que la deuxième fois dans l'histoire moderne de la papauté que le chef de l'Église quittait le Vatican en moins d'un an. Dire que je ne ressentais aucune émotion à l'idée de m'adresser directement au pape serait exagéré. Je n'en posai pas moins ma question en me demandant comment je devais la formuler : en lui donnant du « Très Saint-Père » ou du « Votre Sainteté » ? J'avais déjà choisi la première formule, tout en approchant mon micro de la bouche de Paul VI, quand je vis se dresser à mes côtés une masse de chair et de muscles qui me rappela qu'outre des fonctions financières fort importantes Mgr Marcinkus servait de garde du corps au souverain pontife. Je stoppai la charge d'un fort méchant coup de coude intercostal que m'avaient appris les gorilles du général de Gaulle pour me dégager d'une foule trop compacte. La représaille allait m'emporter quand le pape saisit ma main droite, qui tenait le micro, entre les siennes réunies. Nullement offusqué par mon audace, le Saint-Père, sans me lâcher la main, me protégeant ainsi des représailles du *monsignore* aux épaules de rugbyman, m'expliqua en quelques phrases simples l'importance de faire du développement du tiers-monde la condition de la paix. Tel était le message qu'à travers ce voyage exotique il entendait faire entendre à ce tiers-monde dont l'Inde était le symbole, et aux religions non chrétiennes qui venaient de lui réserver un accueil plus qu'enthousiaste.

Jamais je n'aurais imaginé qu'un pape puisse parler avec une telle simplicité, et sur un ton si familier, d'idées essentielles pour l'avenir du monde, lui que je n'avais entendu s'exprimer que sous la forme de messages, la plupart du temps proclamés *urbi et orbi*, avec une solennité qui, jusque-là, ne m'avait guère touché. Moi qui n'avais pas la foi, loin de là, jamais je ne devais oublier le contact de ses mains protectrices sur la mienne. Mon métier venait de me faire éprouver une émotion insoupçonnée en passant quelques si brefs instants auprès d'un homme qui incarnait, pour des millions de chrétiens, la compréhension, le dialogue, l'encouragement et l'ouverture. Tel fut le titre de mon papier du soir, dont la brève déclaration de Paul VI constitua le point d'orgue. Désormais, rue Bayard, je fus « l'homme qui avait parlé au pape » sans s'être vu accorder la moindre audience préalable. Cela ne s'était jamais vu.

9

Une légende vivante

Quelques années avant les voyages pontificaux, j'avais découvert Israël dans des circonstances bien particulières. Le 23 mai 1960, à la tribune du parlement de Jérusalem, le Premier ministre David Ben Gourion, que d'aucuns remarquèrent singulièrement ému, lut une brève déclaration qui, dans les heures suivantes, allait faire le tour du monde :

« J'annonce à la Knesset l'interception par nos services de sécurité d'un des plus grands criminels nazis : Adolf Eichmann, l'un des responsables de ce qu'ils appelaient la solution finale du problème juif, c'est-à-dire l'extermination de six millions de Juifs d'Europe. Eichmann se trouve déjà en Israël sous mandat d'arrêt et passera sous peu en jugement, conformément à la loi de 1950 réprimant les crimes contre l'humanité… »

Bien des années plus tard, le chef du mystérieux Mossad (les services secrets d'Israël), Isser Harel dira : « Cette annonce provoqua la surprise la plus totale. De la Knesset, la nouvelle se répandit dans toute la nation, parvint aux rescapés qui avaient survécu à l'usine de mort, aux endeuillés qui avaient perdu tant d'êtres chers aux quatre coins du monde… »

L'instruction de l'« affaire Eichmann » dura onze mois durant lesquels, enfin libéré de mes obligations militaires, je continuais d'être au sein de mon journal le « spécialiste de la guerre d'Algérie ». Je caressais néanmoins le projet de « couvrir » bientôt le procès le plus important que le monde eût connu depuis celui de Nuremberg. Le moment arriva, au mois de mars 1961. Je venais de rendre compte des audiences du procès dit des Barricades, événement dramatique auquel j'avais assisté l'année précédente, quand la population européenne avait protesté à sa manière – forte – contre la décision du président de la République de démettre le général Massu, qui avait critiqué sans ménagement sa politique algérienne, de ses fonctions de commandant du corps d'armée d'Alger. Les ultras, redoutables émeutiers d'extrême droite, croyant un nouveau « 13 mai » possible, avaient érigé des barricades en plein centre-ville et avaient tiré contre gendarmes et CRS, lesquels avaient riposté. Le bilan avait été à la mesure de la révolte : 6 morts et 24 blessés parmi les manifestants pieds-noirs, 14 morts et 125 blessés chez les gendarmes. Les responsables du mouvement avaient bénéficié d'une singulière clémence du tribunal pour des actes relevant de la guerre civile. Le verdict annonçait treize acquittements et six condamnations par contumace, clémence insuffisante pour faire oublier aux plus extrémistes le désir du gouvernement « d'engager, par l'organe d'une délégation officielle, des pourparlers relatifs aux conditions de l'autodétermination des populations algériennes et aux problèmes qui s'y rattachent ». Pour avoir accepté que la rencontre entre les représentants du gouvernement français et ceux du GPRA ait lieu à Évian, Camille Blanc, le maire de la petite ville, que je connaissais depuis l'enfance, trouva la mort dans un attentat perpétré par un nouveau mouvement baptisé OAS. L'Organisation Armée Secrète se fit connaître pour la première fois à Paris en revendiquant une série d'attentats au plastic à la Bourse et au domicile de plusieurs personnalités, mais en se défendant d'avoir voulu tuer Camille Blanc, à qui elle avait « seulement » souhaité donner une leçon. La guerre d'Algérie, que je suivais depuis trois ans, entrait dans sa phase ultime. J'avais vingt-cinq ans et ne m'étais jamais senti aussi fatigué.

Ma lassitude morale et physique devait se lire sur mon visage car Roger Vailland, croisé à Saint-Germain-des-Prés, m'offrit un verre au Pont Royal, bar célèbre chez les éditeurs et les journalistes littéraires, où il avait ses habitudes quand, délaissant sa retraite bressane, il s'offrait une « virée » à Paris.

– Raconte-moi ce que tu deviens, me dit-il. Je te croyais toujours à Alger, qui n'a plus l'air de te réussir…

J'avais rencontré Vailland à mes tout débuts dans le métier, en décembre 1957, l'heureux jour où il avait reçu le prix Goncourt. Il avait été l'un des premiers écrivains que j'interviewais. Fasciné par la Résistance, que j'étais trop jeune pour avoir vécue, j'avais lu avec autant de passion son *Drôle de jeu*, premier prix Interallié de l'après-guerre, que *L'Armée des ombres*, de Joseph Kessel, que je tenais pour les deux meilleurs romans écrits sur cette période héroïque et dramatique de notre histoire. *Les Mauvais Coups*, *Beau Masque* et *325 000 Francs*, lus entre quinze et vingt ans, m'avaient confirmé que l'écrivain justifiait, par la suite de son œuvre, la réputation de romancier phare de toute une génération qui le suivait depuis les lendemains de la guerre. J'admirais son élégance de dandy et jusqu'à sa réputation de compagnon de route, puis de membre du Parti communiste, qui jouissait en ces années-là d'une aura sans pareille parmi les intellectuels. Puis étaient arrivés Budapest, la répression soviétique et la révélation des crimes de Staline, qui l'avaient éloigné à jamais du PC. Mais, là encore, il avait agi avec élégance, rompant sans éclats de voix, contrairement à certains de ses amis qui étaient directement passés du stalinisme le plus dévot à l'anticommunisme le plus virulent. Vailland n'était pas homme à cracher dans la soupe. Et je l'aimais pour cela.

Était-ce pour ma connaissance de son œuvre, et pas seulement pour *La Loi*, qui était déjà un des succès littéraires de l'année, que Roger Vailland garda en mémoire l'interview qu'il m'avait accordée au milieu de la folie qui régnait chez Drouant, ce 2 décembre 1957. La rapide rencontre devant un micro, lors du jour de gloire, avait été suivie par un plus long entretien au cours des semaines suivantes. Puis nous nous revîmes, non pas suffisamment pour devenir intimes, comme il l'était avec Marc Garanger, jeune photographe de mon âge dont j'admirais le talent, mais assez pour qu'il ne m'oubliât pas. À plusieurs reprises il m'invita à Meillonnas, petit village de la Bresse où il avait décidé de s'installer loin des tentations parisiennes, invitations que j'avais dû décliner à cette époque où je passais l'essentiel de mon temps en Algérie. Lui, qui ne s'intéressait pas assez au conflit pour se rendre sur le terrain, était d'une insatiable curiosité sur le sujet lorsque nous nous rencontrions. Une fois de plus ce fut le cas, ce jour de mars 1961, au bar du Pont Royal. Après lui avoir brossé un panorama des plus pessimiste de la situation, je lui dis ma joie de quitter momentanément la Ville blanche, une fois encore partagée entre ceux qui attendaient avec impatience les mesures annoncées par Louis Terrenoire, ministre de l'Information, déclarant que le gouvernement français restait disponible pour engager des pourparlers sur l'autodétermination avec les diverses tendances algériennes, notamment le FLN, et ceux, des deux bords, qui entendaient ne rien céder sur des positions extrêmes menant inéluctablement à la catastrophe. Suivre les péripéties du procès Eichmann, qui n'aurait certes rien d'une partie de plaisir, mais me permettrait de visiter Israël, constituerait un puissant dérivatif à l'atmosphère délétère dans laquelle je baignais depuis de trop longs mois.

Apprenant mon prochain départ pour Jérusalem, Roger m'annonça qu'on s'y retrouverait bientôt. Il venait d'accepter de rendre compte du procès Eichmann pour l'hebdomadaire de gauche *France-Observateur*, et se réjouissait comme un collégien d'y retrouver Joseph Kessel, son vieux copain des nuits chaudes du Montparnasse de l'avant-guerre, qui assumerait la même mission pour le *France-Soir* de Pierre Lazareff. Il me promit de me présenter à l'auteur du *Lion* dont il savait combien je l'admirais, sans avoir eu l'opportunité de l'approcher autrement qu'en le croisant, lors de la conférence de presse du général de Gaulle, au palais d'Orsay, en mai 1958. La tâche serait plus aisée à Jérusalem qu'à Paris où les deux écrivains se protégeaient le plus possible des interviews et des rencontres nouvelles.

C'est ce soir-là, au bar du Pont Royal, que Roger Vailland me raconta à quelle conjoncture rocambolesque il devait ses premiers souvenirs d'Israël qui, en 1947, s'appelait encore la Palestine, et où Tel-Aviv vivait déjà au rythme des attentats et des explosions. La lutte des militants de la Haganah – milice chargée de la défense des établissements juifs contre les Anglais qui limitaient sévèrement l'immigration sur les terres achetées aux Arabes par le Fonds national juif – atteignait alors son paroxysme. Vailland venait d'effectuer un voyage en Égypte, d'abord dans les milieux progressistes fréquentés par son ami Henri Curiel, puis avec la tournée de Fernand Lumbroso, imprésario et directeur de compagnie théâtrale, avec lequel il avait partagé une jeunesse aventureuse. Quittant la troupe pour se rendre en Éthiopie, il avait résolu de faire un détour par la Palestine où la guerre secrète pour l'indépendance battait son plein. Le drame de l'*Exodus* dont les passagers, pour la plupart survivants de l'holocauste, avaient été empêchés par les Anglais de débarquer en Terre promise et avaient été ramenés en Allemagne, avait bouleversé l'opinion publique mondiale et attiré de nouvelles sympathies à la cause d'un État juif indépendant en Palestine. Depuis l'automne 1945, les Juifs se trouvaient pratiquement en guerre avec l'Angleterre, et la Haganah collaborait désormais avec les mouvements terroristes de l'Irgoun et du groupe Stern. Les membres de l'Irgoun, dirigé par Menahem Begin, se déchaînaient contre les mandataires anglais et se manifestaient par des vols d'armes dans les camps britanniques, par des assassinats d'officiers anglais et des attentats meurtriers. C'est dans cette ambiance que Roger Vailland, auréolé de son prix Interallié pour *Drôle de jeu* et connu pour sa connaissance de la lutte clandestine, fut contacté par des extrémistes de la Haganah.

La scène se passa dans sa chambre d'hôtel à Tel-Aviv, deux jours après son arrivée :

– Monsieur Vailland ? interrogea une voix au téléphone.

– Oui.

– Pourrais-je vous rencontrer quelques instants… discuter avec vous ?

– Bien sûr, dit Vailland. Mais qui est à l'appareil ?

– Mon nom n'a pas d'importance. D'ailleurs, il ne vous dirait rien. Mais je vous connais par votre roman *Drôle de jeu*. Vous y parlez de la Résistance et c'est cette période que je voudrais évoquer. Puis-je monter ?

Roger Vailland donna le numéro de sa chambre. Quelques minutes plus tard, on frappait à sa porte. Un jeune homme d'environ vingt-cinq ans, le cheveu blond en broussaille, le visage tanné par le soleil, entra, suivi d'une jeune fille qui ne semblait pas avoir vingt ans. Petite, une bouille ronde, des cheveux bruns et courts, un regard de belette, elle était vêtue à la diable.

– Je m'appelle Dov, dit le jeune homme, et, se tournant vers la jeune fille : Voici Betty…

Tandis que Vailland leur offrait un verre, Dov entra sans plus hésiter dans le vif du sujet :

– Nous faisons tous deux partie du groupe Stern…

À ce nom, Vailland fut aussitôt sur ses gardes. Depuis le début des attentats, la tête de chacun des membres identifiés du groupe était mise à prix par la police britannique.

– Nous voudrions vous demander conseil, poursuivit Dov, sur les différentes méthodes à employer avec les nouveaux explosifs que nous venons de recevoir. D'après Betty, vous auriez eu à vous en servir dans la Résistance, il n'y a guère plus de deux ans et demi...

L'écrivain resta dans une prudente expectative. Que l'on se présentât tout de go comme « Untel, du groupe Stern », lui paraissait éminemment suspect. Ne s'agissait-il pas d'agents provocateurs téléguidés par les Anglais pour savoir ce qu'il venait faire en Palestine après avoir évolué un certain temps dans les milieux progressistes égyptiens ?

– Je comprends votre réticence, monsieur Vailland, dit le jeune homme. Vous n'avez pas oublié les conditions de la vie clandestine. Je vais vous donner une preuve de notre appartenance au groupe... et aussi une preuve de notre confiance, car si vous nous dénonciez, nous risquerions la pendaison.

Et Dov, sans laisser à Vailland le temps de répondre, lui révéla que deux explosions allaient se produire dans le centre de Tel-Aviv, à proximité de l'hôtel.

– Dans combien de temps, Betty ?

La jeune fille qui, avec ses grosses chaussures, ses socquettes et sa jupe froissée, faisait penser à une cheftaine de louveteaux, eut un regard pour la montre d'homme qu'elle portait au poignet.

– La première bombe doit exploser dans moins de quatre minutes. La seconde, dans six...

Elle parlait d'une voix douce, légèrement voilée, de choses terrifiantes. Roger remplit à nouveau les verres pour se donner une contenance. Il versait le soda quand la première explosion fit vibrer les cloisons. À la seconde, ses visiteurs portèrent un toast à la santé du futur État d'Israël.

Pendant la Résistance, l'écrivain avait été cantonné dans des missions d'espionnage où il avait fait merveille, mais n'avait jamais participé activement ni à des sabotages ni à des attentats. En revanche, il en savait long, à travers les brochures venues de Londres, sur l'utilisation des explosifs les plus modernes. En tout cas, assez pour conseiller efficacement ses interlocuteurs, en particulier la jeune Betty qui, à sa grande surprise, se révéla fort dégourdie sur l'emploi des explosifs traditionnels, tels la dynamite et le TNT. Il lui sembla d'ailleurs que la jeune fille et son compagnon étaient surtout désireux de parler avec un écrivain qui venait de connaître la célébrité en contant une clandestinité que la juvénile terroriste avait également partagée en France.

– Je m'appelle Betty Knout, dit-elle quand le tumulte causé par les explosions se fut dissipé. J'ai bientôt vingt ans. J'étais alors très jeune, mais j'ai fait partie de la Résistance. Je suis encore de nationalité française… Et j'ai entendu parler de vous par ma mère…

Betty conta alors son histoire que Roger ne devait jamais oublier et qu'il me livrait, quatorze ans après, au bar du Pont Royal.

Petite-fille du compositeur et pianiste virtuose moscovite Alexandre Nicolaïevitch Scriabine, elle a treize ans en 1940. Elle vit à Paris, seule avec sa mère. Les deux femmes sont juives et doivent se cacher. Entrée dès 1942 dans un réseau à Toulouse, haut lieu de la Résistance juive, Ariane Knout, sous le pseudonyme de « Régine », multiplie les missions entre la ville rose et le centre de Lyon où foisonnent les organisations clandestines. Malgré le danger, Ariane confie à sa fille, qui est très frêle et paraît moins que son âge, une partie des documents qu'elle est chargée de convoyer. L'enfant fait preuve d'un sang-froid extraordinaire. Elle transmet des messages du nord au sud de la France occupée, sans jamais attirer l'attention de l'ennemi. Pourrait-on penser que cette gamine qui paraît à peine dix ans porte sur elle des documents de première importance ? En 1943, elle en a seize et les hommes de l'Organisation juive de combat l'ont jugée à l'action. Elle participe à leurs côtés à de nombreux sabotages et échappe à toutes les rafles. « Régine » n'a pas cette chance : un soir de juillet 1944, rue de la Pomme, elle tombe, avec un membre de son réseau, dans un guet-apens tendu à Toulouse par des miliciens français. Elle est abattue lors de l'accrochage. La gamine échappe à la souricière.

Roger Vailland se souvint alors des récits de ses compagnons du réseau « Vélites Thermopyles », dont il faisait partie pendant la guerre. Ceux-ci lui avaient parlé à l'époque d'une « gosse formidable, au sang-froid extraordinaire » ! Mais personne, le conflit terminé, ne s'était soucié de ce qu'était devenue l'orpheline. Vailland l'apprenait trois ans plus tard, dans une chambre d'hôtel de Tel-Aviv, de la bouche même de l'intéressée, tandis qu'explosaient les bombes des « terroristes » juifs dont elle faisait partie !

L'Organisation juive de combat avait installé, durant son activité résistante, une infrastructure mise à la fin de la guerre à la disposition de l'action clandestine sioniste. L'objectif de l'Agence juive était alors de faire passer en Palestine un maximum de Juifs, malgré l'opposition anglaise. Betty n'avait même pas eu à changer de réseau pour reprendre le combat, cette fois-ci contre les Anglais ! Nombre de ses nouveaux compagnons de l'Irgoun étaient souvent d'anciens résistants français. Avec eux, elle avait retrouvé une famille, une raison de vivre et le goût de l'action violente.

– C'est qu'elle n'a l'air de rien, comme ça, dit Dov avec un large sourire, mais les Anglais donneraient cher pour la tenir entre leurs mains.

Bouleversé par cette histoire propre à séduire un romancier, Roger expliqua en détail à ses nouveaux amis ce qu'il savait de l'emploi efficace des explosifs que le groupe Stern était parvenu à se procurer. Sous un très faible volume, ils pouvaient provoquer des ravages considérables.

Betty Knout assimila fort bien ce cours. Roger devait la revoir à Paris dans le courant de l'année 1947, et longuement analyser avec elle le combat d'arrière-garde, mais sans merci, que les Anglais livraient contre ses compagnons du groupe Stern. Elle allait être arrêtée à la fin de la même année, à Anvers, plaque tournante des envois d'armes à destination du Moyen-Orient, avec dans son bagage trois bombes et deux lettres explosives destinées à des agents anglais responsables de la lutte contre l'émigration illégale en Palestine. Elle ne sera libérée qu'au jour de la naissance officielle de l'État d'Israël, le dimanche 16 mai 1948.

– J'ai su tout cela par des copains de mon ancien réseau, depuis je n'ai plus jamais eu de ses nouvelles, conclut Vailland. Pourtant, j'aurais bien aimé en recevoir. On ne croise pas tous les jours des êtres pareils !

Notre prochain voyage en Israël allait lui en donner l'occasion.

*
* *

Le procès Eichmann eut lieu dans un grand déploiement de forces de sécurité. Les autorités craignaient par-dessus tout un attentat contre l'homme dont, depuis des semaines, le monde entier apprenait le visage en lame de couteau, étalé à la une de tous les journaux. Jérusalem, capitale de la jeune nation israélienne, ne disposait pas d'un palais de justice assez vaste pour abriter la cour, les témoins et surtout les sept cents journalistes venus des cinq continents pour assister au procès d'un accusé dont le crime avait provoqué la création, en 1944, d'un terme nouveau : génocide. La définition du mot en disait toute l'horreur : « Destruction méthodique d'un groupe ethnique. *L'extermination des Juifs par les nazis est un génocide.* » Jamais, depuis le procès de Nuremberg, on n'avait assisté à pareil rassemblement de grands reporters. À cette occasion, la salle de théâtre du Beth'Haam, maison du peuple ou de la Nation, dont la construction venait d'être terminée au cœur de la Jérusalem moderne, tenait lieu de tribunal où juges, procureur, accusé et défenseur occupaient la scène, et les journalistes les fauteuils d'orchestre.

Le Beth'Haam avait été transformé en fortin. On n'y pénétrait qu'après avoir produit un laissez-passer plastifié comportant photo d'identité, numéro d'accréditation tout comme celui du fauteuil attribué par le bureau de presse au fur et à mesure des inscriptions. Ensuite, le premier barrage franchi, on parvenait à une cabine où un garde de la police des frontières procédait à une minutieuse fouille au corps. Des tireurs d'élite occupaient les toits du bâtiment. Dans les coulisses du théâtre, on avait aménagé une cellule blindée qu'Eichmann ne devait quitter que pour pénétrer par un couloir protégé dans un box vitré, à l'épreuve des balles, situé à gauche du tribunal, tel un fauve de cirque qui ne quitte sa cage que pour pénétrer dans le tunnel menant à la piste grillagée.

Le procès s'ouvrit le 11 avril 1961, seizième anniversaire de la libération du camp de concentration d'Auschwitz où quatre millions d'êtres humains, Polonais et Juifs de tous les pays occupés par l'Allemagne, avaient trouvé la mort dans des chambres à gaz et des fours crématoires, au cours de la plus horrible entreprise d'extermination de l'histoire, celle dont Adolf Eichmann avait été l'un des responsables majeurs. Cette première journée du procès devait rester gravée à jamais dans ma mémoire. Arrivé très en avance, à mon habitude, en compagnie de Vailland avec qui je m'étais inscrit au bureau de presse et qui occupait le siège voisin du mien, j'aperçus Kessel, arrivé encore avant nous, qui trônait majestueusement au premier rang de la salle, carré dans son fauteuil, les lunettes relevées sur le front, les écouteurs de l'appareil de traduction simultanée autour du cou. Il fixait la cage de verre encore vide, perdu dans ses pensées.

« C'est le rang des personnalités », me dit Roger en désignant Irwin Shaw, l'auteur mondialement célèbre du *Bal des maudits*, qui siégeait auprès de l'auteur du *Lion*. Sais-tu qu'avant la guerre, à *Paris-Soir*, nous, les « jeunes », nous appelions Jef « l'Empereur », tant il dominait par son talent les autres grands reporters ? Comme promis, je te le présenterai, mais seulement quand ni lui ni nous ne serons plus « en transes », c'est-à-dire quand nos papiers seront parvenus à Paris.

Le jour de parution de *France-Observateur* – le jeudi – l'obligeait en effet à travailler ce mardi comme un reporter de quotidien.

Le brouhaha cessa soudain quand la cour prit place sur la scène. Sitôt installé, Moshé Landau, juge à la Cour suprême et président du tribunal, fit entrer l'accusé.

– Vous êtes bien Adolf Karl Eichmann ?

– *Ja wohl*, répondit Eichmann, projeté comme par un ressort dans un impeccable garde-à-vous – « habitude ancrée dans la moelle la plus profonde que seize années n'avaient pas réussi à lui faire perdre », dira Kessel qui poursuivra, comme le jeune journaliste que j'étais encore aurait aimé le faire : « Brusquement il fut là, tout près et pour ainsi dire contre moi. Je restai un moment paralysé, incrédule. Le visage le plus reproduit au monde depuis une semaine semblait à portée de ma main… Je le dis en toute sincérité, en toute honnêteté… j'eus un mouvement instinctif de recul, de répugnance, de profond malaise. La maigreur reptilienne du corps, les arêtes à la fois aiguës et fuyantes du visage, la bouche d'une minceur extrême, cruelle et fausse, les yeux… attentifs, immobiles et aux aguets, tout prévenait contre cette apparition… espèce d'araignée humaine exposée en vitrine sur la gauche de l'estrade[1]. » L'espace d'un instant, l'homme en civil, là, devant moi, revêtit dans mon imaginaire l'uniforme vert-de-gris et la casquette plate de l'Obersturbannführer des SS qui avait fait frémir des dizaines de milliers de malheureux.

Sortant du Beth'Haam au soir de cette première audience, j'appris que, transmise en direct par la radio, la voix d'Eichmann avait résonné dans tout Israël où elle avait

1. Joseph Kessel, *Terre d'amour et de feu*, Plon, 1965.

provoqué chez certains des survivants de l'holocauste un choc si puissant qu'il revêtait la forme d'un traumatisme. J'en trouvai les répercussions dans les journaux du lendemain. Nombre d'anciens déportés qui, depuis seize années, n'avaient jamais voulu parler du passé, même à leurs proches, s'étaient comme libérés d'un poids trop lourd. Il semblait qu'une digue d'orgueil, de pudeur et de honte s'était fissurée, libérant soudain l'indicible. C'était la meilleure illustration de ce qu'avait déclaré le procureur Guideon Hausner après que Eichmann eut révélé, à travers deux mots, ce que serait son système de défense : « *Nicht schouldich*, non coupable », puisque, en fonctionnaire aussi zélé que méticuleux, il prétendait n'avoir fait qu'obéir aux ordres de ses chefs.

À elle seule, la lecture de l'acte d'accusation occupa les deux premières journées du procès. Durant neuf heures, Guideon Hausner, juriste austère de quarante-six ans, homme râblé aux épaules massives, démonta avec une rigueur toute anglo-saxonne, et sans le moindre effet de manches, le dossier 40-61 dans lequel se résumait la mort atroce de millions de victimes. D'avance, à coups de citations, de références aux centaines de Folio marqués d'une forêt de becquets empilés devant lui, il réfutait les objections du docteur Servatius, avocat allemand qui avait la redoutable tâche de défendre le monstre. Avant d'élever, à l'aide de mots abstraits, ce monument juridique que serait l'acte d'accusation de l'État d'Israël contre Adolf Karl Eichmann, le procureur se permit un élan sentimental, le seul de toute son intervention effroyablement technique : « Quand je me lève devant vous, juges d'Israël, pour accuser Adolf Eichmann, je ne suis pas seul. Avec moi, en cet endroit et à cette heure, se tiennent six millions d'accusateurs. Mais ils ne peuvent se dresser, pointer leur doigt vers l'homme assis là dans sa cage vitrée et crier : “J'accuse !”... Car leurs cendres forment des monticules entre les collines d'Auschwitz et les plaines de Treblinka, ou bien sont mêlées aux rivières de Pologne. Et leurs tombes sont disséminées sur toute l'étendue de l'Europe… Leur sang crie, mais leurs voix ne peuvent être entendues… » Puis, faisant allusion aux trois mille cinq cent soixante-quatre pages de l'instruction, il ajouta : « J'affirmerai dès maintenant qu'Adolf Eichmann n'était pas le petit rouage administratif qu'on prétend qu'il est… Je prouverai à ce tribunal qu'il a pris l'initiative, qu'il a organisé et exécuté l'extermination du peuple juif en Europe. »

Ce procès Eichmann, je ne le raconterai pas ici. Tout le monde en connaît le déroulement et l'issue. Condamné à mort le 15 décembre 1961, l'un des principaux bourreaux du peuple juif fut pendu le 31 mai 1962 dans la prison de Ramlé, et ses cendres répandues dans la Méditerranée, hors des eaux territoriales, pour qu'aucune parcelle de l'État juif n'en puisse être souillé. Occasion atroce de rappeler à un monde trop aisément oublieux vers quelles horreurs pouvaient conduire le fascisme et les théories nationales-socialistes, dont j'avais encore l'occasion de rencontrer quelques adeptes parmi les ultras qui évoluaient sous la croix celtique dans la fournaise familière de la guerre d'Algérie.

Le reportage à Jérusalem fut également marqué pour moi au sceau de deux rencontres inoubliables, sous l'égide de l'ami Vailland qui tenait ses promesses. Au troisième jour du procès, Roger me présenta d'abord à son vieil ami Kessel. Je doutais pourtant que la rencontre aurait lieu ce soir-là, tant il s'était laissé aller à boire plus que de raison depuis l'heure du déjeuner. Chez Shemesh, petit restaurant oriental de la rue Ben Yehuda, où j'avais mes habitudes depuis mon arrivée à Jérusalem quinze jours plus tôt – le temps de conclure à Dimona, ville pionnière du Néguev, une enquête sur de nouveaux émigrants juifs marocains qui allaient participer à la construction de la première base atomique du pays –, je l'avais vu avaler quatre araks purs en guise d'apéritif, puis arroser son repas avec le reste de la bouteille d'alcool à 42° ! La rencontre eut néanmoins lieu au Fink's, le célèbre bar de Rehov Hamelekh George, érigé en quartier général par quelques solides noctambules dont Kessel n'était pas le moindre. Dire que j'étais ému serait en dessous de la vérité. Je ne l'aurais pas été davantage devant la beauté légendaire de la reine de Saba telle que l'imagina Piero Della Francesca !

L'œuvre de Kessel m'était familière, mais de l'homme je ne connaissais que la légende. Souvent brutale : les bagarres, les verres cassés, mâchés puis avalés sous les yeux ébahis des fêtards du Tout-Paris. Ce n'était là que la légende… Je découvris un homme profondément humain, qui plaçait l'amitié au-dessus de toute considération. Celle qu'il portait à Roger remontait à des lustres. Et, puisque j'étais l'ami de Vailland, il me traita, moi, le « gamin » de vingt-cinq ans, comme l'un de ses proches. Pour la première fois j'entendis la voix rocailleuse évoquer des noms qui me seraient bientôt familiers : le Poisson d'or, boîte fameuse de Montparnasse ; Volodia Poliakoff, guitariste russe à la voix de bronze, frère de Serge, peintre renommé depuis la victoire de 1945 ; Victor Novsky, ancien lieutenant de la cavalerie impériale, créateur et propriétaire du Novy, à Passy, le plus célèbre et le plus cher des cabarets russes de Paris ; et la belle chanteuse Sonia Dimitriévitch qu'un certain Jean-Gérard Fleury, que Kessel considérait comme son presque frère, avait épousée à la mode tsigane après l'avoir achetée à son père –, tous personnages étonnants que je rencontrerais bientôt. Un monde fabuleux s'ouvrait à moi. Mes yeux et mes oreilles étaient à l'affût. J'avais le privilège d'être juché sur l'un des hauts tabourets de Fink's auprès des deux plus fabuleux conteurs que je connaîtrais jamais : l'épervier Vailland, à l'œil perçant, qui parlait du bout des lèvres d'une voix de plus en plus hésitante au fur et à mesure que diminuait le niveau de la bouteille de scotch qu'il avait commandée en arrivant, et le lion Kessel dont les yeux clairs exprimaient, mieux encore que ses propos, toute la bonté du monde et l'affectueuse sollicitude dont il entourait son cadet. Kessel avait le don de susciter les confidences et de ne s'arrêter qu'à des personnages hors du commun. Le patron du bar, par exemple, Finkermann, un géant rougeaud et bon vivant qu'il connaissait de longue date, bien avant que celui-ci eût donné son nom abrégé à l'enseigne réputée où se retrouvaient journalistes, hommes politiques et célébrités locales. Fink était arrivé en Palestine en 1933, presque trente ans auparavant, et avait participé à la lutte pour l'indépendance lors du mandat anglais. Vailland l'avait rencontré lors de sa première visite en Palestine, tout comme Joseph Kessel qui, lui, y était venu pour la première fois dès 1925. Le 15 mai 1948, devenu le grand reporter vedette de *France-Soir*, Kessel avait été – par le fruit du hasard – le premier visiteur étranger de l'État d'Israël indépendant depuis quelques heures seulement, et en avait reçu le visa n° 1, tandis qu'aux frontières les armées arabes s'apprêtaient déjà à l'envahir avec la ferme intention de ne pas laisser aux cartographes du monde le loisir de le situer.

C'est cette nuit-là que Vailland refit à Kessel et Finkermann le récit de sa rencontre avec Betty Knout, tel que je l'avais entendu à Paris au bar du Pont Royal.

– J'aurais bien aimé savoir ce que cette gamine est devenue, ajouta-t-il en se versant un ultime whisky.

– Elle est ici, en Israël, répondit Fink. Je ne l'ai jamais revue depuis sa libération de la prison d'Anvers. On a beaucoup parlé d'elle dans les journaux. Elle est devenue une légende vivante, une héroïne, mais elle ne revoit aucun de ses anciens compagnons. Elle a ouvert une sorte de bistrot, en bordure de Beersheva, la porte du désert du Néguev, où elle vit en sauvage. D'après ce que je sais, elle ne parle plus de rien. À personne. Comme si, à vingt ans, sa vie s'était arrêtée.

Les verres étaient vides, comme la bouteille. Devenu incapable d'articuler, Roger se dirigea tel un zombie vers les toilettes. Joseph Kessel se leva :

– Attendez-moi. Je vais l'accompagner, sinon il est capable de s'enfermer et il faudra défoncer la porte.

Lorsqu'il revint, il avait mis Roger Vailland dans un taxi en faisant mille recommandations au chauffeur. Il m'interrogea alors sur la guerre d'Algérie, qu'il connaissait mal. Une amitié commune pour André Asséo, grand reporter à Radio-Monte-Carlo, mon amour de l'aventure et des longs voyages, la chance que j'avais eue de couvrir des événements importants à un âge qui était le sien lorsqu'il avait signé son premier grand reportage en Irlande du Nord : autant de raisons, me dira-t-il plus tard, pour qu'il m'accordât dès ce jour-là sa sympathie. Quelques repas partagés chez Shemesh, le patron du restaurant Le Soleil, sosie du chah d'Iran, que je recommandais à mes copains et relations au point qu'à la fin du procès il était devenu le Lipp de Jérusalem, lui semblèrent une épreuve suffisante pour qu'il me dise, peu de temps avant mon départ pour la France, les quelques mots qui allaient changer ma vie :

– J'aimerais vous revoir à Paris. Téléphonez-moi. Voici mon numéro. Je ne suis pas dans l'annuaire.

J'ignorais alors l'importance qu'il accordait à l'amitié, même si j'en avais eu un exemple à sa façon de se conduire avec Roger Vailland, le fameux soir où nous avions retrouvé, grâce à Finkermann, la trace de Betty Knout.

Lors d'une interruption du procès Eichmann, l'auteur de *Drôle de jeu* me convia à l'accompagner à la recherche de Betty. La simple idée de retrouver cette femme légendaire au cœur de la Beersheva biblique, l'une des plus anciennes cités connues de l'Histoire, dont les origines remontaient à six mille ans, quand Abraham y abreuvait ses moutons, me transporta d'enthousiasme.

Tout ce que nous savions de Betty était son installation dans une maison capharnaüm où, à la suite de difficultés financières, elle avait installé un bistrot-cabaret qu'elle n'ouvrait, le soir venu, qu'aux touristes, en général américains, et à de rares habitués. Ni nom, ni adresse, ni même quartier. Et le jeune chauffeur du taxi collectif « Shérout », que nous avions emprunté pour gagner Beersheva, était sans doute le seul de sa profession à ignorer l'existence de cette héroïne emblématique de l'indépendance, tout comme celle du café qu'elle avait ouvert dans son pays. Il avait l'air de s'en soucier comme d'une guigne. J'apprenais à l'usage la signification imagée du mot *sabra* – « figue de barbarie » – qui qualifie les Juifs nés en Israël : piquant à l'extérieur, mais suave à l'intérieur. Le nôtre ne nous donna qu'un conseil : aller déjeuner dans un restaurant de sa connaissance dont l'un des garçons parlait français et devait tout connaître de la vie nocturne de Beersheva. Il n'alla pas jusqu'à nous y conduire : son service se limitait au terminus de la ligne de taxi collectif qui assurait la navette entre Ben Yehuda, centre de Jérusalem, et celui de Beersheva. Par bonheur, le garçon du restaurant indiqué se révéla plus coopératif ; il était juif tunisien et se montra agréablement surpris que nous appréciions le déjeuner oriental des plus simples qu'il nous proposa : *humus* (farine de pois chiches délayée à l'huile de sésame), *pitah* (galette de pain arabe servie tiède), de ces tomates qui poussaient maintenant dans le désert du Néguev, apprivoisé par des années d'efforts et d'arrosage quotidien, et méchoui à la fois moelleux et craquant. Il répondit avec une bonne volonté confondante et une gentillesse toute méditerranéenne à nos questions. Naturellement, il connaissait Betty Knout ; pourtant, elle ne venait jamais chez lui, pas plus qu'elle ne fréquentait un autre restaurant de Beersheva. S'il l'avait vue deux fois dans sa vie, c'était le bout du monde, mais il connaissait sa légende… Oui, elle était un peu sauvage, un peu bizarre, et ne sortait quasiment jamais, pas plus qu'elle ne se liait à qui que ce soit.

– Les habitants de Beersheva ne la fréquentent guère, nous expliqua-t-il. Les gens de l'extérieur vont parfois à elle, car elle tient un café… Pas exactement un café, pas non plus un cabaret. D'ailleurs, quand elle l'a ouvert, qui aurait souhaité trouver un cabaret à Beersheva ? Je n'y suis jamais allé, mais on m'en a parlé. Vous verrez, c'est bizarre. Les clients sont surtout des couche-tard américains, parfois des Français, comme vous, attirés par sa légende. Elle vit avec un Américain un peu fou, dans son genre, qui s'appelle Léon. Pas Jack ni John, non : Léon.

Le Tunisien nous donna l'adresse… pas vraiment une adresse, mais le nom d'un quartier et sa situation par rapport à la rue principale qui partageait Beersheva en deux, du nord au sud, et abritait les commerces d'une ville en plein devenir, semblable à celles des westerns, avec épicerie-droguerie, bistrot-saloon, boucherie, boulangerie, coiffeur, cinéma. Et une librairie qui affichait à sa devanture des journaux dans presque toutes les langues du monde. Preuve qu'ici se croisent des pionniers originaires d'Europe, d'Amérique, d'Afrique et d'Asie. Semblables à ceux dont les tentes étaient dressées dans le désert qui faisait office de banlieue, des Bédouins passaient avec leurs chameaux au milieu des Jeep, des automobiles américaines aux pare-chocs rutilants, des tracteurs et des cars bondés assurant les transports en commun de ville à ville, de la mer Morte à la Méditerranée ou à l'océan Indien.

Fink à Jérusalem nous avait dit : « C'est comme si sa vie s'était arrêtée à vingt ans », et le Tunisien du restaurant oriental avait ajouté : « Vous ne pouvez pas vous tromper : le bar de Betty a un nom qu'on n'oublie pas. »

Nous le trouvâmes enfin au détour d'une ruelle. Au-dessus du portail d'entrée, on avait tracé maladroitement cette inscription à la peinture noire sur le mur chaulé : « Café de la Dernière Chance ». J'étais de plus en plus impatient de rencontrer cette Betty Knout revenue de tout.

Derrière le haut mur blanc et la porte de fer, nous découvrîmes le plus extraordinaire des jardins pétrifiés. Un cauchemar de béton, de terrasses enchevêtrées, avec, scellés dans le ciment, des centaines d'objets disparates récupérés sur une décharge publique : une antique machine à coudre américaine, en équilibre sur un mur, dominait un assemblage de meubles rustiques, de roues, de futailles. Autour d'un cyprès et de deux figuiers de Barbarie, piquants à souhait, seules traces végétales vivaces dans cet univers figé, des pierres aux formes étranges voisinaient avec des amortisseurs de voiture tordus, étirés, tout droit sortis d'une œuvre de Robert Rauschenberg, ce maître du Pop Art new-yorkais dont on parlait tant au début des années 60, aussi bien qu'avec des troncs et des branches d'oliviers polis par le sable et le vent du désert. Sur le mur du bâtiment qui semblait abriter le café, une fresque à dominante rouge et noir réunissait des portraits d'hommes au regard halluciné, au visage torturé, aux mains crispées tendues vers des visages de femmes d'une infinie tristesse. En l'un d'eux, Roger Vailland reconnut Betty, dont je découvris ainsi les traits. Ce pèlerinage à la recherche d'une héroïne hier admirée, aujourd'hui oubliée par la plupart, le bouleversait.

Nous entrâmes dans la salle du café. L'intérieur était digne de l'extérieur ! De vieilles caisses qui avaient effectué de nombreuses traversées faisaient office de tables, des banquettes de voitures vomissant leur crin servaient de sièges. Le bar était un bloc de ciment dans lequel étaient incrustés les objets les plus divers : bois morts noueux, roues de brouettes, réveils hors d'usage, et même une antique machine à sous qui avait fait les belles heures de Las Vegas. À la place d'honneur, au centre de ce qui pouvait passer pour une piste de danse, une corde terminée par un nœud coulant pendait du plafond… Ç'aurait pu être un canular d'étudiant, mais ce que nous avait dit Fink à Jérusalem laissait pressentir une réalité bien plus tragique.

Un rayon de soleil, irisé par la vitre peinte d'une fenêtre, éclairait un hamac accroché près du bar. À notre entrée, une forme s'en dressa.

– Que voulez-vous ?

Je m'avançai. Roger m'avait chargé de l'approche.

– Je voudrais parler à Mme Betty Knout.

– C'est moi.

Elle sauta de sa couche. Elle était petite, avec une tête ronde, comme sur la fresque du jardin, les cheveux coupés très court, un corps gracile et un visage blême qui ne devait pas souvent rencontrer le soleil.

Roger Vailland, qui était resté dans la pénombre, fit un pas.

– Betty !… Tu me reconnais ?

Elle prit un temps, comme si elle accommodait pour déchiffrer un visage enfoui loin dans sa mémoire.

– Ce n'est pas vrai !… Roger !… Cela fait si longtemps !

Ils se serrèrent la main, puis s'étreignirent. Betty ressemblait à une enfant fragile, émue… Roger ne l'était pas moins. Elle retourna au hamac.

– C'est étrange, dit-elle, regardez ce que je lisais.

Elle désigna le livre de poche qu'elle avait abandonné à notre arrivée : *Drôle de jeu* ! Elle ne pouvait se douter de la présence de l'écrivain en Israël…

– Depuis que je me suis éveillée, dit-elle, je pense au passé, à la lutte pour la liberté. Alors j'ai pris ton livre. Et tu arrives… Comme si quinze ans s'effaçaient !

Elle s'affairait maintenant, telle une libellule affolée. Elle nous installa sur une banquette, apporta de l'arak, de l'eau fraîche, but d'un trait le premier verre, se resservit du même geste qui traduisait une longue habitude. Elle planta son regard dans celui de Vailland et dit :

– J'ai bien changé, Roger !… C'est beau, l'héroïsme, mais ça ne mène pas loin… Ou plutôt, voilà où ça m'a menée !

D'un geste vague, elle désigna son visage aux traits empâtés, sa jupe de cotonnade de quatre sous, pas très nette.

– Depuis que je ne me drogue plus – je fumais du haschich –, j'ai de plus en plus soif, dit-elle en s'étendant nonchalamment sur la banquette où elle alluma une cigarette. Après l'indépendance et ma libération de la prison d'Anvers – où je n'avais été incarcérée que pour trafic d'armes par les autorités belges –, je suis revenue en Israël que j'avais quitté Palestine. Et, au lieu d'être heureuse, j'ai été submergée par une immense vague de dégoût. J'étais libérée le jour de mon anniversaire, qui était celui de ma majorité, mais je n'ai pas accepté de jouer le jeu. Tous mes copains de l'Irgoun et du groupe Stern qui n'étaient pas morts au combat sa casaient, prenaient des places, faisaient de la politique. Certains sont aujourd'hui très haut placés. J'ai préféré me replier sur moi-même.

À nouveau, Betty versa à boire. Je comprenais la signification du décor figé, désespéré dans lequel elle vivait, son apparence négligée, son absence de coquetterie. Elle avait dépensé en quelques années toute l'énergie d'une vie.

– Je me fous de tout, poursuivit-elle à l'intention de Roger qui pouvait la comprendre mieux que quiconque, lui dont le « désintérêt » était devenu, depuis *La Loi*, comme un label. Je ne veux avoir de contact avec personne. Je me contente de servir à boire. Vous êtes les premiers avec qui je parle aussi longtemps depuis au moins deux ans…

Soudain, des voix enfantines se firent entendre. Le visage de Betty s'éclaira. Elle avait l'air presque heureux. Deux petites filles entrèrent et nous saluèrent. Brunes, jolies, dorées par le soleil, elles respiraient la joie de vivre.

– Mes filles, dit Betty. Elles ont six et neuf ans.

Elles ressemblaient à deux feux follets éclairant ce cimetière des illusions perdues. Elles étaient propres, fraîches, et portaient des robes impeccables. Tout en pépiant en hébreu, elles se déplaçaient dans ce décor étrange, presque morbide, avec le naturel qu'engendre une grande habitude. Il leur était familier. Elles y vivaient depuis toujours.

– Autant je me fous de tout, nous dit Betty, autant je veux qu'elles aient une vie heureuse. C'est pourquoi je tiens encore à La Dernière Chance. Ici, elles connaissent tout le monde. Ce sont de vraies petites Israéliennes.

Betty avait perdu cet air désespéré, ce ton las avec lesquels elle s'était exprimée jusque-là. Jamais nous ne nous serions doutés que la jeune femme était mère de famille. Une mère de famille peu ordinaire, mais toute sa vie n'était-elle pas extraordinaire ?

Le jour tombait, le décor s'assombrissait. Roger devait rentrer à Jérusalem. Nous prîmes congé.

– Revenez ce soir, si vous êtes encore à Beersheva, me dit la jeune femme en me serrant la main. Léon sera là. Il vous racontera « ses » pierres, et puis il y aura, je crois, de nouveaux Américains. Avec eux, c'est assez drôle, ici, aux alentours de minuit...

Bien sûr, je revins. Je voulais en savoir plus long sur cette femme hors du commun qui vivait maintenant à l'écart, dans un pays qu'elle avait si fort aidé à naître.

Pour être drôle, c'était drôle, avec les Américains ! Dès qu'ils entraient à La Dernière Chance, on reconnaissait les « nouveaux ». Ils semblaient « sonnés », groggy. Le décor produisait son effet tout comme il l'avait produit sur moi l'après-midi même. Sombre, fermée, retranchée derrière son bar comme dans une forteresse, Betty servait des whiskies qu'elle tendait aux clients d'un air peu amène. Pas une serveuse pour éclairer l'endroit d'un sourire. Dans le courant d'air d'un ventilateur, l'ex-héroïne servait les boissons aussi bien qu'elle faisait la plonge et essuyait les verres. Elle semblait vivre dans un autre monde, indifférente à tout ce qui l'entourait. Le pick-up qui beuglait ne la faisait pas sortir de son rêve éveillé. Quelques Américains ainsi que deux Français qui travaillaient à un centre atomique situé entre Beersheva et Sodome lui offrirent plusieurs scotches, tentant de mettre la conversation sur ses exploits passés. En vain. Elle acceptait les verres mais ne répondait aux questions que par une mimique usée. J'étais accoudé au bar avec eux. Elle m'avait souri, lors de mon arrivée, puis s'était refermée comme un coquillage. Elle ne paraissait pas se souvenir de notre conversation en compagnie de Roger Vailland. L'étrange ambiance qui régnait dans ce café du bout du monde ne me laissait pas indifférent. J'avais le sentiment de vivre un moment exceptionnel, sans que j'eusse su dire pourquoi.

Léon, le mari américain de Betty, répondait parfaitement à la description que nous en avait fait le garçon du restaurant tunisien : sinon complètement fou, à tout le moins original, à ce que je pus en juger après que Betty me l'eut présenté. De taille moyenne, le teint basané, les cheveux bruns bouclés, emmêlés, les yeux trop brillants, il était vêtu d'un pantalon de toile déchiré, d'une chemise douteuse. Autant Betty n'accordait aucun regard aux clients, autant Léon était avec eux intarissable. Il allait d'une « table » à l'autre, volubile. Dans un étrange sabir – mêlant l'anglais, le français et l'hébreu –, il expliquait sa « théorie de la pierre ». D'après lui, il ne restait aucune pierre au monde – en tout cas en Israël – que l'homme n'eût marquée de son empreinte. À l'appui de sa théorie, il en sortait quelques-unes d'une musette qui semblait ne pas quitter son épaule. « Regardez, disait-il en caressant amoureusement un caillou qui me paraissait des plus ordinaires, il y a peut-être trois mille ans, un homme a façonné ce creux pour y mettre son pouce et s'assurer une prise solide. Cette pierre est certainement l'ancêtre du coup de poing américain. » Toutes les nuits, après la fermeture de La Dernière Chance, il parcourait le désert tout proche et, au clair de lune, ramassait des pierres. Dieu sait si, dans le Néguev, il en trouvait ! Au petit matin, il vidait sa musette sur le sol du jardin pétrifié, triait ses pierres, les étudiait, puis en faisait des guirlandes ou les incrustait dans le béton.

– Il m'aide à vivre, me dit Betty en me rejoignant vers les 3 heures du matin, tandis que la clientèle se raréfiait. Lui et moi sommes deux galets que la tempête de la vie a rejetés sur ce rivage désert. Léon m'a fait les deux petites filles que vous avez vues cet après-midi et qui sont ma raison de vivre – je devrais dire : de survivre.

Je renouai la conversation de l'après-midi avec la jeune femme qui s'animait. Un courant de sympathie s'était établi entre nous. Je l'orientai sur ce passé qu'elle ne souhaitait pas évoquer avec une clientèle qui, visiblement, venait exprès pour l'entendre. Notre commune amitié pour Vailland y aida. Elle s'était assise près de moi, sur la banquette défoncée, non sans apporter une bouteille de whisky.

– Léon et elles m'aident en effet à continuer à vivre. À l'Indépendance, quand je suis sortie de prison, j'ai regagné Israël. J'avais vingt et un ans et je m'en sentais cent sur les épaules. Je n'avais pas eu de jeunesse. Durant plusieurs années, j'avais lutté. J'avais eu peur. Très peur, et souvent. J'avais réussi à tromper l'ennemi, qu'il fût allemand en France, puis anglais en Palestine, sans jamais tomber entre ses mains. Mais je me sentais vieille. Ma mère a été tuée à Toulouse à quelques semaines de la Libération ; beaucoup de mes copains de l'Irgoun étaient eux aussi tombés au combat. Et, à l'heure du bilan, je me demandais si tout cela en valait vraiment la peine.

Elle s'arrêta un instant, puis ajouta :

– C'est dur, à vingt et un ans, de devoir faire déjà un bilan…

De retour en Israël, Betty n'avait plus la foi. Intransigeante, exaltée, elle n'avait pas supporté de voir ses camarades de combat évoluer. « Faire carrière », comme elle disait avec dérision. Héroïque pendant les deux guerres qu'elle avait menées à un âge si tendre, elle se sentait incapable de s'intégrer aux structures de son nouveau pays.

– Je revois encore un de mes compagnons des « heures glorieuses », comme disent les journaux. Il est comptable ou quelque chose comme ça. Mais, quand on se rencontre, on est un peu gênés. On a changé. On ne sait plus trop quoi se dire. J'ai fait aussi quelques bêtises qu'on ne m'a pas pardonnées. Vous comprenez, je n'avais pas eu de jeunesse. Je voulais vivre. Vivre enfin ! C'est alors que j'ai rencontré Léon. Nous nous sommes mariés. Nous étions riches. Il venait des États-Unis. Il négociait des surplus américains avec lesquels il a gagné beaucoup d'argent. C'était le bon moment pour faire fortune. Mais il a tout abandonné, m'a suivie, est devenu aussi fou que moi, et ne s'est intéressé qu'à ses pierres. En cinq ans, on a tout dépensé. Cela va vite, quand on ne travaille pas. Le haschich coûtait plus cher que maintenant. Quand on eut tout claqué, on a transformé notre maison en café. Au début, la vie dans le Néguev était passionnante. Ç'a été un coup de foudre. C'était comme si le cœur d'Israël battait ici. Maintenant, c'est devenu une toute petite ville de province. Alors moi… dans une petite ville de province, ça ne pouvait pas coller !

Betty qui, pendant des années, s'était soumise aux rigueurs de la clandestinité, refusa de se plier aux règles de la vie sociale. Sa vie marginale déplaisait aux autorités ; son mépris des lois lui valut de voir son café fermer à plusieurs reprises pour non respect de règles d'hygiène draconiennes.

– Ils n'ont pas compris qu'ici, vraiment, c'est ma *dernière chance*. Ils n'aiment rien de ma vie. Surtout pas ce décor, ce « cimetière », comme ils l'appellent. Ils voudraient que je joue les héroïnes. Que je raconte mes aventures de guerre, en particulier aux touristes. Bref, que je sois un musée sonore à la disposition de tout un chacun ! Ils m'emmerdent et je le leur ai dit… C'est vrai, je vis ici, dans le café… Mes filles, qui ont leur chambre dans une autre aile, jouent dans la salle entre le jardin et le bar. Et cela ne plaît pas à mes respectables concitoyens. Ah ! avec un salon bourgeois, une salle à manger classique et un buffet Henri II, ce serait autrement convenable que de vivre retranchée dans ce décor que j'ai créé pièce par pièce, dans ce béton que j'ai coulé, avec ces objets qui, pour eux, semblent sortir d'une poubelle ! Alors ils n'acceptent pas. Je me suis assez battue pour ces belles âmes, dont la plupart n'ont jamais quitté leurs pantoufles, pour avoir le droit de me foutre de leur jugement. Ceux qui m'importent aujourd'hui, ce sont tous ces gamins du voisinage, les copains de mes filles, qui vont à l'école avec elles. Elles sont bonnes élèves et elles ont bonne réputation.

– On se souvient tout de même de vous, Betty, insistai-je. De ce que vous avez fait…

Elle eut un petit rire silencieux qui me fit mal.

– Pour ce qui est de la reconnaissance… Vous savez comme ces choses-là se passent : on fête les héros, puis s'ils ne se coulent pas dans le moule, on les trouve vite encombrants. La reconnaissance, je m'en fous !

– Vos filles savent-elles le rôle que vous avez joué dans l'histoire de votre pays ?

– Ça oui. De temps à autre, quand ils n'ont rien à raconter, les journaux écrivent une petite histoire sur moi. Ça augmente ma clientèle de noctambules pour quelques jours. Mes filles lisent ces papiers comme elles ont lu d'anciennes coupures de presse. Elles s'imaginent que je suis la plus grande héroïne à avoir jamais vécu, après Judith et Jeanne d'Arc. Elles les ont montrées à leurs copains. Je suis la gloire du voisinage enfantin. D'ailleurs, les gosses m'adorent. Les jours de congé, tous les enfants du quartier viennent jouer ici. Comme les « meubles » sont bas et pas fragiles, ils se sentent chez eux. Mon capharnaüm les enchante. Ce sont les parents qui ne savent plus rêver.

– Si, par malheur, des événements identiques à ceux que vous avez vécus se reproduisaient, laisseriez-vous votre aînée accomplir les missions que vous avez menées à bien jadis ?

– D'abord, si j'en juge par son caractère, je ne crois pas qu'elle me demanderait mon avis. Pourtant, il est vrai que je ne la pousserais pas. J'essaierais même de l'en dissuader un peu. Mais, si elle le voulait vraiment, je la laisserais faire. Pendant l'occupation allemande, ma mère m'a approuvée. Elle m'a même incitée, quelquefois.

– Vous avez la nostalgie de ces heures de clandestinité ?

– Oh non ! Je ne regrette pas ma vie d'hier, mais je préfère celle d'aujourd'hui. Seule et en marge. Pendant la guerre d'Indépendance contre les Anglais, je me demandais toujours ce que je ferais quand je cesserais de poser des bombes, quand je cesserais de tuer, de détruire... Maintenant je le sais... Je suis là, et je suis comme je suis.

La nuit était avancée, les derniers clients partis depuis longtemps. Léon devait parcourir le désert pour ramasser sa moisson quotidienne. Parmi l'amas d'objets hétéroclites répandus dans les coins et recoins de La Dernière Chance, Betty pêcha un manche de torah en cuivre usé qui conservait encore quelques traces d'argenture et avait dû orner les rouleaux d'un livre saint des siècles passés. En hébreu, on l'appelle *kèter*. La jeune femme me le tendit avec un inoubliable sourire. Tant d'années après, il est toujours sur une console, dans l'entrée de mon appartement parisien, auprès d'une *menorah*, le chandelier à sept branches, symbole du peuple juif et du combat pour l'indépendance d'Israël. Parmi les visiteurs qui, tous, passent pourtant devant lui, rares sont ceux qui savent à quoi pouvait servir cet étrange objet, et quelle en est l'origine. Pour moi, il n'est pas d'essence religieuse, mais représente le souvenir cher de quinze heures passées dans le Néguev auprès de deux des êtres les plus attachants que mon métier m'ait donné l'occasion de rencontrer au cours d'une déjà longue carrière.

Quatre années plus tard, un entrefilet dans un grand journal du soir auquel rien n'échappe annonça la discrète disparition de Betty Knout à Beersheva. Elle avait trente-huit ans.

La veille, dans sa retraite de Meillonnas, petit village de l'Ain, Roger Vailland s'était éteint dans une égale discrétion, mais entouré de quelques compagnons de la Résistance. Il n'avait pas soixante ans.

Rares sont ceux qui, aujourd'hui, honorent encore leur mémoire. *Sic transit gloria mundi.* Ainsi passe la gloire du monde.

10

On m'appelait France

Au cœur des années 1950, alors que tous les dommages causés sur le territoire par la Seconde Guerre mondiale étaient encore comme autant de blessures au flanc du pays, la France s'était enflammée pour un projet colossal : construire un paquebot transatlantique qui pourrait rivaliser en dimensions, en luxe et en performance avec les grands bâtiments de l'avant-guerre, comme l'*Île de France* et surtout le *Normandie.* La disparition de ce dernier, détruit par un incendie dans le port de New York, en 1942, après seulement sept années d'exploitation, avait été ressentie, malgré ou à cause de l'Occupation, comme un deuil national. Dès 1952, la Compagnie générale transatlantique avait prévu la construction d'un nouveau *France,* troisième du nom dans l'histoire des ambassadeurs des mers. Non sans mal. La IVe République étalait alors sans pudeur ses nombreux défauts, dont le moindre n'était pas son incapacité à prendre des décisions importantes, engluée qu'elle était dans la politique des partis, génératrice d'instabilité gouvernementale. Trois années de discussions à l'Assemblée nationale et au Sénat, des centaines de réunions interministérielles avaient été nécessaires pour que soit prise une décision définitive, annoncée triomphalement le 20 juin 1956, non sans que le Havrais René Coty, élu président de la République trois ans plus tôt, ait donné un ultime coup de pouce pour que le projet devienne réalité.

À cette époque, le trafic maritime atteignait en France le million de passagers par an, tandis que le trafic aérien passait en trente-six mois de 530 000 à 835 000 passagers ! S'il était important, le budget, fixé à 273,6 millions de francs, était raisonnable pour un ouvrage qui fournirait du travail à 1 300 ouvriers des chantiers de Penhoët, à Saint-Nazaire. En ces années-là, l'avenir du bateau semblait prometteur, puisque l'avion mettait encore quinze à vingt heures pour rallier New York, ainsi que je l'avais fait lors de mon premier survol de l'océan, en décembre 1958. On ne pensait pas alors que le Boeing 707 allait à bref délai rendre obsolètes ces paquebots où l'on mêlait le confort et la rapidité d'une traversée de cinq jours à la douceur de vivre d'une croisière au luxe le plus raffiné. Dans ces conditions, l'investissement ne paraissait pas démesuré, même si les contribuables devaient mettre la main au portefeuille. Pour défendre les couleurs françaises, l'État apportait aux chantiers de Penhoët une aide de 76,6 millions destinée à compenser la différence avec les prix pratiqués par les grands chantiers étrangers. Une goutte d'eau, comparée à l'entretien du corps expéditionnaire en Indochine et à celui des « opérations de maintien de l'ordre » en Algérie[1]. Pour un projet autrement plus glorieux pour le prestige de la France !

À deux reprises, ma rédaction m'envoya à Saint-Nazaire, rendre compte de l'avancement des travaux qui s'étendirent

---

1. Représentant 30,3 % des dépenses de l'État en 1953, en raison du poids de la guerre d'Indochine, les dépenses consécutives au conflit diminuèrent très sensiblement en 1954-1955, pour remonter dès 1956 et atteindre un sommet en 1957 : 29,7 %, alors que les dépenses de l'Éducation nationale ne dépassaient pas 11,1 %.

sur trente-sept mois sur les lieux mêmes où avait été construit le *Normandie*. Le sujet était éminemment populaire et convenait parfaitement à la clientèle de *Dix Millions d'auditeurs*, toujours prête à rêver, comme je le faisais moi-même, bien que l'heure ne fût plus aux émigrants de fond de cale ou de l'entrepont dont avaient fait partie mes grands-parents en partance pour l'Amérique. Bien avant son lancement, on annonça qu'une traversée en aller simple à bord du *France* coûterait en classe économique 1 200 de ces nouveaux francs qui venaient de faire leur apparition, et 2 200 en première (soit environ de 1 300 à 2 450 euros de nos années 2000). Au fil de plusieurs reportages qui étaient comme autant de pauses dans cette guerre d'Algérie que je suivais au jour le jour, je vis ainsi la partie inférieure de la coque émerger de la cale pour atteindre la hauteur d'un immeuble de quatre étages. Quand il reçut sa première couche de peinture, deux mois avant son baptême, le bâtiment atteignait les 70 mètres de hauteur, pour 315 mètres de longueur et 33 mètres de largeur. Les chiffres donnaient le vertige : 76 049 tonneaux, 18 ponts, 2 044 passagers et 1 112 membres d'équipage. Auprès de ce colosse, le seul paquebot que j'eusse emprunté jusque-là, le *Theodore Herzl*, qui, à l'occasion du procès Eichmann, m'avait conduit de Marseille à Haïfa en passant par Naples, faisait figure de nain. Les anciens regrettaient pourtant le luxe pour le luxe qui avait présidé à la conception du *Normandie*, avec sa salle à manger plus longue que la galerie des glaces du château de Versailles, entièrement décorée de dalles de verre gravées et signées par Lalique, ses cristaux par Daum, son argenterie par Christofle. L'enfilade unique au monde, où tout n'était que verre et lumière, et qui réunissait sur le pont supérieur théâtre, galerie, salon, fumoir, restaurant-gril, où, au-delà des baies, la vue se prolongeait jusqu'à l'horizon, n'était plus qu'un souvenir. Les temps avaient changé : les concepteurs du *France* avaient imaginé – et réussi à réaliser – un paquebot démocratique, à l'image des années 60 qui se voulaient fonctionnelles. Tout n'était qu'aluminium, verre, matières plastiques, textiles synthétiques ignifugés. Finis, les bois précieux, les plafonds démesurés à grandioses colonnades ! Le *France* se voulait un confortable hôtel flottant de plus de 1 000 chambres. Le bleu y dominait, comme dans le fumoir des premières classes, sur le pont-véranda en prise directe avec l'océan, décoré par l'une des œuvres majeures du grand peintre cartonnier Jean Picart le Doux : une impressionnante tapisserie de 17 mètres, tandis que Peynet, le dessinateur des amoureux, se chargeait du théâtre de plus de 600 places, et le célèbre décorateur Leleu de la bibliothèque de 2 000 volumes.

Ces œuvres d'art n'étaient encore qu'à l'état de maquettes chez les décorateurs, et de fabrication chez les artisans, lorsque, le 11 mai 1960, sortant à peine du drame qu'avait été le « putsch des généraux » qui, à Alger, avait conduit la France au bord de la guerre civile, le général de Gaulle et son épouse baptisèrent le *France* devant 100 000 Havrais en liesse. Occasion pour le président de la République de célébrer une fois de plus la grandeur et la solidité de la France, nouveau témoignage de l'histoire d'amour de l'homme du 18 juin avec ce pays :

> « *France* va sortir de ce chantier de la Loire-Atlantique que j'avais vu, voici quinze ans, bouleversé de fond en comble ! s'écria le Général dans une de ces envolées dont il était coutumier. À cette époque déjà, j'entendais des milliers de voix exprimer la volonté que le chantier de Saint-Nazaire revive. Eh bien, le voici vivant, je puis même dire triomphant ! Sans doute est-il vrai qu'en raison des circonstances mondiales, l'ensemble des entreprises qui bâtissent des navires éprouvent certaines difficultés, exigent certaines mesures d'adaptation et de conversion, inspirent certaines inquiétudes au personnel qui y est employé. Mais le succès auquel nous assistons attire l'attention des Français sur ce problème

national. L'apparition du *France* sur l'Océan fait voir à tous ce que vaut et ce dont est capable la phalange des dirigeants, des ingénieurs, des techniciens, des ouvriers, qui anime notre industrie de la construction navale. En même temps, chacun mesure quel rôle notre Marine marchande joue dans l'économie comme dans le prestige du pays. Il y a là une démonstration qui ne sera pas méconnue.

« J'ai parlé d'un succès. Oui ! *France* va en être un. D'abord par le fait que ce navire… sera plus grand, plus sûr, plus puissant, plus rapide qu'aucun autre de son espèce. Ensuite, pour cette raison que ses aménagements doivent être une somme de chefs-d'œuvre. Enfin, parce que son bord accueillera demain des élites. Dans ce vaisseau, nous saluons l'une des grandes réussites dont, présentement, la technique française fait hommage à la patrie, que ce soit sur terre, sous terre, sur mer ou dans les airs. La cérémonie d'aujourd'hui ajoute à la fierté que nous avons de la France.

« Et maintenant, que *France* s'achève et s'en aille vers l'Océan pour y voguer et pour y servir ! »

Couplet d'orgueil national qui faisait oublier le récent appel du Général au pays, et le dramatique « Françaises, Français ! Aidez-moi ! » qui avait conclu son allocution, en réponse au *pronunciamiento* militaire déclenché le 21 avril 1961 par « un quarteron de généraux en retraite » soutenu par « un groupe d'officiers partisans, ambitieux et fanatiques ». Treize jours avant la date fixée pour le baptême du navire, j'avais assisté, au camp militaire de Zeralda, près d'Alger, à la dissolution du 1er REP (Régiment étranger parachutiste), fer de lance du putsch, et au départ de ses légionnaires chantant à l'unisson *« Non, je ne regrette rien… »* après avoir fait sauter leurs munitions, tandis qu'Alger, tombée sans coup férir du côté de la rébellion, était contrôlée par l'OAS dont l'emprise sur la population et l'action violente s'intensifiaient.

De retour rue Bayard, j'avais reçu ma première lettre anonyme faisant allusion à la façon dont j'avais rendu compte du « procès des Barricades ». Nombre de ses accusés se retrouvaient aujourd'hui dans les rangs de l'OAS. Elle disait ceci :

> « À Yves Courrière, prétendu Journaliste et vendu au Communisme et à la Juiverie !
>
> « Pauvre imbécile que vous êtes ! N'avez-vous donc pas entendu l'Éditorial de Monsieur Jean Grandmougin avant d'oser permettre à votre rédacteur en chef... à la solde du juif Lazareff et de la Pythonisse la toute célèbre Geneviève Tabouis !... de passer votre reportage sur ce sot procès de Juifs ! Mais quand donc vous arrêterez-vous de faire rire de vous dans le monde entier ? pauvre jeune con !
>
> « Allez donc chercher Monsieur Salan, vous savez ce général à "cinq étoiles" qui descendra, nous l'espérons, très prochainement les Champs-Élysées et vous fera pendre à un quelconque réverbère avec votre bande de faux journalistes à la noix qui ne savez ni écrire ni répandre de vraies nouvelles, mais surtout que les Pyrénées, cette fois, ne sauront plus sauver !
>
> « Vendu ! Mais merci de vous faire connaître à nous tous !
>
> « Vous vendez, chaque jour, Votre pays aux Juifs ! Salaud ! »

Ce charabia, signé d'une croix gammée et du sigle OAS, aurait pu prêter à sourire si la vie de tous les citoyens directement concernés par le problème algérien n'avait été alors ponctuée par les explosions de pains de plastic – la petite Delphine Renard, quatre ans, allait être bientôt défigurée par un attentat visant André Malraux – et des crimes en tout genre, comme celui dont fut victime Me Pierre Popie, avocat libéral assassiné à coups de poignard dans son cabinet à Alger. Avenue Pasteur, notre bureau avait déjà été la cible des attentions de l'Organisation Armée Secrète, et un confrère blessé au visage d'un coup de rasoir.

À Paris, les menaces qui planaient sur certains d'entre nous étaient si précises qu'à l'occasion du putsch et des procès qui s'ensuivirent, j'avais vu ma vie personnelle bouleversée. Sur le conseil de la direction de mon journal, ma femme avait dû quitter notre appartement, situé alors en rez-de-chaussée, et répondre à l'invitation d'Armand Jammot et de son épouse qui l'hébergèrent jusqu'à ce que la situation redevienne plus calme, tandis que ma petite fille, encore bébé, était confiée à ma belle-famille dont l'OAS, qui avait cru bon de me « condamner à mort », ignorait aussi bien l'identité que l'adresse.

Des lendemains du putsch aux préliminaires des accords d'Évian, les actions de l'OAS se multiplièrent tant en métropole qu'en Algérie où je ne cessais de me rendre pour juger de la situation. Nous étions bel et bien au bord de la guerre civile. Au sein de notre profession, des jeunes gens – et de moins jeunes – s'organisaient pour ne pas laisser à l'OAS le sentiment de tenir le haut du pavé. « L'OAS frappe où elle veut, quand elle veut » – tel était le slogan alors barbouillé sur les murs de chaque côté de la Méditerranée. Pendant les journées tragiques d'avril où de Gaulle avait appelé la Nation à l'aide, un discours nocturne du Premier ministre avait mis le peuple en garde contre des actions venues d'Alger : « Des avions sont prêts à lancer ou à déposer des parachutistes sur divers aérodromes afin de préparer une prise du pouvoir, avait averti Michel Debré. Le gouvernement est certain… que la population aidera de toutes ses forces à la défense de la Nation. Dès que les sirènes retentiront, allez-y à pied ou en voiture, convaincre les soldats trompés de leur lourde erreur. Il faut que le bon sens vienne de l'âme populaire et que chacun se sente une part de la Nation ! » Tandis que s'achevait la mise en place du dispositif de sécurité autour des bâtiments publics, des centaines de volontaires s'étaient rassemblés devant le ministère de l'Intérieur où ils avaient reçu un équipement sommaire. Tout au long des berges de la Seine, des chars protégeaient le Palais-Bourbon, l'Élysée et la place Beauvau. Dans les heures qui suivirent, Jean Luc, vieil homme courageux que l'on retrouvait sur tous les fronts, protégeait, en liaison avec ses homologues luxembourgeois, l'intégrité de l'antenne dont il était responsable et que certains cadres supérieurs auraient volontiers transformée en relais des idées d'extrême droite qui prévalaient à Alger. À *France-Soir*, avec qui nous travaillions de conserve, les typos avaient ressorti les armes de la Résistance que certains d'entre eux avaient gardées après la guerre, tandis que des hommes d'expérience comme Robert-André Vivien, industriel, futur député et ministre, président des Anciens de Corée, et Jean-Pierre Hutin, qui assurait la liaison entre le journal de la rue Réaumur et la station luxembourgeoise – et qui deviendra l'un des producteurs les plus populaires de France en créant pour la télévision *30 Millions d'amis* –, constituaient des petits groupes armés bien décidés à ne pas voir le fascisme s'installer en France.

Pour que nul n'en doute, fut créé durant ces mois de folie le CDR (Comité de défense républicain) qui déclarait engager le combat contre l'OAS sous une forme clandestine. Voir ma famille obligée de quitter notre domicile pour raisons de sécurité, recevoir les lettres anonymes que l'on connaît, et me voir doter dans les rues de Paris d'un permis de port d'arme justifiant la détention d'un Colt 11,43 du même modèle que celui qui m'avait accompagné durant tout mon service militaire en Algérie, avait constitué un traumatisme assez fort pour me faire partager et exprimer sans ambages les idées qui nous guidaient tous. Le premier tract, barré de tricolore sur un mauvais papier à ronéotyper, disait ceci :

« CDR

En Algérie, l'OAS fait régner la terreur : elle rançonne, elle tue.

Elle adopte les sinistres méthodes d'un FLN qui – par ses attentats sans objet – fait tout pour aggraver la situation.

L'OAS est en train de transporter ses méthodes en métropole.

À Paris, des députés, des conseillers généraux, des conseillers municipaux votent son programme.

Aujourd'hui c'est le plastic, demain ce sera le meurtre. Après il y aura le putsch, un putsch dont les formes ne seront pas nécessairement brutales. Le mauvais coup prendra peut-être, au début, des apparences de légalité.

IL FAUT QUE L'OAS LE SACHE BIEN :

Aux côtés du service d'ordre officiel, avec les troupes et les gendarmes fidèles, avec les CRS et les policiers loyaux, il y aura des hommes qui en ont assez.

Ces hommes qui ont fait leurs preuves dans la Résistance, la France Libre, en Indochine et en Algérie, sont prêts à se battre pour défendre la liberté.

CES HOMMES SONT DES RÉPUBLICAINS VENUS DE TOUS LES HORIZONS.

Des hommes de gauche qui n'ont pas la faiblesse de partis timorés ou microscopiques, ou les prétentions dangereuses d'un PC aux aguets. Des hommes de droite qui ne sont pas aveuglés par un faux nationalisme. Des gaullistes pour qui de Gaulle n'est pas une idole, mais simplement un chef qui dans sa vie n'a eu qu'un souci : la France.

L'OAS LES TROUVERA TOUS SUR SON CHEMIN.

Ces républicains représentent la masse des Français. Ils se sont *regroupés*, *organisés*, *armés*.

QUE L'OAS ET SES COMPLICES LE SACHENT BIEN :

Les commandos du CDR connaissent comme eux les lois de la guerre clandestine. Pour défendre leur cause – celle de la liberté – ils seront *implacables*.

Ceci est un avertissement. Nous allons rendre coup pour coup.

VIVE DE GAULLE ! VIVE LA RÉPUBLIQUE ! VIVE LA FRANCE !

Le Comité de Défense Républicain. »

À peine ronéotypés et barrés manuellement de tricolore, les tracts artisanaux que nous avons concoctés furent lancés nuitamment dans nombre de lieux très fréquentés de la capitale, comme le drugstore des Champs-Élysées, la place Saint-Germain-des-Prés ou le carrefour Vavin, au cœur de Montparnasse. Leur présence fut signalée par plusieurs d'entre nous à l'Agence France-Presse, ainsi qu'aux principales stations de radio qui répercutèrent aussitôt l'information. Le lendemain, toute la presse signala l'existence clandestine du CDR, bientôt imité par une centaine d'anciens résistants d'horizons politiques différents qui lancèrent un appel à leurs camarades pour leur demander de se joindre à eux afin d'« agir contre les factieux ».

Malheureusement, l'action de l'adversaire ne s'en tint pas à des manifestations folkloriques. En Algérie, la guerre franco-française faisait rage. Des hommes tombaient chaque jour. À Paris, 17 attentats au plastic furent commis dans la nuit du 17 au 18 janvier 1962, suivis par l'explosion d'une bombe de forte puissance au Quai d'Orsay, siège du minisètre des Affaires étrangères, qui fit 1 mort et 12 blessés et provoqua d'importants dégâts, puis, les 23 et 24 janvier, par 22 nouveaux attentats au plastic, dont l'un visait directement Hubert Beuve-Méry, directeur du

Monde, journal honni par l'OAS qui entendait marquer par ces actions l'anniversaire des « Barricades ».

Quand Armand Jammot m'annonça qu'après m'avoir chargé, au fil des années, de plusieurs reportages sur la construction puis le baptême et le lancement du *France*, il me confiait le reportage consacré à la traversée inaugurale du transatlantique, Le Havre-Southampton-New York, je fus saisi d'une joie enfantine. Je n'avais guère dépassé le quart de siècle et, depuis près de cinq ans, je faisais la guerre ou j'en rendais compte dans les circonstances les plus pénibles. La traversée de l'Atlantique à bord du plus grand et du plus beau paquebot du monde était un merveilleux cadeau que le destin offrait au petit-fils de pauvres émigrants bretons qui n'auraient jamais imaginé pareille revanche. Je l'appréciai d'autant plus que Joseph Kessel m'avait signalé, peu auparavant, que son ami Pierre Lazareff l'avait chargé de la même mission pour *France-Soir*. Depuis Jérusalem, j'avais souvent revu l'auteur de *L'Armée des ombres*, qui m'avait admis parmi ses familiers. Lorsque nous étions l'un et l'autre en France, il ne se passait pas de semaine sans que nous nous téléphonions ou dînions ensemble. Après quelques mois d'intimité, il avait exigé que je l'appelle « Jef » – il détestait le prénom de Joseph – et que je le tutoie. Nos trente-sept ans de différence m'avaient paru rendre la chose peu aisée, mais je m'étais plié à son désir avec d'autant plus d'aisance qu'il se révélait d'une jeunesse de caractère et d'une curiosité sans égales. Je le considérais bientôt comme « mon père et mon frère à la fois », moi qui étais fils unique et avais le bonheur d'avoir un père en excellente santé et, de surcroît, son cadet de onze années !

Le temps d'acheter mon premier smoking – le baisemain et la tenue de soirée étaient de rigueur au dîner, selon le code de savoir-vivre discrètement rappelé par l'armateur dans le fascicule accompagnant les billets –, de boucler mes valises sur les chaussures vernies et les chemises à plastrons nervurés, et j'oubliai comme par miracle l'OAS, l'Algérie et les drames qui s'y jouaient. La semaine précédente, je sortais sur le boulevard Malesherbes, proche de mon domicile, avec le poids d'un automatique sous l'aisselle gauche, et voilà que je ne pensais plus qu'au plaisir qui s'offrait à moi de découvrir, au cours d'une traversée d'exception, un monde si éloigné du mien. Merveilleuse faculté d'adaptation de la jeunesse ! Éternelle curiosité du journaliste !

Le voyage commençait gare Saint-Lazare, à Paris, sur les quais réservés pour Le Havre où le personnel de la Transat – que les voyageurs anglo-saxons appelaient depuis toujours la French Line – marquait les bagages d'une large étiquette tricolore en forme d'écu où figuraient le nom du passager, sa gare de départ, son numéro de cabine (le mien était A 268. Classe C) et sa destination finale. Dès lors, celui-ci n'avait plus à se soucier de ses malles et valises, qu'il retrouverait dans sa cabine quelques heures plus tard.

Passé l'échelle de coupée, une armée de commissaires placés sous la direction du commissaire principal, qui jouait les maîtres de maison, procédait à l'enregistrement des heureux mortels qui s'apprêtaient à effectuer la traversée historique. Dès cet instant, l'atmosphère était à la fête : elle commençait par une coupe de champagne de bienvenue accompagnant la remise de la clef de la cabine et du nom du valet qui, tout au long du voyage, s'efforcerait de résoudre les menus aléas matériels qui ne manqueraient pas de survenir au fil des cinq jours passés dans un village de plus de 3 000 âmes. Chaque garçon de cabine avait en charge 20 passagers en première classe, et 30 en classe touriste où j'étais logé. À l'exception de journalistes de réputation mondiale comme Kessel, Jean Fayard, héritier de la maison d'édition du même nom, représentant du *Figaro*, ou Steve Passeur, qui défendait les couleurs de *L'Aurore*, tous logés en première classe, les autres journalistes devaient se contenter de la classe touriste où des cabines à trois ou quatre lits étaient réservées aux célibataires. Comme tous les autres paquebots de très fort tonnage, le *France* était conçu de telle sorte que les passagers des première ne pouvaient seulement croiser ceux de la classe inférieure. Chaque catégorie avait ses bars et sa salle à manger : royale pour les privilégiés, avec un escalier qui permettait aux élégantes de faire admirer leurs robes sortant de chez les plus grands couturiers ; fort confortable pour les touristes qui avaient dû se contenter de la classe du même nom, non par manque de moyens, mais faute d'avoir réservé leur passage assez tôt. Que n'aurait-on pas fait pour être de la traversée inaugurale !

On me remit comme le saint sacrement mon passe-partout, ainsi qu'un plan de repérage des portes de service : la seule bonne manière accordée par la Compagnie générale transatlantique d'alors à une profession à laquelle elle n'accordait pas plus d'importance et d'estime que le seigneur du Moyen Âge aux baladins de passage dans sa citadelle. Semblaient seuls dignes d'intérêt, aux yeux du commissaire principal, les passagers dont le nom annonçait la fortune ou la place éminente dans une société que l'on n'appelait pas encore « jet-set », mais « jet-society » ! Il ne fut pas besoin d'attendre, au deuxième jour, la soirée de bienvenue, dite « soirée du commandant », après la brève escale de Southampton – passé Bishop Rock, le navire mettait le cap sur l'Amérique –, pour mesurer le degré de snobisme et d'ostracisme que firent bientôt régner les officiers d'accueil de la Compagnie pour qui les « invités » – ceux qui, en raison de leurs fonctions, n'avaient pas payé leur passage – n'étaient que quantité négligeable auprès des passagers qui avaient réservé leur cabine à prix d'or. À l'exception du commandant Croisile, que j'avais eu l'occasion d'interviewer tout au long de la construction du *France*, et qui se montra toujours le « maître après Dieu » que l'on admire, aux yeux de qui tout passager ou membre d'équipage compte, quelle que soit son importance sociale ou son grade, les commissaires de bord se disputaient la palme de l'antipathie. Je ne fus pas le seul à les juger ainsi. Bientôt, les papiers envoyés par les grands reporters reflétèrent l'atmosphère détestable que ces officiers gourmés avaient créée en moins de temps qu'il n'en faut pour l'écrire. À chacune de mes liaisons-radio avec Paris, mon rédacteur en chef me confirma ce qui n'était déjà plus une impression personnelle : tous mes confrères soulignaient la hauteur des commissaires de bord qui rivalisaient de condescendance dans l'attitude qu'ils affichaient avec certains de leurs passagers. Ce devait être de tradition dans la marine marchande de haut luxe. Préparant mon reportage, j'avais lu qu'avant guerre, Blaise Cendrars, assurant pour *Paris-Soir* la traversée inaugurale du *Normandie*, avait consacré l'essentiel de ses papiers non à un personnel de réception prétentiard, mais aux employés et techniciens qui, quel que fût leur emploi, se mettaient en quatre pour que tous les passagers n'oublient jamais leur traversée. À bord du *France*, il en allait de même. Le personnel de cabine et celui qui œuvrait dans cette merveille technologique qu'était la salle des machines rivalisaient d'amabilité et de gentillesse avec ceux qui s'intéressaient à leur travail. Leurs témoignages illustrèrent l'essentiel des papiers que j'envoyais désormais.

Joseph Kessel, qui m'invitait souvent à sa table des première en compagnie de mon ami André Asséo, représentant Radio-Monte-Carlo dans l'aventure, ne se montra guère plus enthousiaste, au grand dam d'un de ces gandins pommadés qui appréciaient peu de voir leur plan de table bouleversé par quelques trublions venus de la classe touriste. En cinq jours, il n'envoya à *France-Soir* que trois courts papiers dont la réserve du premier donnait le ton :

> « Malgré la saison hivernale qui laisse les autres transatlantiques plus qu'à moitié vides, le paquebot ne

compte pas une seule cabine libre... C'est que le goût de la nouveauté, l'aiguillon de la curiosité et l'éternel snobisme ont été plus forts que la crainte du mauvais temps et la rupture des habitudes. Le voyage inaugural du *France* est une sorte de gala qui dure cinq jours sur l'eau. Faut-il avouer qu'il émeut moins que ces habitants du Havre qui se tenaient dans l'eau glacée jusqu'aux chevilles pour mieux voir s'en aller le nouveau paquebot parce qu'il fait partie de leur port, de leur vie, d'eux-mêmes ? »

Pas un mot des fêtes, cocktails, dîners plus raffinés les uns que les autres donnés tout au long du voyage, et auxquels se pressaient robes longues et smokings. Avec un zeste de provocation, Jef arborait un smoking délavé, hors mode, qui n'avait pas moins de trente ans, acheté, nous raconta-t-il avec un sourire malicieux qui découvrait les dents du bonheur, à l'occasion d'une série de conférences données à Monaco au cœur des années 1930 !

Nous devions avoir d'autres exemples des mauvaises manières de ces commissaires, devenus nos bêtes noires. Jamais la grande interprète Juliette Gréco, alors au sommet de son art et qui avait donné gracieusement son tour de chant, une fois pour la première classe, une autre pour les passagers de la classe touriste, ne se vit inviter à la table du commandant dont le commissaire principal gérait les places tout au long de la traversée. Bien mieux, ayant donné le 7 février un petit cocktail aux journalistes pour fêter son anniversaire, la muse de Saint-Germain-des-Prés se vit présenter une note de 52 722 anciens francs ! Comme la plupart d'entre nous, invités par la Transat, elle rendit son billet de retour et ceux de ses musiciens, préférant utiliser le Boeing 707 pour regagner Paris, non sans accompagner l'affront de quelques mots bien sentis à l'adresse de ces « gentlemen » de la Compagnie générale transatlantique qui l'étaient si peu.

Ces incidents divers ne furent pas pour surprendre le ministre de la Marine marchande, Gilbert Granval, qui, à bord, représentait le gouvernement. Il nous raconta comment il avait été obligé d'organiser lui-même une réception pour rencontrer les représentants de la presse, et, avec sa femme, avait dû en rédiger cartons et enveloppes. Les hommes de la Transat avaient omis de le faire !

Quand, au milieu du voyage, le *France* essuya la plus grosse tempête qu'eût connue l'Atlantique depuis 1936, nous eûmes enfin l'occasion de négliger les petitesses humaines pour dire combien le paquebot était une réussite technique des plus rares, dont le pays ne pouvait que s'enorgueillir. Des creux de quinze mètres permirent de juger de la solidité et de la parfaite sécurité du bâtiment. Ce fut également l'occasion de consolider notre amitié avec Joseph Kessel, heureux de constater que nous partagions son insensibilité au mal de mer et son goût pour le caviar et la vodka. Nul ne nous fit désormais remarquer combien notre présence dans la classe privilégiée était incongrue. Nous garnissions une salle aux trois quarts vide et, à ce titre, les commissaires soignaient enfin ceux qui, fort opportunément, contribuaient à l'animation de repas qui, malgré le travail remarquable des 160 cuisiniers, 38 pâtissiers, 8 boulangers, 8 bouchers et 11 cuisiniers de buffet, placés sous les ordres du chef Grangier, brillaient surtout par l'absence de dîneurs. Jef, qui avait largement dépassé la soixantaine, riait des visages décomposés rencontrés dans les coursives, mangeait comme quatre et buvait comme dix. Ce bouillant sexagénaire se révélait une fois de plus infatigable. Au plus fort de la tempête, tandis que cristaux et cendriers volaient dans les salons, il poursuivait imperturbablement les sacro-saintes parties de cartes d'avant et d'après dîner, en prenant bien garde que les creux vertigineux dans lesquels plongeait le *France* ne missent pas en péril le niveau de son whisky. André Asséo ne devait jamais oublier l'arrivée d'un Steve Passeur aux traits tirés qui, sur un ton prophétique, aborda son vieux camarade en lâchant une de ces répliques qui aurait pu figurer dans l'une de ses pièces :

– Hé oui ! Tout le monde joue… c'est comme sur le *Titanic*… On ne veut s'apercevoir de rien… Et quelques instants plus tard…

Kessel éclata de rire, termina son verre, appela le garçon pour le renouveler, tandis qu'aux tables voisines une crainte incoercible faisait se lever quelques robes du soir peureusement agrippées aux bras de smokings vacillants.

Ce fut au cours de l'une de ces soirées que Kessel me parla pour la première fois de son frère Georges, héros naturellement d'une de ces histoires tragiques et miraculeuses que je lui entendrai si souvent narrer pendant les dix-sept années à venir. D'origine russe mais de nationalité française, les deux frères pratiquaient parfaitement la langue de Tolstoï dans laquelle ils avaient été élevés, tandis que leurs études s'étaient déroulées entre Nice et Paris. À la différence de Jef qui avait passé plusieurs années de sa petite enfance à Orenbourg, ville natale de sa mère, sur les bords de l'Oural, Georges n'avait jamais foulé le sol russe lorsque, devenu journaliste, comme Jef, il s'était rendu à Moscou, dans les années 1930, pour constater les effets de la révolution et la toute-puissance du stalinisme triomphant. Très beau, les traits fins, le teint mat, il ne manquait pas de bonnes fortunes, mais il ne devait jamais oublier celle qui l'attendait à Moscou. Grâce à Tatiana Lesk, une cousine germaine de sa mère, avec laquelle celle-ci était restée en correspondance après avoir émigré, et qui l'accueillit comme un fils dans la capitale, lui ouvrant en grand les portes du milieu artistique, Georges fit la connaissance d'une jeune ballerine du Bolchoï âgée d'à peine seize ans, et en tomba éperdument amoureux.

– Ils ont vécu ensemble un amour merveilleux, racontait Kessel avec des petites flammes dans les yeux. Malheureusement, la jeune fille était si belle que Georges n'était pas seul sur les rangs. Un haut dignitaire de la Tcheka la convoitait. Tu n'as pas idée de ce qu'était la Tcheka, ni de la terreur qu'elle faisait régner.

Kessel, lui, connaissait parfaitement la puissance de cette police secrète qu'il avait expérimentée dès 1921 en tentant de s'infiltrer clandestinement, au cours d'un reportage pour *Le Figaro*, dans ce mystérieux « pays des soviets » dont la France, depuis quatre ans, ne reconnaissait toujours pas l'existence. La seule voie pour entrer en Russie consistait alors à se rendre à Riga, capitale de la Lettonie, ancienne province de l'Empire russe devenue indépendante après l'effondrement allemand de 1918. La Lettonie et la Lituanie, terre natale du Dr Kessel, père de Jef, grouillaient d'une foule de réfugiés blancs, mais aussi de socialistes révolutionnaires, amis des familles Lesk et Kessel. C'était bien le diable si, à travers eux, le jeune journaliste ne trouvait pas une filière qui lui permît de pénétrer en Russie bolchevique. Grâce à sa parfaite connaissance du russe, il put accumuler les témoignages et établir le premier dossier consacré par un journaliste français aux moyens employés par les bolcheviks pour affermir leur régime, dont la Tcheka était le rouage essentiel. On lui fit rencontrer des compatriotes qui avaient eu à souffrir de la « Commission extraordinaire pour la répression de la contre-révolution et du sabotage », police politique qui avait pris le relais de l'ancienne et redoutable police secrète tsariste, l'Okhrana. À la faveur de la révolution et de la guerre civile, la Tcheka avait instauré un régime de terreur. Une loi de septembre 1918 l'autorisait à appliquer la peine de mort à toutes les personnes affiliées aux organisations de gardes blancs, coupables d'avoir ourdi des complots et des révoltes. Ce terrible organisme, créé d'abord à Moscou et à Petrograd, s'était ramifié et étendu à tout le territoire. Les localités les plus infimes de Sibérie et d'Ukraine possédaient leur Tcheka, dont les membres avaient tous pouvoirs : celui de condamner comme de gracier, celui de torturer ou bien de fusiller. Cet État dans l'État créait de toutes pièces des conspirations, fabriquait de fausses correspondances, envoyait ses émissaires provoquer des malheureux en leur faisant proférer des paroles imprudentes. Les récits étaient accablants. « Tous confirmaient, racontait Kessel quarante ans après, que les membres de la Tcheka – devenue Guépéou, puis NKVD – étaient recrutés parmi les illettrés, les repris de justice, les anciens gendarmes, parmi toute une tourbe décomposée par une corruption devant laquelle celle de l'ancien régime de tsars semblait une peccadille. »

S'il recueillit pléthore de témoignages, Joseph Kessel ne put néanmoins trouver une filière qui présentât un minimum de sécurité pour pénétrer en Russie soviétique, alors en proie à une atroce famine. Ses meilleurs informateurs de Riga le persuadèrent que s'il parlait couramment le russe, il y avait une différence rédhibitoire entre l'accent qu'il tenait de sa famille émigrée et celui des paysans et ouvriers de ces années-là. Sans visa soviétique, il n'échapperait pas trois jours à la Tcheka ! Il renonça et s'en revint à Paris sans avoir touché le sol soviétique, mais riche d'une moisson d'histoires douloureusement vécues par les exilés de Riga et de portraits d'aventuriers que la révolution bolchevique avait transformés en douteux héros. Elle lui permit de rédiger deux articles-chocs parus à la une du *Figaro* qui, pour la première fois, révélaient la réalité de la « police secrète des soviets », ainsi que les épouvantables conséquences de la politique du nouveau régime sur la vie quotidienne des Russes les plus défavorisés. Étayés par *La Steppe rouge*, livre de nouvelles – premier ouvrage édité de Joseph Kessel –, ces papiers connurent un tel retentissement que le jeune journaliste fut immédiatement catalogué « de droite » et, jusqu'à la fin de sa vie, se verra refuser le moindre visa pour l'URSS qui, malgré le temps, le considéra toujours comme un irréductible ennemi du régime.

Les témoignages étaient assez terrifiants pour que, lors de son premier voyage à Moscou, Georges ait été mis en garde par son frère contre la toute-puissance de la police secrète et sur la nécessité de n'attirer son attention sous aucun prétexte. C'est dire si la présence d'un dignitaire de la Tcheka dans les rangs des prétendants à la jolie ballerine représentait pour lui un danger d'importance. Un ami de la famille Lesk, qui connaissait l'histoire d'amour entre les deux jeunes gens et savait le péril que constituait le rival, l'exhorta fermement : « Tu ne peux l'épouser ! Tu es étranger et on ne te permettra jamais de l'emmener en France. L'homme de la Tcheka l'aime, la veut et l'aura. Déjà, en te fréquentant, elle compromet son avenir au Bolchoï. Ne sois pas égoïste : non seulement tu lui fais risquer sa situation, mais tu impliques ses parents, promis à d'effroyables ennuis si votre liaison se poursuit. Va-t'en avant qu'il ne soit trop tard ! »

– Alors Georges a été admirable, poursuivit Kessel qui prenait visiblement plaisir à conter cette histoire qui enchevêtrait – comme il aimait tant le faire – plusieurs épisodes de sa jeunesse. Devant le danger que courait sa jeune maîtresse, il décida de se retirer et de rentrer à Paris sans lui donner la moindre explication. Qu'elle se crût abandonnée par un Français léger et volage atténuerait sa douleur. L'homme de la Tcheka avait gagné. Il épousa la ballerine, qui enfouit le souvenir de son amant français au plus profond de sa mémoire. Georges fit sa vie à Paris sans jamais avoir de nouvelles de son bel amour de seize ans.

L'histoire était belle et triste comme du Pouchkine. Mais il lui fallait une fin kessélienne :

– Georges est retourné récemment à Moscou, conclut Jef. Par notre parente, il a revu sa jolie danseuse. Le mari policier était mort. Elle était libre. Ils ont repris leur liaison là où elle en était trente-cinq ans plus tôt ! Georges est entré dans la soixantaine. Sa danseuse est quinquagénaire. Ils revivent leur amour de jeunesse à l'âge d'être grands-parents !

*
* *

Le jeudi 8 février 1962, le *France* arriva en vue de la statue de la Liberté à l'heure prévue, ayant franchi sans une minute de retard les 5 630 kilomètres d'Atlantique qui séparent Le Havre de New York à la vitesse de croisière de 55 kilomètres/heure. Après la tempête, puis la longue houle de l'océan, une teinte plus claire trahit l'approche du continent américain, tout comme les premiers goélands et quelques rares bateaux de pêche qui croisaient au loin. Je m'étais levé à l'aube pour ne rien perdre de cette arrivée historique et entendre le « Terminé pour les machines » qui, dans la bouche du chef mécanicien, conclurait le voyage après l'ultime manœuvre d'accostage. Bientôt les embarcations de tourisme, les yachts, les vedettes, les chaluts se firent de plus en plus nombreux, chargés de curieux et de journalistes filmant à qui mieux mieux l'entrée du mastodonte, si élégant malgré sa taille et son poids, et qui prenait la direction de l'Hudson. La remontée du fleuve fut triomphale. Tout ce qui flottait et possédait une sirène déclencha le plus magnifique des hourvaris. Les innombrables bateaux-pompes mirent leurs lances en action, déployant autour du paquebot français comme autant de voiles de mariées. Ce splendide hommage fit oublier sur-le-champ les petites mesquineries de certains personnels de la Transat. Seul comptait le salut de la plus grande ville du premier pays du monde au plus grand navire du monde qui, pour moi, portait le plus beau nom du monde. Le seul regret que j'emportais était de ne plus entendre, le soir même, la voix rocailleuse de celui qui m'honorait à présent de son amitié, développer une de ces histoires à tiroirs dont il avait le secret. Lorsque je le saluai pour prendre congé, il balaya mes regrets en quelques mots :

– Rendez-vous demain soir à 23 heures à mon hôtel, le Duke's, pour une tournée des grands-ducs avec un copain qui te plaira.

Le « copain » s'appelait Leonard Lyons, et Kessel l'avait connu trois ans auparavant quand *Le Lion*, sélectionné comme Grand Livre du mois, était devenu un best-seller international dont il était venu assurer la promotion à New York. Lennie était de ces personnages qui l'attiraient irrésistiblement. Fils d'émigrés juifs roumains, né dans les bas quartiers de l'East Side, il avait commencé une honorable carrière d'avocat quand il s'était aperçu que l'univers des paillettes de Broadway l'attirait autrement que celui, poussiéreux, des prétoires. Sans dons particuliers pour la musique, le chant ou la comédie, il s'était tourné vers la presse où il avait créé, vingt-cinq ans auparavant, une colonne d'échos pour le *New York Post* ; elle avait connu un si vif succès qu'elle était reprise chaque jour dans deux cents journaux à travers l'Amérique. Contrairement à ses concurrentes comme Louella Parson ou Elsa Maxwell qui trempaient leur plume dans le fiel pour rédiger les potins dont se régalaient des dizaines de millions de lecteurs, « *Lyons'den* » (« L'Antre du Lyons » : ainsi avait-il baptisé sa colonne) n'abritait jamais une indiscrétion blessante ni un trait malveillant. Il s'y bornait à mentionner la présence de telle ou telle personnalité dans l'un de ces endroits privilégiés fermés au commun des mortels. Aussi Lennie Lyons bénéficiait-il d'une cote d'amour incomparable dans le monde des stars de Broadway, toujours avides de publicité mais heureuses que l'on parlât d'elles sans méchanceté. Devant lui, les portes les mieux cadenassées s'ouvraient comme par miracle. Lorsque, en 1959, Joseph Kessel, profitant de son voyage à New York, avait proposé à Pierre Lazareff un reportage sur les vedettes des plus célèbres comédies musicales, c'est l'ami Leonard qui lui avait servi de clef dans ce milieu dont il ignorait tout, alors qu'Hollywood lui était familier grâce à des amis de jeunesse ou plus récents qui avaient noms Anatole Litvak, Charles Boyer, Jean-Pierre Aumont ou Humphrey Bogart. Pour voir *My Fair Lady* qui triomphait au théâtre Hellinger, il fallait louer un an à l'avance. Même au marché noir, les places étaient introuvables. Sur simple intervention de Lennie Lyons, Jef en obtenait deux, tout comme une table au Sardi's – institution de Broadway, à la fois Maxim's et Lipp, dont le succès seul ouvrait les portes – puisque c'était celle du célèbre *columnist*, c'est-à-dire la meilleure, à deux pas de l'entrée, pour voir et être vu.

C'est ainsi qu'à Alger, tandis que le général de Gaulle annonçait l'autodétermination qui allait conduire aux Barricades et nous plonger dans la guerre civile, j'avais lu, sous la plume du grand journaliste que je ne pensais pas alors côtoyer un jour, l'histoire de *My Fair Lady* racontée en détail d'après le *Pygmalion* de G.B. Shaw, ainsi que celle de *West Side Story* que l'Europe ignorait encore et dans laquelle il donnait toute la mesure de son talent. Là où un journaliste spécialisé dans le show-biz – c'est sous sa plume que je trouvai pour la première fois cet anglicisme promis à une belle carrière – aurait décrit l'histoire des *Requins* et des *Jets* à travers le spectacle et la musique de Leonard Bernstein, Kessel, ainsi qu'il me le raconta au cours de notre inoubliable soirée en compagnie de Lennie Lyons, y ajouta son expérience personnelle dans le quartier portoricain situé au nord de la 96e Rue, dont, malgré les mises en garde, il n'avait pu s'empêcher d'éprouver l'atmosphère sulfureuse, enrichissant ainsi son reportage d'un contrepoint sur ce New York hispano-américain presque aussi hostile au touriste que Harlem, désormais interdit aux Blancs. Il eut, pour résumer la beauté et l'actualité de *West Side Story*, ces phrases singulièrement évocatrices pour moi qui vivais au quotidien le drame de la guerre d'Algérie, et dont je retrouverais le détail le moment venu : « Si l'on cherchait un équivalent français, il faudrait imaginer que Georges Auric ou Francis Poulenc, Roland Petit ou Serge

Lifar, Anouilh ou Salacrou aient travaillé ensemble avec passion à un drame lyrique dont le sujet serait la rivalité mortelle entre une bande composée de jeunes Algériens et une autre formée par des garçons et des filles des rues de Paris, aux confins de la Goutte-d'Or. Et cela, représenté au Châtelet ou à Mogador ! »

C'était un merveilleux cadeau que me faisait Joseph Kessel en me permettant de l'accompagner dans la tournée nocturne qu'effectuait chaque soir son ami pour nourrir sa chronique du lendemain. La cinquantaine, petit, un profil d'oiseau, le cheveu gominé plaqué sur les tempes, il commençait vers 23 heures son périple qu'il poursuivait jusqu'à 4 heures du matin et qui le conduisait dans les boîtes les plus huppées où le commun des New-Yorkais n'envisageait même pas de pénétrer. Invariablement, il commençait par le Sardi's, une bonbonnière de six cents couverts où s'était faite l'histoire de Broadway. À chaque soir de première, on savait si elle comptait un succès de plus ou si l'on pouvait oublier le titre de la nouvelle comédie musicale. C'est dans ce restaurant où tout était rose – les nappes, les murs, la moquette – que parvenaient, les soirs de gala, les toutes premières éditions de la presse quotidienne. On s'y arrachait les critiques, et telle vedette hier adulée voyait sa réputation s'effondrer ou bien parvenir au zénith selon le contenu et le ton des papiers. Les stars de Broadway ne venaient pas au Sardi's pour sa cuisine fort médiocre, mais pour s'y montrer et mesurer l'état de leur popularité au temps qu'il fallait au directeur de la salle, sanglé dans un habit, pour leur trouver une place. Aux autres il fallait montrer patte blanche pour franchir l'épais cordon de soie rouge qui barrait l'entrée. J'observai le manège avec curiosité. L'impressionnant personnage en habit demandait à chaque impétrant, avec une exquise politesse :

– Vous avez réservé votre table ?

Puis il consultait un registre épais comme un évangile sur l'autel de l'officiant. Son sourire devenait radieux lorsqu'il trouvait le nom annoncé et qu'il retirait le cordon rouge.

Précédés par Lennie Lyons, nous n'avions pas eu à accomplir cette formalité et nous fûmes conduits d'autorité jusque dans le saint des saints où, m'expliquait-on, chaque visage figurait parmi les centaines de photos couvrant les murs. Kessel et son ami m'éclairèrent sur ce que chacun des consommateurs avait d'unique. Celui-ci qui, à deux tables de nous, tirait sur un gros cigare, avait payé une somme astronomique pour obtenir les droits cinématographiques de *La Route au tabac* ; la pièce tirée du célèbre roman d'Erskine Caldwelh avait tenu l'affiche pendant plusieurs années et on parlait de milliards payés avant guerre par les producteurs de John Ford qui en avait fait, en 1941, l'un de ses films les plus célèbres. Celui-là, compositeur d'un des plus grands succès de la comédie musicale – il en était à sa septième année de triomphe, avait usé quatre titulaires du rôle principal, et avait fait son premier milliard de recettes deux ans auparavant –, portait les costumes de son frère, metteur en scène du spectacle, récemment disparu, autant par piété fraternelle que par souci d'économie.

– Ils avaient les mêmes mensurations, s'esclaffa Lennie Lyons. Je les connais tous, car il me les a tous montrés. Celui qu'il porte ce soir est le plus beau. Du pur cachemire !

Après le restaurant de la réussite arrivait le Jim Downey's, méchamment surnommé « le Sardi's du pauvre », néanmoins fréquenté par les plus grands noms de New York. Jim Downey, son créateur et propriétaire, l'avait voué aux courses de chevaux dont les résultats, avec ceux des courses de lévriers, s'affichaient instantanément sur des écrans derrière le bar. L'homme avait bien sûr une histoire exceptionnelle. Écœuré de n'avoir économisé que cinq cents dollars après avoir trimé pendant des années, il était allé un soir tout jouer aux courses. Il y avait gagné, en une réunion, les vingt mille dollars qui lui avaient permis d'ouvrir son établissement. Aujourd'hui, les murs brunis par la fumée étaient tapissés des tickets qui lui avaient apporté la fortune. Chez lui, tout rappelait la passion qu'il vouait depuis lors aux pur-sang et à ceux qui les montaient, des photos et caricatures des célébrités des champs de courses jusqu'aux *swivel sticks*, ces bâtonnets publicitaires qui, dans les bars, servent à mélanger les *long-drinks*. Les siens étaient ornés de fers à cheval ou de têtes de « la plus belle conquête de l'homme ».

À chaque étape, les noms de celles et ceux qui figureraient dans les prochaines livraisons de « l'Antre du Lyons » venaient garnir le carnet secret de Lennie. Pour mon plaisir personnel, Jef y ajoutait quelques-unes de ces anecdotes glanées lors de ses précédentes virées en compagnie de son ami le Roumain de Broadway. C'est au 33rd W 52nd Street, dans le Toot's Shore Building, que nous rencontrâmes l'homme qui se vantait d'être le plus grand buveur de New York – de 45 à 80 verres par jour ! – tout en se révélant le plus efficace des videurs de boîte de nuit. Le 2 janvier, après une ultime cuite – d'après mes cicérones qui auraient mérité de naître sur la Canebière ! –, il se mettait au vert, ne buvait plus une goutte d'alcool, perdait quatorze kilos et ne se nourrissait plus que de crèmes glacées. C'est du moins ce qu'affirmait sans rire Toot Shore, lui-même ancien videur de l'établissement à l'emplacement duquel il venait de faire ériger l'œuvre de sa vie : trois bars immenses sur trois étages ! Chez lui on rencontrait les plus grands noms du sport et les plus aisés de leurs admirateurs, amateurs de base-ball, football américain ou basket. La réussite de ce grand gaillard qui, trente ans plus tôt, gagnait 72 dollars par semaine, et s'était battu presque chaque soir pour faire régner l'ordre dans la boîte qui l'employait, lui avait acquis une redoutable célébrité. Il « pesait » aujourd'hui deux milliards de centimes, et à l'inauguration du Toot's Shore Building, six semaines auparavant, pour laquelle il n'avait pas jugé utile d'envoyer des invitations, s'étaient pressées trois mille personnes. Incroyable, exagérée la légende ? Mais pourquoi pas ? disait Jef. Lennie Lyons, du *New York Post*, avait bien été ami avec Churchill, Roosevelt, Truman et Ben Gourion !

Au Stork Club, le plus fermé des night-clubs de New York, plus question de videurs, de bagarres ni de réussites tonitruantes. C'était le club préféré de Charles Boyer, et c'était tout dire. On n'y faisait que dans la distinction, la musique douce et les lumières tamisées. Pas étonnant qu'avant son mariage princier on y vît si souvent Grace Kelly, réputée la plus sage des stars d'Hollywood, qui partageait ses loisirs nocturnes entre le Stork Club, où tout était glaces, tapis moelleux, décor noir et rose, et El Morocco, la plus chic et l'une des boîtes les plus chères du monde ! À l'entrée veillait un portier en tenue d'adjudant de la Coloniale française ; un couloir tapissé de velours carmin conduisait au bar et à la salle tendus de bleu nuit, égayés par des palmiers en plumes blanches ; des grilles d'un blanc éclatant réservaient des coins plus intimes, et les banquettes en peau de zèbre évoquaient une Afrique de pacotille où se pressaient par dizaines les plus belles filles de New York. Nombre d'entre elles arboraient quelques-uns de ces somptueux bijoux dont on reconnaissait les cousins, exposés dans des vitrines de cristal placées en tentatrices près de l'entrée. Si les femmes étaient jeunes et jolies, Dieu que les hommes étaient laids, et de la plus commune façon, malgré les smokings et même les queue-de-pie qui semblaient constituer l'uniforme de la gent masculine. Pour sauver l'honneur, il n'y avait guère dans la boîte de nuit qu'un Français, l'un des plus célèbres restaurateurs parisiens, chez qui un bluet ajoutait sa touche finale à une suprême élégance naturelle. Il n'avait nul besoin d'arborer, comme un de nos voisins de table, les initiales WBDM brodées sur sa chemise. Lennie Lyons les traduisit à notre intention en refrénant un début de fou rire :

– Il s'est proclamé lui-même *World Best Dressed Man*, l'homme le mieux habillé du monde. Il n'y a que la foi qui sauve, mais il a une excuse : il est richissime !

El Morocco – où il était « indispensable » d'être vu au moins une fois par semaine quand on exerçait une profession où la popularité jouait un rôle essentiel – était le fleuron du « tour » que Lennie effectuait chaque soir. Voir son nom accolé à celui de la boîte de nuit la plus « in » de Big Apple était une consécration. Comme chez Toot's Shore, les moins réputés des clients du night-club faisaient des bassesses pour seulement serrer la main de John Mills, le créateur des lieux. Grâce à la réputation de « l'Antre du Lyons », nous avions eu d'autorité la table la mieux placée, et John Mills vint en personne nous saluer en nous offrant son meilleur whisky après avoir fraternellement embrassé Joseph Kessel : treize ans auparavant, à Londres, celui-ci avait épousé Michèle O'Brien, dont j'avais fait la connaissance à Jérusalem lors du procès Eichmann, avec pour témoins le grand metteur en scène Anatole Litvak, « Juif russe, comme tout le monde », selon la formule consacrée de Jef, et ce même John Mills, alors roi de la vie nocturne londonienne !

Si je n'avais pas attendu six ans pour devenir écrivain, j'aurais figuré dès ma première visite dans la célèbre chronique de Lennie Lyons à la rubrique « vu au Sardi's » ou « croisé à El Morocco » : de quoi faire verdir de jalousie le petit monde de l'édition parisienne ! Ce soir-là, je me contentai modestement de faire bonne figure tout au long de la tournée nocturne du *columnist* le plus célèbre de New York. Dix-huit escales ponctuées de rencontres extravagantes laissèrent notre groupe la langue en bois et le palais en zinc, tandis que notre grand aîné – Jef avait fêté ses soixante-quatre ans le mois précédent – témoignait d'une forme olympique après avoir bu non seulement un whisky à chaque étape, mais terminé le verre que, sagement, André Asséo abandonnait à demi plein. Vingt-sept scotches en moins de six heures ! L'Algérie, qui m'attendait dès mon retour à Paris, était moins dangereuse que le fait d'escorter ces redoutables sexagénaires…

*
* *

Tandis que le *France* remontait majestueusement l'Hudson et venait s'amarrer au *pier* 88 où, tout au long du siècle, avaient accosté le *Paris*, l'*Île de France* et le *Normandie*, et qu'accoudé au bastingage j'engrangeais des souvenirs pour une vie, un drame lié aux « événements » d'Algérie m'attendait à Paris. La veille, une enfant de quatre ans avait été grièvement blessée dans un attentat perpétré par l'OAS. L'émotion en France était considérable et les échos en parvenaient jusqu'à New York. La population française, disait-on, oubliait le FLN pour ne plus penser qu'à l'OAS qui multipliait ses crimes. C'est à l'Hôtel Century où je logeais, à proximité de la Cinquième Avenue et de Broadway, lieux de luxe et de distraction, que j'appris l'ampleur du drame. À l'appel des partis de gauche et des syndicats, des milliers de Parisiens s'étaient réunis pour protester contre l'action de l'OAS. Un affrontement avec les forces de l'ordre s'était produit en fin d'après-midi. Pour ne pas donner à l'Armée – dont la fidélité, depuis le « putsch des généraux », était incertaine – l'impression de céder à la gauche communiste, le ministre de l'Intérieur avait interdit la manifestation et donné l'ordre de réagir très rudement face à ceux qui y participeraient. Les heurts les plus durs s'étaient produits dans le quartier de la Bastille et autour du métro Charonne. Pendant trois heures de violentes bagarres avaient opposé policiers et manifestants. Bilan : 8 morts, des centaines de blessés parmi la foule, 10 blessés parmi les policiers. La capitale n'avait pas vu cela depuis les émeutes du 6 février 1934. J'eus à peine le temps d'assouvir en deux soirées ma passion du jazz – les mythiques Birdland et Village Vanguard présentaient des affiches de rêve, avec John Coltrane, Eric Dolphy, Zoot Sims et Bill Evans, réunion alors inimaginable le même soir à Paris – que je dus regagner la France d'urgence sans pouvoir m'offrir le malin plaisir de rendre matériellement mon billet de retour aux représentants de la Transat. Ma place était déjà retenue par ma rédaction sur le jet régulier d'Air France !

Quarante-huit heures plus tard, j'étais avenue de la République, assurant le reportage des obsèques des victimes de la manifestation du 8 février. J'avais rêvé d'une vie agitée ; après six ans de bourlingue, j'étais comblé ! Depuis la veille, des arrêts de travail et des meetings étaient organisés partout en France pour protester à la fois contre l'OAS et contre les méthodes de la police. De la place de la République au cimetière du Père-Lachaise, une véritable marée humaine avait envahi le quartier : on parlera de cinq cent mille personnes pour accompagner les huit cercueils. Suivant les corbillards croulant sous les fleurs, plusieurs rangées de manifestants portaient gerbes et couronnes sur toute la largeur de la chaussée luisante d'une pluie fine et glaciale. Malgré la foule d'une densité que je n'avais jamais vue jusque-là, un silence impressionnant planait sur le cortège. Le peuple de Paris démontrait avec grandeur et dignité sa farouche détermination à s'opposer aux menées antirépublicaines de l'Organisation Armée Secrète qui, les jours suivants, n'en multiplia pas moins actions et exactions. Tandis qu'un bilan officiel faisait état de 256 morts et de plus de 500 blessés pour la première quinzaine de février 1962 en Algérie où je m'apprêtais à retourner, les commandos Delta de l'OAS exécutèrent 23 personnes à Alger. Le même jour, Yves Le Tac, héros de la Résistance et ancien déporté, l'un des soutiens les plus en vue de la politique du général de Gaulle, fut la cible d'un attentat sur son lit de l'hôpital du Val-de-Grâce où il avait été transporté après avoir été grièvement blessé une première fois par l'organisation séditieuse. « L'OAS frappe où elle veut, quand elle veut » – le slogan peint sur les murs d'Alger devenait réalité, tandis qu'on se dirigeait de plus en plus vers une guerre civile généralisée.

Il était temps de conclure des négociations entamées depuis de trop nombreux mois sans résultat positif. Elles reprirent le 7 mars à Évian, décor familier où je retrouvai tant de souvenirs de mon adolescence et où s'était décidé par hasard mon destin professionnel. Il fallut encore onze jours pour que les membres des deux délégations signent les 93 pages du protocole d'accord qui marquait la fin de l'Algérie française. Le cessez-le-feu entrait en vigueur le lundi 19 mars à midi. Le surlendemain, je pris place dans la Caravelle pour Alger, pas plus rassuré que cela sur la façon dont j'allais être accueilli après les différentes menaces qui nous avaient été adressées. Le bilan partiel donnait le frisson. Depuis qu'il était assuré que les négociations d'Évian allaient aboutir à un accord de cessez-le-feu entre l'armée française et le FLN, les commandos de l'OAS s'étaient déchaînés : 23 morts un jour, 66 morts et 72 blessés le lendemain, 19 musulmans massacrés au cours d'une « ratonnade » le jour d'après. Les Algériens n'étaient pas en reste : certains membres du FLN, procédant à l'élimination des « ultras » les plus décidés à conserver l'Algérie française malgré les accords d'Évian, se voyaient débordés par de jeunes voyous, puis de moins jeunes, qui, n'ayant jamais participé à la révolution, entendaient se dédouaner et tuaient aveuglément. Dans les deux camps, les « chefs » – mais qui dirigeait quoi ? – avaient bien des difficultés à imposer à leurs troupes un semblant de discipline.

Débarquant à Alger au lendemain de la signature des accords et de la proclamation du cessez-le-feu, je ne remis pas la capitale dont j'avais pourtant le sentiment de connaître les moindres recoins. Partout des affiches lacérées, des traces d'explosions, des marques de la guerre civile. Malgré l'espoir qu'avaient engendré les discussions entre les représentants des deux camps, je partageais l'avis publiquement exprimé par François Mauriac, la « grande conscience » de beaucoup de Français : « Que le général de Gaulle me pardonne : nous avons honte d'être le seul des grands États modernes qui ne paraisse pas être policé... Notre France de coupe-jarrets est anachronique, au point que nous en mourons de honte. Nous pensons au spectacle que nous donnons au monde : celui d'une grande nation à la fois anarchique et atone ». Comme pour illustrer cet avis, en pleine conférence d'Évian, un commando Delta de l'OAS avait exécuté sur les hauts d'Alger six dirigeants des Centres sociaux, artisans de la réconciliation entre les deux communautés. Parmi eux, le grand écrivain Mouloud Feraoun, ami intime d'Albert Camus. De ces hommes trop peu nombreux qui, malgré les événements, dans la terreur et le sang, avaient réussi, à force de respect, de sympathie et d'amour, à faire l'unanimité des pieds-noirs et des musulmans qui les fréquentaient. Mais ils étaient si rares à les écouter !

Dès la proclamation du cessez-le-feu, les murs d'Alger avaient été couverts d'affiches imprimées depuis longtemps et préparées par les services de l'« action psychologique » hier encore dirigés par le colonel Gardes, le même sous lequel j'avais servi durant mon service militaire et qui m'avait tant protégé. Mais Gardes, après avoir participé au mouvement des Barricades, avait rejoint les rangs de l'OAS et, dans la clandestinité, s'efforçait de créer des zones insurrectionnelles dans le bled de l'Ouest algérien ! Il fallait être inconscient de la situation pour croire encore à l'utilité de l'affichage, ultime manifestation de l'« action psy ». Mais celle-ci obéissait toujours aux ordres de l'état-major et avait collé à tour de bras ces affiches représentant l'une deux gosses, un Européen et un musulman, qui se souriaient, surmontant ce vœu pieux en lettres grasses : « Pour nos enfants, la paix en Algérie », et l'autre deux hommes qui pouvaient être leurs pères, marchant unis au-dessus de cette unique mention : « Paix. Concorde. » Il n'avait pas fallu trois heures à des commandos de jeunes Européens pour n'en laisser subsister que ces lambeaux dont la vue me brisait le cœur tandis qu'une fois de plus je m'efforçais de prendre le pouls de la Ville blanche.

Je n'y étais pas le bienvenu. Quelques coups de téléphone suffirent à m'en persuader. Aucun de mes contacts pieds-noirs – pourtant amis de longue date – n'accepta la rencontre avec ce traître qui venait de métropole, là où on avait signé « les accords ». Juste une explication : « On reste entre nous. Puisque vous, les *patos*, vous nous livrez, vous nous abandonnez, vous allez voir si nous nous laisserons faire ! » Le désespoir aveuglait les plus sensés. « Vous allez rester longtemps ? » – telle fut la seule réaction du directeur de l'Albert Ier, l'hôtel de l'avenue Pasteur qui m'était si familier. Il n'y tenait pas plus que ça. Lui aussi avait peur, comme tous les Européens d'Alger qui ne voulaient avoir aucun contact avec un métropolitain, encore moins avec un journaliste. De tous les employés musulmans de l'hôtel parmi lesquels j'avais nombre d'informateurs – tous habitaient la Casbah et me renseignaient de longue date sur l'état d'esprit et les réactions de la population « indigène », je ne retrouvai qu'Ahmed. « Depuis hier, me dit-il, tous les autres restent chez eux, ils n'osent plus descendre en ville européenne. Moi, je couche ici. » Pourtant, la Basse Casbah où logeait sa famille n'était qu'à dix minutes de l'avenue Pasteur, au bout de la rue Bab Azoun. Mais, la veille, l'OAS avait décrété une grève générale et avait bombardé au mortier la place du Gouvernement. Bilan : 5 morts et 60 blessés dans la foule – en majorité musulmane – qui se pressait sur le lieu de promenade préféré des habitants de la Basse Casbah. La « résistance réelle commencera après la grève de vingt-quatre heures », avait annoncé un tract de l'OAS que me remit Ahmed. L'Organisation Armée Secrète avait tenu parole. Et de quelle façon ! Son plan était simple – toujours le même depuis les Barricades et le putsch des généraux : amener l'Armée à prendre parti pour les Européens d'Algérie, et, une fois encore, imposer sa loi à Paris. Dans l'esprit de l'état-major de l'OAS, la poudrière de la Casbah était une arme de choix. Que les musulmans descendent sur les quartiers européens, que le service d'ordre du FLN soit débordé et le but serait atteint : faire basculer dans son camp l'Armée au sein de laquelle l'OAS comptait nombre de sympathisants. Sur la place du Gouvernement, entre la grande mosquée et la Cathédrale, le plan avait été à deux doigts de réussir. Il n'en avait tenu qu'au sang-froid d'une patrouille de zouaves et à celui du service d'ordre du FLN, entrés en contact pour la première fois depuis le cessez-le-feu. Cela relevait du miracle. Pourrait-on le renouveler souvent ?

Rien ne semblait moins sûr, surtout après la lecture des tracts de l'OAS qui me servirent à bâtir mes premiers papiers. Ils me faisaient craindre le pire. Le principal était signé du général Salan :

> « Je donne l'ordre à nos combattants de harceler toutes les positions ennemies dans les grandes villes, déclarait l'ancien commandant en chef, devenu chef de l'OAS au lendemain du putsch. Je donne l'ordre à nos camarades des forces armées, musulmans et européens, de nous rejoindre dans l'intérieur de ce pays qu'il leur appartiendra de rendre immédiatement à la seule souveraineté légitime, celle de la France. Enfin, c'est toute l'armée qui s'adresse au peuple de France, auquel nous jurons la sauvegarde de ses libertés et la défense des richesses nécessaires à l'accomplissement de son destin. Une fois l'Algérie libérée, c'est sa volonté que nous suivrons et, soyons-en sûrs, elle ne nous décevra pas ! »

Le second tract, cette fois signé du seul sigle OAS, explicitait la méthode que comptait employer l'Organisation pour parvenir à son but :

> « Les forces de l'ordre, gendarmes mobiles, CRS et unités de quadrillage [déployées dans les quartiers européens], sont invitées à refuser toute action dans le secteur délimité par la caserne Pélissier, la caserne d'Orléans, Climat de France et Saint-Eugène. Quarante-huit heures de réflexion sont laissées aux officiers, sous-officiers et soldats qui, à partir du jeudi 22 mars 1962 à 0 heure, seront considérés comme des troupes au service d'un gouvernement étranger. »

La danse commença dans la nuit du 23, troisième jour de « paix » en Algérie. Des postes de gendarmerie furent attaqués au Clos Salembier, dans le centre de la ville européenne, et sur les hauts de Bab el-Oued, zone « interdite » par l'OAS. Elle voulait ainsi frapper un grand coup et démontrer qu'elle était assez forte pour couper le quartier le plus populaire d'Alger du reste de la capitale en y installant son état-major : une capitale dans la capitale, un État dans l'État… Quand, après une nuit blanche, je voulus me rendre compte de la situation dans le « camp retranché », comme la *vox populi* appelait déjà Bab el-Oued, le quartier était bouclé et hermétiquement clos. Mais le téléphone avait fonctionné et pas seulement le « téléphone arabe ». Les récits concordaient, aussi bien ceux de la population européenne que ceux fournis par l'état-major, pourtant peu enclins à renseigner les journalistes. Au milieu de la matinée, des groupes d'activistes armés avaient appliqué le mot d'ordre de l'OAS et considéré une patrouille de jeunes appelés du contingent « comme des troupes au service d'un gouvernement étranger ». Des bérets noirs du Train avaient essuyé le feu de ces fous furieux. Six d'entre eux y avaient laissé la vie, les autres étaient blessés plus ou moins grièvement. Une demi-heure après le drame, les gendarmes mobiles et quelques zouaves habitués au maintien de l'ordre en ville prirent position sur les terrasses, les balcons, dans certains appartements proches de l'embuscade. Une vraie bataille s'engagea alors pour isoler et réduire les commandos OAS.

Elle commença à 14 h 30 et, faute de pouvoir entrer dans le périmètre, je n'en recueillis que les échos. Terrifiants ! Pour en finir avec les « bandes terroristes », les forces de l'ordre arrosent les façades, les terrasses à la mitrailleuse 12,7, puis font donner les blindés que je vois passer aux barrages. Ils sont suivis de zouaves qui jouent les voltigeurs. Il y aurait des morts au cœur de Bab el-Oued où un violent accrochage opposerait gendarmes et commandos activistes qui cherchent à s'enfuir. On tire sur tout ce qui bouge. Même sur les ambulances dont la croix rouge n'est plus respectée par les deux camps. Le coup de grâce vient du ciel : deux formations de quatre T.6, avions de chasse qui, depuis des années, ont fait leurs preuves dans le bled contre les mechtas des zones suspectes, survolent le quartier en rase-motte et, dans un bruit d'enfer, piquent sur les terrasses où certaines armes lourdes sont « neutralisées » grâce à leurs mitrailleuses et à leurs rockets. Il a fallu l'action conjuguée des blindés et de l'aviation pour venir à bout de la résistance OAS. Le soir venu, Bab el-Oued, paralysé par le plus sévère couvre-feu, est maté.

Le lendemain, j'obtiendrai quelques renseignements complémentaires et un bilan de cette journée de folie : 20 morts et 80 blessés dans la population civile, 15 morts et 71 blessés chez les militaires. Chiffres très approximatifs, car l'état d'esprit est tel que nombre d'habitants du lieu préfèrent garder leurs blessés, et parfois leurs morts, plutôt que de les confier aux ambulances qui sillonnent les rues dévastées. Quand, le blocus levé, j'y entrerai, ce sera pour découvrir un quartier jonché d'ordures, des murs écaillés marqués par les balles et les obus de 37, des vitrines brisées, des fils téléphoniques coupés, des câbles électriques de trolleybus sectionnés pendant les combats, qui pendent lamentablement, des carcasses de voitures incendiées ou écrasées par les blindés, mais surtout, dans les yeux des habitants du quartier, hier encore le plus joyeux de la ville, une immense lassitude. L'OAS leur avait seriné que si c'était à la Casbah toute proche que s'était abrité le FLN naissant, Bab el-Oued serait le camp retranché, le sanctuaire des seuls défenseurs de l'Algérie française que Paris ne pensait qu'à brader. En fait d'État dans l'État, ils s'étaient heurtés à une répression qu'ils n'auraient pu imaginer la veille : appartements saccagés, postes de télévision enfoncés, armoires dévastées. Les commandos OAS avaient fui, et les gendarmes, entamant des perquisitions systématiques, avaient fait payer leurs morts. En tirant sur eux, mais aussi sur les gamins du contingent, les plus excités des activistes étaient allés trop loin. Bab el-Oued avait tué des soldats français, et ceux-ci lui présentaient la note.

Le pire n'était cependant pas encore advenu : j'allais le vivre le 26 mars, date qui restera marquée d'une pierre noire dans les souvenirs de ma vie professionnelle.

*

* *

Je reprends mes notes de l'époque et ce que j'en ai écrit depuis lors, quitte à remuer le couteau dans une plaie qui, pour certains, est à peine cicatrisée, quarante ans après.

Au lendemain du drame de Bab el-Oued, Christian Fouchet, nommé haut commissaire de France en Algérie, s'adresse aux Algérois dans une brève allocution radiotélévisée :

> « Ceux qui vous disent que votre avenir est de vous insurger contre la République, de protéger des assassins et de tirer sur des gendarmes et des soldats français, sont des fous et des criminels. Pour eux, qu'ils le sachent, il n'y a plus de salut. Mais vous, au nom du Ciel, ne vous solidarisez pas avec eux ! Chassez-les, car rien n'est perdu… Ne gâchez pas les chances d'une paix qui s'ouvre, qui est là, à portée de la main, après tant d'épreuves subies, après tant de sang versé par vous tous, Européens et musulmans… »

Le message du haut commissaire est moins entendu que le tract de l'OAS qui circule dès le matin du 26 mars :

> « À 14 heures, grève générale. À 15 heures, rassemblement au Monument aux morts. Ensuite, nous défilerons avec nos drapeaux jusqu'à Bab el-Oued pour prouver notre solidarité à la population. »

En réalité, il s'agit de forcer le blocus du quartier, enfant chéri du peuple algérois, et de prouver à la métropole qu'elle ne livrera pas impunément le beau pays aux « assassins FLN ». Il s'agit aussi de faire oublier aux pieds-noirs le plus rude coup porté ce jour même à l'OAS depuis sa création : l'arrestation de son numéro 2, Jouhaud, dans le plus grand immeuble d'Oran, le Panoramic. Le général d'aviation Edmond Jouhaud, chef prestigieux et enfant du pays, qui, tout comme le général Salan, a jusque-là échappé à toutes les recherches, tant il disposait de complicités, a été « donné » comme un vulgaire malfrat, et, cette fois, il n'y a eu personne chez les militaires pour le prévenir de l'imminence de son arrestation. L'armée n'a pas pardonné à l'OAS ses morts de Bab el-Oued. Il n'est plus question de « bienveillance », même chez les plus antigaullistes des officiers encore en place aux points les plus névralgiques du commandement.

Du côté activiste, il faut également faire oublier à ceux des pieds-noirs qui réfléchissent encore ce que leur a dit Christian Fouchet : « Ne gâchez pas les chances d'une paix qui s'ouvre... Vous êtes ceux qui souffrent le plus... Je suis ici pour vous aider. Mais si vous vouliez revenir sur ce qui a été décidé, le monde entier se liguerait contre vous. » Dans cette situation, l'OAS a besoin de frapper un grand coup. Peut-être le dernier avant de ne laisser aux Arabes qu'une terre brûlée. Ce que j'ignorais encore et n'apprendrai que bien plus tard, c'était l'existence d'une instruction n° 29, peaufinée par le général Salan et destinée aux principaux responsables de l'OAS. Elle fait frémir et va être suivie à la lettre.

Non content d'ordonner la création dans les campagnes de zones insurrectionnelles à base d'unités militaires ralliées et de maquis, tâches auxquelles se consacrait déjà le colonel Gardes dans l'Oranais, Salan préconisait l'accroissement *à l'extrême* du climat révolutionnaire dans les grands centres urbains, et l'exploitation du pourrissement de l'adversaire *par l'entrée en jeu de la population en marée humaine* pour l'ultime phase. Il conseillait également la méthode appliquée récemment à Bab el-Oued, avec le résultat que l'on sait, en pratiquant l'ouverture systématique du feu sur les unités de gendarmerie mobile et les CRS, doublée de l'emploi généralisé de bouteilles explosives pendant leurs déplacements de jour et de nuit. Se servir des postes à essence pour répandre le combustible dans les caniveaux et y mettre le feu, ainsi que l'emploi de bidons d'huile et de clous pour faire déraper les véhicules militaires, lui paraissait relever d'un choix pertinent. « Une bouteille explosive, poursuivait-il, provoquera l'inflammation de l'essence... Dans le cadre des ordres de mobilisation, la partie "population armée" devra y participer entièrement. » La conclusion de cette note, aberrante sous la plume d'un général d'armée qui avait été commandant en chef et membre du Conseil supérieur de la Guerre, tenait en une phrase aux conséquences dramatiques : « Sur ordre des commandements régionaux, enfin, *la foule sera poussée dans les rues* à partir du moment où la situation aura évolué dans un sens suffisamment favorable. »

Ce 26 mars, dans l'esprit de membres de l'OAS responsables ou qui se croient tels, le jour et l'heure sont arrivés. À l'aube, des milliers d'Algérois ont trouvé, comme moi, dans leur boîte aux lettres, un tract les appelant à manifester leur solidarité avec leurs compatriotes de Bab el-Oued. Les termes en sont outrés. On y parle d'opération monstrueuse, de politique de trahison :

> « Halte à l'étranglement de Bab el-Oued ! On affame cinquante mille femmes, enfants, vieillards, encerclés dans un immense ghetto, pour obtenir d'eux, par la famine, par l'épidémie, par "tous les moyens", ce que le pouvoir n'a jamais pu obtenir autrement : l'approbation de la politique de trahison qui livre notre pays aux égorgeurs du FLN qui ont tué vingt mille Français en sept ans.
>
> « La population du Grand Alger ne peut rester indifférente et laisser se perpétrer ce génocide. Déjà un grand élan de solidarité s'est manifesté spontanément par des collectes de vivres frais.
>
> « *Il faut aller plus loin* : en une manifestation de masse pacifique et unanime, tous les habitants de Maison Carrée, de Hussein Dey et d'El-Biar rejoindront ce lundi, à partir de 15 heures, ceux du centre pour gagner ensemble et en cortège, drapeaux en tête, sans aucune arme, sans cris, par les grandes artères, le périmètre du bouclage de Bab el-Oued.
>
> « *Non, les Algérois ne laisseront pas mourir de faim les enfants de Bab el-Oued ! Ils s'opposeront jusqu'au bout à l'oppression sanguinaire du pouvoir fasciste !*
>
> « Il va de soi que la grève sera générale à partir de 14 heures.
>
> « Faites pavoiser ! »

L'apparence du tract est presque anodine. À première lecture, il ne s'agit que d'une manifestation pacifique et humanitaire. En fait, elle vise à briser le blocus de Bab el-Oued et à créer au centre d'Alger une zone insurrectionnelle. C'est le seul moyen de faire oublier à la population l'échec du 23 mars. Cette fois, l'OAS ne renouvellera pas l'erreur d'attaquer la troupe. Elle lui opposera les poitrines innocentes de la population. Et l'armée devra se déterminer. Ou elle laissera passer la foule, et la victoire sera au bout des rues d'Isly, Bab Azoun et Bab el-Oued. Ou elle refusera, et il lui faudra tirer. C'est le « rush final » préconisé par les plus « durs » de l'OAS.

Dès l'aube, en ouvrant la radio, j'entends le message que le préfet de police adresse à ses compatriotes :

> « La population du Grand Alger est mise en garde contre les mots d'ordre de manifestation mis en circulation par l'organisation séditieuse.
>
> « Après les événements de Bab el-Oued, il est clair que les mots d'ordre de ce genre ont un caractère insurrectionnel marqué. Il est formellement rappelé à la population que les manifestations sur la voie publique sont interdites. Les forces de maintien de l'ordre les disperseront, le cas échéant, avec la fermeté nécessaire. »

Durant toute la matinée des voitures militaires équipées de haut-parleurs sillonnent la ville, répétant inlassablement la « mise en garde officielle ». Il est évident que la journée sera chaude sur le plateau des Glières, centre névralgique où se déroulent toutes les manifestations. Là où, depuis des lustres, ont défilé autour du monument aux morts tous les militants de l'Algérie française, doivent se retrouver ceux qui, à l'appel de l'OAS, vont « délivrer » Bab el-Oued. Mon ingénieur du son, le fidèle Alexis Agrikolianski, qui a partagé nombre de mes aventures de grand reporter, transforme ma chambre en studio relié à notre antenne parisienne en branchant – le plus illégalement du monde, mais nous n'avons pas le temps de faire tirer une ligne par les télécoms – un Nagra et un amplificateur sur le téléphone de ville. Les essais avec les studios parisiens sont concluants. À 14 h 15, la foule commence à se masser sur le plateau. Je descends m'y mêler. Au coin de l'avenue Pasteur et de la rue d'Isly, je constate que les voies principales autour de la grande poste – bâtiment mauresque qui fait la fierté des Algérois –, conduisant du boulevard Laferrière vers Bab el-Oued, sont loin d'être hermétiquement bouclées. En particulier la rue d'Isly où le barrage militaire n'est constitué que de chevaux de frise trop courts, gardés par quelques soldats du 4e régiment de tirailleurs, en majorité musulmans. Il y a de la folie, dans l'état d'exaspération et de peur où se trouve la population européenne, à avoir mêlé des tirailleurs arabes ou kabyles, visiblement étrangers à la vie citadine, à des opérations de police. Déjà, je les vois affolés et peu – sinon mal – encadrés. Ils seront les premiers à se trouver en contact avec le gros des manifestants. Un autre barrage militaire, européen celui-ci, entre les facultés et le plateau des Glières, a été emporté à coups d'amicales bourrades dans le dos et de baisers féminins. Sur le boulevard Laferrière, entre le monument aux morts et la grande poste, la foule grossit. Par milliers, les Européens, répondant à l'appel de l'OAS, se massent sur le plateau qui semble leur avoir été abandonné. « Al-gé-rie fran-çaise !... L'armée avec nous !... » – les slogans relaient les *Marseillaise* qui fusent aux quatre coins des Glières. On s'égosille. On entonne *Les Africains*. Le cortège préconisé par le tract diffusé le matin même se forme. En tête, de très jeunes gens, presque des gosses, en blue-jean et chemise rose ou bleu ciel – l'uniforme de la jeunesse d'Alger, le printemps venu –, brandissent des drapeaux tricolores. C'est une marée colorée qui ondule. Hommes, femmes, enfants les suivent. On est venu en famille. Il y a même des vieillards qui marchent à petits pas précautionneux. Le succès de la manifestation dépasse tout ce que l'OAS pouvait escompter. Tout Alger est descendu dans la rue pour « voler au secours de ceux de Bab el-Oued ». C'est vers le quartier populaire que se dirige le cortège, affrontant le frêle barrage de la rue d'Isly qui constitue une sorte d'entonnoir dans lequel les manifestants s'engouffrent après un temps d'hésitation. Les tirailleurs algériens commandés par un petit lieutenant blond et rose, en képi, jumelles en sautoir, pistolet au côté, sont tendus. Quelques instants auparavant, une vingtaine de jeunes gens et de jeunes filles brandissant le drapeau noir et blanc de l'OAS les ont insultés : « On se retrouvera, espèces de fellaghas ! »

Je constate que la plupart des tirailleurs ne parlent pas français, mais ils ont reconnu le terme « fellaghas ». La tension monte. Les armes sont braquées sur la foule. Un porte-drapeau civil entraîne les premiers rangs de la manifestation. Quelques centaines de personnes lui emboîtent le pas et bousculent les tirailleurs, de plus en plus désemparés. Non seulement le barrage est rompu, mais les soldats sont pris à revers, car rien n'a été prévu dans l'avenue Pasteur. Englués dans la foule, ils ne savent plus que faire. Je m'apprête à remonter l'avenue Pasteur pour regagner mon hôtel et commencer mon reportage. Il est 14 h 45. Soudain, une rafale de FM claque sur la gauche du barrage, et c'est la boucherie. Les tirailleurs semblent être pris pour cibles et tirent sur le cortège. Tout va à la vitesse de l'éclair, et l'enfer s'abat sur le centre d'Alger. Les balles sifflent de tous côtés. Je me jette à terre et, en rampant, me réfugie entre un arbre et le caniveau. Une peur atroce me noue l'estomac. Je ne fais qu'un avec la chaussée et la bordure empierrée du trottoir. C'est pourtant loin d'être mon baptême du feu. Je suis déjà tombé en embuscade à Orléansville, peu après mon arrivée de bidasse en zone opérationnelle, puis, plus tard, dans la forêt kabyle de l'Akfadou, pendant l'opération « Jumelles ». Mais, en campagne, le bruit semble être assourdi par la nature. Tandis qu'ici… Les mitrailleuses de 12,7 crépitent.

On tire, me semble-t-il, du tunnel des Facultés, et ce sont les gendarmes. De la grande poste, et ce sont les militaires. Des toits, des fenêtres, des balcons, et c'est l'OAS, ou simplement les Européens, comme à Bab el-Oued quelques jours plus tôt. Coups de pistolet secs et presque ridicules, semblables aux pétards des enfants, un 14 Juillet. Aboiements rageurs des MAT. Grondements terrifiants des mitrailleuses lourdes, répercutés et amplifiés par les murs de la ville. Des hommes s'effondrent en tournoyant. Au carrefour Pasteur-Isly, à quelques mètres de moi, je vois le premier mort : une balle de mitrailleuse l'a atteint en pleine tête. En un instant, les rues tout à l'heure grouillantes d'une foule surexcitée se sont vidées. Une femme passe près de moi en hurlant. Je suppose qu'elle hurle, car elle a la bouche grande ouverte, mais on ne l'entend pas, au milieu du fracas des armes. C'est la lutte pour une encoignure de porte, un renfoncement de vitrine, une place derrière un tronc d'arbre. Des manifestants, hommes et femmes mêlés, se sont jetés par paquets dans l'entrée d'une boutique dont les vitres volent en éclats. Dans un magasin de mode, à l'intersection de deux voies, c'est le carnage : ceux qui s'y étaient réfugiés sont dans la ligne de feu de la 12,7 des gendarmes mobiles ; ils sont hachés par les rafales.

Soudain c'est l'accalmie. On est abasourdi. L'air sent la poudre, le sang. C'est âcre. C'est fade, aussi. C'est le silence, mais l'on croit encore entendre l'écho des rafales. Des corps gisent sur la chaussée. Des hommes courent d'un refuge à l'autre. On tente de secourir des blessés qui geignent. Reprenant mon sang-froid, je profite de l'accalmie pour gagner mon poste de reporter, sur le balcon de l'hôtel où m'attend Alexis Agrikolianski qui m'a préparé un micro. Il est aussi pâle que je dois l'être. La ligne fonctionne et le studio a enregistré à Paris les échos de la tuerie. Je suis à peine en place que la fusillade reprend. Moins violente, mais meurtrière encore. Mon observatoire surplombe l'avenue Pasteur et me sert d'abri. J'ai le sentiment, tout en décrivant le drame d'une voix haletante, de me fondre avec la pierre. Passant la tête avec précaution, j'aperçois un homme et une femme qui s'abattent lourdement sur la chaussée. Le feu semble venir des forces de l'ordre qui tirent l'arme à la hanche, mais aussi des toits, des balcons. Le fracas des 12,7 qui arrosent les façades reprend. Terrifiant ! Puis c'est à nouveau l'accalmie. La fusillade n'a duré que douze minutes. J'ai cru passer des heures à plat ventre, faisant corps avec le sol. Les premières ambulances arrivent, suivies de voitures de pompiers, dans un grand bruit de sirènes et de klaxons.

Je me relève. La vision est apocalyptique : des corps baignent dans des flaques de sang. La chaussée, les trottoirs sont jonchés de verre brisé, de débris de toutes sortes abandonnés par une foule paniquée : chaussures, chapeaux, foulards, lambeaux de vêtements. Des infirmiers en blouse blanche chargent des blessés sur les brancards. Appuyé contre un arbre de l'avenue Pasteur, un homme dépoitraillé se tient le ventre ; du sang macule son pantalon. Un autre brancard passe, le blessé est blême, une tache rouge s'élargit sur sa poitrine. Sur le trottoir, de larges flaques noirâtres coagulent déjà au soleil. Car il fait de plus en plus beau, de plus en plus chaud, ce 26 mars 1962 à Alger. Des coups de feu isolés parviennent encore des étages supérieurs, des toits des immeubles délimitant le lieu du drame. Les forces de l'ordre – gendarmes, CRS, militaires – sortent de leurs abris, rasent les murs, l'arme pointée vers les toits. Des Algérois commencent à sortir. Hébétés, ils contemplent l'affreux spectacle. De très jeunes gens, filles et garçons, au comble de l'énervement, trempent un drapeau tricolore dans une flaque de sang. Des injures fusent à l'adresse des militaires du contingent qui, en file indienne, constituent des patrouilles destinées à rétablir on ne sait quel ordre. Les visages des civils sont déformés par la haine et le désespoir. Des camions militaires qui transportent des morts et des blessés traversent à toute allure le plateau des Glières où des automitrailleuses et des blindés prennent place aux angles des grandes artères. Il est bien temps ! Que n'a-t-on pris ces mesures de protection avant la manifestation !

Au soir de cette journée tragique, une fois les papiers envoyés pour l'édition du soir, je prendrai pour la première fois de ma vie une bouteille de whisky que je terminerai avec Alexis sans même me soucier de manger, encore moins de parler avec des confrères. Seulement attentif à me soûler méthodiquement pour tenter d'oublier ces scènes atroces qui défileront longtemps devant mes paupières. En vain. Exactement quarante ans plus tard, lors d'une émission que me consacrait Claude Villers, sur France Inter, entendant au calme de mon appartement le récit et les échos de ces heures douloureuses, j'éclaterai brusquement en sanglots, à mon grand étonnement, tant je croyais avoir occulté cette poignée de minutes qui m'avaient marqué pour la vie.

Je ne tiendrai pas un mois de plus dans cette cité que j'ai tant aimée et pour laquelle je n'éprouve plus que répulsion et dégoût.

Pour l'heure, la population européenne représente une masse en équilibre instable qui ne sait trop que faire. Le 8 avril, le référendum voulu par de Gaulle est là. Alors que la situation empire d'heure en heure et interdit de consulter les Français d'Algérie, les accords d'Évian sont approuvés par 90,70 pour cent des suffrages exprimés de l'autre côté de la Méditerranée. Jusque-là, l'OAS avait interdit les départs, pensant toujours « mouiller » la population et « faire basculer » l'armée. Elle y renonce et pratique chaque jour un peu plus la politique de la terre brûlée. Il n'y a plus d'autre alternative que l'entente avec le FLN ou l'exode, situation que l'on traduit ici par « la valise ou le cercueil ».

Je quitte Alger au milieu des explosions et des crimes perpétrés par dizaines. J'éprouve un vif soulagement à obéir à mes patrons : suivant la politique de la plupart de leurs confrères, ils ont décidé de me rapatrier d'urgence. Je

« couvre » depuis trop longtemps la guerre d'Algérie. Il va falloir un autre regard, des hommes neufs, moins visés par les extrémistes des deux camps, pour décrire les heures qui vont conduire à l'Indépendance. J'en ai trop vu, trop subi, depuis quatre ans, pour souhaiter rester plus longtemps. Pour moi, la guerre d'Algérie est terminée. Depuis les tirs de mitrailleuses de la rue d'Isly, je m'estime en sursis. Je jure de ne jamais revenir à Alger.

Les circonstances de la vie en décideront autrement...

11

Cent millions de sous-hommes

Depuis mes débuts professionnels, j'avais couvert nombre d'événements dans nombre de pays. Seuls les visas pour ceux d'Océanie et d'Amérique du Sud manquaient aux pages déjà bien remplies de mes passeports. C'est au cœur des années 60 qu'il me fut donc donné de parcourir l'Amérique latine à l'occasion d'un reportage qui, pour la première fois depuis huit ans, n'avait rien à voir ni avec une guerre, ni avec une révolution, ni même avec l'actualité brûlante. Jusque-là, celle-ci avait été mon lot, sans que j'eusse à m'en plaindre le moins du monde ; elle m'avait donné la chance d'entrer dans le monde très fermé du grand reportage. Mon seul regret tenait au fait qu'envoyé spécial sur des événements d'importance je n'avais guère eu le temps matériel de traiter les sujets « en profondeur ». Un grand reportage, sauf exception rarissime, c'est six fois six à dix feuillets, soit au maximum soixante feuillets dactylographiés. Combien de fois aurais-je souhaité m'étendre plus longuement ! Mais, quel que soit le journal, et aussi indulgent qu'en soit le patron, la règle était partout la même : ne jamais perdre de temps et regagner le bercail sitôt que l'événement s'essouflait et ne faisait plus la une de l'actualité. Je n'avais jamais connu de directeur mécène qui m'eût dit : « Mais oui, mon vieux, restez encore une petite quinzaine pour visiter le pays fabuleux où je vous ai envoyé ! » Or voilà qu'à la suite d'une campagne menée par le Comité catholique contre la faim dans le monde, je fus chargé d'illustrer en sept reportages la terrible situation dans laquelle se débattait cette Amérique du Sud où, disait-on, cent millions de sous-hommes survivaient péniblement à une misère que l'on avait peine à imaginer. Misère, certes, mais limitée – croyais-je – aux périphéries des villes qui m'attendaient et dont les consonances seules me faisaient rêver depuis toujours : Caracas, Bogota, Lima, Santiago, Buenos Aires, Rio de Janeiro et même Recife, capitale du trop fameux « Nordeste » brésilien dont l'évêque, Dom Helder Camara, petit homme à l'éloquence passionnée, avait déclenché un mouvement de solidarité internationale.

De toutes ces étapes que je devais organiser à ma guise et durant tout le temps que je jugerais utile, une ville et un homme émergent encore dans ma mémoire, tant d'années après. La ville : Lima, parce qu'elle est à mes yeux une des plus belles d'Amérique du Sud, la plus riche en souvenirs quasi intacts de l'époque coloniale espagnole, la plus vivante et la plus diverse aussi. L'homme : Jean-Marie Protain, missionnaire rédemptoriste, volontaire pour apporter son aide aux plus misérables de ces *indios* dont j'appris bientôt l'origine pourtant glorieuse. Tous étaient de lointains descendants des Aztèques dont la civilisation avait connu son apogée au XVe siècle et dont l'empereur, appelé l'*Inca*, était révéré comme un dieu et avait conservé, au fil des générations, la pureté de sa race en prenant obligatoirement pour épouse officielle sa propre sœur. Cinq siècles plus tard, le Soleil – *el Sol* – qu'il incarnait restait l'unité monétaire de la nation péruvienne. On le retrouvait partout, notamment sur les armes du pays. Il restait le symbole des tout-puissants Incas qui avaient jadis régné en maîtres absolus sur des terres immenses allant du nord de l'Équateur jusqu'à Valparaiso, au centre de la côte chilienne, des plaines de l'Amazonie à l'océan Pacifique, englobant une partie de la cordillère des Andes, imposant à tous leur civilisation et leur organisation remarquable, ancêtre d'un socialisme étatique bien géré. L'*Inca* était, de droit, propriétaire de toutes les terres, dont un tiers lui appartenait en propre et servait à l'entretien de la cour, des fonctionnaires nobles et de l'armée, un autre tiers étant dévolu aux prêtres, et le troisième distribué annuellement aux familles des travailleurs. Un aventurier espagnol, Francisco Pizarro, à la tête de seulement 183 hommes, était venu réduire à néant cette belle organisation et avait fait mettre à mort Atahualpa, le souverain indien, non sans que celui-ci eût remis en guise de rançon une quantité fabuleuse d'or et de pierreries – assez, dit-on, pour remplir du sol au plafond la prison de l'*Inca*. À partir de ce fatal 29 août 1533, jamais plus le soleil ne devait briller dans le cœur de l'Indien des hauts plateaux andins. Depuis quatre siècles, il était l'inférieur, et l'Espagnol et ses descendants étaient devenus les maîtres absolus du pays.

– Le Pérou où vous arrivez, me dit Jean-Marie Protain, c'est deux millions d'hommes civilisés vivant au XXe siècle, et dix millions d'*indios* sous-développés qui en sont, eux, toujours au XVIe siècle, mais ayant tout perdu de leur organisation, de leurs repères de l'époque, et vivant désormais en esclaves, dans le dénuement total.

Jean-Marie Protain avait vingt-six ans lorsqu'il était arrivé avec son frère au Pérou, en 1939, peu après avoir été ordonné prêtre et avoir ressenti la vocation impérieuse de propager la foi en aidant les plus démunis. Tous deux se voyaient en Afrique ou en Asie lorsque leur ordre – les Rédemptoristes, consacrés à l'évangélisation des campagnes et aux missions étrangères – les avait envoyés au Pérou où les prêtres locaux ne manquaient pourtant pas, mais sans visiblement partager l'idéal et le dévouement des frères Protain.

– On nous a dit d'installer des missions dans les environs de Lima, qui nous parut une ville magnifique. On pouvait vivre dans le centre sans s'apercevoir de la situation qui régnait dans les *barriadas* – on appelle ainsi les bidonvilles –, et personne ne soupçonnait l'ampleur du problème. Ou plutôt personne ne voulait nous en parler officiellement. Nos confrères n'évoquaient même pas les trop nombreux cas d'extrême dénuement et de délabrement des mœurs. Dans les *barriadas*, il n'y avait ni présence religieuse, encore moins d'église, pas même un local pour dire un office. Ces misérables issus de régions différentes formaient un conglomérat de déracinés. En Amérique du Sud, la soutane joue un grand rôle ; là, on ne la saluait même pas. Dans les *barriadas*, personne ne jetait un regard à son voisin. Chacun était trop occupé à survivre. On ne faisait pas plus cas de nous que d'un de ces chiens errant parmi les ordures accumulées que nul ne se souciait d'évacuer. On a travaillé trois semaines au premier endroit que l'on nous avait indiqué. Devant une telle indifférence, on a changé de *barriada*. On a acheté une voiture pour travailler et entrer en contact avec diverses populations. Nous avons ainsi fait le tour de Lima : de tous côtés, la situation était la même. Des enfants mouraient tous les jours. Alors mon frère et moi nous avons couru les salles de rédaction des journaux, les studios de radio. On s'est intéressé – mais sans excès – à ces deux Français qui criaient si fort leur indignation. On a obtenu un peu d'aide. Le ministère de la Santé publique nous a donné quelques centaines de kilos de lait en poudre, un peu de cachets vitaminés pour ces milliers de gosses dénutris. Mais c'était une goutte d'eau dans un océan de misère. Nous en avons appelé à l'évêque. Pour nous aider, on avait besoin de prêtres à la mission de Lima. Personne n'a seulement répondu ! Notre mission dans les *barriadas* devenait une mission séculière, et non plus sacerdotale. Donc, elle n'entrait plus dans les normes. Qu'importe ! Il s'agissait de parer au plus pressé. Mais on ne nous a pas laissé faire. Au lieu d'aller en mission, on nous a chargés de créer un séminaire. Puis un autre. Le premier est devenu un asile de fous ! Pour remplir le second, on a voulu ignorer qu'il n'y avait pas assez de vocations missionnaires. On nous a accordé de souscrire des emprunts pour mener à bien sa construction. Seul notre supérieur était au courant de sa gestion. Malheureusement, il est mort et nous n'avons rien pu prouver à une hiérarchie que nous dérangions, qui n'a pas voulu croire en notre bonne foi. Nous avons été chassés. Puis, à Rome, après enquête, nous avons été réhabilités. À la suite de cette expérience, nous n'étions pas chauds pour réintégrer une communauté religieuse. Être enfermé dans un couvent et se lever, prier, manger à heures fixes, tous ensemble, était trop loin de nos préoccupations profondes. Alors on nous a demandé officiellement de nous occuper des *barriadas*. S'il existait des plans du centre de Lima et des cartes de la sierra, il n'y en avait aucune des bidonvilles qui proliféraient. On nous a chargés de procéder, dans la mesure du possible, à un travail de recensement. Mais ces populations sont très fluctuantes. Les Indiens bougent beaucoup. Nos « paroissiens » affluaient à tour de rôle, au gré des événements, des trois régions qui constituent le Pérou : la *costa*, le long de l'océan Pacifique, dont la population est celle que vous pouvez voir en vous promenant dans les rues de Lima ; la *sierra*, la montagne : ici, on est à moins de 200 kilomètres des sommets des Andes ; et la *selva*, la grande forêt amazonienne, au nord du pays. Ce sont les plus pauvres des pauvres de ces trois régions qui peuplent nos *barriadas*, attirés par les lumières de la ville et l'espoir de gagner quelques *soles* pour nourrir leurs familles. Tant que vous n'aurez pas parcouru ces trois pays, même sommairement, vous ne pourrez comprendre qui sont ces Indiens avec lesquels je vis. Et pourquoi ils sont là.

Il y avait des trésors de bonté dans l'iris d'un bleu délavé de Jean-Marie. Il m'expliqua que s'il me recevait dans cette petite maison proprette appartenant à sa communauté, c'est parce qu'il y passait une fois par semaine relever son courrier et prendre un repas convenable. Dans la *barriada* où il n'y avait ni rue ni numéros, il habitait une baraque de parpaings sans adresse et disposait d'à peine assez d'eau pour laver sa soutane constellée de taches.

– Quand vous verrez où je vis, vous comprendrez, me dit-il en me recommandant son ami Nicola, jeune prêtre itinérant qui serait l'indispensable guide pour une découverte de la *sierra* andine qu'il me conseilla d'aborder par un train à nul autre pareil.

Le *Ferrocarril del Centro* reliant Lima à Huancayo, ville carrefour de la *Sierra centrale*, était un des trésors des chemins de fer sud-américains. Il empruntait la voie ferrée la plus haute du monde. C'était la meilleure façon de pénétrer la *sierra*, me signala Nicola que ses occupations appelaient à Huancayo, important centre commercial sur l'historique route de l'*Inca*. Le *ferrocarril*, s'il ne payait pas de mine, n'était pas n'importe quel train : trois wagons étroits peints en vert et jaune où s'entassaient des Indiens venus de la montagne à la capitale avec armes, bagages et provisions, et qui regagnaient le royaume des Wancas, leurs ancêtres directs, rétifs à se soumettre à l'empire inca. Au moment de la conquête, les guerriers wancas avaient soutenu les Espagnols pour abattre l'Empire, en échange de quoi les conquistadores n'avaient pas envahi la cité, ce qui y expliquait l'absence de maisons et d'immeubles coloniaux. À Huancayo, rien – surtout pas la *feria* du dimanche, marché local d'une grande importance – n'avait changé depuis quatre cents ans.

Cette plongée dans l'histoire la plus ancienne de l'Amérique du Sud se méritait : le voyage tenait de l'expédition et exigeait du voyageur un cœur à toute épreuve. La voie unique passait par Galera, distante seulement de 173 kilomètres de Lima, mais à 4 781 mètres d'altitude ! Il avait fallu toute l'opiniâtreté d'Henri Meiggs, ingénieur anglais, pour parvenir à vaincre les Andes, à la fin du

XIXe siècle. Un travail dantesque : les 346 kilomètres de la voie ne comptaient pas moins de 61 ponts de quelque 2 000 mètres de long, surplombant des précipices vertigineux, à quoi s'ajoutaient 66 tunnels. Parmi les ouvriers indiens et chinois qui avaient travaillé en quasi-esclaves, dans des conditions effroyables, à des altitudes interdisant à ceux qui n'y sont pas habitués le moindre effort physique, ce fut l'hécatombe : des morts par centaines ; d'autant plus qu'aux difficultés posées par le terrain s'était ajoutée une mystérieuse maladie que l'on appela la *verruga*, qui eut raison des hommes les plus solides. Le médecin péruvien Alberto Carrion, qui avait isolé le virus et voulait en étudier le mode de transmission, se l'injecta et en mourut.

Nicola avait retenu nos places dans l'unique wagon de première classe, au confort à peine supérieur à ceux des seconde, et m'avait recommandé d'arriver bien avant l'heure fixée pour le départ. Il fallait au bas mot neuf heures pour franchir les 346 kilomètres séparant Lima de Huancayo, et, malgré les réservations, les banquettes s'arrachaient de haute lutte !

7 h 40 : départ dans un aigrelet son de cloche. Cavalcade des retardataires qui ne sont pas les moins chargés de gosses, de paquets, de couffins, de paniers où caquètent des volatiles. On s'entasse en attendant que le contrôleur fasse le tri et remette chacun à sa place. Passé les limites de la capitale, le paysage est uniformément gris. Comme presque tout le temps à Lima, le ciel est bas, couvert d'épais nuages qui ne crèvent jamais. Le sol est à l'image du ciel : une terre grise, poussiéreuse, infertile, recouvre tout et, au moindre coup de vent, pénètre dans le wagon aux glaces abaissées. Il faut presque une heure pour atteindre Chosica, à 42 kilomètres de Lima. La « gare », comme toutes les autres qui m'attendent sur la ligne, est une simple cabane de planches. Sur le « quai », c'est-à-dire sur le bas-côté de la voie, une nuée de gamins dépenaillés, morveux, hurlants, tente de vendre du maïs grillé, des bananes naines pour 2 *soles* les

trois (à peine vingt centimes de francs français, soit encore 4 centimes d'euro), et n'importe quoi qui puisse tenter le voyageur. Les *indios* qui regagnent leur village de montagne s'en débarrassent d'un coup de pied négligent. Dès le départ du train, les gosses vont regagner les bidonvilles pouilleux devant lesquels nous passons : quatre piquets, des tôles rouillées, des monceaux d'ordures. Des hommes, des femmes demi-nus s'y lavent dans une cuvette, sans souci de se dissimuler aux yeux des passagers.

À San Bartolomé, au kilomètre 76, on est déjà à plus de 1 500 mètres d'altitude et l'on change la locomotive de sens : jusque-là elle tirait, maintenant elle va pousser dans des nuages de gas-oil puants. On attaque la *sierra* : en 100 kilomètres, de Chosica à Galera, la locomotive va ainsi gravir 4 000 mètres de dénivellation ! Sur une grande partie de la ligne, le train grimpe en zigzag. À Matucana – kilomètre 103 ; altitude : 2 390 mètres –, le machiniste descend et manœuvre à la main l'aiguillage qui va permettre de passer du zig au zag et d'entamer une nouvelle ascension. Il y en aura huit avant d'atteindre le point culminant de la ligne. Matucana est un gros bourg indien dissimulé au creux de la haute vallée. Des camions bariolés à la tôle froissée et des cars qui desservent le « chemin de l'*Inca* », peints comme des chasses et dans un état de saleté inimaginable, y font halte pour reposer leur mécanique agonisante. Auprès d'eux, notre train inconfortable représente le summum du confort et de la sécurité. Dans les Andes, précise Nicola, le nombre des accidents de la route – mortels, bien entendu : on ne comptabilise pas les autres – est colossal. Ce qui n'empêche nullement les *indios* de s'y entasser pour économiser quelques *soles* sur le prix du trajet.

Leur rapport avec la mort est bien différent du nôtre. Tout au long de cette voie ferrée d'un autre monde, je vais rencontrer des dizaines de croix de bois fraîchement fleuries, flanquées de petits paquets soigneusement ficelés dans ce qui ressemble à une feuille de bananier. Lors de la construction d'une route, d'un pont, d'un tunnel, m'explique mon guide, il y a toujours un ou plusieurs morts parmi les ouvriers. Nombre d'ingénieurs péruviens de la *sierra* prétendent que les ouvriers indiens sacrifient en secret l'un des leurs pour que l'ouvrage soit protégé du mauvais sort. On marque le lieu d'une croix noire, fleurie d'un bout de l'année à l'autre, on dresse un petit autel et on y dépose régulièrement le *gastos*. C'est un en-cas composé de *trago*, alcool particulièrement violent, et de feuilles de coca. Le mineur ou le paysan de la *sierra* mâche la coca, boit le *trago*, et surmonte ainsi sa misère. Les contremaîtres des mines ou les patrons des *haciendas* ont de tout temps employé ce moyen pour faire oublier aux travailleurs les salaires de famine qu'ils leur accordent.

Chinchán : 4 360 mètres. Je suce des quartiers de *limón*, ces petits citrons verts, parfumés et acides, que m'a donnés Nicola. Autour de nous, les Indiens les plus modestes en font autant. Les plus aisés prennent des pilules contre le *soroche*, le mal de l'altitude, que l'on appelle *puna*, dans le langage quechua pratiqué couramment par mon guide. À cette hauteur de la *sierra*, on ne parle presque plus espagnol. Pour comprendre ce que *puna* veut dire, la mimique est suffisante. Près de nous, un Indien cuivré est devenu café au lait : sa façon d'être blême ! Il revient au pays après une trop longue absence. Il s'affaisse, en proie au *soroche*, tout comme des Indiens de la ville, recroquevillés dans de très longs ponchos rouge vif, signe de leur aisance. Un « infirmier » vient à leur secours. Sa blouse maculée a été blanche dans un lointain passé. Il tient à la main une baudruche d'oxygène dont il enfourne l'embout nickelé dans la bouche des malades. Il le passe de l'un à l'autre, sans le désinfecter. Une giclée d'oxygène, une pilule, et on reprend des couleurs ! L'infirmier, me dit Nicola, est le personnage le plus populaire du train de Huancayo. Il y passe sa vie, distribuant indifféremment oxygène, bières et sandwichs. C'est à Chinchán que nous croisons l'autre convoi, parti à l'aube du terminus d'altitude. Sur quelques centaines de mètres, la voie est double pour permettre le seul et unique croisement. Si un convoi est en avance, il doit attendre l'autre.

Galera, enfin : 4 781 mètres, indique une pancarte. Nul chemin de fer au monde n'est allé plus haut. Cette fois, je ressens les effets du mal de la montagne. Par bonheur, j'ai encore le cœur solide, mais tout effort m'oppresse. Bouger épuise. Le pourboire que j'ai laissé après avoir payé les sandwichs a sans doute satisfait l'« infirmier ». Plein d'attentions, il tire les rideaux intérieurs de grosse toile grise pour protéger nos places, car, lors de la descente vers Huancayo, 1 500 mètres plus bas, les risques d'éboulis sont grands ; il faut se protéger des éventuels éclats de glace brisée, ainsi que des vomissures des voisins qui se soulagent par la fenêtre. Je devrai m'y faire : la réaction est habituelle dans les Andes où, malgré l'air pur, il faut avoir le cœur bien accroché, l'odorat peu sensible, et une vive propension à ne pas s'apitoyer sur le sort des habitants. Dès notre arrivée à l'hôtel de Huancayo, Nicola s'emploie à me familiariser avec la vie de cette foule indienne qui, le jour de la *feria*, augmente de moitié la population de la petite ville.

Le long calvaire du paysan de la *sierra* expliquait mieux que toute étude sociologique fouillée l'exode qui venait grossir chaque année les *barriadas* de Lima. Dans la *sierra*, les grandes *haciendas* avaient besoin d'une multitude d'ouvriers agricoles payés 1 ou 2 *soles* par jour de travail. Mais parfois 10, soit 1 franc français pour ceux qui savaient s'incliner assez bas devant le *gamonal*, l'employeur abusif, maître absolu de l'*hacienda* dont le propriétaire – en général un industriel ou un rentier issu de grandes familles – ne quittait jamais sa luxueuse villa de San Isidro, le quartier chic de Lima. À de rares exceptions près, non contents d'employer l'indien pour quelques *soles* par jour, le *gamonal*-contremaître le pressurait à un point inimaginable. Le malheureux *peoń* pouvait être taxé du prix d'une vache pour sa participation forcée à une fête décidée par le maître.

Somme qu'il lui faudrait rembourser dans l'année pour s'assurer le simple droit de travailler le petit terrain que le propriétaire, dans sa grande mansuétude, lui permettait de cultiver pour son propre compte. Si Jean-Marie et Nicola ne m'avaient pas garanti l'exactitude de leurs informations, je n'aurais jamais pu imaginer pareille exploitation en plein XXe siècle !

La plupart des *peones* travaillant sur une *hacienda* venaient de la *sierra* profonde, recrutés par les *enganchadores*, véritables sergents recruteurs qui faisaient miroiter aux *indios* les plus pauvres les avantages qu'ils auraient à participer à telle ou telle récolte. Ils acceptaient pour seulement manger. Alors commençait un pressurage que les malheureux nouveaux arrivants étaient loin d'imaginer. D'abord, sur le misérable salaire octroyé au *campesino*, le *gamonal* retenait un loyer pour la cabane qui lui tenait lieu de logement : une pièce unique au sol de terre battue, sans autre ouverture que celle de la porte pour évacuer la fumée et retenir la chaleur. Puis venait le paiement de la nourriture fournie en avance sur le premier salaire. En outre, le patron pratiquait le système de l'*estanco* : on appelait ainsi le petit magasin installé dans l'*hacienda*, où les *indios* pouvaient acheter de l'alcool, de la coca, des vêtements. Comme le *campesino* n'avait pas d'argent, on lui faisait crédit et il « signait » son ardoise.

– Pour ces malheureux illettrés et qui ne réfléchissent pas, expliquait Nicola, c'est le bonheur immédiat. Mais, à l'heure de la paie, une fois l'an, le jour de l'Assomption, l'ouvrier agricole se voit retenir une grande partie de son salaire, puisque les *estancos* appartiennent tous au patron de l'*hacienda* où le pauvre bougre et sa famille travaillent. Sur ces étendues immenses, la ville ou le bourg le plus proche sont bien trop éloignés pour qu'ils se fournissent autre part. À l'heure des comptes, il ne reste rien aux *indios*. Encore heureux si une partie de leur dette ne court pas sur l'année suivante !

Les couples les plus courageux ou les moins chargés d'enfants entraient dans le système du *yanaconaje* selon lequel le *gamonal* – encore plus haï que le patron en titre – confiait un demi ou un hectare au *campesino* qui devenait ainsi un *yanacona*, chargé de travailler cette terre de douleur et d'abandonner au propriétaire la moitié de sa récolte, sans la liberté de choisir sa culture. À Huando, immense *hacienda* de la cordillère occidentale, où Nicola avait travaillé comme prêtre itinérant, le *yanacona* n'avait le droit de cultiver que les oranges sans pépins, jugées les plus rentables. En outre, le paysan, sa femme et ses enfants en âge de travailler devaient un certain nombre de jours de services gratuits à la maison du patron : entre cinq et six semaines par an ! À l'*haciendado* pour lequel il travaillait à l'année, celui qui avait quelques économies et voulait les faire fructifier pouvait louer un hectare pour 300 *soles*, sans obligation de rétrocéder la moitié du blé engrangé. Une somme qu'il fallait néanmoins renouveler si le terrain était assez fertile, la location se faisant non à l'année, mais à la récolte, quel qu'en fût l'objet ! Les ouvriers agricoles étaient ainsi attachés à vie au patron ; le système auquel ils étaient soumis s'assimilait à l'esclavage. Dans la région de Huancayo où la terre était bonne, le rendement était de cinq sacs de blé à l'hectare :

– S'il reste trois sacs après les provisions faites pour l'hiver, ils servent à éduquer les enfants, à payer l'école, les cahiers, l'uniforme obligatoire dans les familles les plus conscientes de leurs responsabilités. Ils seraient bien étonnés s'ils savaient combien je les admire !

Nicola me décrivit alors ce qu'était l'école dans ce pays si beau mais soumis à tant d'injustice. Dans la *sierra*, toutes les classes étaient d'État, contrairement à Lima où la plupart des bonnes écoles étaient privées. Encore fallait-il s'entendre sur ce qu'était l'école publique. Celle d'un village de la *sierra* était réduite à sa plus simple expression : quatre murs, un toit. Pas de matériel, ni cartes ni bancs. Les élèves s'asseyaient sur des briques d'*adobe* (de boue séchée).

« L'école de la montagne, c'est n'importe quoi », m'avait confié Jean-Marie avant mon départ. Je n'imaginais pas à quel point. Le découpage administratif du Pérou était composé de 23 départements. Chacun d'eux était divisé en provinces, chaque province en districts, chaque district en *barrios*. Partout, en théorie, un ou plusieurs maîtres. Mais les instituteurs de districts et de *barrios* ne vivaient pas sur place durant toute la semaine. La moitié du temps, ils résidaient dans la capitale provinciale. Ils regagnaient leur poste en car, à cheval ou plus souvent à pied, car peu de routes menaient au chef-lieu de district. L'emploi du temps de ces fonctionnaires qui composaient l'essentiel de l'électorat du parti populiste, laissait stupéfait. Le lundi, le maître préparait son voyage, sa nourriture et son cheval. Le mardi, vers 4 ou 5 heures du matin, il quittait la capitale provinciale et, dans le meilleur des cas, commençait sa classe à midi. Restaient deux jours pleins de travail effectif, car l'instituteur regagnait son domicile familial dès la matinée du vendredi ! Le mardi, la première chose que faisaient les élèves était de balayer la salle de classe, de préparer la chambre du maître, d'y apporter du bois pour le chauffage et la cuisine, ainsi que la provision d'eau nécessaire. Sous-alimentés, les gamins avaient du mal à fixer leur attention. Leur déjeuner se composait en général de *cancha* (maïs grillé), de *mote* (maïs cuit à l'eau) ou de *camote* (patate douce), autant de nourritures qui comblent l'estomac et coupent la sensation de faim, sans présenter la moindre qualité nutritive.

– Les enfants servent de domestiques aux instituteurs de troisième catégorie, les seuls qui acceptent d'enseigner dans la *sierra*, précisa Nicola, intarissable sur le problème des enfants dont il déplorait le sort peu enviable. Ceux de première catégorie, diplômés de l'Université, et ceux de deuxième catégorie – d'ordinaire des professionnels, médecins ou prêtres, qui ont préparé l'Université mais n'ont pas terminé leurs études – refusent les postes dans la *sierra*.

Nous vivons ainsi dans un cercle vicieux : les fils de *peones*, censés s'élever dans la société en suivant les études primaires dont n'ont jamais bénéficié leurs parents, n'apprennent rien ou presque, sous la férule de pareils instituteurs qui n'ont aucun sens du rôle social qu'ils devraient jouer.

Le lait que certaines associations caritatives faisaient parvenir aux petits élèves sous-alimentés était trop souvent détourné par ces maîtres sans scrupules. Le gosse qui n'avait pas apporté le bois nécessaire non seulement pour faire bouillir le lait, mais pour faire la cuisine de l'instituteur, en était privé sans plus d'explications. De même, l'Indien trop pauvre pour faire les petits cadeaux habituels voyait son enfant privé de cours l'année suivante, et celui-ci rester deux ou trois ans dans la même classe. En réalité, dans le meilleur des cas, le petit élève d'une école perdue dans la *sierra* étudiait deux ou trois fois trois heures par semaine. À ce rythme, à la fin des études primaires, l'enfant ne savait ni lire ni écrire couramment. Raison supplémentaire de quitter la montagne pour aller dans une *barriada* de la ville où les études primaires avaient quelque chance de se dérouler dans de meilleures conditions, bien que le « bon » enseignement ne fût dispensé que dans des écoles payantes, inaccessibles aux *indios*. Nicola me rapporta par dizaines des cas de maltraitance qu'il recueillait lors de ses missions de prêtre itinérant :

– Les instituteurs de la *sierra* sont odieux avec les élèves. S'ils ne faisaient qu'être négligents, mais ils les châtient physiquement, les frappent avec une violence abominable. L'an dernier, dans mon secteur, un élève a été tué à coups de pied et de bâton. Mon frère, qui travaillait dans la *selva*, m'a rapporté plusieurs cas semblables. Les parents ne disent rien, car ils ont une peur séculaire de l'autorité établie. Le « professeur » et le curé sont des personnages intouchables, comme tous ceux qui, dans ce pays, détiennent une parcelle d'autorité. Alors les malheureux baissent la tête et n'osent protester. Les instituteurs sont aussi méchants et méprisants à l'égard des *indios* que les *haciendados*. Pour eux, un Indien ne vaut rien, ça ne compte pas. Quand je prêche à l'église, le dimanche, je dis devant tout le monde, d'abord en quechua, puis en espagnol : « Je salue avec joie mes frères méprisés. » Les assistants se disent : ça n'est pas possible, ce que chante ce prêtre ! Le curé, d'habitude, est toujours du côté des bourgeois. Et moi, j'enfonce le clou et manifeste ma solidarité avec mes frères quechuas par des mots fraternels, des conversations amicales. Puis je salue de la même façon une autorité, représentant le préfet ou le sous-préfet, mais avec un brin de désinvolture. Ainsi les Indiens, d'abord surpris, commencent à être conscients de leur valeur d'hommes. Ce peut être, pour ceux-là, la fin d'une passivité séculaire, le terme d'une oppression. Du moins j'ose l'espérer !

Comment imaginer tant de malheurs dans ce paysage si magnifique découvert depuis le *ferrocarril* et confirmé par la moindre balade alentour ? Maisons indiennes peintes de couleurs vives comme pour faire oublier la crasse et l'ombre régnant à l'intérieur – il fait froid, dans les Andes – et décrites avec tant de précision par Nicola. Lac merveilleux, plaque d'acier poli sans une ride, ceint de pics neigeux. Troupeaux de lamas, d'alpagas qui avancent, hiératiques et tranquilles, dans ce décor de montagnes si semblable et si différent du Chablais de mon enfance…

Dès le dimanche matin, mon guide gomma ses récits terrifiants en me faisant les honneurs de la *feria* de Huancayo où se mêlaient population en fête et touristes aventureux. Le marché se tenait chaque semaine sur le chemin royal qu'empruntait l'*Inca* quelques siècles auparavant. Des centaines de maraîchers, de commerçants et d'artisans, sur plus d'un kilomètre et sur quatre rangées ! La ville de 90 000 habitants voyait ce jour-là sa population augmenter d'au moins 35 000 âmes. On se demandait d'où venaient ces paysans, tant les Andes, vues du train, la veille, paraissaient désertes. On était à des années-lumière de la foule autrement bruyante mais tout aussi colorée du centre de

Lima. Ici les hommes, tous les hommes, étaient vêtus du lourd poncho traditionnel. Leurs femmes étaient engoncées dans de multiples jupes de laine multicolores, le fichu croisé sur la poitrine et piqué du *tupu*, la fibule d'argent dont l'origine remonte à l'époque précolombienne. La plupart portaient le chapeau indien de feutre à la haute calotte blanche cernée d'un ruban noir. Dans cette multitude compacte, on reconnaissait celles qui venaient d'acheter une nouvelle coiffe : encore immaculée, celle-ci ne le resterait pas longtemps, tant les conditions de vie misérables ne lui permettraient pas de conserver sa blancheur initiale. Avec une fierté non dissimulée, Nicola me fit admirer, outre les fruits, légumes et épices communs à tous les marchés bien approvisionnés, les objets artisanaux, preuves du génie artistique des descendants des Aztèques et qui figuraient, nombreux, sur les étals avant de terminer leur carrière dans la vitrine des antiquaires de Lima : *huacos*, copies de vases indiens pillés dans les tombes anciennes, retables « San Marcos », petites boîtes rectangulaires décorées de fleurs hautes en couleur et renfermant des personnages un peu semblables à nos santons de Provence. La symbolique catholique s'y mêlait aux traditions incas avec le condor *huamani*, représentation de l'esprit des montagnes, entouré de personnages de la vie quotidienne comme les Indiennes à chapeaux blancs. Autres merveilles travaillées en plein air : les bracelets d'argent ou d'or, malléables et gravés à la main de serpents, de condors et de pumas, les trois animaux sacrés de l'Inca ; sans oublier les *mates*, témoins de l'antique tradition indienne. Le *mate*, m'expliqua-t-on, n'était autre que le fruit séché du calebassier, plante rampante aux feuilles larges et courtes qui poussait aussi bien dans les plaines chaudes de la *costa* que dans les vallées abritées des Andes. Son écorce, en séchant, se durcissait et, soigneusement évidée, se transformait en un récipient léger et imperméable. Depuis des temps immémoriaux, le *mate* servait à l'Indien de gobelet, de tasse, d'écuelle et même de casserole, tant il résistait au feu. L'artisan indigène y gravait au burin ou à l'eau-forte des scènes de la vie quotidienne qu'il teintait avec des couleurs naturelles ou par brûlage. Les plus anciennes calebasses connues remontaient à quatre mille cinq cents ans. Déjà à cette époque, elles étaient finement décorées. C'étaient ces *indios*, bergers, paysans, ouvriers agricoles, méprisés par tous, qui, le soir, après une épuisante journée de travail, gravaient ces *mates*, devenus objets de collection, à la lumière d'une mèche trempant dans de la graisse, comme faisaient leurs ancêtres quelques centaines d'années plus tôt.

Je n'étais pas au bout de mes surprises quand Nicola entreprit de me raconter les habitudes de ses confrères, prêtres péruviens à qui il rendait à peine leur salut dans les allées du marché.

– Ce n'est peut-être pas très charitable, mais j'ai le plus profond mépris pour ces hommes censés apporter leur aide à des compatriotes dont ils ne font qu'exploiter la crédulité et les habitudes, ancrées de père en fils depuis des générations.

Au milieu de la matinée, j'avais remarqué les regards apeurés que les plus jeunes enfants agglutinés autour de leur mère me lançaient, malgré la présence protectrice de l'ami de Jean-Marie.

– Ils me prennent sûrement pour un Américain, dis-je à Nicola. Et, dans ce marché perdu, comme dans toute l'Amérique du Sud, on n'apprécie guère les *gringos* !

– Détrompez-vous : rien à voir avec les *gringos*. Si les gosses vous regardent de travers, c'est que, pour eux, vous êtes un *pistaco* !

Dans la *sierra*, le *pistaco* n'était autre qu'un être malfaisant, en général européen, qui venait tuer l'Indien pour s'emparer de sa graisse – et il n'en avait guère ! – dont l'homme blanc se servait pour faire tourner les machines d'enfer de la civilisation. La légende était si vivace que les mères disaient encore aux petits enfants : « Attention, si tu n'es pas sage, le *pistaco* va t'emmener ! »

– Dans la *sierra*, ajouta Nicola, légende et réalité se confondent parfois tragiquement. Il n'y a pas que les enfants pour croire au *pistaco*. Deux ethnologues de ma connaissance qui travaillaient dans une haute vallée ont été tués, il n'y a pas si longtemps, par des paysans effrayés. Un troisième n'a dû son salut qu'à un Indien qui l'a averti : « Les autres arrivent avec des fourches, ils disent que tu es un *pistaco* »...

Si Nicola n'avait pas été un pur *indio* bénéficiant du capital de confiance que lui accordait Jean-Marie, je n'aurais pas cru un mot de cette histoire qui relevait du chapitre « contes et légendes ». La crédulité de ces malheureux *indios* était incommensurable et permettait à la plupart des prêtres de la *sierra* d'en profiter honteusement. Ils s'installaient plus volontiers dans les villages qui avaient la réputation d'être d'un catholicisme exacerbé, même si leur population était apparemment parmi les plus misérables.

– Ces curés péruviens vont là où « ça rapporte », me dit Nicola avec un sourire entendu. Ils savent en tirer quelque chose de bien mieux que les percepteurs de la ville.

L'exemple le plus répandu était celui des messes. Le tarif des prêtres péruviens était en général de 500 *soles* pour un office célébré à la mémoire d'un proche, alors qu'à Lima, dans sa *barriada*, Jean-Marie en demandait seulement le dixième. Mais il fallait tout le prestige du curé « venu d'Europe » pour faire accepter ce prix modique. « À 50 *soles*, interrogeait l'habitant du bidonville, es-tu sûr que la messe sera assez bonne pour le salut de mon âme ou celle de mon parent ? » Il en acceptait l'assurance, mais avec une certaine déception, si ce n'était du scepticisme. Dans les villages de montagne, près d'une *hacienda* où la messe à 500 *soles* représentait déjà un énorme sacrifice, le *padre* quechua persuadait ses malheureux fidèles de l'excellence d'un office spécial : « Si tu veux que je sorte du purgatoire l'âme de celui pour qui tu me demandes la messe, ce sera 1 500 *soles.* » Des familles entières se cotisaient et même s'endettaient pour obtenir, par son entremise, la grâce de Dieu. Quand il sentait que certains *indios* accédaient à une aisance toute relative et qu'ils avaient fini de payer leur tribut au *gamonal*, certitude de travail pour l'année suivante, le curé n'hésitait pas à réclamer lui aussi le prix d'un mouton ou d'une vache pour dire une messe « spéciale ». Au lieu de se révolter, l'ouvrier se réjouissait – « Voilà une sacrée bonne messe ! » – et en tirait une fierté sans pareille.

– Dans vos pays d'Europe, me fit remarquer Nicola, n'est-ce pas un peu la même chose, quand un ouvrier spécialisé vivant dans une HLM se saigne aux quatre veines pour payer les traites d'une voiture qui dépasse ses moyens ?

Je n'étais pas sûr de la pertinence de sa comparaison. Mais, après tout...

En me recommandant Nicola, Jean-Marie, qui l'aimait beaucoup et reconnaissait qu'il était un des rares prêtres péruviens à le seconder, avait malicieusement souligné que son ami, en partant deux mois dans des zones très pauvres de la *sierra*, en revenait la plupart du temps avec quelque 10 000 *soles* en poche, alors que lui-même, durant la même période, en avait péniblement gagné 2 000 : « Cette exploitation à nos yeux scandaleuse est pour lui tout à fait normale, puisque ses ouailles, tout heureuses de le retrouver à date fixe, considéreraient la gratuité de ses services comme une preuve d'inefficacité, voire de désintérêt. Les Indiens sont ainsi : cela fait partie de leur religiosité. »

Des coutumes, tel le parrainage, prenaient souvent des proportions sans commune mesure avec leurs faibles ressources. Le parrain de baptême devenait « compère » du père et de la mère de l'enfant, et, en cas de besoin, leur devait aide et assistance. Si l'enfant décédait après le baptême, le parrain se devait de payer les frais d'enterrement. Ainsi la tradition voulait-elle qu'il y eût non seulement un « compère » de naissance, de première communion, de confirmation ou de mariage, mais de maison, même misérable, ou bien d'habits de noces, car on bénissait aussi bien les unes que les autres ! Les Indiens finissaient aux alentours de la quarantaine – lorsqu'ils l'atteignaient, la durée moyenne de vie dans les zones d'extrême misère étant de trente-trois ans – par avoir un parrain ou une marraine dans toutes les régions du Pérou. Ces coutumes, devenues superstitions, étaient soigneusement entretenues par les prêtres qui touchaient une certaine somme à chacune de leurs bénédictions…

Lors de cet instructif séjour au cœur des Andes, dans les environs de Cuzco, Nicola m'apprit la fructueuse tradition du Christ de Contacata. Pour venir de la jungle amazonienne, de la *selva* à la *sierra* andine, surtout celle de Cuzco, proche du sublime site du Machu Picchu, les pentes étaient on ne peut plus rudes. Sous l'effet conjugué de l'altitude et de l'effort, les voyageurs, arrivés sur les sommets, se sentaient les pieds lourds et des fourmis dans les jambes. C'était, disaient les autochtones, l'âme de la montagne qui leur suçait le sang par les pieds. Pour l'apaiser, assura alors le curé imaginatif du village de la vallée de Contacata, il fallait construire de petites pyramides d'une vingtaine de pierres soigneusement entassées. Le temps de la construction représentait une halte bénéfique, sans changer d'altitude, et les douleurs s'estompaient comme par miracle. « La montagne est contente », assurait le prêtre, tandis que l'Indien de la *selva* déposait en guise de remerciement, sur la pyramide, un *sol* d'argent subtilisé sans délai par les paysans du village. Furieux de voir cette manne lui échapper, le vieux curé recommanda alors aux hommes de passage, fort nombreux dans la région, de continuer d'ériger les petites pyramides, mais de déposer la pièce d'argent sur l'autel de la vallée. « Ce sera pour le Christ de Contacata qui protégera la suite de votre voyage », assurait-il sans crainte d'être démenti. Le prêtre disparu, la tradition se perpétua, et personne n'osa salir la mémoire de cette vieille fripouille de curé qui savait si bien guérir la colère de la montagne !

m'assura Nicola qui, à chacune de ses missions, ne manquait pas de prélever sa dîme avant de regagner Lima.

Je le laissai à ses fructueuses négociations et suivis le conseil de Jean-Marie : après la *sierra*, découvrir la *selva* qui m'attendait au-delà d'Iquitos, après un nouveau voyage bien plus aventureux que celui du *ferrocarril*.

Quelle mouche m'avait donc piqué pour décider de voyager en *collectivos*, ces taxis collectifs que j'imaginais plus confortables que le train le plus haut du monde ? Avant de nous séparer et de déposer pour moi une pièce ancienne d'un *sol* d'argent, achetée sur le marché de Huancayo, dans le tronc du Christ de Contacata, Nicola me souhaita un agréable voyage et me donna le sésame qui m'ouvrirait les portes de l'Amazonie : m'en faire une idée était parmi les expériences que j'étais encore en âge de tenter. La voiture, une grosse américaine aux pare-chocs de mastodonte, avait connu l'avant-guerre, mais, comme mon guide me l'avait chaudement recommandée parmi les *collectivos* qui attendaient que leurs places fussent occupées pour reprendre la route de Lima, je lui fis d'autant plus confiance qu'il m'assurait avoir eu recours à ses services lors d'un récent voyage. Le chauffeur conduisait comme un fou, mais correctement, ce qui n'était pas le cas de tous ses confrères qui ne connaissaient qu'un style de conduite : à tombeau ouvert ! Au bout de quelques kilomètres, je le jugeai néanmoins digne de rallier le club des « s'en fout la mort », conducteurs émérites mais insouciants des pistes africaines. Sur la route étroite, des Indiens à l'inlassable patience attendaient en famille le passage d'un hypothétique autocar. Ils firent un vague signe au passage de notre *collectivo*. De quel mystérieux village sortaient-ils ? Plus loin, je verrais leurs frères prendre d'assaut un véhicule parti à l'aube de Huancayo et se pousser, se tasser jusqu'à ce que tous les postulants au voyage pussent entrer avec colis, couffins et l'inévitable coq de combat sans lequel tout *sierrano* qui se respecte ne paraissait pas pouvoir voyager. Auprès du trajet à bord d'un tel autocar, ma belle américaine – belle mais vieille, à perdre ses écrous dans chaque virage – me semblait représenter le summun du confort.

Je me réjouis en outre à l'idée de côtoyer, plus longuement que dans les allées de la *feria*, ces *indios* au visage énigmatique. Dans le *collectivo*, cinq places de passagers : deux devant, près du chauffeur, trois derrière, où je pris place. Devant, un couple embourgeoisé qui, d'après ma compréhension rudimentaire de l'espagnol, tenait un magasin de pompes funèbres à Huancayo. Les cheveux gris de la femme étaient tressés en une longue natte enroulée autour de la tête pour se terminer en un petit chignon ridicule, serré et hérissé d'épingles. L'homme, très maigre, avait le teint cuivré des *indios* de bandes dessinées, et une nuque mince, ravinée. À côté de moi, une femme à la cinquantaine volubile, un homme d'environ 35 ans, sourd et muet, et un enfant de 7 à 8 ans, pris en surcharge. Le gamin était le fils du muet ; la femme, sa tante. Pour s'adresser à l'infirme, ces derniers employaient un langage mixte où les grognements se mêlaient aux signes, charivari le plus bruyant que j'eusse jamais entendu chez des sourds et muets !

Je me réjouissais donc de ce voyage quand le gamin, qui s'agitait sans cesse, commença par rendre un petit déjeuner copieux sur le sol du taxi. Le chauffeur qui, avec une belle régularité, crachait par la portière un long jet de salive jaunâtre, ne s'arrêta pas pour si peu. Le sourd-muet sortit un journal qu'il déploya sur le répugnant magma. Il y en eut ainsi plusieurs couches, jusqu'à épuisement du papier, car le gosse n'arrêta de s'alléger que l'estomac vide. Un estomac que les parents « attentifs » remplirent, à l'escale de San Mates, d'un ragoût de poulet épicé accompagné de riz collant servi à l'auberge locale ! Il me fallut bien remonter dans la voiture où la *tía*[1], que je baptisai illico la « *tantina* de

1. Tante, en espagnol.

Burgos », prit la plus belle des initiatives : elle froissa entre ses mains une plante à l'arôme puissant. « *Muna* », me dit-elle en m'en proposant une poignée. Un incroyable parfum de menthe forte et de fraîcheur montagnarde vint combattre victorieusement l'odeur atroce qui régnait dans le véhicule, et me réconcilia avec les mœurs indiennes.

L'arrivé à Lima fut pourtant une délivrance, et le luxueux hôtel Bolivar de la plaza San Martín me sembla paradisiaque. Je me promis de ne point me risquer à de nouvelles expériences de ce genre dans la *selva* amazonienne dont tous les guides vantaient la magnificence, mais aussi la dangerosité. Dans ma découverte des coutumes locales, que pouvait-il m'arriver de pire que le *collectivo* aux pneus lisses de Huancayo ?

Quand on examinait une carte avec un peu d'imagination, le Pérou ressemblait par sa forme à la morue séchée des grands navigateurs qui l'avaient découvert. L'arête centrale en était la cordillère des Andes, et les limites, du nord au sud, l'Équateur, la Colombie, le Brésil, le Chili. Le littoral appartenait tout entier à l'océan Pacifique. À gauche de la colonne vertébrale, on trouvait les vingt-trois provinces (*departementos*) du pays, grand comme deux fois et demie la France, et à droite, la vingt-quatrième, le département de Loreto qui, à lui seul, couvrait la moitié du territoire national et marquait le début de la *selva*, la grande forêt amazonienne. Elle s'étendait à travers le continent jusqu'à l'Atlantique. Dans cette immensité verte parcourue par des milliers de *ríos* se détachaient seulement deux villes péruviennes, Pucallpa et Iquitos. La première, construite sur les rives de l'Ucayali, marquait l'aboutissement de la route de pénétration venant de Lima, voie impraticable six mois sur douze en raison des conditions climatiques et d'un entretien aléatoire. La seconde avait été fondée au XIXe siècle sur les berges de l'Amazone et avait connu son âge d'or lors de l'exploitation intensive du caoutchouc, tout comme Manaus, sa sœur jumelle du Brésil. J'appris à cette occasion qu'il n'existait pas de source de l'Amazone : le fleuve était constitué par le confluent de l'Ucayali, qui venait de la *sierra* du sud, et du Marañon, qui prenait sa source dans celle du nord. Les deux voies de pénétration fluviale se rejoignaient à Nauta, considérée par les cartographes comme l'unique berceau de l'Amazone.

La clef limenienne que m'avait livrée Nicola, et qui me permit d'organiser mon voyage avec son correspondant à Iquitos, excluait d'emblée l'aventure routière. Aux dernières nouvelles, la « nationale » de Lima était coupée en cinq endroits, sans aucune chance de réparation de la piste avant des mois. Pour les sensations fortes, restait la voie fluviale de Pucallpa à Iquitos. Là encore, les risques étaient grands, à moins de disposer d'un temps sans limite.

« Pour connaître le Pérou à la manière de Nicola, me dit son ami, il ne faut pas être pressé. Moi, je ne peux rien vous arranger d'avance. À Pucallpa, vous devrez discuter avec le capitaine d'un bateau de marchandises, acheter un hamac, prévoir une réserve d'eau potable et de bière, et vous procurer une moustiquaire. Dans la *selva*, ces petites bêtes sont redoutables. À bord, pour le prix du passage, on vous nourrira de manioc, de haricots noirs et de soupe de tortue. Et cela, pendant les sept jours qu'il faut pour gagner Iquitos ! Pour revenir à Pucallpa, il en faudra au moins autant, même plutôt dix en comptant les escales, les chargements ou déchargements au gré des affaires que fera le capitaine. À moins de très bien pratiquer l'espagnol, d'avoir une patience toute indienne et des intestins en béton, je déconseille vivement cette solution. Prenez donc l'avion d'Iquitos, qui fait escale à Pucallpa. Pour le folklore, vous serez servi ! »

On ne pouvait être plus encourageant.

L'appareil était un vieux zinc à hélice avec le même chargement de voyageurs et de colis odorants que dans le petit train de Huancayo. L'avion toussotait, ne volait pas très haut, et eut même, me sembla-t-il, quelques difficultés à franchir la cordillère. Il prit juste ce qu'il fallait d'altitude pour passer l'épine dorsale du continent sud-américain dont on avait peine à imaginer qu'elle allait au nord jusqu'à l'Équateur et la Colombie, au sud jusqu'au Chili et la Terre de Feu. Passé les canyons, plus grandioses vus du ciel qu'en voiture comme je l'avais fait, après des hauts plateaux d'un uniforme gris éléphant, puis les sommets enneigés de la *sierra*, ce fut brusquement la *selva* immense, à perte de vue.

Il fallait savoir que Pucallpa était considérée comme le principal port de l'Amazonie, l'aboutissement de la route transamazonienne qui s'arrêtait là, en pleine forêt, pour prendre en considération cette ville de 60 000 habitants dont on doutait qu'ils se fussent tous abrités dans les quelques centaines de maisons disséminées comme au hasard dans quelques anses de l'Ucayali. Vu de haut, le géniteur du deuxième plus grand fleuve du monde était un large serpent d'argent aux multiples méandres, seul à couper la masse hostile, dense et monotone de la *selva*. Dans l'aéroport – un simple hangar de bois – régnait cette chaleur tropicale contre laquelle on m'avait mis en garde dès Lima. Derrière un bar poisseux, une grosse Indienne, qui n'avait pas 20 ans, servait nonchalamment d'impressionnantes canettes de bière à des types dont on ne savait identifier la fonction sous un semblant d'uniforme kaki. Pantalons de toile, chemisettes constellées de taches, auréolées de sueur, barbes de plusieurs jours, ils plaisantaient grassement avec la fille, rejoints par le pilote d'Air Perú qui m'avait conduit dans ce bout du monde, et par un confrère de Faucett, les deux seules compagnies locales dont les noms figuraient, tracés à la craie, sur une simple planchette clouée derrière le comptoir. Pas l'ombre d'une hôtesse ni d'un steward, encore moins d'un douanier pour vérifier l'identité des passagers en transit, pas plus que celle des voyageurs en partance pour Iquitos. La jeune fille au visage adipeux proposait sans conviction une demi-douzaine de singes empaillés, et à peine plus de paquets de cigarettes dépareillés. Une atmosphère de laisser-aller, de stagnation, d'ennui pesant régnait sur ce qu'on n'osait nommer l'aéroport de Pucallpa, tant il ressemblait à s'y méprendre au Las Piedras du *Salaire de la peur*, que ses héros désespéraient de quitter un jour. L'escale suivante, Iquitos, était le terminus de la ligne aérienne amazonienne. Pour trouver la ville, nul besoin d'avoir recours aux instruments de bord : le pilote n'avait eu qu'à suivre le cours de l'Ucayali, devenu ce que les Indiens appelaient joliment la « mer qui marche » !

À Iquitos la chaleur était torride, plus intense encore qu'à Pucallpa. Dès l'échelle de coupée, les vêtements collaient à la peau. La « clef » de Nicola, ethnologue péruvien spécialiste de l'Amazonie, m'attendait au volant du microbus de l'agence de tourisme, fondée avec un confrère anglais qui vivait en pleine jungle, et prit sans délai le chemin de la ville dont il était amoureux depuis ses études universitaires. D'emblée, il tenait à me faire partager sa passion, malgré le sentiment d'abandon qui vous saisissait dès l'aérogare. Si elle était plus vaste que celle de l'escale précédente, celle-ci restait un simple hangar dont les superstructures d'acier rouillaient tout doucettement. En Amazonie, m'expliqua-t-on, on ne trouvait ni pierres ni cailloux autres que ceux importés. Tout devait venir par bateaux de Pucallpa. Comme l'État n'avait pas d'argent à investir, l'aéroport restait à l'état de superstructures ouvertes à tous vents. Là aussi, le nom des deux seules compagnies d'aviation était tracé à la craie sur une simple planche dont les passagers devaient se contenter en guise de panneau d'information. Mais il y avait Iquitos, une splendeur kitsch alanguie sur les berges de l'Amazone. Elle ne conservait qu'une partie de sa prospérité passée, qui avait sombré avec la culture intensive de l'hévéa dans le Sud-Est asiatique. À part son charme indéfinissable, il ne restait pas grand-chose de l'ancienne fortune des « barons » de l'*hevœa castilloa elastica.* C'étaient eux qui avaient fait construire ces riches demeures aux façades ornées d'*azulejos*, carreaux de faïence espagnols où les bleus se mêlaient aux jaunes et ocres, orgueil de la ville avec la plaza de Armas plantée de *pomarrosas*, arbres au feuillage dru, aux fruits en forme de pommes, mais au goût d'ananas. C'est tout ce qui subsistait de sa gloire évanouie, avec le monument aux morts et la Maison de Fer, construite par Eiffel pour un richissime planteur à la fortune ostentatoire. À l'époque, l'argent coulait à flots, la municipalité milliardaire s'était adressée à des fondeurs italiens pour exécuter le bas-relief destiné au monument à la mémoire des enfants d'Iquitos tombés lors de la guerre contre le Chili, entre 1879 et 1883. La commande avait été rédigée à la plume d'oie et en espagnol : aussi les fondeurs italiens avaient-ils déchiffré China (Chine) au lieu de Chile (Chili) ; sans se poser de questions, les artistes transalpins avaient exécuté un monumental et magnifique bas-relief où des soldats péruviens venaient à bout de hordes aux yeux bridés ! L'œuvre, payée d'avance, n'avait pas été renvoyée. Elle figurait toujours sur la plaza de Armas et permettait aux guides touristiques d'offrir à leurs clients une pinte de bon sang !

Une brève incursion dans le bidonville sur pilotis de Belem me permit d'approcher la ville actuelle, qui enserrait le centre historique. Pauvreté, nonchalance, laisser-aller. Dans cette atmosphère moite où tout était humide, gluant, spongieux, la vie se déroulait au ralenti. Quelques Indiens désœuvrés regardaient le temps passer au fil du courant du fleuve immense. Un vieillard en maillot de corps blanc, qui faisait ressortir sa peau noire, fumait en se balançant sur un rocking-chair hors d'âge. Des femmes à la chevelure de jais lavaient ou étendaient du linge à gestes lents et mous. Il faisait bien trop chaud pour déployer une quelconque activité. L'extraordinaire prospérité due aux récoltes de latex avait fait place à la foule de petits métiers générés par un tourisme naissant. Les belles maisons des barons de l'hévéa étaient devenues des hôtels à l'air climatisé, fréquentées par une clientèle américaine et sud-américaine avide de s'offrir sans risque le frisson de l'aventure amazonienne. Le marché de Belem leur offrait ainsi la dose de dépaysement attendu, avec sa multitude de petits marchands de poissons, de légumes, de fruits plus appétissants les uns que les autres. Ses cuisinières en plein air, semblables à celles du Vietnam ou du Cambodge, officiaient autour de leurs paniers et de leurs marmites d'huile bouillante. Les plus audacieux et les plus jeunes s'offraient pour un *sol* les cinq cigarettes de tabac noir, naturel, séchées au soleil, collées « à la bouche » et réunies par un lien de raphia, qui pendaient à la porte des échoppes où l'on trouvait mille et un souvenirs : poteries, pattes d'ocelot, figurines plus ou moins magiques, flèches et sarbacanes encore utilisées par certaines tribus. « Vous verrez cela avec mon ami Peter, chez qui je vous envoie et qui a passé sa vie avec les *Yaguas*, dont il n'a jamais pu s'éloigner. »

Averti par Nicola, mon guide avait balisé mon incursion dans la forêt profonde, et m'évita les pièges habituels dans lesquels tombaient les curieux de passage. Il me les décrivit non sans humour :

« La ville tient son nom de la tribu des Iquitos qui vivaient au bord de l'Amazone il y a trois cents ans. Tous les Indiens d'ici s'en prétendent les descendants directs, comme tous les Indiens de Cuzco se disent fils de l'*Inca*. Pour les découvrir, de nombreuses agences proposent une excursion avec diverses options. Cela va du déjeuner dans la *selva* jusqu'à la semaine entière parmi les "Chunchos" dont certains peuplent encore la forêt. La qualité des excursions est variable. Je conseille à mes clients de prendre un tour d'un minimum de deux à trois jours. Malheureusement, les visiteurs sont toujours pressés. Alors le tour le plus courant est celui d'une journée. Quand la clientèle se fait rare, je me plie à la demande. Le matin, vous faites un petit tour sur l'Amazone (en réalité, vous tournez trois fois au même endroit), puis vous arrivez à un bungalow "au cœur de l'Amazonie" ; vous marchez un peu dans la *selva*, et vous déjeunez. Ensuite le guide fait sa sieste, dont nul ne saurait ici se passer. Cela mène à 4 heures de l'après-midi, puis il vous emmène voir les "Chunchos" qui se déshabillent pour que vous puissiez les prendre en photos. La pellicule épuisée, on revient au bungalow. Le guide indien parvient à discerner un serpent marin dans le fleuve, ou quelque bête féroce, mais personne d'autre ne réussit à les apercevoir. Enfin, on remonte dans la pirogue pour regagner Iquitos à 5 heures du soir. Ce qui vous attend chez Peter, à Yanamono, sera sans doute moins confortable, mais autrement plus authentique. À deux heures de hors-bord d'Iquitos, soit environ 80 kilomètres, vous serez vraiment en pleine Amazonie, sans climatiseur, et vous coucherez dans l'une de ces cabanes que les Indiens ont construites pour mon associé. Ce qui lui permet d'accueillir une demi-douzaine d'hôtes de passage. Là, vraiment, vous ressentirez l'envoûtement de la forêt. »

Le hors-bord blanc et jaune à trois places et à moteur Volvo était si bien entretenu qu'il paraissait prêt à figurer au prochain Salon nautique, ce qui était plutôt bon signe au pays du relâchement. L'équipage était composé de deux Indiens. L'un, au visage fermé, se plaça à l'avant du bateau. Son rôle était de signaler les obstacles. Le second, Gustavo, qui tenait le gouvernail, prit place auprès de moi et, à peine installé, débita les rares mots de français qu'il possédait. Ce geste de bienvenue était accompagné d'un sourire qui dévoila des dents en or du plus bel effet, et auquel je répondis de mon mieux. Nous nous éloignâmes. Le fleuve nous happa en quelques minutes dans un monde uniformément gris et vert : gris du ciel, gris de l'eau que je ne pus m'empêcher de caresser, vert de la forêt qui descendait jusqu'à la rive. Durant la première heure, nous ne croisâmes que trois pirogues à bord desquelles une famille de pêcheurs lançait ses filets, et un caboteur hors d'âge qui transportait on ne sait quelles marchandises vers de petites cabanes indiennes installées çà et là sur la berge, auprès d'un lopin de terre défrichée. Mon pilote et son guide n'échangeaient que les mots indispensables à la conduite du hors-bord. De temps à autre, Gustavo coupait le moteur et laissait le bateau avancer sur sa lancée. Je ne sus jamais si c'était pour économiser de l'essence ou pour me faire apprécier la qualité du silence. Je ne tardai pas à me sentir oppressé. Pas un bruit, si ce n'est les cris d'oiseaux venus de la terre. Et cette masse aqueuse à perte de vue... L'Amazone était si large qu'on avait l'impression de naviguer sur un de ces grands lacs dont le regard ne sait distinguer qu'une rive à la fois. Je me surpris soudain à n'être point rassuré. Mais qu'est-ce que j'étais venu faire dans ce coin perdu du monde ? Seulement attiré par un nom qui me fascinait : l'Amazone. Mes deux accompagnateurs semblaient pourtant bien pacifiques et, à chaque fois que nos regards se croisaient, Gustavo m'exhibait ses dents en or. Il n'empêche : personne ne savait où je me trouvais. Et je dus convenir que, tout bêtement, j'avais peur. Bien plus qu'au Congo belge ou en Algérie ! Pas âme qui vive à l'horizon. La rive était déserte. La forêt vierge était toute proche. On la sentait bruissante de vie, hostile à l'homme, on ne voyait rien d'elle que ce mur épais, impénétrable. L'eau qui, à Iquitos, me paraissait grise, dans son étendue magnifique, était devenue boueuse, jaunâtre, et laissait sur la main des traces alluviales, grasses comme l'eau acidulée de la mer Morte. Le petit bateau vira soudain vers la rive, puis se redressa dans une grande gerbe d'eau mousseuse. Le pilote slalomait avec habileté, jouant à cache-cache avec d'énormes branches, arrachées aux grands monstres de la forêt lors de quelque tornade, et de redoutables billes de bois échappées aux bûcherons qui exploitaient les *quebrachos*, les acajous et bien d'autres bois d'ébénisterie, abondants parmi la végétation équatoriale. Ce n'était pas le seul danger : bientôt apparurent en bouquets, en îles flottantes, les nénuphars géants, plus redoutables encore qu'à Léopoldville, pièges même pour les puissants yachts de tourisme venus de Leticia, ville d'aventuriers située à trois cents kilomètres de là, aux confins de la Colombie, du Brésil et du Pérou ; leurs hélices étaient pourtant protégées derrière des cages de fil de fer.

– Rio Yanamono, annonça Gustavo en dirigeant résolument le hors-bord vers la berge.

Il fallait une longue habitude pour deviner l'entrée de l'arroyo parmi l'enchevêtrement de plantes, d'arbres, de lianes, de fougères géantes qui couvraient le rivage. Le rio n'était qu'un tunnel magnifique, étroit, enserré par la végétation tropicale dans toute sa splendeur, avec ses grouillements inquiétants, ses filets de lianes, de palmes, d'arbres innombrables dont certains poussaient dans l'eau. Seules taches de couleur : les orchidées parasitaires rouge sang qui poussaient en haut des arbres, ainsi qu'une multitude d'autres *brumilad* d'espèces si variées qu'elles faisaient la joie de collectionneurs et dont Peter, l'ethnologue britannique, était l'un des spécialiste les plus confirmés. On retrouvait sa signature dans de nombreuses publications anglo-saxonnes qu'il me serait donné de consulter bientôt à Yanamono Lodge.

Peter J. s'était installé en plein cœur de la forêt vierge, une dizaine d'années plus tôt, pour consacrer à une tribu indienne, les Yaguas, sa thèse de fin d'études. Son travail mené à bien, il n'avait pas pu se résoudre à abandonner ceux qui étaient devenus des amis, et dont il avait appris la langue, pour regagner le Royaume-Uni. Il s'était associé avec un condisciple pour ouvrir à Iquitos une agence de tourisme bien particulière, laquelle permettait à des amateurs aventureux de découvrir la vie en forêt sans avoir à monter une expédition trop onéreuse. Dans un méandre du rio, il avait fait construire trois demeures indiennes composées chacune d'une plate-forme surélevée où les Yaguas vivaient en communauté. Une plate-forme était réservée aux femmes pour la cuisine, les hommes se réunissaient sur la seconde durant la journée, la troisième servait de chambre commune où couples et enfants se retrouvaient pour la nuit dans la plus grande promiscuité. Peter avait divisé la pièce à dormir en une demi-douzaine de chambres particulières dont les cloisons, constituées de vieilles caisses et de feuilles de palmier tressées, accordaient aux visiteurs un semblant d'intimité. Les lodges reliés entre eux par des passerelles de bois étaient construits sur pilotis pour se protéger des crues du rio, aussi soudaines que redoutables. Les garde-fous en étaient de simples branches d'arbres à peine élaguées qui servaient de perchoir à des perroquets multicolores et à un splendide toucan vert et bleu à l'énorme bec noir orné d'un très beau dessin abstrait.

L'ameublement de la chambre dévolue aux hôtes de passage était des plus sommaire : un lit avec sa moustiquaire, une glace piquetée, une cuvette, un broc d'eau et une lampe-tempête qui brûlait toute la nuit. La cloison s'arrêtait à la ceinture et un rideau jaune monté sur un simple fil de fer protégeait, en principe, des regards indiscrets. Pas d'électricité, pour éviter le bruit d'un groupe électrogène et ne pas troubler l'environnement de la jungle qui, le soir venu, frémissait de mille sons mystérieux, du crapaud-buffle, dont le coassement résonnait comme un tambour de bronze, aux animaux dont les cris obscurs ressemblaient à ceux d'enfants pleurnichards. Les plus redoutables étaient sans conteste les myriades de moustiques qui attaquaient en escadrilles serrées dès que le jour déclinait. J'avais beau être prévenu, porter des jeans épais, le bas coincé dans mes rangers, une chemise de toile aux manches soigneusement boutonnées, et avoir la peau enduite de crème, rien n'y fit. Quand je reviendrais à Lima, quelques jours plus tard, je porterais la trace de quatre-vingt-trois piqûres, en ne comptant que ce que la glace de la salle de bains voulait bien me renvoyer ! Dire que je dormis bien, lors de ma première nuit en forêt, serait exagéré. Je me réveillais souvent, autant pour m'assurer de ma sécurité que pour admirer le décor en tirant le rideau jaune qui me donnait le sentiment de revivre en direct *Le Livre de la jungle*. Les lodges donnaient sur le rio Yanamono qui coulait paisiblement en contrebas. Quand, deux jours plus tard, Peter J. m'emmènera pour une balade nocturne à bord d'une barque plate dirigée par un guide qui maniait une longue perche avec l'habileté d'un gondolier vénitien, je regarderai le cours d'eau avec plus de circonspection.

La pirogue glissait silencieusement. La nuit bruissait d'une multitude de cris d'animaux qui faisaient de la forêt vierge comme un bestiaire sonore. Il suffit de quelques mots échangés entre l'ethnologue et le guide pour que, soudain, la jungle si bavarde se taise. Les animaux étaient sur le qui-vive. Le silence revenu, ils renouèrent vite la conversation interrompue. Soudain, à un coup de lampe-torche envoyé dans l'entrelacs de la végétation, quelques crocodiles en embuscade sur la rive se dégagèrent et gagnèrent l'abri de la rivière dans de grands battements de queue. Nous en croisâmes ainsi une demi-douzaine que je n'aurais pas distingués dans l'ombre, n'eût été la flamme rouge de leurs yeux vers laquelle le guide, d'une poussée de sa perche, dirigea son faisceau et notre pirogue, provoquant ainsi quelques plongeons spectaculaires. Je ne fus pas fâché de retrouver l'abri du lodge où chaque passerelle, chaque porte, chaque passage vers les commodités étaient balisés par des lampes-tempête ou des lumignons qui piquaient la nuit comme autant de vers luisants.

Le lendemain, c'est à pied que, suivant Peter, je m'enfonçai à travers la jungle pour visiter les derniers Yaguas, sujets des travaux de l'ethnologue ; ils étaient les descendants directs de ceux qui avaient formé jadis la main-d'œuvre nécessaire à la récolte du caoutchouc. La crise venue, plutôt que de peupler les bidonvilles d'Iquitos, ils avaient reculé devant la « civilisation » et s'étaient enfoncés en forêt, où la population d'une densité incroyablement faible était restée au stade qui leur convenait. Les plus proches du lodge étaient une trentaine à vivre sur le bord du rio, dans une clairière qu'ils avaient défrichée et dont ils avaient battu le sol pour obtenir une place totalement asséchée. Ils y avaient édifié les trois cases traditionnelles ouvertes à tous vents. Ces bâtisseurs de la forêt avaient ajouté une vaste et haute construction conique érigée en palmier tressé, avec une porte en ogive pour seule ouverture : cathédrale végétale où il faisait noir comme dans un four, seulement meublée de deux longs bancs et réservée aux réjouissances masculines.

Dans leur campement, les hommes allaient pieds nus, portaient des jupes de raphia et une coiffure en forme de longue perruque dont les pans flottant dans le dos descendaient jusqu'à la ceinture. Rien de l'accoutrement folklorique des « Chunchos » d'Iquitos, dans cette tenue fidèle à la tradition *yagua* et qu'ils portaient tout au long de l'année. Le respect des coutumes était l'une des préoccupations principales de Peter qui aidait les membres de la tribu à condition qu'ils n'en perdissent aucune. Il leur fournissait régulièrement des plants de certains légumes, du sel et même des cartouches pour les deux ou trois fusils qu'ils possédaient. La plupart n'avaient jamais mis les pieds à Iquitos et s'en trouvaient fort bien. Hommes, femmes et enfants avaient le visage peint en rouge carmin, couleur obtenue en écrasant le fruit de l'*achiote*, une amande qu'ils trouvaient à l'état sauvage et qui les protégeait efficacement des piqûres de moustiques. Sauf pour la nuit, les hommes vivaient entre eux, jouaient beaucoup et chassaient uniquement lorsque le besoin s'en faisait sentir. Ils utilisaient pour cela de longues sarbacanes parfaitement équilibrées, très belles armes de plus de 2,50 mètres, à grosse embouchure, qui envoyaient des fléchettes de bois de palmier, aussi minces qu'une aiguille à tricoter, avec une précision stupéfiante. Leur empenne était constituée d'une boule de coton qu'ils tiraient d'une bourse de palmier tressé pendant à leur ceinture auprès du carquois qui ne les quittait pas de la journée. L'extrémité de la flèche était imbibée de curare obtenu à partir de la blessure infligée d'un coup de machette au *catahua* poussant au cœur de la forêt. Les *Yaguas* atténuaient la puissance du poison afin que la flèche ne fasse qu'annihiler les réflexes des animaux qu'ils tuaient ensuite à l'arme blanche. Ainsi la bête n'avait pas été empoisonnée, et sa chair restait comestible. Peter J. me raconta que les conquistadores espagnols, puis les explorateurs européens, pourtant munis d'armes à feu, avaient été déconcertés et impressionnés par ce qu'ils avaient appelé la « mort volante », qui paralysait tous les muscles, laissant intactes la sensibilité et la conscience des animaux ou des ennemis visés.

Les hommes occupés à la chasse, mais surtout à la promenade en forêt et aux jeux que leurs enfants s'employaient à imiter, les femmes passaient leurs journées à cultiver le manioc et à accommoder le yucca, qui se prêtait au marcottage et poussait en abondance dans une clairière toute proche. C'était un arbuste dont la racine large et blanche était aussi bien comestible crue, bouillie que frite. Dans les bidonvilles, me dit-on, on l'appelait le « steak du pauvre ». Les femmes de la forêt en faisaient leurs délices et ceux de leur famille en le cuisinant et même en le transformant en *masato*, ou alcool indien de manioc : pour ce faire, elles faisaient bouillir le yucca, puis le mastiquait longuement avant de recracher le tout dans un récipient où il fermentait, se transformant au bout de quelques jours en un alcool peu ragoûtant que j'avoue ne pas avoir eu le courage d'essayer.

Le chef de tribu, qui portait un crâne et des os de puma en sautoir, nous servit de guide après que nous eûmes applaudi son habileté à la sarbacane. Accompagné de trois de ses hommes, en moins de temps qu'il n'en faut pour le dire, et sans le moindre bruit, il atteignit, à vingt mètres, une cible dessinée sur une planche et qui n'avait pas la taille d'une orange. Avec beaucoup de dignité, il recueillit nos applaudissements tandis que Peter nous recommandait de ne pas lui donner d'argent, mais seulement quelques cigarettes américaines dont il raffolait. Il remercia beaucoup et, pour ne pas être en reste, s'offrit de nous conduire jusqu'à un lac dont le chemin nous permettrait de découvrir les innombrables ressources de la forêt. Au cours de cette promenade, j'appris comment la jungle permettait de survivre aux hommes qui savaient l'apprivoiser. Mon hôte de Yanamono m'expliqua *in situ* comment, dans cette zone équatoriale où tout était démesuré, la forêt vierge couvrait le sol d'un manteau continu, formé de plusieurs zones étagées au milieu desquelles s'enchevêtraient les lianes et que surmontaient des arbres immenses. Au-dessus de l'inextricable fouillis de verdure, ceux-ci dressaient jusqu'à plusieurs dizaines de mètres la colonne droite et lisse de leur tronc. Un feuillage épais les unissait les uns aux autres. La nature régnait ainsi en maîtresse sur une zone qui n'avait subi, depuis la nuit des temps, que d'insignifiantes modifications du fait de l'homme. Aussi les plantations de yuccas, dont s'occupaient les femmes, étaient-elles l'objet de soins quotidiens, tant la forêt s'entendait à envahir la clairière artificielle que les hommes avaient défrichée à grand-peine. La chaleur et l'humidité constantes empêchaient tout arrêt de la vie végétale, ces pauses naturelles qui font l'agrément de nos contrées tempérées.

Les Yaguas avaient aménagé et entretenu un étroit chemin parmi l'entrelacs végétal qui rendait la progression en forêt si difficile. Ainsi, ils pouvaient rejoindre sans réelles difficultés le lac qui, réuni à un bras de l'Amazone, leur servait de lieu de pêche. Pour ne pas s'enfoncer dans le sol spongieux, les hommes y avaient disposé des traverses de bois semblables à celles d'une voie ferrée. Les abords en étaient soigneusement dégagés par crainte des *brushmans*, redoutables petits serpents à la piqûre mortelle, qui se dissimulaient volontiers dans les hautes herbes et les fougères géantes. Le chef et le guide qui nous accompagnaient tenaient chacun un linge à la main pour l'abandonner à la fureur du *brushman* si, par malheur, l'un d'entre nous réveillait ses instincts combatifs. Le laisser s'acharner sur un lambeau de coton était le meilleur moyen de s'en débarrasser ensuite d'un solide coup de gourdin. Plus pacifiques et infiniment plus jolis étaient les lézards, les petits iguanes et les caméléons, les oiseaux à ventre jaune et les pica-flora, colibris minuscules qui rayaient le ciel du lac de leurs vols multicolores, tandis que des papillons bleus d'un somptueux velours, larges comme la main, voletaient çà et là. Il suffisait d'identifier certains arbres pour, grâce à eux, chasser, se déplacer, boire, se nourrir ou se soigner. Le chef *yagua*, relayé par Peter qui traduisait, nous désigna successivement le *catahua*, l'arbre à curare, dont la sève d'une belle transparence coulait le long de la machette du guide ; l'arbre à résine mentholée, baptisée *chicklet* pour son odeur semblable à celle du chewing-gum américain, souveraine pour combattre les parasites intestinaux ou guérir les maux d'estomac ; l'arbre à eau qui, sous la morsure du sabre d'abattage, fournissait une eau assainie et filtrée en assez grande quantité pour fournir une ration quotidienne ; enfin l'arbre à pain, au gros fruit vert et rond comme un ballon de handball, dont la pulpe pâteuse permettait de ne pas mourir de faim. Le plus recherché était le *lupuna*, aussi nommé « grand arbre à bateaux ». Dans son tronc supérieur – le *caoba* ou *mahogany*, remarquablement dur –, les *Indis* creusaient le fond de leur pirogue dont le reste du corps était taillé dans du cèdre, l'ensemble calfaté au goudron de bois. Au sol, le tronc du mahogany présentait quatre racines en surface, dans lesquelles des pagaies d'une extrême solidité étaient taillées d'un seul tenant.

De retour au campement, les Yaguas présentèrent au chef le produit de leur pêche de la journée. Entre le lac, le rio et l'Amazone, le poisson abondait. On y trouvait communément l'anguille électrique, le poisson-chat, la tortue de mer (qui n'avait rien de marin), la vache de l'Amazone, presque aussi grosse qu'un éléphant de mer, et surtout la *païche*, sorte de morue d'eau douce, le plat le plus populaire d'Amazonie, que l'on servait aussi bien fraîche que séchée, et que je dégusterais le soir même à la table de Peter.

Une autre surprise m'y attendait, une de ces rencontres pour le moins inattendues qui me plaisaient tant et qui étaient le sel de ce métier. Trois nouveaux venus avaient pris place à la table d'hôtes de Yanamono Lodge, et sirotaient un bourbon. Trois Américains en short, deux hommes et une femme d'un âge certain, qui paraissaient souffrir de la chaleur au point d'arborer autour du cou une serviette éponge qui leur donnait des airs de vieux soigneurs dans une salle de boxe du Bronx. Ne manquait que l'odeur de l'embrocation. Un quatrième visiteur, qui les rejoignit bientôt, était blond, un peu plus jeune que moi, et parlait sans accent un français parfait. Et pour cause : il était français. Croiser un compatriote au milieu de la forêt vierge, à l'heure de l'apéritif, comme au bar de n'importe quel Hilton, après avoir passé une grande partie de la journée en compagnie d'un chef indien aux mœurs quatre fois centenaires, pouvait surprendre le plus blasé des voyageurs.

Il y avait encore un an, Gérard de C. était à Paris ce qu'il convenait d'appeler un jeune cadre plein d'avenir. Bardé de diplômes français et américains, spécialiste de marketing, il était chargé de la publicité d'un des plus importants hebdomadaires de la presse nationale. Un beau jour, victime du stress parisien, il en avait eu assez d'être sans cesse en compétition et de ne voir en ses collègues que des concurrents potentiels. Il avait démissionné, réalisé ses biens, mis fin à quelques liaisons certes flatteuses, mais sans issue satisfaisante, et avait fait le grand saut. Des Champs-Élysées il s'était retrouvé à Leticia, ville encore plus isolée qu'Iquitos, à la frontière du Pérou, de la Colombie et du Brésil. On y acceptait indifféremment les trois monnaies. On y parlait aussi bien espagnol que portugais, anglais ou français. On n'y était pas curieux non plus, lui avait assuré un ami reporter qui avait été séduit par cette ville du bout du monde entrevue un jour de cafard. Des hommes blancs y venaient de tous les coins du globe. Chacun voulait ignorer pourquoi. Gérard de C. s'était plié à la règle. Il travaillait à leur satisfaction respective avec un aventurier américain qui capturait des caïmans pour les zoos d'Europe et d'Amérique du Nord. Les deux hommes organisaient également, à l'intention de vieux et riches Américains de Miami, des séjours sur l'*Amazon Queen*, un gros yacht climatisé à bord duquel le jeune Français les escortait durant des croisières particulièrement attractives. S'il avait échoué ce soir-là en pleine jungle, c'était que la belle *Amazon* était en panne, son hélice et son arbre paralysés par les redoutables bancs de nénuphars. En attendant que les mécanos démêlent l'affaire, Gérard avait proposé à ses touristes une escapade à Yanamono, puisque l'*Amazon Queen* avait eu la bonne idée de tomber en panne au bout de l'arroyo. Mais les vieux Américains, qui ne supportaient pas de quitter la climatisation de leurs cabines, avaient décliné l'invitation, à l'exception de trois « intrépides », maintenant affalés dans des fauteuils en bambou. À grandes claques sur leur peau écarlate, ils tentaient de lutter contre les moustiques. J'y avais renoncé depuis longtemps quand arriva le capitaine du yacht. Ancien légionnaire allemand, il tenait, la veille encore, un bistrot à Marseille et avait dû s'expatrier pour d'obscures raisons que je ne chercherais pas plus à éclaircir que les habitants de Leticia. Il annonça que son bateau serait en mesure de repartir dès le lendemain matin. Tout comme celui-ci marchait au fuel, lui-même fonctionnait à la *gazolina*, mélange de soda, de citron vert et d'alcool de canne mal distillé par des bouilleurs de cru locaux, dont j'eus le plus grand mal à boire un demi-verre, tant le « cocktail » décapait le palais. Après quelques verres du redoutable mélange, notre légionnaire s'endormit d'un sommeil pesant.

Avec Gérard de C., la nuit passa à bavarder de ce qui faisait l'essentiel de nos métiers respectifs, et de l'amour de l'aventure que nous avions en commun. Nous ne cessâmes qu'à l'aube, tandis que les oiseaux, les singes et mille autres animaux impossibles à identifier déclenchaient, pour saluer le jour, un tintamarre inouï. J'eus toutes les peines du monde à résister à la proposition de mon nouvel ami lorsque celui-ci m'invita à occuper l'une des cabines libres de l'*Amazon Queen* et à découvrir Leticia, ce petit point situé à 300 kilomètres d'Iquitos, là où le rio Amazonas pique résolument vers l'Est. Je n'étais pas encore détaché, comme Gérard, des contingences matérielles de ma vie professionnelle. Si j'en avais fini avec l'Amazonie, Peter et Yanamono, mon reportage péruvien n'était pas encore terminé. C'était maintenant Jean-Marie Protain qui m'attendait à Lima, dans un quartier au nom bucolique : *Canta Gallo*, le Chant du Coq, qui, dans ma mémoire, restera ce que je connaîtrai de plus proche de l'enfer.

*

* *

Pour me faire mieux percevoir la réalité, Jean-Marie m'avait invité à partager durant quelques jours son logement, une bicoque qui servait également de dispensaire et d'embryon de coopérative pour les habitants du quartier. Le bidonville commençait sitôt passé le rio Rimac, la Seine de Lima. Pour cacher ce chancre aux yeux des passants, on avait entouré la *barriada* d'une palissade de planches. On n'y pénétrait que par quelques couloirs pratiqués entre des rangées de cabanes construites de bric et de broc lors de l'« invasion », et par une passerelle de bois érigée à l'écart des ponts urbains conduisant à la ville. La plupart du temps, elle était contrôlée par des bandes qui, le soir venu, y avaient institué un péage. Le chef en était une jeune droguée de 14 ans à la violence et à la cruauté renommées. Jamais je n'aurais pu entrer à Canta Gallo si Jean-Marie ne m'avait servi de sauf-conduit. Même dans la journée, on n'y aimait pas les étrangers, et il fallait s'y faire discret lorsqu'on était blanc et bien nourri.

– Ici, me dit d'emblée le père Protain, c'est le pire endroit de Lima. Il y a de tout : des gens qui tentent de travailler et de trouver une école pour leurs enfants – ils sont venus en ville pour cela –, mais aussi beaucoup d'ivrognes. D'autres, que l'on pourrait croire abrutis par l'alcool, sont simplement des dégénérés. Et encore, je ne connais pas tous les cas, bien que je sois l'un des rares à venir ici. J'ai découvert il y a quelques semaines un petiot qui avait la figure entièrement rongée par la syphilis. D'après ce que j'ai pu apprendre, il était depuis longtemps dans cet état. Il était relégué dans un coin d'une de ces cabanes. On a essayé d'adoucir sa mort. Ç'a été l'affaire de deux à trois semaines. Juste avant son décès, l'une des petites sœurs laïques qui travaillent parfois avec moi est allée le visiter. Le gamin avait conservé des lambeaux de lèvres qui lui permettaient de parler. Il a dit à la petite sœur : « Ma mère ne m'a jamais donné un baiser (vraisemblablement, il se sentait mourir). Est-ce que vous ne pourriez pas me donner un baiser ? » Malgré tout son dévouement, la petite sœur n'a pas eu le courage de le faire. Il faut la comprendre : il n'avait plus de figure, plus de paupières, c'était affreux. C'est un de mes pires souvenirs dans la *barriada*.

L'absence de médecins dans les bidonvilles n'était pas la moindre carence à scandaliser Jean-Marie. Au début de son installation à Canta Gallo, il avait tenté d'en attirer certains.

– Et quelques-uns sont venus. Difficilement, car comment s'orienter dans ce labyrinthe de baraques ? Mais ils ne sont pas revenus souvent. Les gosses abîmaient leurs voitures, il y avait de la poussière partout, et surtout la plupart des gens ne pouvaient payer la consultation. Pour que le gouvernement remédie à cet état de chose, il y faudrait les dizaines de millions qu'il n'a pas. Pensez que, dans la capitale, on compte 500 000 personnes qui vivent en bidonville. Mon quartier, Canta Gallo, en abrite déjà près de 25 000 !

Dès qu'il avait eu les moyens d'agrandir son abri grâce à des dons provenant d'amis français, le *padre*, avec l'aide de sœur Hermana Anna Maria, elle aussi religieuse, qu'il avait fait venir à Lima, en avait transformé une partie en dispensaire où officiait, quand il le pouvait, un médecin péruvien.

Toute une histoire, ce médecin ! Jean-Marie l'avait rencontré à une *esquina* – un coin de rue proche de la *barriada* – où il se tenait debout, attendant le patient comme un épicier sa pratique. Le voisinage le disait alcoolique, ce qui était vrai. Il était surtout d'une timidité maladive et avait commencé à boire pour la surmonter pendant ses études. Excellent praticien, son diagnostic était sûr et il savait prescrire les médicaments nécessaires. Seulement, il doublait ou triplait les doses que Jean-Marie ou Anna Maria, s'aidant de la posologie recommandée, devaient rétablir sur ordonnance ! À condition de le surveiller, il prodiguait les soins que l'Indien de la *barriada* ne pouvait escompter de l'*emergencia*, le service des urgences de l'hôpital public où on le considérait comme un moins que rien, où il n'y avait jamais de place pour lui dont la tenue et le vocabulaire signalaient la provenance. Être de la *barriada*, c'était déjà être un sous-homme.

– Faute de mieux, j'ai engagé mon soûlot qu'avec ma sœur nous contrôlions de notre mieux. Il venait au dispensaire pour donner sa consultation, puis, très vite, après le premier patient, il s'éclipsait : « Juste un petit verre. » Et à la *cantina* toute proche – beaucoup de femmes vendent de l'alcool dans leur baraque : *chicha* (boisson à base de maïs fermenté), *cannasso* (alcool de canne) ou *pisco* (alcool de raisin) –, il en buvait un deuxième, puis un troisième et un quatrième. Anna Maria venait le rechercher. « J'arrive... Juste un dernier verre ! » Une fois, ma sœur a perdu patience. Elle est venue avec un gosse dans les bras et l'a planté dans ceux du docteur : « Maintenant, débrouillez-vous ! » Le pauvre diable n'a plus osé venir à la consultation ; il reste maintenant à l'*esquina* où je l'ai rencontré. Comme il est très bon médecin, ma sœur l'appelle pour les cas graves. Autrement, quand il vient, il consulte au coin de la rue. S'il faut un examen au stéthoscope, il emmène le malade jusqu'à une pharmacie ! Dommage, il est devenu une ruine. On ne sait trop où il habite. Aucun contact possible avec lui. Quand il venait au dispensaire, il disait le strict minimum et gardait toujours la tête baissée. Il en était voûté, à force de ne plus regarder les gens en face. Il avait, paraît-il, trois ou quatre gosses, mais n'avait jamais un sou sur lui lorsqu'il rentrait.

Au dispensaire, la visite coûtait 25 *soles*, alors qu'on la faisait payer 100 à l'hôpital et 50 pour la moindre analyse d'urine dont les parents ne voyaient pas l'utilité et qu'ils négligeaient de faire faire. Sur les 25 *soles*, Jean-Marie en ristournait 20 au médecin. Les 5 restants étaient destinés à l'entretien du dispensaire.

– Ceux qui ont remplacé mon ivrogne, de jeunes étudiants péruviens qui se relaient deux fois par semaine, sont tout heureux de se partager maintenant quelque 10 000 *soles* par mois, sur lesquels ils ne paient pas d'impôts. Ici la misère est telle – poursuivit Anna Maria – qu'il faut que je fasse participer les femmes à une loterie de fin d'année pour qu'elles amènent leurs bébés à la consultation mensuelle que nous avons instituée. Sinon, elles ne voient pas l'intérêt de dépenser quelques *soles* pour une visite préventive. Pour environ 2 de vos francs, j'arrive ainsi à enrayer nombre de grippes, de bronchites endémiques, d'asthme qui sévissent à cause du climat chaud et humide de Lima et des brusques sautes de température. Vous avez remarqué que, s'il ne pleut presque jamais sur la capitale, c'est tous les soirs comme une sorte de brume qui enveloppe la ville et, sans mouiller les trottoirs, dépose de fines gouttelettes sur les pare-brise des voitures, quand elles dépassent une certaine vitesse. La *garua* fait ici des ravages. Les infections sont monnaie courante.

Quant à l'hygiène, autant n'en pas parler. Il n'y avait pas si longtemps que le dispensaire et le logement du missionnaire, construits en dur au milieu du bidonville, disposaient d'un sommaire tout-à-l'égout qui se déversait directement dans le rio Rimac. À l'époque où Jean-Marie s'était installé à Canta Gallo, au milieu d'une « invasion » qui venait juste de se produire, la *barriada*, faute de terrains disponibles, s'était construite sur un ancien dépôt d'ordures nivelé au tracteur. La fermentation du sous-sol provoquait çà et là la formation de petits volcans dont les émanations de gaz prenaient feu.

– Des flammes sortaient ainsi soudain du sol, racontait le *padre*. Des flammes de près d'un mètre qui jaillissaient, l'espace d'une ou deux secondes, comme celle d'un briquet à gaz déréglé. Quand deux personnes parlaient entre elles, tout à coup ça commençait à brûler à leurs pieds. Quelquefois, on s'enfonçait carrément dans le sol, dans un cratère d'une vingtaine de centimètres de diamètre. C'était assez pour mettre le feu à une maison faite de planches, de cartons, de vieilles caisses ramassées çà et là.

« Avec Anna Maria, nous avons vu le cas d'une masure où vivaient le père, la mère, deux filles et un garçon : une toute petite famille pour la *barriada* où les couples sont plutôt prolifiques. L'aînée avait huit ans, la seconde six, le garçon quatre. La mère était atteinte d'un cancer du sein en phase terminale. Dans la maison régnait une odeur épouvantable. Le père travaillait comme manœuvre dans un cirque, touchait un salaire ridicule et, en plus, était obligé de suivre le chapiteau en laissant sa famille à l'abandon. À défaut de tout contrôle, la maison était devenue un vrai cloaque. Les enfants jetaient tous les détritus à même le sol. Il y avait au moins 5 centimètres, peut-être plus, d'une matière visqueuse, innommable, sur laquelle on glissait. Quand la maman est morte, les trois enfants sont restés seuls. La petiote est devenue responsable de famille à 8 ans ! Elle devait trouver de quoi faire la cuisine pour tout son petit monde. Elle se servait d'un réchaud dont le brûleur était situé plus haut que sa tête. Nous sommes entrés un jour dans la maison, la gamine était en train de préparer une sauce tomate qu'elle tournait avec une fourchette, dans une poêle dont elle ne voyait même pas le fond. Nous avons décidé d'emmener les filles dans la maison de la sœur, et le garçon dans un asile où, par miracle, je lui ai trouvé une place. »

Parcourant les ruelles avec Jean-Marie, je vis tous ces enfants aux yeux vifs, au visage sale, dépenaillés, se mouchant d'un revers de leur main crasseuse, jouant pieds nus autour d'un tas d'immondices de près de deux mètres de haut. Les gosses le gravissaient en riant ; un amalgame de fruits et de légumes pourris éclatait sous leurs pieds et jaillissait entre leurs orteils écartés. Ils paraissaient indifférents à l'abominable odeur qui émanait de cette décharge en pleine fermentation. Ce jour-là, la température était de 28 °C, il y avait 95 % d'humidité, ce qui ne les empêchait nullement de glisser, de se relever, de patauger dans la boue noirâtre. Comme tous les enfants dénutris que j'avais eu l'occasion de rencontrer en Afrique ou en Asie, ils avaient le ventre gonflé, les membres décharnés.

– Ils se bourrent de féculents les moins chers, s'indignait Jean-Marie : la *camote* (patate douce grillée) ou le *mote* (maïs bouilli) vendus à chaque coin de rue, ou que prépare la mère, à l'instar de ses sœurs les plus pauvres de la *sierra*. Presque jamais de viande, presque jamais de poisson, alors que le Pérou est le premier fournisseur mondial de farine ! Même les déchets sont trop chers pour eux. Les parents installés depuis un certain temps engraissent parfois un porc et quelques canards qu'Anna Maria a toutes les peines du monde à faire élever ailleurs qu'au pied de ce qui sert de lit à la famille !

En cet instant, je songeai à une scène qui s'était déroulée à mon retour de la *selva* où les Yaguas restés proches de la nature connaissaient au moins un sort enviable, comparé à celui de ces gamins de la *barriada*. Une réception réunissait quelques riches touristes et certains membres de la jet-society liménienne que Jean-Marie n'hésitait pas à solliciter de temps à autre au profit de ses déshérités. Il était leur bonne conscience. Moi, j'étais le journaliste français témoin de leurs bontés. C'était un riche collectionneur péruvien qui invitait, l'un de ces gros propriétaires qui tenaient entre leurs mains les trois quarts des bonnes terres de la *sierra.* Il possédait en outre une banque et trois ou quatre propriétés industrielles. Nous avions été accueillis dans une somptueuse maison blanche de style espagnol, entourée d'un parc où l'herbe haute offrait un abri aux ébats de biches apprivoisées. Le salon où se déroulait le cocktail était gigantesque – 50 mètres de long, 25 de large, 10 de haut – et abritait uniquement les trophées de chasse de notre hôte, passionné de safaris. Plusieurs dizaines d'animaux naturalisés ornaient les murs ; une tête d'éléphant dont les défenses pesaient bien leurs deux cents livres occupait la place d'honneur. Une famille de tigres du Bengale voisinait avec quelques crocodiles et des têtes de bisons, girafes, rhinocéros et buffles du Cameroun. Une kyrielle de fauteuils et de canapés étaient recouverts de peaux de zèbres, et une table géante garnie d'animaux en cristal précieux. De magnifiques dépouilles de panthères étaient jetées çà et là sur l'immense parquet constitué de cœurs de bois durs sélectionnés un à un dans la jungle du nord du pays. Ce n'était là que le hobby du maître de l'*hacienda.* Sa véritable collection, fabuleuse, était l'une des plus belles réunions connues de masques incas en or, estimée à plusieurs milliards d'anciens francs et qu'exposaient régulièrement les plus grandes capitales du monde.

– Ah, cher Monsieur, me dit notre hôtesse à l'heure de prendre congé, on ne montre que ce qui est laid dans notre pays, mais il y a encore de jolies choses comme celles-ci, et des gens qui ont du goût : dites-le, Monsieur !

Jean-Marie avait esquissé un drôle de petit sourire que seuls pouvaient comprendre ceux qui connaissaient Canta Gallo et les *barriadas*, soigneusement cachées aux visiteurs et dont la bonne société de Lima ne voulait même pas connaître l'existence.

Les habitants du bidonville l'appelaient le *montón*, c'est-à-dire le tas, le monceau, l'amas. Il se créait et grandissait comme par génération spontanée. La dernière « invasion » avait ainsi grossi Canta Gallo de 350 familles en une nuit. Des malheureux qui venaient de la même région de la *sierra*. Ils s'installaient contre les baraques déjà édifiées. Quatre *palos* (piquets), une *estera* (natte de palmier tressé) en guise de murs, une *tolda* (bâche ou tôle) pour toit, et l'affaire était bouclée. Deux mètres × 2 mètres : tel était l'abri pour une famille qui dormait tête-bêche sous des peaux de moutons. Sur 16 mètres carrés, Jean-Marie avait dénombré jusqu'à 27 personnes ! Les nouveaux venus étaient exploités par le plus futé des premiers occupants.

– Dans chaque *barriada*, me montrait le *padre* sans qui je n'aurais su me déplacer, il y a un *cabecilla* – une « tête » –, un chef qui gueule plus fort que les autres, mais qui, lorsque la police met son nez dans le quartier, laisse les gens l'affronter. Il ne peut et ne veut surtout rien dire pour les défendre, car lui-même loue des terrains qui ne lui appartiennent pas à des misérables arrivés après les autres. Cela paraît normal aux nouveaux qui l'appellent « le Malin ». Eux-mêmes en feront autant à la prochaine « invasion » provoquée par la fin d'un chantier qui aura mis à la rue, d'un jour sur l'autre, des centaines de manœuvres. C'est un cercle vicieux. Mais, tant bien que mal, ils survivent…

Si le sort des adultes était loin d'être enviable, celui des enfants brisait le cœur. Beaucoup commençaient à boire dès l'âge de 8 ou 10 ans, souvent entraînés par l'exemple des parents, toujours par des copains plus âgés de la *barriada*. La *chicha* et même la bière produisaient un effet épouvantable sur des organismes aussi frêles, aussi sous-alimentés. Par suite de l'excitation alcoolique, les gosses se livraient au vol, à la casse, à toutes sortes de déprédations, tant dans le bidonville que lors d'expéditions dans le centre-ville. Dans de pareilles conditions de vie, la délinquance juvénile était inévitable. Près de 35 % des enfants s'y livraient, surtout parmi les garçons. Les filles étaient moins touchées, elles restaient plus longtemps à la maison à aider la mère à élever sa ribambelle d'enfants. Tous les dix mois arrivait une nouvelle bouche à nourrir : c'était le cycle ordinaire chez la femme de Canta Gallo. « Moins d'enfants », conseillait vivement Hermana Anna Maria qui, au dispensaire, distribuait généreusement les contraceptifs existants, malgré l'opposition du Vatican. Quand je lui fis remarquer ce manquement à la règle de l'Église, elle n'eut qu'une réponse : « Oh ! si notre Saint-Père vivait ici, c'est lui qui m'aiderait à les distribuer ! » Que répliquer à cette réflexion frappée au coin du bon sens, alors que la loi française allait attendre encore deux ans avant d'autoriser officiellement la contraception, en 1967 !

– Qui se soucie des gosses des *barriadas* ? rageait Jean-Marie qui n'avait jamais vu l'archevêque, encore moins le cardinal de Lima visiter le bidonville depuis qu'il s'y était installé, deux décennies plus tôt. S'ils avaient voulu voir, ils auraient vu toute cette promiscuité ! Ces filles qui font l'amour à peine pubères, ces gosses qui, dans la cabane minuscule où loge toute une famille, voient leurs parents s'étreindre, s'aimer, se prendre. Garçons et filles savent tout de la vie, ont tout vu dès 5 ou 6 ans, et, sans rien y comprendre, répètent dès le lendemain les mêmes gestes en jouant dans la ruelle voisine, sous les rires salaces d'autres adultes. J'ai même dû prendre garde à ne pas avoir, pour les enfants – surtout les filles –, de ces gestes de tendresse instinctive, normale dans nos pays européens. Une caresse de rien du tout et la gamine lui prêtera aussitôt une connotation sexuelle. Elle s'imaginera qu'on va coucher avec elle, tant cela lui paraît ordinaire. Et elle n'a que 8 ou 10 ans. Douze, tout au plus ! Dans toutes ces ruelles que, depuis notre retour à Lima, vous parcourez chaque jour avec moi, je ne compte plus les cas d'inceste. Et encore, on ne me dit pas tout. Dans le bidonville, la cabane n'abrite même pas un lit pour le couple. Aucune possibilité d'intimité. La famille dort sans vêtements sous l'unique couverture. Et, dans la nuit, quand le père sent contre lui le corps de sa fille, que croyez-vous qu'il se passe ? La mère ne voit rien, ne veut rien voir, ou s'en fiche carrément. En général, les *indios* métis n'ont pas la même notion de l'amour que nous. Ni de la morale. Par exemple, j'ai fait fermer un bordel dont les pensionnaires avaient 13 ou 14 ans. Lorsque je l'ai dénoncé, il a fallu que je demande à la police de ne pas parler de moi, sinon les gens de la *barriada* voisine – j'ai la confiance des miens – auraient dit : « C'est parce que le bordel n'a pas donné assez d'argent au curé qu'il l'a dénoncé ! » Telle est la mentalité. Ici, mentir n'a rien que de très naturel. La calomnie y fonctionne à la perfection et se révèle particulièrement redoutable, au point que les procès sont impossibles à intenter, tant les faux témoins abondent. Nous autres, nous avons des millénaires de culture derrière nous ; eux, n'ont rien.

Par bonheur, tout n'était pas entièrement négatif chez les habitants de Canta Gallo. Nombre d'entre eux, les plus anciens, arrivés totalement incultes, seulement capables d'occuper un poste de manœuvre, avaient progressé et appris un métier. Ils possédaient un emploi fixe dans une entreprise. La cabane des débuts était devenue une bicoque en dur, avec un toit, un sol bétonné, une porte et une fenêtre que la femme n'avait de cesse de grillager de fer forgé, avec même une rosace dorée pour les plus ambitieuses d'entre elles. L'évolution passait par là.

Tout commençait par l'homme. À travers ses voyages entre la *sierra* et la ville, Jean-Marie avait reconstitué son parcours. À bord de la *gondola* – les *indios* appelaient ainsi par dérision le car brinquebalant qui conduisait de la montagne à Lima –, le candidat à l'émigration citadine lui racontait l'idée, fausse, qu'il se faisait de la ville. Tous ceux de son village qui en revenaient étaient plus propres, mieux habillés, avec d'autres manières qu'il enviait, mais, par orgueil, ils ne lui avaient jamais décrit les réalités de la vie quotidienne dans les *barriadas* de la capitale. À peine arrivé à Canta Gallo, il les découvrait et entrait dans le circuit habituel où ses prédécesseurs étaient passés. Ceux de la dernière « invasion » le dirigeaient vers l'extérieur de la ville où on l'employait à l'arrachage des patates douces, au ramassage du coton ou à la récolte de canne pour gagner 10 à 15 *soles* par jour comme ouvrier agricole. Puis, grâce à des connaissances, il trouvait un emploi permanent à nettoyer des chantiers, des hangars, une fabrique. Il en tirait 20 à 25 *soles*. Pas assez pour nourrir correctement femme et enfants. Les plus chanceux trouvaient une *hermana* Anna Maria et un *padre* Jean-Marie qui avaient créé, avec 3 francs 6 sous, une garderie où les plus évolués s'occupaient des plus petits. Tous y étaient nourris le midi. Le nouveau citadin pouvait alors tenter d'économiser – s'il était sérieux – de quoi s'acheter, sur les trottoirs de la ville, un pantalon et une chemise pour remplacer ses loques de la *sierra*. Avec des vêtements propres, il pouvait prétendre à un meilleur travail et, débarrassé du souci quotidien de nourrir ses gosses, entamer ainsi son ascension sociale.

– En un an, le voilà sur pied, racontait avec fierté le père Protain. Il a un pantalon, bientôt une veste. Il sourit quand je le rencontre. Dans ce pays, c'est un signe qui ne trompe pas. S'il sourit, c'est qu'il mange. J'arrive ainsi à en dépanner une cinquantaine par an. Et puis, chose importante, le type qui s'élève, élève par force sa femme. S'il voit qu'elle est restée sale, échevelée, en haillons, qu'elle est mauvaise cuisinière, qu'elle ne fait aucun effort, il menace et risque de la quitter. Avant, dans sa misère, il ne s'apercevait de rien. Maintenant qu'il sort, qu'il a des contacts avec certains ouvriers comme lui, mais mieux organisés, il exige que sa femme change. Dans l'ensemble, ceux qui ne travaillent pas ou ne changent pas sont des ivrognes. N'étant pas forts naturellement, ne mangeant pas souvent à leur faim, ils s'imbibent facilement. Un petit verre le matin leur suffit pour être ivres en arrivant au travail, et ils perdent leur emploi. Ceux-là, qu'ils se débrouillent, je ne peux pas m'en occuper : ce sont les scories de la société !

Ce jour-là, Anna Maria, qui était la bonté même et montrait tant d'admiration pour le dévouement de son frère, lui lança devant moi ce qui devait constituer sa pire injure :

– Tu n'as pas de cœur !

– Si j'avais du cœur pour tout et pour tous, répliqua Jean-marie avec un sourire amer, il y a longtemps que je serais mort d'épuisement et de chagrin.

Un peu plus tard, Anna Maria me confia, comme pour excuser son frère, que Jean-Marie était malade. Sa tension oscillait entre 6 et 19. Trop de fatigue. Sans s'en apercevoir, il en arrivait à proférer des choses injustes, dures même. Il avait besoin d'un repos qu'il refusait de prendre. Quittant tout jeune le séminaire suisse où il avait fait ses études, il n'était jamais revenu dans sa famille depuis près de trente ans.

– Un jour, je reviendrai en France pour réunir des fonds, me confia-t-il. Je devrai parler, crier misère, comme Dom Helder Camara ou l'abbé Pierre qui ont dit leur fait aux gros propriétaires liméniens : « Il y a de l'eau pour les gazons de l'avenida Arequipa, mais il n'y en a pas pour les gamins des *barriadas* ! » Ici, on les a traités de communistes. Comme moi et mon frère à nos débuts. Depuis, je ne parle plus ni à la radio, ni à la télévision, ni en public. Alors on me laisse en paix. Devant l'immensité des problèmes à résoudre, je me suis fait ma petite philosophie. Chaque jour, je résous ce que je peux. Et quand ce n'est pas possible, je laisse aller. Je devrais sans cesse faire la tournée des ambassades pour y trouver d'éventuelles aides financières. Certains curés passent leur temps à ça. Moi, je préfère être avec les misérables qui ont besoin de ma présence. Ils m'en sont très reconnaissants. Dans mon quartier, j'ai obtenu de la ville quelques réverbères pour éviter de se faire détrousser dans l'ombre. On y parle encore de l'« électricité du *padre* Paulo » ! Tel est mon surnom, dans la *barriada*. « Ils ont la radio, certains la télé, me dit-on du côté de l'archevêché. Vous voyez bien qu'ils ne sont pas si malheureux ! » C'est vrai qu'à ma petite coopérative, je vends à prix coûtant des machines à coudre, des réchauds à gaz, et même la fameuse télé qu'ils paient à tempérament. Je les y pousse, pour qu'ils trouvent un attrait à rester chez eux, que les hommes évitent la *cantina* et sa redoutable *chicha*, que les gosses ne traînent pas le soir. Les feuilletons les font tous rentrer plus tôt. « Ce ne sont pas des films pour eux », m'a-t-on fait vivement remarquer. Mais, avec ce qu'ils voient dans leur famille, et le langage qu'ils ont appris tout jeunes en faisant la queue aux rares points d'eau ! Il y a des gens à qui je parviens à faire comprendre cela. Ainsi ceux chez qui nous étions, l'autre soir. Ils s'imaginent même que je joue tous les rôles dans le théâtre tragique de Canta Gallo : assistance sociale, bureau de placement ou d'orientation professionnelle, chef de groupe d'autodéfense, mais aussi conseiller conjugal !

Au soir de ma première nuit à la *barriada*, j'avais compris à quelle insécurité Jean-Marie devait faire face en le voyant lâcher, pour la nuit, un solide berger allemand dans le local qui l'abritait. S'il avait confiance en ceux de sa *barriada*, il pouvait en revanche s'attendre à tout de la part des bandes des bidonvilles voisins. Il avait dû apprendre aux derniers arrivants d'une nouvelle « invasion » qu'il ne fallait pas se laisser intimider par la violence que manifestaient certains jeunes voleurs, comme ceux menés par l'adolescente droguée, égérie des plus excités d'entre eux. Pourtant, Anna Maria avait peu à peu réussi à apprivoiser celle-ci. La religieuse avait repris confiance quand la jeune fille était venue une nuit la chercher pour porter secours à une femme malade, et l'avait protégée, avec ses lieutenants, à travers un bidonville hostile. Ces trop rares beaux gestes n'empêchaient pas, chaque soir, le *padre* de verrouiller soigneusement la porte en fer de la coopérative, si riche en tentations, ni d'engager une cartouche dans la culasse de son Walter P.P. qu'il m'avait montré avec un haussement d'épaules significatif : il gardait l'arme sur la caisse qui lui tenait lieu de table de nuit !

– Si tu racontes ce que je vis et ce que je fais, on te prendra pour un menteur, ou moi pour un prêtre indigne, me déclara le *padre* Jean-Marie à la veille de mon départ. Et pourtant, regarde ces deux-là !

Il me présentait un tout jeune couple méritant et travailleur qui voulait se marier religieusement et à qui il refusait le sacrement pour des raisons pratiques.

– Il a 17 ans, elle en a 13 et elle est enceinte. Ils tombent sous le coup de la loi. S'ils se marient, le garçon n'ira pas en prison. Bien sûr qu'il faut donc les unir, mais je veux qu'ils se marient civilement ! Eux veulent l'Église, par tradition. Je leur explique : « Si, dans quelque temps, cela ne va plus, vous pourrez toujours divorcer. Si c'est moi qui vous ai mariés, cela deviendra impossible. Restez donc ensemble et si, dans un an, vous voyez que votre ménage est un bon mariage, revenez me voir : je vous marierai à l'Église, il sera bien temps ! Et vous n'aurez pas à me dire : « *Estamos aburidos*, nous sommes ennuyés... » *Aburidos* est un grand classique, chez les couples de la *barriada.* Quand ils me disent ça, je sais qu'ils vont se séparer. Ici, l'homme a au moins deux femmes. Si, par exemple, il est chauffeur de car, il en a une à chaque terminus. S'il travaille à l'usine, il va profiter d'une pause pour faire l'amour à la fille qui passe vendre quelques bricoles à manger. Surveiller son mari est une chose impensable chez la femme légitime, laquelle n'est pas jalouse au sens européen du terme. Dans la plupart des couples, la notion d'amour n'a pas cours. Si l'homme s'en va, la femme pleurniche pour une raison financière, car il est parti avec l'argent du ménage ! Avant qu'elle ne retrouve un autre mâle, il lui faudra quinze jours à un mois pendant lequel, avec ses enfants, elle sera dans la panade. Anna Maria et moi sommes tentés de l'aider financièrement, mais il ne faut pas : si nous le faisons, elle ne cherchera plus que nonchalamment un homme. Or il lui en faut un. Absolument !

Les exemples ne manquaient pas, de l'autre côté du rio Rimac : une femme plaquée avec quatre gosses n'avait aucun mal à trouver un autre amant qui, lui, était flanqué de trois enfants : et voilà reconstituée une famille de neuf personnes, sans compter les rejetons qu'ils mettaient en route sans tarder. Le doyen de la *barriada* avait 70 ans – âge considérable, au regard de l'espérance de vie locale – et 20 enfants, dont 14 étaient vivants. Sa femme ne pouvant plus en avoir, il n'avait pas hésité à prendre une maîtresse de 30 ans qu'il avait installée au foyer conjugal. Un quinzième enfant était annoncé pour bientôt. L'imprévoyance des couples les plus sérieux désespérait aussi bien Jean-Marie qu'Anna Maria. Leurs protégés ne pensaient jamais à l'avenir, fût-ce le plus immédiat. L'homme sortait de l'atelier avec deux amis, ils se partageaient douze bouteilles de bière sans penser au « trou » que cette folie ferait dans le budget familial. Dans le meilleur des cas, il ne parvenait à la maisonnée que la moitié de l'argent gagné. Mari et femme étaient incapables de le gérer convenablement. Si l'homme remettait 2 ou 300 *soles* à l'épouse, quatre jours plus tard il n'en restait plus rien. Quant à l'homme, il avait bu avec des copains ce qui lui restait, ou bien n'avait pu résister à l'attrait d'une paire de lunettes de soleil ! Si la fille aînée trouvait un travail temporaire, c'était pour pouvoir s'acheter une paire de bas, un pull ou du maquillage. Comment lui reprocher de vouloir être coquette, malgré les conditions de vie dans le bidonville ? « La différence entre la fille aînée et ses cadets est énorme, expliquait Anna Maria. Ils doivent souvent se débrouiller par eux-mêmes. Auprès de la jeune fille à la beauté du diable, presque élégante, comment imaginer que ce gosse morveux, sale, en loques, est son frère et qu'ils vivent dans le même foyer ? »

Quelques jours passés dans la *barriada* m'avaient mis le moral en berne. Je songeais déjà à mon retour en France, avec ma moisson de « choses vues » au pays des « cent millions de sous-hommes », et je promettais de ne jamais plus me plaindre des aléas de notre vie européenne. Comme j'avais vu Anna Maria et Jean-Marie se nourrir n'importe comment, et à n'importe quelle heure, à la manière de ceux dont ils s'efforçaient de soulager le sort sans attendre de récompense, je résolus de leur offrir un instant de détente dans l'excellent restaurant du Gran Hotel Bolivar de la plaza San Martín. Cette initiative suscita les hauts cris de mes amis qui mêlaient désormais tutoiement et vouvoiement à mon adresse : « Tu n'y penses pas ! Un seul repas au Bolivar permettrait à une famille de Canta Gallo de vivre quinze jours sans se priver ! » Ce fut Anna Maria qui trouva un compromis, plus pour procurer un dérivatif à son frère, dont la fatigue morale l'inquiétait, que pour répondre à mon invitation.

– Nous n'irons pas au Bolivar, me dit-elle, mais chez Rosita Ríos qui, pour un prix raisonnable, fait une vraie cuisine péruvienne dont je vous donnerai les recettes au fur et à mesure. Elles viendront enrichir votre reportage. Elle ne sert que des plats *criollos*. Son menu unique en comporte neuf, mais servis en petite quantité, de façon à vous livrer un large aperçu de son art, car à sa manière c'est une artiste. Seulement, il faut aimer la cuisine épicée, ce qui nous protège des invasions touristiques. Tout le monde ne la supporte pas !

Par bonheur, ce n'était pas mon cas. Le Cambodge, l'Inde et même l'Algérie m'avaient blindé le palais. Pour la première fois depuis notre rencontre, nous ne parlâmes pas de situations atroces, ni de tous les malheurs du monde dont paraissait avoir hérité une trop large partie du peuple indien du Pérou. L'essentiel de notre conversation roula sur la cuisine. Jean-Marie mangeait avec un appétit d'adolescent, sa sœur avec gourmandise, tout en choisissant les vocables les plus précis pour me décrire les plats qui défilaient. La mode du poisson cru n'avait pas encore envahi l'Europe.

C'est préparé par la vieille Rosita Ríos que je dégustai mon premier *cebiche*, lamelles de *corvina*, poisson de l'océan à chair blanche, marinées dans un jus de citron vert auquel on avait ajouté de l'ail, du piment écrasé et des oignons.

– La sauce de *cebiche*, précisa Anna Maria, est très forte, délicieuse et très efficace pour combattre la grippe ou la gueule de bois. D'ailleurs, en espagnol, on l'appelle *sang de tigre* !

Le porc qu'élevaient la plupart des femmes de la *barriada* jouait un grand rôle parmi les plats de fête sous la forme de *sangrecita*, sang de porc préparé à la manière du boudin, frit dans l'huile avec de l'ail et du piment, servi avec des galettes de maïs, ou de *chicharron*, viande de porc bouillie puis revenue à la poêle. Le *cau-cau* était composé de tripes de bœuf préparées avec du *palillo*, un condiment en poudre verdâtre qui donnait sa couleur peu engageante au plat mais se révélait délicieux quand on y ajoutait de l'ail et de l'oignon. Grâce à Rosita Ríos, je pus aussi goûter aux deux plats les plus populaires du Pérou, qui se vendaient jusque dans les rues de Lima, et auxquels, dans le doute, je m'étais abstenu de toucher, rebuté par l'aspect crasseux de ses vendeuses à la sauvette : l'*anticucho* et le *tamal*. L'*anticucho* était fait de morceaux de cœur de bœuf macérés dans le vinaigre avec du cumin et de l'ail, enfilés sur des brochettes de bambou et grillés sur la braise. On les dégustait dans les *fiestas* de quartier, tout comme aux corridas et aux combats de coqs. Les *tamales* étaient ces petits paquets que j'avais découvert dans le *gastos*, au pied des croix qui, dans la *sierra*, jalonnaient la voie du *Ferrocarril del Centro*. Il s'agissait de maïs pilé avec du saindoux et arrosé d'une sauce à la viande de porc avec de l'ail, du cumin et des piments rouges qui donnaient sa belle couleur au *tamal*. Celui, très riche, de Rosita Ríos était accompagné d'un morceau de viande, d'un œuf et de cacahuètes. Il était posé sur une feuille de bananier séchée au four, pliée en petit paquet carré, tenue par un brin de raphia et mis au bain-marie. Les *tamales* du peuple, les plus simples, sans viande ni œuf, étaient servis froids par des Indiennes qui les proposaient dans un grand panier d'osier, sur les quais de la gare, aux portes des usines, à la queue des cinémas de la Uníon, l'artère où battait le pouls de Lima, ou dans les rues avoisinantes. Partout, sauf dans les quartiers huppés de San Isidro ou Miraflorès.

Notre festin se termina aux accents de musique *criolla* où se mélangeaient éléments hispaniques et indigènes. La valse entendue ce soir-là donna à deux couples de guitaristes l'occasion de s'affronter tout en souriant aux dîneurs. Comme ils ne voulaient pas jouer ensemble, l'un attendait que l'autre eût terminé un morceau pour tenter de prendre l'avantage, mais le duo qui jouait enchaînait rapidement les airs sans laisser le temps à son concurrent de prendre sa place. À l'arrivée, venu le temps de la quête, celui qui avait le plus joué récoltait la mise.

– Ils paraissent un peu plus civilisés que mes *indios* de Canta Gallo, me dit Jean-Marie, mais pas tant que cela. Plutôt que de s'entendre, de jouer tous ensemble et de partager l'argent récolté, chacun préfère mener en solo sa partition, en espérant que sa quête sera plus fructueuse que celle de l'autre duo. Après tout, nous ne sommes pas si différents. Lorsque Nicola revient de sa tournée dans la *sierra*, il ne partage pas avec moi. Ni moi avec lui. Pourtant, tout notre argent va aux pauvres… L'homme est ainsi fait, avec ses petitesses sans nombre !

*
* *

L'épisode péruvien fut le plus marquant de cette plongée au sein de l'Amérique du Sud de la misère. Il provoqua chez les auditeurs un vaste mouvement de solidarité lorsque je présentai, sept soirs durant, le résultat de ces huit semaines d'un voyage qui m'avait certes fait rêver mais dont je revenais aussi malade physiquement que moralement. Jean-Marie y récolta par mes soins une belle somme qui lui permit d'édifier en dur, au cœur de Canta Gallo, le vaste dispensaire et la coopérative efficace qu'il n'aurait jamais osé envisager trois mois plus tôt. Ce fut ma plus belle récompense. Elle ne fut pas la seule.

Joseph Kessel qui, depuis notre rencontre à Jérusalem et la grande virée à Broadway en compagnie de Lennie Lyons, me donnait volontiers son avis sur mes reportages, apprécia vivement celui-ci et me conseilla de le présenter aux membres du jury du prix Albert-Londres. Ce prix prestigieux couronnait le meilleur grand reportage de l'année et était réservé à un journaliste français de moins de 40 ans. Que Kessel m'eût jugé digne de m'y présenter, alors que je venais à peine d'atteindre la trentaine, me parut déjà miraculeux. Seulement Jef, guidé par l'amitié, avait oublié un obstacle de taille : le prix, depuis sa création en 1933, n'était décerné qu'à un membre de la presse écrite.

– Je connais tes qualités, balaya Kessel d'un revers de main. Je sais l'importance que tu donnes à l'écriture. Ce n'est pas parce que ton travail est diffusé sur les ondes, et non imprimé sur du papier journal, qu'il est inférieur à celui de tes confrères de l'écrit. Fais taper les sept papiers que compte ton reportage, et fais-les parvenir aux jurés. Je me charge de convaincre les réticents. S'il y en a !

Et il y en eut. Surtout parmi les plus anciens qui ne connaissaient rien aux techniques de la radio et restaient persuadés qu'il suffisait de tenir un micro et de parler dedans pour réaliser un radio-reportage. J'eus pourtant chez eux de solides alliés, menés par Jean Botrot, le seul qui, avec Joseph Kessel, président d'honneur du prix, avait connu personnellement Albert Londres et rivalisé avec lui. Né en 1904, il était entré à l'âge de 18 ans au *Petit Parisien* ;

de 1925 à 1937, il avait poursuivi sa carrière au *Journal* comme reporter, surtout, de 1929 à 1933, en Allemagne où il avait prévu l'arrivée au pouvoir d'Adolf Hitler. Lui-même avait obtenu le prix en 1936. J'avais glané ces renseignements auprès de Florise Albert-Londres qui avait créé le prix à la mémoire de son père, disparu en reportage le 16 mai 1932, et qui soutenait ma candidature. En effet, Jean Botrot, qui m'avait entendu sur l'antenne, avait souhaité me connaître, après m'avoir lu, et m'avait invité à boire un verre au Harry's Bar. Bavardant avec lui, j'avais le sentiment de pénétrer dans l'histoire du journalisme flamboyant d'avant-guerre avec lequel Kessel m'avait déjà familiarisé durant ces cinq dernières années. Au deuxième verre, il voulut savoir quels étaient les membres du jury que j'avais pu rencontrer sur le terrain, et quel était l'état de nos relations. Nombre d'entre eux m'avaient aidé de leur expérience et de leurs conseils lors de mes débuts de jeune reporter en Algérie. Il y avait parmi eux Max Olivier-Lacamp, grand reporter au *Figaro*, romancier bientôt couronné par le Renaudot ; Dominique Pado, sénateur et rédacteur en chef de *L'Aurore*, ami d'Armand Jammot ; Jean Lartéguy, qui venait d'obtenir un fabuleux succès de librairie avec sa trilogie des *Centurions*, des *Mercenaires* et des *Prétoriens*, reflets romancés des heures les plus tragiques des guerres d'Indochine et d'Algérie ; Henri de Turenne, grand reporter à *France-Soir* et producteur des *Grandes Batailles* à la télévision française ; Henri Amouroux, grand reporter et rédacteur en chef de *Sud-Ouest*, tout comme René Mauriès l'était de *La Dépêche du Midi* ; sans oublier Marcel Niedergang, passé de *France-Soir* au *Monde* depuis notre commune aventure au Congo belge ; et bien d'autres encore, tous anciens lauréats du prix, à l'exception de Lucien Bodard et Henri Amouroux, choisis par leurs pairs lors d'une élection de maréchal pour réparer une injustice flagrante, tant leur propre talent était évident.

– Somme toute, l'affaire ne se présente pas mal, conclut Jean Botrot en cochant des noms sur une liste, comme un pronostiqueur du prix Goncourt à la veille de l'ultime réunion chez Drouant…

À l'entendre, mon élection était évidente. J'en étais moins sûr que lui. Je n'avais pas tort, puisqu'il fallut cinq tours de scrutin pour que je sois proclamé 28ᵉ prix Albert-Londres, alors que d'ordinaire l'affaire se jouait en trois tours. Ce fut pourtant un des plus beaux jours de ma vie, tant cette distinction était prestigieuse et, pour moi, inattendue. Sans Kessel, je n'aurais jamais eu l'idée de me présenter à un prix jusque-là réservé à la presse écrite, alors que, pour le décrocher, les patrons des plus grands journaux français usaient de toute leur influence. À cette occasion, je mesurai combien celle de mon ami restait grande dans ce milieu où j'étais entré par le plus grand des hasards.

Le destin me poursuivait : alors que le prix Albert-Londres aurait dû conforter ma carrière de journaliste, ma réputation s'en trouvant confirmée, il lui imprima paradoxalement une toute autre orientation. À peine avais-je obtenu le prix, entouré du tapage que savait organiser la presse, alors peu avare de compliments pour ses plus jeunes confrères – j'eus droit à la une du *Figaro* et de *France-Soir* –, que des éditeurs prirent contact avec moi. Leurs propositions me furent d'autant plus agréables que l'on assistait, en cette seconde moitié des années soixante, à la fin d'une certaine forme de journalisme, celle que m'avaient apprise les Kessel, Lazareff et Jammot. Mon journal avait changé de direction. On m'y dit comme partout ailleurs : « Plus question de dix ou quinze minutes confiées chaque soir à un seul homme pendant une semaine et consacrées à tel ou tel événement. » Sous prétexte de modernisme, à la concision et à la rapidité on sacrifiait l'aventure, l'écriture, le fignolage, le choix des mots, de l'accroche, de la chute. Tout ce que j'aimais et que déjà je regrettais de ne pouvoir assez peaufiner, faute de temps, devenait superflu, dépassé. Désormais, le voyageur qu'était le grand reporter-radio se bornerait à tenir, du pays lointain où on l'expédiait, une brève conversation avec le présentateur du journal. L'idéal était de donner la parole aux auditeurs et de les faire participer le plus étroitement possible à l'élaboration de la séquence informative. N'ayant pas l'âme d'un rédacteur en chef, détestant les heures fixes, les conférences de rédaction, les bureaux, je n'avais plus ma place dans le journal. Si je ne l'avais pas senti, on l'aurait vite fait comprendre à l'individualiste que j'étais. C'est dire si j'accueillis favorablement les offres de service de différents éditeurs. *Cent Millions de sous-hommes* traitant de l'Amérique du Sud, tous voulaient naturellement un livre sur l'Amérique du Sud, en particulier sur les bidonvilles où j'avais vécu, de Caracas à Recife en passant par Bogota, Santiago, Rio et bien sûr Lima, avec Jean-Marie en figure de proue.

Lors de ces contacts, je rencontrai un personnage étonnant qui devint un ami et joua un très grand rôle dans la première partie de ma vie littéraire : président-directeur général des éditions Fayard, il s'appelait Charles Orengo et était l'un des plus grands éditeurs français, de ceux qui savent découvrir, faire confiance, aider un nouveau venu dans ce monde fermé, et surtout constituer avec lui l'indispensable tandem auteur-éditeur. Sa réputation était grande. C'est lui qui avait révélé au grand public des écrivains aussi différents que Michel Déon, Gilles Perrault, le romancier italien Carlo Coccioli, issu de la Résistance, Christine de Rivoyre et surtout Marguerite Yourcenar ; c'est lui encore qui avait négocié avec Plon, où il avait été directeur littéraire, les *Mémoires* du général de Gaulle. À cette occasion, il était devenu un familier de Colombey-les-deux-Églises, pendant la « traversée du désert », séduisant le Général par son ébouriffante culture et lui-même séduit par l'extraordinaire aura de l'homme d'État. Charles Orengo me raconta plus tard comment il lui rendit visite pendant les événements du 13 mai 1958. De Gaulle était à la veille de lui remettre le manuscrit du dernier tome de ses *Mémoires de guerre*, mais, la situation de la IVe République se dégradant de jour en jour, il devenait évident que le Général allait être appelé à la tête du gouvernement. Orengo lui dit que, bien sûr, dans de telles conditions, le livre ne serait pas prêt à temps, et qu'il en retarderait la publication. « Pourquoi cela, Orengo ? s'insurgea le Général. Il y a un temps pour chaque chose. Ne modifiez rien à nos projets… » À la date fixée, l'éditeur reçut le manuscrit. Et, tandis que le général de Gaulle devenait président du Conseil, Charles Orengo, au calme de son appartement de l'avenue de l'Observatoire, fut le premier à lire la phrase devenue fameuse : « Vieil homme, recru d'épreuves, détaché des entreprises, sentant venir le froid éternel, mais jamais las de guetter dans l'ombre la lueur de l'espérance… » Le « vieil homme » prenait le pouvoir pour onze années, et, pour la seconde fois de sa vie, allait marquer notre histoire pour toujours.

J'expliquai à Charles Orengo ma situation dans un journal qui n'avait plus besoin de moi et que j'entendais quitter après lui avoir apporté le premier prix Albert-Londres de l'histoire de la radio. Je déclinai sa proposition d'écrire un ouvrage sur mon expérience sud-américaine, et lui exposai le projet que je mijotais depuis plusieurs années : écrire l'histoire de cette guerre d'Algérie qui m'avait tant marqué et qui n'était terminée que depuis quatre ans. Une bonne centaine d'ouvrages avaient déjà été écrits sur le sujet depuis la Toussaint Rouge du 1er novembre 1954, mais tous rédigés « à chaud », et tous consacrés à plaider avec passion la cause d'un camp ou de l'autre. Aucun n'avait raconté toute l'histoire des sept années de guerre. Encore moins dans les deux camps. L'éditeur fut enthousiaste.

– C'est un énorme travail, me dit-il, mais si vous vous en sentez le courage, foncez ! Ne confiez votre projet à personne. N'écoutez personne, surtout ceux qui vous diront, et ils seront nombreux : « L'Algérie, c'est fini, c'est une page enfin tournée. » Cela ne fait que commencer.

Nous entrons dans l'Histoire. Moi, je serai toujours là pour vous épauler.

Je remisai dans un portefeuille la carte de presse dont j'avais été si fier, dix ans auparavant, et, soutenu par une épouse exceptionnelle, j'attaquai de toute la force de ma trentaine la plus longue enquête, le plus important reportage de ma vie. Il devait durer cinq ans.

12

Gary... Gary... Brûle... Brûle

Entre la musique tzigane et Joseph Kessel, il s'agissait d'une longue histoire d'amour qui avait commencé à Riga quand le journaliste de 23 ans avait tenté, en 1921, d'entrer clandestinement en URSS pour le compte du *Figaro.* Outre les témoignages que l'on sait sur les crimes de la Tcheka, recueillis auprès de victimes de la terrible police politique, le jeune homme avait fait, dans les boîtes de nuit qui abondaient dans la capitale lettone, une découverte d'importance : celle de la musique tzigane, « torture savante des nerfs, langueur faisandée, joie hystérique », effleurée à Vladivostok où, trente mois plus tôt, il avait terminé un service militaire d'exception qui l'avait familiarisé avec la violence et l'alcool dont il devait faire un usage immodéré tout au long de sa vie. En écoutant ces airs magnifiquement décrits par Pouchkine et Dostoïevski, il avait compris combien les chants de ces tziganes qui, hier encore, avaient pour rôle de distraire les grands-ducs, les *barines* millionnaires, les officiers tsaristes, faisaient écho à sa nature profonde. Grâce à eux, il avait aussi compris comment les personnages de roman dont il avait nourri son adolescence pouvaient devenir fous au son des guitares.

– Je suis resté à Riga pour développer mon reportage, mais surtout pour la musique et les chanteurs. Sans oublier ces jeunes femmes, réfugiées russes que l'exil jetait dans les bras des hommes..., me raconta-t-il quand notre amitié devint l'un des plus beaux cadeaux que la vie m'eût fait au cours de ces années 1960 qui m'apportèrent tant. J'étais envoûté, prisonnier des chants et de l'alcool. Ce sentiment d'envol, cet élan joyeux et effréné vers la liberté, c'était tout ce qui me fascinait et me fascinera longtemps encore. Lorsque je n'ai plus eu d'argent, je suis rentré à Paris...

Des années plus tard, grand reporter confirmé, écrivain devenu célèbre dès sa première tentative romanesque avec *L'Équipage*, Kessel avait renoué avec la drogue tzigane. Au sortir d'un dîner entre hommes, place de Clichy, il bavardait tranquillement avec Raymond Radiguet, que lui avait fait connaître son ami Jean Cocteau, lorsque, au coin de la rue de Douai et de la rue Pigalle, la porte d'un célèbre cabaret, Le Yar, gardée par un cosaque bardé de cartouchières, s'était ouverte sur des clients, libérant une bouffée de cette musique frénétique qui agissait comme un poison sur les nerfs du jeune romancier. L'appel de Riga s'était refait entendre, avec tous ses sortilèges, et Jef n'y avait pas résisté. Il avait entraîné Radiguet, qu'il ne fallait pas beaucoup pousser pour commettre mille folies, et s'était laissé happer par la spirale de nostalgie et de gaieté forcenée qu'entretenait avec habileté et talent la mythique tribu des Dimitrievitch, dont j'avais entendu parler pour la première fois à Jérusalem lorsque Roger Vailland m'avait présenté à son vieil ami chez Fink's. Elle était déjà célèbre à Moscou lorsque la noblesse et les officiers de la Garde du tsar se l'arrachaient à prix d'or. La langue russe et le champagne aidant, Jef avait bientôt tout su de Dimitri et de Nastia, le chef et l'étoile de la troupe. Ensemble ils avaient évoqué Riga, puis Vladivostok où les Dimitrievitch, fuyant les Rouges et suivant leur clientèle dans son exil, avaient eux aussi séjourné avant de venir ouvrir à Paris la plus luxueuse et la plus chère de ces boîtes russes qui commençaient à pulluler entre la place Blanche et Pigalle.

– À la troisième bouteille de champagne – Radiguet me valait bien en ce domaine –, j'étais ami pour la vie avec Dimitri et Volodia Poliakoff à la voix superbe, que je te ferai connaître un soir, car il vit toujours à Paris, me raconta Kessel.

J'étais fasciné par ces histoires d'une autre époque que mon ami me distillait à chacune de nos sorties. Grâce à lui, j'avais le sentiment de vivre cet entre-deux-guerres incomparable que regrettaient ses amis dont je devenais familier au fil des saisons. Cette fameuse nuit du Yar, ni Kessel ni Radiguet n'avaient été capables de régler l'addition faramineuse qui leur avait été présentée. Trois bouteilles de champagne à 400 francs pièce : le salaire mensuel d'un ouvrier spécialisé ! Par bonheur, Dimitri, le chef des Dimitrievitch, qui aimait autant entendre des histoires qu'en raconter, s'était révélé aussi grand seigneur qu'habile psychologue : « Vous reviendrez, j'en suis sûr, avait-il dit à Kessel. Alors, je mets cette petite chose sur votre compte. Vous paierez quand vous le pourrez. » Par sa générosité, rare chez les tenanciers de boîtes de nuit, Dimitrievitch venait de faire le meilleur placement de sa vie, et Joseph Kessel de découvrir un monde dont il ne se détacherait jamais, source d'une partie importante de son œuvre, des *Rois aveugles* à *Nuits de princes*, de *La Passante du Sans-Souci* au *Tour du malheur* et aux *Temps sauvages*, l'ultime ouvrage écrit aux portes de la mort. Le succès, un succès colossal amorcé avec *L'Équipage* et quelques grands reportages publiés par les plus importants quotidiens d'une époque où ceux-ci tiraient à plus d'un million d'exemplaires, avait fait du jeune écrivain une « locomotive » du Tout-Paris nocturne. Cette gloire précoce lui permit de payer sa dette du Yar tout en réalisant la prédiction du vieux Tzigane Dimitrievitch : « Vous reviendrez, monsieur Kessel, car vous êtes des nôtres et aimez notre musique à la folie ! »

Au Yar avaient succédé Monseigneur, La Chauve-Souris, Le Grand-Duc, Casanova, Florence, et surtout Le Caveau caucasien, 54, rue Pigalle, où la tribu des plus célèbres Tziganes de Paris avait élu domicile et où Kessel faisait figure de vedette en justifiant le surnom de « Capitaine Fracasse russe », tant il y cassait de verres entre deux carafons de vodka et d'innombrables coupes de champagne offertes par une clientèle plus qu'aisée. C'est à cette époque agitée que naquit la légende du Kessel mangeur de verre, qui le suivra toute sa vie et dont il évoquera souvent pour moi le souvenir avec ce sourire inoubliable pour ceux qui eurent le bonheur de l'approcher. Le numéro était parfaitement au point et Jef le réalisait avec l'habileté d'un illusionniste. Car s'il mâchait le rebord de cristal d'une coupe au point de le broyer en fine poussière, il n'était pas assez fou pour l'avaler, mais se débarrassait discrètement de la pâte ainsi formée ! Croquer le rebord était déjà un exploit assez extraordinaire qui entamait parfois la commissure des lèvres et faisait frémir les consommateurs voisins de sa table. L'imagination de spectateurs déjà éméchés et la légende de l'écrivain « bouffeur de verre » faisaient le reste ! Kessel avait ainsi participé au succès du Caveau caucasien, devenu à son tour le cabaret le plus cher de Paris, lui amenant sa notoriété et la glorieuse cohorte de ses amis prestigieux, hommes politiques, hauts fonctionnaires, patrons de presse, journalistes et écrivains comme Henri Béraud, André Beucler, Jean Cocteau et aussi André Malraux, un tout jeune homme qui racontait mille histoires sur le Cambodge et la Chine, et qui venait de publier *La Tentation de l'Occident*, ouvrage pour lequel Kessel avait écrit une première critique remarquée dans un grand quotidien du matin.

L'itinéraire des artistes qui faisaient aux yeux de Jef tout l'intérêt du Caveau caucasien avait de quoi séduire. C'est à sa table attitrée qu'il apprit aux petites heures de l'aube, le spectacle terminé, comment la tribu des Dimitrievitch, dispersée lors de la révolution d'Octobre, s'était enfin reconstituée autour de son chef sur les pentes de Montmartre. Alors que Dimitri et certains de ses frères et sœurs, prenant le chemin de l'ouest par Constantinople, Prague et Berlin, étaient arrivés à Paris où ils avaient créé le Yar, puis le Caveau, le reste de la troupe avait choisi la route de l'est. De Moscou, ils s'étaient installés en Sibérie, encore aux mains des « Blancs ». Puis, quand la révolution avait englouti la Sibérie jusqu'à Vladivostok, ils étaient passés au Japon. Gagnant leur vie grâce à leur art et à une joie de vivre communicative, ils avaient séjourné à Shanghai et Hong Kong, toutes villes avides de plaisirs, où l'argent affluait. Au hasard des contrats, ils s'étaient retrouvés en Australie, puis aux Indes, avant de parvenir enfin à Paris qui restait la Mecque du monde nocturne et où les attendait l'oncle Dimitri. Là, ils avaient reconquis la gloire et la renommée qui avaient jadis été les leurs à Moscou. Au cours de cette longue odyssée étaient venus se greffer à eux les frères Poliakoff : Volodia, la plus belle voix de basse de Paris, et Serge, qui grattait gentiment de la balalaïka tout en rêvant de vivre de sa peinture, but qu'il n'atteindra – mais avec quel succès ! – qu'après la Seconde Guerre mondiale ! Autre personnage étonnant : Zenaïda Davidova, la plus extraordinaire voix féminine de la troupe, dont l'existence aventureuse allait inspirer à l'écrivain certains personnages de *Nuits de princes* et l'inoubliable *Passante du Sans-Souci.*

– Ah, Yossia ! s'épancha un soir cette femme devenue difforme, au corps noyé de graisse. Si tu savais combien j'ai été belle, choyée et désirée à Moscou ! Les hommes les plus riches étaient à mes pieds, prêts à toutes les folies. Ainsi ce général-comte, encore jeune, de grande fortune et de noble famille, qui me voulait à toute force. Un jour de plein été qu'il m'offrait de passer dans sa propriété où m'attendaient maison, argent, bijoux, je lui ai dit : « C'est bien, j'irai chez vous aujourd'hui, mais… en traîneau ! » Il a réfléchi un instant : « Entendu, mais pas aujourd'hui, demain ! » J'ai cru qu'il se vantait : soixante-dix kilomètres en traîneau sur une route d'été... exploit impossible à réaliser ! Eh bien, il a engagé je ne sais combien de cantonniers et a fait couvrir de sel les soixante-dix kilomètres. Le traîneau glissait merveilleusement. Alors, que veux-tu, je ne pouvais résister plus longtemps. J'ai cédé... Tout cela pour te montrer comment ces gens-là vivaient. Comment moi, je vivais ! Et le plus extraordinaire, c'est que mon général-comte, je l'ai retrouvé, il y a quelques jours, à la porte du Palermo, rue de Douai. Il est chauffeur de taxi. En souvenir du bon vieux temps, il n'a pas voulu me faire payer la course. Le pauvre vieux... quelle misère, tout de même !

Lorsque Jef me conduisit pour la première fois « chez les Russes », ce fut comme une sorte d'adoubement. Par ce geste, il me signifiait que j'étais désormais « à part entière » de la famille. L'écrivain était ainsi : il aimait mettre en rapport celles de ses connaissances qu'il jugeait aptes à s'entendre, à s'apprécier, et surtout à partager ses goûts. Amateur de jazz et de flamenco, musiques où l'improvisation tient un rôle majeur, j'entrai de plain-pied dans celle où les Tziganes étaient passés maîtres. J'étais sensible à l'excitation qu'ils provoquaient. Que j'apprécie en outre les harengs accompagnés de vodka et de pain noir, plaidait en ma faveur. La Davidova et la plupart des Dimitrievitch disparus depuis longtemps, ne restaient que Valia Dimitrievitch qui, d'après Jef, chantait aussi bien que l'illustre interprète à laquelle elle ressemblait comme une sœur, tant par le poids que par la pureté de son interprétation, et Volodia Poliakoff dont le bronze de la voix me bouleversa. Ils se produisaient maintenant au Novy, une boîte russe du très chic quartier de la Muette, tenue par Victor Novsky dont le nom abrégé servait d'enseigne et que Jef avait connu dans les années 1930. Ancien lieutenant de hussards de l'armée Blanche, Vitiouch (diminutif de Victor) possédait un répertoire de chansons guerrières de son régiment, qu'il mêlait aux classiques tziganes. Ce jour-là, et à chacune de mes visites ultérieures, je pus mesurer combien l'écrivain avait contribué au succès du lieu, ainsi que devait me l'expliquer le vieux Russe. Les deux hommes s'étaient rencontrés avant guerre au Palata, modeste établissement de Montparnasse, encore éclairé à la bougie, que le célèbre journaliste fréquentait parfois lorsqu'il se trouvait à Paris et qu'il lui restait quelque argent ou crédit. Il décrivit ainsi l'événement quand il lui arriva de consacrer quelques lignes à un chanteur auquel le liait une amitié de plus de quarante ans :

« L'homme qui accordait sa guitare et relevait la tête avec un sourire à peine ébauché, indéfinissable, je ne le connaissais pas. Son visage, son vêtement, son maintien n'avaient rien de singulier. Sa voix, pas davantage. Elle n'avait pas la puissance, la profondeur des basses russes aux résonance d'orgue, ni l'envol cristallin et comme angélique de leurs ténors. Et cependant, tout de suite je fus pris, ravi.

« C'était ce timbre si riche par la justesse, la finesse, la musicalité, le charme. Et l'intelligence, la plénitude, la poésie qui animaient le chant. La diction, dont la limpidité ciselait chaque mot. Et encore, et enfin le naturel par quoi la chanson était dépouillée de tout artifice, de tout apprêt, et devenait une confidence qui s'adressait à chacun, pour lui seul. Ce chanteur ne semblait plus chanter, mais parler une sorte de langage merveilleux à qui la mélodie prêtait ses ailes.

« – Qui est-ce ? demandai-je au patron du cabaret, quand l'inconnu s'arrêta.

« – Il s'appelle Victor Novsky... Un débutant. »

Le débutant devenu un maître, Kessel avait suivi les différentes étapes de sa carrière jusqu'au Novy dont il fit la gloire quand, revenu de guerre, à la Libération, couvert des honneurs que lui avaient valus *Le Chant des partisans*, devenu chant patriotique français, et *L'Armée des ombres*, premier roman sur la Résistance, il avait retrouvé Victor Novsky installé à son compte.

À Londres, pendant le conflit, l'écrivain avait appris que son ami avait rendu de nombreux services à la cause du général de Gaulle. Tandis que la salle luxueuse regorgeait d'officiers nazis, de gestapistes et de collabos, des paquets, des lettres, des faux papiers, des tampons officiels transitaient par son minuscule bureau, et nombre de clandestins se rencontraient à sa table, protégés par la présence même de leurs pires ennemis. Paris libéré, Kessel s'était précipité dans les bras de son cher Vitiouch pour le féliciter et lui amener, en juste récompense pour tant de services rendus, la clientèle qui lui assurerait le succès à l'heure où la concurrence s'annonçait rude.

Le Novy que Jef me fit découvrir ce soir-là s'était transformé, grâce à lui, en une sorte de club où le client anonyme pouvait côtoyer les personnalités qui nourriraient ses conversations du lendemain. Les compagnons de Londres y avaient pris leurs habitudes : André Bernheim, premier imprésario du cinéma français, Pierre Lazareff, maître tout-puissant de *France-Soir*, Michel Maurice-Bokanovski, compagnon de la Libération, collaborateur du général, Maurice Schumann, porte-parole de la France Libre, député fondateur du MRP, lui aussi compagnon de la Libération, tout comme les colonels Rémy et Passy, héros de la guerre secrète, qui avaient rendu publiquement hommage à l'ancien officier de hussards. Les amis d'outre-Atlantique avaient suivi sitôt la guerre terminée : Anatole Litvak, Joshua Logan, Irwin Shaw, ainsi que Jean-Pierre Aumont et Maria Montez à l'apogée de leur gloire et de leur beauté. Bernheim venait un jour avec Gene Kelly, un autre en compagnie d'Édith Piaf que Kessel avait connue un soir de « grande virée », alors qu'elle venait de vivre son premier triomphe, à la fin des années trente. Gary Cooper, de passage à Paris, n'aurait manqué pour rien au monde « sa » soirée russe au Novy dont les grands journaux nationaux et internationaux – de *France-Soir* au *New York Herald Tribune* – vantaient la classe et la folle ambiance.

– Joseph Kessel était ma publicité vivante, me confia plus tard Victor Novsky. Tous mes clients voulaient le voir : « M. Kessel, viendra-t-il ce soir ? » Moi, bien sûr, je disais oui. Et je mentais très peu, car pendant une longue période, il vint presque toutes les nuits. Le voyant m'embrasser, des admirateurs voulaient que je les présente, mais je refusais pour préserver sa tranquillité. Alors ils envoyaient du champagne à sa table... Je n'ai jamais vu quelqu'un aimer autant les chants tziganes. Quand nous lui chantions, avec le chœur, *Ce n'est pas le vent qui fait plier la branche*, ou la berceuse que lui fredonnait sa mère lorsqu'il était enfant à Orenbourg :

> « Dors mon doux
> Mon tout petit garçon
> Je suis mauvaise mère
> Il y a eu du malheur
> Il y aura du malheur
> Le malheur ne connaît pas de fin »,

alors là il se laissait aller et pleurait à chaudes larmes sans se cacher. Et les bons soirs, après avoir un peu pleuré et beaucoup bu, il croquait sa coupe de champagne. C'est ce qu'attendait toute la salle. Les bouteilles défilaient encore plus vite. C'était de la folie !

J'assistai, une nuit, à ces instants d'émotion au cours desquels Jef libérait ses démons familiers et entraînait à leur suite ceux qu'il aimait. J'avoue que j'y participai volontiers, comme ce soir de liesse où nous fêtâmes le succès d'un nouveau venu dans son entourage, le jeune peintre Raymond Moretti qu'il venait de me faire connaître, à Nice, et qui devint l'un de mes meilleurs amis, ainsi qu'il l'avait prévu. L'artiste avait consacré ces derniers mois à peindre treize toiles immenses de 6 mètres carrés chacune, une œuvre énorme qu'il présentait au public parisien et à la critique dans une prestigieuse galerie du faubourg Saint-Honoré. Le pari était risqué, car notre nouvel ami avait exprimé dans ces toiles géantes, réunies sous le titre *Les Cris du monde*, « la plainte déchirante, stridente, suppliciée de la création et de la créature soumises à la cruauté inexpiable, inépuisable de l'homme et du destin », ainsi que les avait présentées Kessel dans un avant-papier remarqué, publié par *Le Figaro littéraire.* Nous avions tous battu le rappel des relations que nous pouvions compter dans la presse afin que le vernissage soit un succès. Nous sûmes bientôt que le but était atteint, le pari gagné. Dans la foule des grands jours, les visiteurs les plus prestigieux ne tarissaient pas d'éloges mérités auxquels Jef, géant débonnaire, mitraillé par les photographes, ajoutait sa voix de stentor. D'ordinaire rétif aux flashes, il posait complaisamment auprès de son protégé et d'Aragon, alors directeur des *Lettres françaises,* inégalable dans le monde de l'art parisien, qu'il connaissait depuis leurs débuts fracassants à l'aube des années vingt. Vers 21 heures, alors que nous attendait le grand dîner donné dans un luxueux restaurant des Champs-Élysées en l'honneur de Moretti, il me prit par le bras et me dit :

– J'en ai assez de la foule. Le Niçois n'a plus besoin qu'on le soutienne. Allons fêter l'événement tous les deux !

Il était si heureux de la réussite du vernissage qu'il semblait rajeuni de vingt ans. Les trois ou quatre whiskies pris au cours du cocktail avaient mis la machine en route. Durant sept heures d'affilée, j'appris ce qu'était la fête telle que l'entendait Joseph Kessel lorsque, à 67 ans comme à 20, il décidait d'ouvrir les vannes. D'abord quelques bars anonymes. Puis Novy où, dès son entrée, les musiciens le saluèrent d'un « *Gary... Gary* », attaqué sur un tempo d'enfer. « Brûle... brûle ! » chantait Volodia pour son vieil ami. Jef n'avait nul besoin de l'injonction de la chanson tzigane. Harengs fumés, blinis, chachliks pour faire passer la vodka. Puis vodka seule, puis champagne venu de tables voisines, reconnaissantes de devoir à l'écrivain un plaisir décuplé. Car si l'orchestre aux violons magiques, les chœurs, les jeunes diablesses aux seins fermes et libres sous des oripeaux bariolés, qui battaient la piste de danse de leurs talons démesurés, jouaient, dansaient et chantaient admirablement d'ordinaire, la présence de l'homme qui les comprenait si bien les déchaînait. Envoûté par la musique et l'alcool, Jef tapait des mains, criait, dodelinait de la tête, avait les larmes aux yeux en écoutant la guitare que Volodia faisait vibrer à sa seule intention. Vodka encore, bientôt partagée avec ses frères tziganes ! Verres brisés ! « Casse, casse, disait le bon Vitiouch. En souvenir du Palata de la rue Sainte-Beuve ! » Un vent de folie semblait souffler sur la salle. Et je n'étais pas le dernier à m'en griser. Vers 3 heures du matin, enfin, nous levâmes le siège :

– Je te raccompagne ? demandai-je.

– Mais pas du tout ! Ça ne fait que commencer !

Trêve au Fouquet's, si l'on peut appeler trêve la succession de bières danoises et de bons scotches qui défilèrent sur notre guéridon. Ce qui n'empêcha nullement ce roc indestructible de me raconter par le menu ce qu'étaient les nuits avec Radiguet ou André Beucler, André Malraux ou Jean-Gérard Fleury, ce fou d'aviation qui avait partagé toutes les nuits parisiennes de l'avant-guerre avant de s'installer à Rio de Janeiro pour échapper à l'Allemagne nazie.

– La prochaine fois qu'il fera escale à Paris, je te le ferai rencontrer. Tu lui plairas beaucoup. C'était un si fidèle compagnon que je l'appelais mon « chevalier servant ». Il ne manquait jamais une sortie. Allons boire à sa santé !

La Calavados, avenue Pierre-Ier-de-Serbie, alors refuge des couche-tard impénitents, nous accueillit aux premières lueurs de l'aube. Je n'avais pas 30 ans, Kessel en affichait plus du double, mais, des deux, j'étais le plus « fatigué ». Je tentai en vain de faire le compte des verres que nous avions bus. Il était assez élevé pour que mon ami redevînt, pour un motif obscur, le capitaine Fracasse d'une époque qu'on aurait pu croire révolue. Verres et glaces volèrent soudain en éclats. Je me mêlai joyeusement au carnage à tel point que, le lendemain matin, j'en retrouverais les traces coupantes dans les poches de mon veston ! J'aurais eu grand besoin du « sang de tigre » de mes amis péruviens pour me remettre de cette soirée animée qui m'avait laissé une « gueule de bois » dont seule la sauce du *cebiche* aurait pu venir à bout. Comme, durant cette soirée, j'avais cessé de donner des nouvelles à ma femme aux environs de minuit, je ne fus pas accueilli au domicile conjugal avec un enthousiasme débordant. Bien mieux, première épouse de la bande invitée à faire la connaissance de l'écrivain volontiers misogyne, Estelle s'y refusa durant de longs mois. Admirant l'auteur, elle ne souhaitait pas connaître l'homme dont l'influence sur son mari se révélait, en certaines circonstances, aussi détestable ! Cette réticence ne fut pas sans intriguer Jef. Lorsque je me décidai à lui en révéler la raison, il rit beaucoup, invita personnellement ma femme à déjeuner, et, avant toute chose, lui remit une édition originale de *Mermoz* avec ces mots : « Pour Estelle Courrière, que je suis heureux de connaître *enfin*, et en bien amical salut. » Quand on savait combien Kessel était avare de ses premières éditions originales et combien il accordait d'importance à l'adjectif « amical », l'hommage n'était pas de simple politesse. Vaincue par le charme qu'il sut déployer, mon épouse admit qu'il était bien l'être exceptionnel dont je lui parlais avec enthousiasme depuis notre rencontre à Jérusalem. Leur affection mutuelle sera jusqu'au bout sans défaut. Mais lorsque, bien plus tard, au Brésil, évoquant les nuits russes, de leur jeunesse à l'âge mûr, Jean-Gérard Fleury, devenu un être cher, me dira non sans nostalgie : « Hé oui ! Être l'ami de Joseph Kessel n'était pas de tout repos... », je saurai ce qu'il entendait par là. Estelle aussi !

13

La Guerre d'Algérie

La guerre d'Algérie était terminée depuis près de cinq ans. On en chassait le souvenir, ou on s'efforçait de l'oublier. Mais allez occulter une aventure pareille qui avait marqué toute ma génération, causé quelque 25 000 morts dans les rangs de l'armée française, au bas mot 140 000 dans ceux du FLN[1], et bouleversé la vie d'un million de pieds-noirs. Sans compter les milliers de victimes civiles et les dizaines de milliers de harkis sacrifiés sur l'autel de la raison d'État, dont les plus chanceux vivotaient misérablement dans des camps du midi de la France. Pour en décrire les arcanes au plus près, j'entamai une longue traque. Pour la première fois de ma vie, je ne chassais plus sur le terrain de l'actualité, mais sur celui de l'Histoire. Je me heurtai aussitôt à mille difficultés. Je ne pouvais compter sur les archives officielles : en France, elles ne seraient disponibles qu'après un long sommeil d'un demi-siècle. Quant à l'Algérie… Le colonel Boumediene avait renversé le président Ben Bella et n'était guère soucieux de laisser écrire l'histoire d'hommes dont la

1. Chiffre officiel. La propagande FLN dira un million d'Algériens.

plupart étaient devenus ses ennemis politiques. Il me fallait donc retrouver les témoins représentatifs, les grands noms aussi bien que les obscurs, qu'ils fussent français ou algériens. Les obstacles étaient énormes, car nombre des principaux protagonistes de cette guerre qui jamais n'avait dit son nom étaient en « coquetterie » avec leurs gouvernements respectifs et vivaient en exil, sinon dans la clandestinité.

Côté français, je ne me faisais pas trop de soucis. L'enquête serait des plus classique, les témoins pas trop difficiles à joindre ni à convaincre, à l'exception de ceux que leur action au sein de l'OAS ou leur participation au « putsch des généraux » avait conduits en prison. Une prochaine amnistie allait me faciliter la tâche. Quelques coups de sonde au plus haut niveau me permirent de constater que les principaux responsables civils et militaires étaient prêts à m'apporter leur aide, du président Mendès France, chef du gouvernement, quand la rébellion avait éclaté, le 1er novembre 1954, au premier président de la Cour des comptes Roger Léonard, gouverneur de l'Algérie à la même époque, en passant par les préfets, contrôleurs généraux de la police, anciens ministres, chefs de services, militaires de haut rang, d'autant plus coopératifs qu'ils étaient à la retraite. S'ils avaient tous déposé les documents relatifs à leur action aux Archives nationales, je savais que tous en avaient conservé des doubles. Aux yeux de la plupart, je n'étais pas un inconnu, puisque j'avais couvert les cinq dernières années de la guerre et que mes reportages m'avaient valu une certaine réputation. Côté algérien, en revanche, l'affaire était plus délicate. D'abord parce qu'à l'exception des têtes d'affiche j'ignorais jusqu'au nom des hommes qui avaient déclenché la révolution. Il me fallait retourner en Algérie et dresser la liste des témoins indispensables à la reconstitution des épisodes les plus marquants, tout en me plongeant à nouveau dans l'ambiance d'une ville qui avait dû beaucoup changer depuis juillet 1962.

Je savais pouvoir compter sur Djamal, mon plus vieil ami musulman, avec qui j'étais resté en contact depuis l'année 1961, quand je l'avais fait engager comme pigiste par mon journal. Grâce à lui, j'avais pu établir de fructueux contacts et pénétrer dans la Casbah aux heures les plus difficiles de la fin de la guerre, quand OAS et FLN se livraient à une surenchère d'exactions. Menacé de mort avant que je ne le sois moi-même, nous l'avions rapatrié à Paris avant de lui trouver un refuge au Luxembourg. Adopté par la rédaction, puis par ma famille, c'est lui qui, en mon absence, avait fait faire ses premiers pas à ma fille. C'est dire si des liens étroits s'étaient tissés entre nous. À l'heure de l'indépendance, devenu journaliste à part entière, il avait intégré l'APS, qui se voulait l'équivalent algérien de l'AFP. Dès qu'il fut informé de mon projet, il se montra enthousiaste. Il me présenta à son rédacteur en chef, qui mit l'agence à ma disposition pour retrouver tel ou tel témoin parmi les plus importants. Le moindre ne fut pas Yacef Saadi, personnage clé de la Bataille d'Alger, qui me promit son concours et celui de ses amis.

Durant tout le temps que dura mon enquête, Djamal ne cessa de me renseigner, de rechercher et retrouver les rescapés de la tourmente. En sa compagnie je repris contact avec la ville que durant des années j'avais tant aimée. La rue Michelet, la rue d'Isly, d'autres voies du centre d'Alger s'appelaient maintenant Didouche, Ben M'hidi ou Ben Boulaïd, du nom de maquisards tombés au combat et qui avaient figuré parmi les six hommes qui avaient déclenché l'insurrection. Bitouche, le rôtisseur de la rue de Tanger, que j'avais apprécié pendant la guerre, était toujours là, et bien vivant. De midi jusqu'au soir régnait chez lui une odeur fraîche d'anisette qui se mêlait au parfum plus fort du mouton grillé et des rognons qui faisaient sa gloire. Profitant d'une sorte de couloir, cet habile commerçant avait dressé un bar avec huit tabourets que se disputaient amicalement Européens et musulmans, surtout des étudiants et des intellectuels. On y avait fraternisé, durant la guerre, autour des meilleures brochettes d'Alger, de bouteilles de targui rosé et de salades d'oignons arrosées d'huile d'olive vierge. Un peu plus loin, le café Tandja, beaucoup plus important, recevait une clientèle presque essentiellement algérienne, mais on s'y souciait peu d'y respecter la loi coranique. Les bouteilles d'anisette Lumiñana y défilaient en plus grand nombre que les caisses de jus de fruits. Quelques Européens, des pieds-noirs libéraux – ils étaient rares, mais il y en avait –, y venaient, à l'heure de l'apéritif, se poisser les doigts aux coquilles de petits-gris cuits au poivre ou aux sardines en escabèche qui s'entassaient sur le comptoir. La *kémia* comptait pour beaucoup dans la consommation des tournées d'anisette, et le tonus des conversations interminables ne faiblissait que vers les 10 heures du soir. Durant l'insurrection, j'ignorais bien sûr que ces cafés servaient de lieux de rencontre à nombre de chefs de commandos FLN qui se dissimulaient derrière l'apparence anodine d'amateurs de boissons alcoolisées, formellement proscrites, avec le tabac, par l'organisation révolutionnaire… La guerre terminée, nombre de survivants avaient gardé leurs habitudes rue de Tanger, où Djamal m'en présenta plusieurs. Grâce à lui, mon enquête commençait sous de favorables auspices. Néanmoins, je m'aperçus bientôt que, malgré la bonne volonté de mon ami, les personnages que je rencontrais étaient d'anciens militants, au mieux des agents de liaison qui me faisaient connaître leurs amis du maquis, leurs compagnons de cellule, bref, des seconds couteaux, mais aucune de ces personnalités représentatives dont le rôle éminent pût se comparer à celui de Mendès France, Roger Léonard, du commandant Pouget ou des généraux Beaufre et Spillman qui, entre autres et les premiers, m'avaient promis aide et témoignage. Avec Djamal, je dressai donc la liste idéale des hommes à rencontrer.

En tête venait Krim Belkacem. Je ne savais rien de lui, si ce n'est l'étonnante trajectoire d'un destin hors du commun. Petit berger kabyle sans grande culture – contrairement à un Ferhat Abbas ou à un Ben Khedda qui étaient passés par l'Université pour obtenir un diplôme de pharmacien –, il avait participé au soulèvement du 1er novembre 1954 et avait fini, sept ans plus tard, par accéder aux plus hautes fonctions au sein du GPRA. Je me renseignai. Après avoir miraculeusement survécu à plusieurs années de clandestinité et de maquis, puis occupé le devant de la scène internationale, Krim, principal opposant à Boumediene, menait à présent la vie errante d'un proscrit sans cesse menacé par ses ennemis politiques. On le signalait au Maroc, en Tunisie, en Suisse, souvent en France, parfois au Canada où résidait une partie de sa famille. De retour à Paris, un confrère m'indiqua l'adresse d'un petit restaurant kabyle où, disait-on, il avait ses habitudes lorsqu'il passait par la capitale. Hors ce frêle indice, on ne connaissait aucune adresse où il fût possible de le joindre. Je préparai une lettre et décidai d'aller traîner mes guêtres dans ce café-restaurant proche de la Porte Maillot. Je parviendrais bien à lier conversation avec le patron et à le convaincre d'acheminer mon message. Ma femme m'accompagna. Un couple européen amateur de couscous et de merguez ne devait qu'inspirer confiance. Quelques hommes déjeunaient là paisiblement. Une musique orientale couvrait les conversations. Nous nous assîmes au bar et je commandai des anisettes tandis qu'on préparait notre table. Machinalement, tandis que nous bavardions, j'observai les clients plutôt bien mis, rasés de près. Rien à voir avec ceux des bistrots de Barbès ou du boulevard de Belleville. Soudain, dans le reflet d'une glace, je le reconnus : c'était lui, Krim Belkacem, qui déjeunait, solitaire, dissimulé derrière un pilier ! Je ne l'avais jamais rencontré personnellement, mais je ne pouvais pas me tromper. Il avait fait si souvent la une des journaux ! En outre, en 1962, je l'avais vu de loin, protégé comme le reste de la délégation algérienne par des gorilles et des barrières de sécurité, à l'Hôtel du Parc où se négociaient les accords d'Évian. Il semblait perdu dans ses pensées. J'hésitais un instant. L'aborder tout à trac risquait de provoquer des réactions imprévisibles chez un homme qui se savait en insécurité. Je tendis ma carte à un serveur, lui précisant que j'avais reconnu le leader algérien : je le priai de la lui porter en lui disant que j'aimerais beaucoup échanger quelques mots avec lui. Une fois de plus, le hasard m'était favorable. Sensible au procédé, l'ancien ennemi, pour lequel j'éprouverais bientôt une vive sympathie, accepta l'entrevue. Il nous convia à partager le café à sa table. Par bonheur, mon nom de journaliste ne lui était pas inconnu. Je lui exposai mon projet, il réfléchit brièvement puis lâcha :

– Ce ne sera pas facile, surtout du côté algérien. Mais j'accepte de vous aider. Vos interventions à la radio, pendant la guerre, étaient honnêtes. Je vous fais confiance.

Nous convînmes d'un prochain rendez-vous. J'avais accroché le premier maillon musulman d'une longue chaîne de témoins essentiels.

*
* *

Le peu que je savais de lui, c'est qu'il avait été un des principaux rouages de la révolution. Membre du « comité des neuf », premier embryon de gouvernement FLN, membre du 1er et du 2e CNRA (Conseil national de la Révolution algérienne), du 1er et du 2e CCE (Comité de coordination et d'exécution, l'état-major rebelle), du 1er, du 2e et du 3e GPRA (Gouvernement provisoire de la République algérienne), il avait été ministre des Armées, puis ministre des Affaires étrangères. Il avait commencé sa carrière révolutionnaire en surveillant, à 24 ans, le déroulement d'élections – truquées, comme à l'ordinaire – dans son douar natal de Kabylie, pour le compte du MTLD (Mouvement pour le triomphe des libertés démocratiques), vitrine légale du PPA (Parti populaire algérien clandestin de Messali Hadj), l'ancêtre des mouvements réclamant l'indépendance.

Au cours de nos premiers entretiens, Krim me raconta comment sa famille avait été de longue date liée aux Français. Son père avait été caïd, puis, à sa retraite, sa grande sagesse et ses conseils éclairés lui avaient valu de devenir président de la *djemaa*, le conseil de village. Belkacem avait également un cousin caïd, et un autre garde des Eaux et Forêts. Ces fonctions en apparence modestes valaient à ceux qui les exerçaient un pouvoir certain sur les populations locales. Le caïd, par exemple, était choisi par les autorités françaises dans les douars dépendant de communes mixtes. C'était le seul contact que l'administrateur et ses deux adjoints avaient avec la population locale. Depuis toujours, on s'adressait au caïd pour connaître l'état d'esprit des autochtones. C'est à lui que le représentant de la sous-préfecture indiquait la tendance que devait prendre tel ou tel scrutin. En échange du « bon vote », ce potentat local disposait d'un certain nombre de postes de sous-ordres qu'il distribuait judicieusement à ses protégés, se créant ainsi une clientèle électorale digne des plus belles communes corses. Libre au caïd de s'adonner tranquillement à de fructueuses affaires. Les exemples abondaient : un simple document d'état civil pour lequel l'administration française demandait le prix d'un papier timbré se transformait en document fabuleux que le malheureux habitant du douar devait acquérir auprès du caïd en échange d'un ou deux billets de 1 000 francs. Dès les élections de 1946, le jeune Krim s'était élevé contre cette attitude inique que ses cousins soutenaient par intérêt, alors que son père, à qui il vouait un immense respect, s'efforçait de défendre ses compatriotes en leur faisant bénéficier des modestes avantages que l'administration française concédait aux citoyens de seconde zone qu'étaient les membres de la communauté musulmane.

« Je suis né révolté, me dit-il dès notre première séance de travail consacrée au récit de la naissance d'un révolutionnaire. Tout gosse, je ne pouvais comprendre cette discrimination. J'ai été à l'école Sarrouy, à Alger, j'ai passé le certificat d'études européen, puis le certificat “indigène”, plus facile. Pourquoi déjà cette coupure Français/indigène ? Aux chantiers de jeunesse, plus tard, je devins secrétaire. C'était à Laghouat, je devais écrire les noms des Européens en bleu et ceux des musulmans en rouge. Je crois que c'est cette image de la liste bicolore qui m'a décidé. Cela va peut-être vous paraître stupide, mais elle m'a rendu enragé. À la fin de la guerre de 1940-1945, mon frère est revenu d'Europe avec des médailles et les pieds gelés ! Là-bas, au feu, on était bien tous égaux. Pourquoi pas ici ? J'ai pris contact avec le PPA et, rentrant chez moi, je me suis attaqué à cette immense zone vierge qu'était la Kabylie, pour y développer l'idée nationaliste. Mon programme était simple. Je disais aux jeunes : “La dignité humaine n'a pas de prix. On ne doit pas accepter l'humiliation quotidienne. Il faut secouer les joueurs de dominos, les fumeurs, les buveurs d'alcool. Il faut nous libérer !” En un an, j'ai organisé 1 900 jeunes en cellules de 4 hommes chacune et j'ai fait l'apprentissage de la vie clandestine en refusant de répondre à la convocation d'un juge d'instruction qui allait m'inculper pour atteinte à la souveraineté de l'État. »

À 25 ans, Krim Belkacem avait pris le maquis. Sept ans plus tard, au 1er novembre 1954, il sera devenu l'un de ceux que j'appellerai « les Fils de la Toussaint ». Commença pour lui l'une des trajectoires les plus extraordinaires qui conduisit le fils du caïd d'un douar perdu de Kabylie à rencontrer le jeune sénateur J. F. Kennedy aussi bien que Mao Tsé-toung, puis à siéger à la table de conférence d'Évian où, après quinze années de combat, représentant du peuple algérien, il signera les accords de cessez-le-feu…

Je ne m'étendrai pas sur les détails de ce reportage digne d'une enquête policière. Outre son témoignage personnel, Krim, le premier, me fournit les moyens de retrouver la trace et d'obtenir la confiance de ses principaux compagnons restés en Algérie. Au fil de nombreux voyages, je reconstituai le déroulement du drame. Je recueillis ainsi des milliers de pages de témoignages oraux qui allaient se révéler essentiels. Les documents écrits étaient rares, pour la bonne raison qu'au cours d'une guerre subversive comme l'avait été celle d'Algérie les participants évitaient de conserver ces papiers qui, en cas d'arrestation, auraient pu être plus dangereux qu'une bombe. Avec frénésie, j'accumulai informations et preuves. Je recoupai surtout, me souvenant des leçons de Robert Bré, mon premier maître du « placard » du boulevard Haussmann, car je me rendis compte que nombre de témoins, tant du côté français qu'algérien, avaient tendance à enjoliver leur rôle personnel ou à justifier des actions parfois contestables.

Mes onze années de grand reportage, mon expérience de la guerre et du terrain me furent alors de la plus grande utilité. Je savais comment, à travers un témoignage, démêler l'écheveau des informations que détenait mon interlocuteur et celles qu'il pouvait encore m'apporter alors que lui-même pensait avoir épuisé le sujet. Inspirer confiance était l'une de mes préoccupations majeures. Ce n'était pas toujours évident, tant la méfiance avait été nécessaire à la survie de bon nombre de mes témoins durant les années passées. Ainsi, après quelques rencontres, un Krim Belkacem m'accorda-t-il le crédit le plus total. Après m'avoir fait ses premières confidences dans le secret de quelques jardins publics, tant à Paris qu'à Genève où je rencontrai également Jacques Soustelle, passé à l'antigaullisme absolu pour cause d'Algérie française, il me donna l'adresse de l'hôtel Cayré où, avec l'aval des Renseignements généraux, il recevait certains de ses plus fidèles partisans et quelques membres de sa famille. Lorsque je venais le chercher dans le hall du confortable hôtel du boulevard Raspail pour aller déjeuner, je pris l'habitude de prévenir les deux inspecteurs chargés de sa protection. Pour gagner du temps, simplifier la surveillance et éviter les filatures, je déclinais mon identité et les avertissais du lieu où nous allions passer les prochaines heures. J'habitais à cette époque un appartement dans le Marais où nous pouvions travailler au calme et où ma fille, alors enfant, aimait saluer nos visiteurs en jouant les demoiselles du vestiaire. Un jour, son empressement à débarrasser mon visiteur de son manteau me valut une des plus belles peurs de ma vie : elle pendait le vêtement sur un cintre quand celui-ci, déséquilibré par un poids inattendu, bascula et laissa échapper d'une poche un automatique 7,65 dont la culasse était par bonheur verrouillée. À compter de ce jour, dès son entrée dans mon appartement, je soulageai mon visiteur de l'arme autorisée par la police au signataire des accords d'Évian...

Durant de longs mois, je reconstituai l'histoire de la guerre. C'était d'autant plus exaltant que j'étais le premier et que j'avançais en terrain vierge. Les acteurs principaux, d'autres dont le rôle essentiel était resté secret, avaient fouillé avec moi leurs archives et leur mémoire. J'avais réussi la partie liminaire de mon entreprise : prouver qu'il était possible d'écrire cette tragique histoire sans tomber dans des passions encore exacerbées. Des témoins me dirent : « Nous vous parlons parce que vous êtes objectif. » Objectif, je n'en savais rien – je n'ai toujours pas trouvé une définition de l'objectivité qui me satisfasse –, mais honnête et impartial, certainement.

Avant même mon éditeur – et à l'exception d'Estelle qui avait tapé les six cent soixante-douze pages de mon manuscrit –, mon premier lecteur fut Joseph Kessel. Jamais je n'aurais osé lui infliger pareille corvée – il ne lisait plus depuis belle lurette les nombreuses dactylographies qu'on lui envoyait – si, tout au long de mon travail, il n'en avait pris des nouvelles avec une attention toute paternelle. Le jour de l'an, en fin de matinée, je reçus le plus beau cadeau de cette année 1968 : un télégramme en provenance de Crans-sur-Sierre, station helvétique de sports d'hiver où mon ami prenait quelque repos :

> « Bonne Année à vous tous ! – Ai fini ton livre. – Sera de premier ordre après indispensables retouches. – T'en parlerai dès retour. – Embrasse. – Jef Kessel, Hôtel Beauséjour. »

Les « indispensables retouches » furent bien modestes et consistèrent non en importantes coupures que je redoutais, mais en affectueuses « leçons de prose ». J'appris ainsi à gommer les répétitions qui, à la radio, donnent du poids à une idée ou à un récit, mais sont à proscrire dans un papier destiné à la presse écrite, *a fortiori* dans un ouvrage de librairie. Ce dernier point suscita chez moi quelque angoisse. Si, dans le milieu du grand reportage, je jouissais d'une réputation certaine, couronnée deux ans auparavant par le prix Albert-Londres, j'étais un parfait inconnu pour les libraires comme pour mes confrères de la presse littéraire. Jamais je n'avais figuré dans leurs chroniques. Pour pallier cet inconvénient et attirer l'attention sur mon premier essai, Kessel me demanda si une préface me « ferait plaisir ». Quelques jours avant la mise en fabrication, je reçus une mince liasse de feuillets couverts de l'écriture microscopique de mon ami et ainsi dédicacés : « À toi, frère Yves, ce papier qui m'a donné les joies et – ce qui est mieux ! – l'effort de l'amitié. Jef. » Il y avait là, magistralement brossée, la genèse de l'histoire tragique qu'on nommera bientôt « guerre d'Algérie ». Avec une étonnante sobriété, Kessel évoquait la flambée de terrorisme qui avait ensanglanté les trois départements d'outre-Méditerranée, un certain 1er novembre 1954. Tout y était, résumé à l'adresse du futur lecteur comme du chroniqueur chargé d'en rendre compte : les bombes à Alger, l'attaque de gendarmeries, de casernes, l'incendie de récoltes en Kabylie, dans la Mitidja, en Oranie, dans le Nord-Constantinois, un véritable soulèvement dans les Aurès coupés du reste du territoire… Bref, comment la France et l'Algérie stupéfaites avaient appris l'incroyable nouvelle : un mouvement insurrectionnel concerté venait, pour la première fois depuis le débarquement de 1830, de s'attaquer à la forteresse de la colonisation française !

> « Que sait-on du cheminement qui mena à l'heure fatidique ? écrivait l'académicien. Des conditions matérielles, sociales, morales où l'action a germé ? Des gens, enfin, par qui elle fut méditée, préparée, accomplie ? Rien, avouons-le. Ou si peu que c'est tout comme.
>
> « Or, dans ce premier livre d'Yves Courrière se dévoile enfin la démarche de la tragédie. Et cette révélation inspire un tel étonnement, une telle stupeur que, d'abord, le lecteur hésite à y ajouter foi. Mais les faits sont là, et les chiffres, et les dates, et les documents, et les témoignages. Et surtout une résonance indéfinissable qui est celle de l'authentique. Alors, il faut bien l'accepter, croire l'incroyable.
>
> « Le mouvement qui a jeté l'Algérie dans une guerre de huit années et lui a donné l'indépendance a été l'œuvre de six hommes – oui, six en tout – dépourvus de troupes, d'armes, d'argent, d'appui extérieur et même de soutien populaire. Quand on découvre la pénurie, la misère des moyens, et que l'on pense à l'objet immense de l'entreprise, sa démesure paraît véritablement insensée, démentielle.
>
> « Les six pourtant n'étaient pas des fous.
>
> « Simplement, il leur était devenu impossible de supporter davantage l'inégalité, l'indignité auxquelles, sur sa propre terre, on obligeait leur peuple… »

Tout était prêt pour que mon manuscrit devienne le livre annoncé aux libraires. Tout, sauf le titre que Kessel, ma femme et moi cherchions désespérément depuis des semaines. Après plusieurs essais infructueux, nous convînmes de jouer la simplicité. L'événement suscité par ces six hommes s'étant déroulé un 1er novembre, un titre s'imposa : « Les Six de la Toussaint ». Dans l'urgence, je téléphonai le résultat de nos recherches au service de la fabrication. Quelques jours plus tard me parvint le début du jeu d'épreuves. J'ouvris la grosse enveloppe en papier kraft avec l'émotion que l'on devine. Sur la page de titre, sous mon nom imprimé pour la première fois, s'étalait en caractères gras : *Les Fils de la Toussaint.* Au téléphone, « les Six » étaient devenus « les Fils » ! La première déception passée, je dus convenir que l'erreur d'un employé venait de nous révéler par hasard le titre évident et imagé que nous avions vainement cherché. La formule connaîtra une si heureuse fortune qu'elle passera dans le langage politique courant pour désigner les hommes qui déclenchèrent la révolution algérienne. Les Six disparus, on l'utilisera encore dans nombre d'ouvrages et de salles de rédaction…

Je pus lire bientôt les premiers papiers consacrés aux *Fils de la Toussaint.* Ils étaient unanimement favorables, mais je ne devais jamais oublier le tout premier qui donna le ton aux autres. Il était signé Yvan Audouard, le célèbre et redouté critique du *Canard enchaîné.* Je l'avais rencontré plusieurs années auparavant à Jérusalem, en même temps que Joseph Kessel, alors qu'il rendait compte du procès Eichmann. Pour un écrivain, la première critique consacrée à son premier ouvrage est aussi inoubliable que la parution de son premier article pour un futur journaliste, ou que la première de sa pièce pour un auteur dramatique. Il détermine souvent la suite de sa carrière. Avec la publication de la préface de Jef dans le très mesuré *Figaro littéraire*, je ne pouvais rêver jugement plus favorable que celui paru dans les colonnes de l'hebdomadaire satirique :

« Courrière ne juge pas, écrivait Yvan Audouard en conclusion de son papier. Il raconte. Parfois, il lui arrive de déplorer les occasions perdues. Mais il ne s'attarde pas. Il va de l'avant. Il écrit sans haine et sans crainte. Ce n'est pas un partisan. C'est un homme qui a vécu au jour le jour les "événements", qui en a rendu compte comme journaliste, et qui, maintenant, essaie de les comprendre, de les revivre.

« L'Algérie de Courrière, c'est sa jeunesse.

« Et c'est pourquoi ce livre surgi de tant de haines accumulées est un livre plein de générosité, de chaleur et d'amour. »

Les Fils de la Toussaint fut aussi bien accueilli par le public que par la presse, ce qui n'est pas toujours le cas.

Je poursuivais à Alger l'enquête qui devait donner naissance au deuxième volume, dont j'avais cette fois déjà le titre – *Le Temps des léopards* – avant même d'en avoir écrit la première ligne, quand éclatèrent à Paris les incidents qui allaient donner naissance à la révolte étudiante de Mai 68. Entendus à la radio, amplifiés par l'éloignement, les échos parvenus de la faculté de Nanterre et du Quartier latin semblaient de ceux qui accompagnent une révolution. Les grèves paralysaient la France. L'économie recevait le choc de plein fouet. Et mon malheureux livre, si bien parti qu'il avait figuré parmi les meilleures ventes du mois d'avril, sombrait dans la catastrophe. Leur personnel en grève, les distributeurs ne pouvaient honorer les commandes des libraires. Mon éditeur, Charles Orengo, me rassura : « Je fais mon affaire de ces histoires de livraisons. C'est mon métier. Et vous, exercez le vôtre : poursuivez un travail qui a si bien commencé ! » Quant à Jef, plus paternel que jamais, il me rappela que, dix ans auparavant jour pour jour, la France au bord de la guerre civile, il avait vécu les mêmes affres à la parution du *Lion*, en mai 1958, ce qui ne l'avait pas empêché de faire, avec ce roman africain, le plus grand succès de sa déjà longue carrière.

J'oubliai les soubresauts d'une actualité qui ne se révéla pas si catastrophique qu'on le redoutait, pour me consacrer exclusivement à la reconstitution de ce qu'on appelait l'« histoire immédiate ». Pour dresser le bilan de cette période marquée par le développement du FLN et la terrible Bataille d'Alger, je dois reconnaître qu'aucun des leaders du drame – ou presque – ne me refusa sa coopération. Y compris ceux de l'OAS qui, quelques années plus tôt, m'avaient inscrit sur leurs listes noires. Un homme comme le général Gardy, magnifique soldat, inspecteur de la Légion étrangère, devenu conspirateur, adhérent à l'OAS dès sa création, membre de son comité directeur, remplaçant le général Jouhaud à la tête de l'OAS-Oranie après l'arrestation de celui-ci, m'apporta un témoignage essentiel. Revenant pour la première fois de l'exil en Argentine qui lui avait évité la prison, il alla déterrer dans le Sud-Ouest un récit détaillé de la préparation et du déroulement du putsch. Ce compte rendu écrit durant une longue cavale avec la minutie propre à un officier général me permit de recouper efficacement ceux des généraux Challe, Zeller et de leurs principaux adjoints, quand ceux-ci sortirent de la prison de Tulle, amnistiés après les événements de 1968 par le général de Gaulle. Et c'est à moi qu'il confia ce précieux document qui ferait désormais partie de l'Histoire et qui contribua largement à asseoir l'authenticité du dernier tome de mon ouvrage.

Tout ne fut pas toujours aussi aisé. *La Guerre d'Algérie*, qui allait remporter un si vif succès, me valut aussi des inimitiés, voire des menaces. Elles vinrent toujours de gens – quel qu'ait été leur camp – qui s'étaient beaucoup égosillés, mais n'avaient jamais mis « leur peau au bout de leurs idées », pour reprendre le titre d'un ouvrage du capitaine Pierre Sergent, l'homme qui, à l'heure des combats, m'avait condamné à mort au nom de l'OAS, ainsi qu'il me le confirma avant de préciser avec beaucoup de sincérité son rôle de cheville ouvrière du putsch, puis de chef militaire de l'OAS-Métropole. Les rodomontades des Tartarins de café du commerce ne m'affectaient guère, alors que ceux dont ils se réclamaient m'apportaient une si franche collaboration.

En Algérie, à chacun de mes voyages, les anciens responsables FLN faisaient montre à mon égard d'autant de coopération qu'en France les anciens commandos Delta, les barbouzes ou les paras les plus engagés. Au fil de mon enquête, certains points restés obscurs s'éclaircissaient à la lumière de témoignages irréfutables. Je pus ainsi reconstituer quelques moments forts de la révolution algérienne, tel le Congrès de la Soumman [20 août 1956], tenu en pleine montagne de Kabylie, qui définit la position du mouvement rebelle à une étape essentielle de son histoire. Ce rassemblement secret, dont même les services de renseignement français avaient ignoré les détails, avait consacré le rôle déterminant d'Abbane Ramdane, que je fus le premier à mettre en lumière alors que son nom restait inconnu du plus grand nombre. On le disait mort au combat lors d'un affrontement avec l'armée française. En réalité, par son intransigeance, il avait soulevé contre lui l'opposition des « politiques » (Ahmed Ben Bella et Mohamed Boudiaf) et des « militaires » (les 3 B : Belkacem Krim, Boussouf, Ben Tobbal) qui n'acceptaient pas son leadership et rejetaient sa volonté d'assurer la prééminence de l'intérieur sur l'extérieur, pour les premiers, du politique sur le militaire, pour les seconds. À travers les témoignages recueillis à Paris comme à Alger, je révélai comment, attiré au Maroc sous le prétexte d'y rencontrer le roi Mohamed V, Abbane avait été assassiné par les siens, étranglé par des hommes de main à la solde de ses anciens compagnons.

J'ajoutai à ces révélations celles concernant la façon dont le colonel Boumediene était parvenu à la tête d'une Algérie promise à l'indépendance. Chef d'état-major de l'ALN, il avait habilement pris en main l'armée des deux frontières, alors estimée à plus de 20 000 hommes et qui serait, le moment venu, le fer de lance de la prise du pouvoir. L'importance de ces informations amena Krim Belkacem à me recommander quelques mesures de prudence lors de mes prochains séjours en Algérie :

« Je ne pense pas que le gouvernement algérien interviendra directement contre vous, mais prenez tout de même quelques précautions quand vous irez à vos rendez-vous. Évitez les échafaudages dressés contre la façade d'un immeuble en ravalement, ou un camion déchargeant quelques futailles devant un bistrot… Et terminez votre enquête au plus vite ! »

Lors de mon cinquième voyage en Algérie, après avoir rencontré deux ministres du gouvernement Boumediene et quelques notabilités proches du pouvoir qui se montrèrent une fois de plus fort coopératifs, je négligeai quelque peu ces mises en garde. D'autant plus que Saad Dahlab, une des personnalités les plus marquantes de la guerre d'indépendance, associé de près à tous les contacts avec la France, m'avait invité à dîner en compagnie de ma femme en se disant prêt à répondre à toutes mes questions. En guise de précautions, je me contentais d'envoyer par la poste, à mon domicile parisien, le script des entretiens que je recueillais quotidiennement. Aux premiers jours d'octobre, j'estimais pouvoir clore mon enquête par ce dîner, ultime témoignage que je recueillerais en Algérie.

À l'Hôtel d'Angleterre dont le patron était une vieille connaissance – ancien chef de rang à l'Hôtel Albert Ier, il m'avait renseigné pendant la guerre sur l'état d'esprit de la Casbah –, je fus réveillé par un appel de Jacques Chevallier. L'ancien ministre de Pierre Mendès France, maire libéral d'Alger, revenu en Algérie pour servir d'intermédiaire entre l'OAS et l'Exécutif provisoire, et qui y était resté, me conseillait de lire la une d'*El Moujahid* « qui parlait de moi sans me citer ». Sous le titre « Les Falsificateurs de l'Histoire », l'organe du FLN écrivait en effet :

« Un certain journaliste fait actuellement le siège d'anciens responsables afin de recueillir des déclarations qui lui serviront à écrire son troisième volume consacré à la Révolution algérienne... Le plus grave est que la "source" qui alimente ces écrits émane parfois d'Algériens qui ont contribué à la lutte révolutionnaire. Ces Algériens qui se prêtent à ce jeu de fabrication de l'Histoire, et qui se font confesser au coin d'une table, ne font pas honneur à la Révolution. Nous ne parlons pas, bien sûr, de ceux qui volontairement se complaisent à s'approprier une partie de l'histoire, voire l'Histoire tout entière, cela au mépris de la simple vérité. Quand ils font écrire ce qu'ils veulent par besoin de "vedettariat" *a posteriori,* ils feignent d'ignorer qu'ils font la plus grande injure à la mémoire de nos *chouhada* [*morts au combat*]. Une telle attitude ne pourrait être digne de militants de l'Algérie. Par contre, ceux d'entre les journalistes et écrivains français qui se passionnent pour l'histoire de la Révolution, peuvent tout à loisir écrire sur le "côté français" de cette histoire... Mais, en définitive, et il faudra bien se remplir de cette idée, l'histoire de la Révolution algérienne appartient aux Algériens, et c'est à eux-mêmes qu'il revient d'écrire leur Histoire ! »

On ne pouvait me dire plus clairement : « Occupez-vous de vos affaires et ne venez pas expliquer à notre peuple le rôle de chacun, surtout s'il appartient à l'opposition au pouvoir actuel ! » Venant après les conseils de prudence de Krim Belkacem, ceux que me prodigua Jacques Chevallier, grande conscience libérale, dont un ami intime, homme d'affaires international, avait eu à pâtir récemment de l'intolérance du gouvernement Boumediene, me parurent des plus judicieux. J'avais pratiquement terminé mon enquête en Algérie, il était temps de rentrer. Je retins deux places sur la Caravelle d'Air France pour le jour de l'arrivée de Maurice Schumann, ministre français des Affaires étrangères, en visite officielle à Alger. Après avoir honoré l'invitation de l'ancien chef de la willaya des Aurès, qui se montra aussi coopératif que ses anciens compagnons, je rentrais avec ma femme à mon hôtel, aux alentours de minuit, quand je fus entouré par trois policiers en civil, ostensiblement armés, qui nous intimèrent l'ordre de les suivre après nous avoir donné dix minutes pour faire nos bagages. Dans la chambre, le téléphone était coupé : impossible d'alerter l'ambassade, tout comme de parler au patron de l'hôtel auprès de qui je voulais régler ma note. Nous fûmes conduits au commissariat central du boulevard Baudin où un fonctionnaire de la police judiciaire nous expliqua fort courtoisement qu'il n'avait rien à nous reprocher, mais qu'il avait fait procéder à notre arrestation sur ordre de la police militaire dans les bureaux de laquelle nous serions conduits dès le lendemain matin. Sous les vocables « police militaire » se cachait la police politique du colonel Boumediene dont une partie des locaux était située à Dar-el-Beida, l'aéroport d'Alger, où je fus séparé de ma femme, déshabillé, tandis que mes bagages étaient soigneusement fouillés.

Durant plusieurs heures, les policiers épluchèrent mes carnets de notes, les adresses de mon répertoire, les pages de mon agenda, ainsi que de nombreuses photos. Beaucoup moins « cordiaux » que leurs collègues de la PJ, les policiers militaires cherchèrent à me faire dire (mais sans violences) que la publication des deux premiers volumes de ma *Guerre d'Algérie* prouvait à l'évidence que j'étais payé par des membres de l'opposition algérienne afin de montrer sous un jour favorable le rôle de ses principaux leaders. Selon eux, il n'était pas normal que j'eusse quitté le journalisme, où j'étais fort bien rémunéré – ils connaissaient jusqu'au montant exact de mon dernier salaire –, pour me consacrer au métier fort aléatoire d'écrivain. Autre accusation : dans *Les Fils de la Toussaint* et *Le Temps des léopards*, je n'accordais qu'une place fort réduite à l'action du colonel Boumediene. On me demanda ce que je pensais de sa façon de conduire la politique de l'Algérie. Je répondis que c'était, pour l'heure, l'affaire de Maurice Schumann et de son homologue algérien, Abdelazziz Bouteflika. Seule m'intéressait l'action menée contre la France entre 1954 et 1962. Durant cette période, à ma connaissance, le colonel Boumediene avait consacré l'essentiel de son temps à la direction de l'ALN aux frontières tunisienne et marocaine où il avait parfaitement réussi à asseoir son pouvoir. Action d'une remarquable efficacité, que nul n'avait jamais mise en cause. « Reprocher au colonel son absence du maquis, plaidai-je, c'est comme si l'on reprochait au général de Gaulle de n'avoir jamais tenu une mitraillette durant la Seconde Guerre mondiale ! » Ma remarque plongea les agents de la Sécurité militaire dans un abîme de perplexité. Celui qui dirigeait l'« entretien » le conclut sèchement par quelques phrases définitives : « Vos livres sont inopportuns. Ils parlent des "chefs historiques" qui sont aujourd'hui dans l'opposition. La Nation n'a pas à connaître leur rôle. Vous avez tout à fait intérêt à interrompre vos travaux. Dites-vous bien que, chez nous, le peuple n'a pas besoin de savoir. » Dans le registre des menaces verbales, on ne pouvait être plus explicite. J'étais d'autant plus inquiet que, depuis notre arrivée à Dar-el-Beida, je n'avais pas revu ma femme et que notre arrestation n'avait pas été une mesure prise au niveau gouvernemental. Sinon, deux ministres ne m'auraient pas reçu, les jours précédents, encore moins apporté leur aide. Je protestai pour la forme lorsqu'on confisqua écrits et documents trouvés dans mes bagages et que l'homme de la SM m'eut signifié mon expulsion en m'interdisant de séjour sur le territoire algérien. Être sans contact avec son ambassade, entre les mains des services spéciaux de la police, dans un pays totalitaire qui se proclame une république démocratique et populaire parce qu'il se sait ni l'un ni l'autre, n'a rien d'une sinécure. Je ne fus soulagé que lorsque nous eûmes pris place dans la Caravelle bondée d'Air France d'où la police avait fait descendre d'autorité deux passagers qui ignorent sans doute encore ce qui leur valut cette mésaventure !

Le lendemain, la presse parisienne relata les circonstances de notre expulsion, sort que je partageais, pour des raisons bien différentes, avec mon confrère Serge Groussard, envoyé spécial de *L'Aurore*, chargé de rendre compte du voyage et des entretiens de Maurice Schumann avec Abdelazziz Bouteflika. *Le Figaro*, *Combat*, *Le Parisien Libéré*, *France-Soir*, *la Croix*, *le Journal du Dimanche*, *le Canard enchaîné* signalèrent ce « geste singulier », à l'heure de la visite d'un ministre d'État en Algérie – un geste qui en disait long sur l'étrange idée que se faisait l'Algérie de Boumediene non seulement de la liberté de la presse, mais de la coopération avec la France.

« Toute expulsion de journaliste est une atteinte au droit à l'information, souligna *Le Monde*. Celles qui viennent d'intervenir à Alger sont d'autant plus regrettables qu'elles coïncident avec le voyage officiel de M. Maurice Schumann. La mesure qui frappe M. Yves Courrière est d'autant moins compréhensible que celui-ci s'était efforcé, dans sa relation de la guerre d'Algérie, à la plus grande objectivité. Il lui était pour le moins difficile, pour mener à bien son enquête, de ne pas rencontrer les dirigeants de la révolution algérienne passés depuis lors dans l'opposition. »

« À quoi doit-il s'attendre maintenant s'il poursuit son œuvre ? s'indigna de son côté *Combat*. À une balle dans le dos, comme Khidder, à un "sourire kabyle" ? Il faut signaler que les deux premiers volumes de sa série sont introuvables à Alger : interdits à la vente ! Boumediene voudrait bien réécrire l'histoire d'une "révolution" confisquée dès l'été 1962. Son rôle dans la bataille contre la France est en effet bien falot. Quant aux "chefs historiques", ils ont été exécutés (Khidder, Chaabani) ou emprisonnés, ou contraints à l'exil (Aït Ahmed, Mohamed Boudiaf, Krim Belkacem)... »

Cette arrestation et l'interdiction de séjour qui me frappait étaient à verser au dossier désormais bien fourni des mauvais souvenirs liés à l'affaire d'Algérie dont je m'occupais depuis plus de dix ans. Elle devait se terminer, pour certains, de plus tragique façon.

L'année suivante, après m'avoir apporté un ultime témoignage, Krim Belkacem fut assassiné, étranglé dans sa chambre d'un palace de Francfort. La même mort que celle qui avait été infligée à Abbane Ramdane par ses frères révolutionnaires. Des *Fils de la Toussaint*, il ne restait plus qu'un survivant, et trois des neuf « chefs historiques » du FLN. Les acteurs essentiels se faisaient de plus en plus rares. Les témoignages que j'avais recueillis depuis le début de mon enquête, quatre ans auparavant, étaient devenus autant de pièces pour l'Histoire. Lors de notre toute dernière rencontre, Krim m'avait appris que, depuis mon arrestation et l'attaque en règle dont j'avais été l'objet de la part d'*El Moujahid*, aucun des responsables qui avaient été les témoins des grandes heures de la Révolution ne voulaient plus désormais les évoquer devant un étranger. D'un jour à l'autre, je n'entendis plus parler d'amis de longue date. Ni Djamal ni Abderrahmane et sa femme, héros des maquis et de la clandestinité, ne me donnèrent la moindre nouvelle après m'avoir accueilli la veille comme un frère. J'étais devenu un pestiféré. Pour tous il était préférable de se tenir à l'écart des agents de la Sécurité militaire.

Grâce au témoignage d'un homme d'affaires suisse lié à Krim Belkacem qu'il avait hébergé lors des tractations préparatoires aux accords d'Évian, je pus reconstituer la façon dont le leader algérien avait été éliminé de la scène politique de son pays :

« C'est moi-même qui ai conduit Krim Belkacem à l'aéroport de Cointrin, m'expliqua l'homme. Krim s'était montré préoccupé pendant les quelques jours qu'il avait passés en Suisse, et, au lieu de prendre l'avion du jeudi, il a préféré dormir à Genève. Il m'a dit que ceux qui l'avaient demandé à

Francfort pouvaient bien attendre un jour de plus. Il était troublé, d'ailleurs, de l'insistance qu'on mettait à le rencontrer à Francfort. Le but de son voyage était bien cette ville allemande, et il était attendu à l'hôtel Intercontinental par de mystérieux correspondants. Il ne descendait jamais dans cet hôtel, mais il a cédé devant leur insistance. Il n'était pas armé, contrairement à son habitude, à cause des règles de sécurité en vigueur dans les aéroports. Il n'a pas pu se défendre. »

Quelques semaines plus tard, ce que j'apprendrais de source proche de la police allemande me fit rétrospectivement frémir ; Krim avait été exécuté par trois agents de la Sécurité militaire algérienne qu'il croyait avoir retournés à son profit : un Kabyle, un Arabe et un troisième homme originaire du Maroc, déjà compromis dans l'affaire Ben Barka. Leurs noms m'intéressaient peu, et je me réjouis de n'avoir jamais cherché à m'occuper de la politique du moment. Interdit de séjour en Algérie, les événements ne m'incitaient guère à y retourner. Jamais je ne devais solliciter de dérogation à la décision de la SM ni ne foulerais plus le sol d'un pays qui se révélait pour moi si dangereux. Rescapé de la fusillade de la rue d'Isly, condamné par l'OAS, arrêté et expulsé sur l'ordre de Boumediene, j'avais bouclé la boucle. Je ne plaisais décidément ni à un camp, ni à l'autre. Je ne pouvais mieux prouver mon honnêteté intellectuelle qu'en racontant, ainsi que je le faisais, une histoire qui avait tant compté pour moi.

De retour à Paris, et pour me remettre de mes émotions, j'eus encore à compléter une foule d'informations dont l'amorce m'avait été fournie en Algérie. Ce ne fut pas le moins intéressant d'un long travail qui ne me donna jamais le loisir de regretter mon ancien métier de grand reporter. C'est ainsi qu'au cours de mon enquête sur la Bataille d'Alger et sur la vie de la willaya kabyle, j'avais appris de la bouche même de responsables FLN que le terrible chef de cette région, Amirouche, avait procédé à de sanglantes purges visant surtout les jeunes combattants « montés » de la ville au maquis. Il s'agissait d'« intellectuels », d'étudiants et même de lycéens issus de familles aisées. Mais impossible d'obtenir de plus amples renseignements. J'avais simplement appris que le « héros » un peu fruste, mort au combat, avait été « intoxiqué » par un service français de renseignement, dirigé par un certain capitaine Léger. « À lui tout seul, m'avait confié un de ces hommes, il a monté un coup tellement faramineux qu'il nous a causé, sans tirer un coup de feu, plus de pertes que les meilleurs régiments de parachutistes ! Comment y est-il parvenu ? Je l'ignore. » Retrouver Léger, que j'avais identifié comme l'un des responsables les plus efficaces de la recherche des groupes terroristes pendant la Bataille d'Alger, se révéla particulièrement ardu, tant il paraissait cultiver le mystère autour de sa personne. Je savais seulement de lui qu'il n'était pas, à l'époque, intégré à une unité, qu'il circulait toujours en civil, dirigeait un groupe constitué d'Algériens pro-français et d'anciens membres de réseaux FLN « retournés ». Il ne dépendait que de la direction de la Sécurité. En avril 1961, après l'échec du « putsch des généraux », personne n'avait plus entendu parler de lui.

Lors de la reconstitution détaillée de la Bataille d'Alger, je m'étais penché sur un problème de taille : celui de l'emploi de la torture par certains officiers à qui les hommes politiques, dépassés par l'ampleur de la révolte, avaient délégué tous les pouvoirs de police. Ainsi avait été mis en lumière le rôle de quelques-uns d'entre eux qui avaient obtenu des résultats spectaculaires à l'heure où des bombes explosaient aux quatre coins de la ville. En particulier celui d'un certain commandant O., à l'activité si redoutable que les plus résolus des commandos parachutistes en étaient effrayés. J'avais été le premier à révéler, dans *Le Temps des léopards*, les méthodes employées par cet homme, et n'avais utilisé pour le désigner qu'une initiale afin de me conformer à la loi d'amnistie qui permettait de dire qu'on avait torturé mais interdisait de révéler le nom de celui qui l'avait fait. Une fois encore, je ne jugeais pas, mais racontais tout. Les militants algériens, terrorisés, brisés dans leur amour-propre, avouaient pour la plupart « un petit quelque chose » pour faire cesser leurs souffrances. Tout était bon pour les faire parler : l'eau déversée sous pression au fond de la gorge jusqu'à ce qu'elle ressorte par les orifices naturels ; l'électricité, dite encore la « gégène », le « loup », le « téléphone ». Les noms étaient divers, la méthode toujours la même : deux électrodes, l'une au lobe de l'oreille, l'autre aux testicules, à la pointe des seins ou au clitoris (car les femmes n'échappaient pas à l'affreux système). Une décharge, deux, dix, vingt. Il fallait parler. Et on parlait. On ne connaît que trop ces procédés pour s'étendre sur leur description. Mais ils donnaient de si bons résultats ! Les réseaux étaient tombés les uns après les autres. Il y avait bien des bavures, mais le commandant O., chef d'un état-major parallèle, les assumait, liquidait froidement. Un militant trop torturé ne pouvait être laissé en vie. Il fallait le faire disparaître lorsqu'il avait tout avoué. Le commandant O., devenu officier général, sortira de l'anonymat et révélera, plus de quarante ans après, son rôle. Pour le général Aussaresses, la fin – elle était « positive », puisque la Bataille d'Alger avait été gagnée – justifiait les moyens. Tant d'années après, on s'évertuera à ouvrir une polémique, et une certaine presse parlera même à ce sujet de « révélations » ! Il ne fallait pas être bien curieux pour ignorer encore l'emploi de la torture, généralisée après la période des attentats quotidiens dans la capitale algéroise, et que carte blanche avait été laissée dans chaque secteur militaire aux DOP (Détachements opérationnels de protection), véritables petites usines à torturer. On aura ainsi vu, à l'orée des années 2000, cette tardive et vaine polémique se développer, par colonnes de journaux interposées, entre « témoins rongés par le remords » et ceux qu'avait saisis un esprit de « repentance » que d'aucuns estimaient bienvenu. Elle me laissa sceptique et je ne jugerai pas plus aujourd'hui que je ne jugeais hier.

Entamant la seconde partie de mon ouvrage, la personnalité de ce capitaine Léger m'intéressait d'autant plus que, de l'avis même des plus redoutables membres du FLN, il n'avait jamais employé, pour sa part, « ces méthodes qui nous répugnent », comme l'avait écrit dans un de ses ordres du jour l'un des plus célèbres colonels de paras de la 10e DP. Son action, du déroulement de laquelle je ne savais rien, hormis le résultat, démontrait à l'envi que l'on avait pu obtenir sur le terrain de remarquables résultats sans recourir à la torture. Il me fallait absolument le retrouver.

Une fois de plus, je fus aidé par la chance. Mes deux premiers livres m'avaient valu un courrier considérable dans lequel je trouvai, au début de l'été, une longue lettre manuscrite. C'était le commandant Léger – en quelques années, il n'avait conquis qu'un galon avant de se perdre dans la foule des anonymes – qui me félicitait pour la véracité de mon récit sur la Bataille d'Alger. « Dommage, m'écrivait-il, que nous ne nous soyons pas rencontrés auparavant, car j'aurais pu vous apporter un complément d'informations. » Et il se mettait, lui et ses archives, à ma disposition pour évoquer « quelques petites choses » auxquelles il avait pensé dans les années 1958-1959 ! Ces « quelques petites choses » n'étaient rien moins que la « bleuite », cette fameuse opération d'intoxication des maquis kabyles et algérois qui, selon les responsables militaires du FLN, avait causé tant de pertes. Peu après, je pris la route pour rencontrer ce fameux commandant Léger qui s'était évanoui dans la nature. Il soignait à Perpignan les séquelles qu'une vie trop aventureuse lui avait laissées à la colonne vertébrale. Il avait tout le temps de l'évoquer sur son lit de convalescent.

*
* *

Pour lui, l'aventure avait commencé en 1942, au Maroc où il était né vingt ans auparavant. Engagé au sein du 3e Free French, unité parachutiste de choc des Forces françaises libres fondée par un certain capitaine Conan, alias Château-Jobert, qui ferait parler de lui en Algérie au moment du putsch, Paul-Alain Léger donna la pleine mesure de son jeune talent en faisant sauter des voies ferrées et en désorganisant de nombreux transports de troupes, d'abord en France occupée, puis en Hollande. La guerre gagnée, il suivit Conan, devenu compagnon de la Libération, en Indochine où il servit ensuite sous les ordres de Ducasse, patron des paras de choc, et de La Bollardière, magnifique soldat à la morale inflexible, prêt à obéir aux ordres de son gouvernement mais incapable de tolérer la torture, déjà trop souvent employée contre les viêts. Après un premier séjour en Indochine, il y retourna pour mettre en pratique ces fameuses « deux ou trois petites choses » auxquelles il avait naguère réfléchi au cours de ses missions secrètes en France et en Hollande. Homme de commando amoureux des coups durs, il n'avait que mépris pour les officiers bedonnants dont la vie à Saigon se partageait entre les bureaux d'état-major, les fumeries d'opium et les bordels où officiaient de trop jeunes filles au corps gracile. Il y avait du moraliste chez Léger, cet individualiste inclassable. C'est alors que se produisit le déclic qui devait décider de sa carrière militaire.

Il n'a pas 30 ans quand il monte de toutes pièces la première grande « opération » de sa vie qui, jusque-là, n'a pourtant pas été de tout repos. À Cu Lao Re, il a sous ses ordres 300 parachutistes vietnamiens dont beaucoup sont des anciens Viêt-minh « retournés ». Déjà, il se passionne pour cette technique : avec ses 300 bonshommes, il va créer une unité de contre-guérilla qui lui permettra d'agir à sa guise sans rendre de comptes à une hiérarchie souvent trop frileuse. Il établit son camp de base sur une île où il est le seul Européen à vivre avec ses « viêts ». Il peut tout faire, tout risquer. Et d'abord sa peau. Il s'en donne à cœur joie ! Lorsque ses longues « plates » – les bateaux traditionnels vietnamiens – quittent l'île, c'est la tornade qui ravage la région choisie. Il connaît les méthodes, les ruses des viêts, puisqu'ils sont en majorité parmi ses troupes. Avec ses hommes comme lui vêtus de noir – mais aussi comme ceux de GIAP –, il pique au cœur d'une zone pourrie et n'a de cesse que les réseaux soient démantelés, les réserves saccagées. C'est là, en Asie, qu'il poursuit, de coups d'éclat en coups d'éclat de toutes sortes, une éducation brillamment commencée au sortir de l'adolescence chez les paras de choc du BCRA (Bureau central de renseignement et d'action de la France libre). Dans ce domaine, il est doué et se moque des conventions. La guerre en uniforme, sans uniforme, avec ceux des autres, ceux de l'ennemi : peu importe ! Seul le résultat compte. Et il est de taille : la surprise, l'ébahissement, puis le désespoir des paysans qui, croyant avoir affaire à des viêts, lui ont livré caches, nourritures, armes et secrets, sont ses victoires quotidiennes.

Léger sait certes se servir de son pistolet, de sa mitraillette, il tire avec une précision stupéfiante, il n'a fait que ça depuis bien avant sa majorité ; mais il préfère désormais se servir de son cerveau. Il trouve plus excitant de se mettre à la place de l'adversaire, de l'intoxiquer, de l'attirer dans le piège qu'il a tendu, que de lui tirer dessus. Dès lors, Paul-Alain Léger guerroie au second degré. Il en sera marqué pour la vie.

Pour tout savoir de l'ennemi, il faut d'abord parler sa langue. Aux Indochinois ont succédé les Algériens. Depuis son enfance marocaine, Léger est familier avec le kabyle et l'arabe qu'il pratique avec l'aisance que donne la fréquentation de l'école et de la rue en pays colonial. Il va tout de même se perfectionner aux Études africaines et asiatiques afin d'être opérationnel au sein du SDECE, le service de renseignement français qui recrute le jeune homme, se souvenant qu'il a entamé sa carrière au BCRA gaulliste. Je ne saurai rien sur les deux années qu'il aura passées à la « Piscine » : c'est la règle. J'apprendrai seulement par recoupements, lors d'une conversation avec un ancien du 11e choc – le régiment « Action » du SDECE – qu'il aura participé à la lutte contre les trafiquants d'armes allemands et suisses, fournisseurs attitrés du FLN, dont les principaux paieront de leur vie l'aide apportée à la rébellion.

Le capitaine Léger réapparaît en pleine Bataille d'Alger. Expert en subversion, riche de tous les « coups tordus » qu'il a montés depuis dix ans, prêt à les renouveler, on ne le verra jamais en uniforme. Il passe parfaitement inaperçu : il parle couramment les langues du pays et, grâce à son teint mat, on ne sait trop s'il est arabe, kabyle ou français méditerranéen. On le bombarde patron du Groupement de renseignement et d'exploitation ; ce GRE est l'un des organes les plus secrets de l'état-major Alger-Sahel. À sa tête, Léger contrôle la toile d'araignée des réseaux de renseignement qui recouvrent la ville et dirige, selon la méthode qui lui a si bien réussi en Indochine, ceux que l'on connaîtra bientôt sous le nom de « bleus de chauffe ». Ce sont d'anciens membres des groupes de choc FLN de la Casbah qui ont été arrêtés et qui, après interrogatoire, ont accepté de travailler pour les services spéciaux français, en l'occurrence le capitaine Léger. Ils sont aussi craints que haïs tant par leurs anciens compagnons que par la population algérienne. Leur efficacité est redoutable, car ils connaissent tout : la langue, les hommes, leurs méthodes. Un seul but pour cette équipe mixte (car elle compte des femmes en son sein) : approcher les suspects et remonter les filières au plus haut niveau, jusqu'à Yacef Saadi, chef de la zone autonome FLN d'Alger. Par sa technique de retournement, qui ne fait pas l'unanimité chez certains chefs français, Léger obtient des résultats bien plus spectaculaires que ceux de certaines unités qui pratiquent la torture à grande échelle.

S'il a été pour beaucoup dans la victoire qu'a représentée l'arrestation de Yacef, le capitaine n'estime pas en avoir fini.

Tandis que les colonels paras tirent de ce succès un prestige sans précédent auprès de la population européenne qui se croit délivrée de la terreur, Léger poursuit dans l'ombre son travail de démantèlement. Il sait qu'il y a des survivants tout prêts à reconstituer les réseaux qui ont mis Alger à feu et à sang. À nouveau, il va employer la technique qui lui a si bien réussi jusque-là. Pour ce faire, il utilise quelques survivants FLN de la Casbah, dont l'arrestation a été tenue secrète et qui, persuadés que le Mouvement de libération nationale ne survivra pas aux coups portés, acceptent de collaborer. Son adjoint pour cette nouvelle opération sera l'un d'eux, un certain Ghandriche. Ignorant son arrestation, Yacef Saadi l'a nommé responsable militaire d'Alger avant d'être lui-même arrêté, et a transmis cette promotion à Amirouche. Il y a ajouté celles d'Alilou, agent de liaison, de Hani, chef de la zone Ouest, et de Ourhia la Brune qui assurait jusque-là le courrier, tous récemment arrêtés, tous retournés et prêts à être infiltrés chez l'ennemi. Par leur canal, Léger poursuit sa correspondance avec la willaya III, la plus proche d'Alger, susceptible de fournir les hommes capables de réactiver des réseaux.

Durant plusieurs jours, Paul-Alain Léger me raconta en détail, preuves à l'appui – le courrier était là pour en témoigner –, l'un des épisodes les plus ahurissants, mais aussi les plus tragiques de la guerre d'Algérie. Avec l'un de ses vieux copains rescapés des coups fourrés indochinois, il décida de monter une opération qui risquait de se révéler payante : neutraliser en douceur le maquis kabyle qui nourrissait de si mauvaises intentions à l'égard d'une ville que d'aucuns prétendaient définitivement pacifiée. Seuls Européens parmi onze « bleus de chauffe », ils se firent déposer nuitamment en plein djebel, en treillis, arborant les insignes de gradés FLN. Objectif : le PC de cette région montagneuse, auquel des guetteurs les conduisirent, pensant qu'il s'agissait de maquisards en mission, puisqu'ils disposaient de tous les mots de passe nécessaires. Ils furent reçus avec effusion par l'état-major de la zone. Durant la nuit, sirotant quelques cafés, ils établirent un rapport circonstancié, conseillèrent de nouvelles tactiques de combat, se renseignèrent sur la situation en Kabylie, puis, au matin, ils se découvrirent et arrêtèrent leurs hôtes médusés. Au lever du jour, conformément à un plan soigneusement établi, deux compagnies de chasseurs parachutistes débarquèrent en hélicoptère pour nettoyer le PC zonal. Léger embarqua les membres de l'état-major, rafla quelques bombes prêtes à servir, ainsi que deux sacs de documents dont il commença aussitôt l'exploitation. Le lendemain, tous les membres des réseaux en voie de reconstitution étaient arrêtés et mis au secret. La réimplantation du FLN à Alger ne devait s'effectuer réellement que trois ans plus tard, et beaucoup d'eau aura alors coulé sous les ponts !

Parmi les prisonniers de cette mirifique expédition, l'un des interlocuteurs de la nuit, le chef de zone Sabri, impressionné par l'audace du coup de main, se laissa retourner sans difficulté. C'est alors que Léger fit la preuve de son génie de l'« intox ». Grâce au courrier qu'il continuait d'entretenir avec Amirouche, celui-ci fut persuadé que Sabri avait réussi à déjouer le piège et était sain et sauf. Voilà donc l'officier parachutiste non seulement chef algérois du FLN en reconstruction, par Hani interposé, mais encore chef d'une zone de willaya par suite du revirement de Sabri ! Il tirait toutes les ficelles à travers l'agent de liaison Alilou.

Il fallait maintenant frapper un grand coup. Léger entreprit – en apparence – de retourner Roza, jeune militante arrêtée récemment au cours d'une opération en Kabylie. En apparence seulement, car la jeune fille, fort intelligente et cultivée, était une fervente patriote qui ne s'en laissait pas conter. Aucune chance de la voir trahir la cause comme un vulgaire Sabri. Le maître-espion joua pourtant le jeu, lui fit des « confidences », révélant ses prétendus « contacts » avec certains « intellectuels » de la zone kabyle. « Amirouche et ses proches sont des montagnards incultes, expliqua-t-il à

Roza, mais, avec les autres, nous pouvons nous entendre. Les hommes de valeur, au maquis, travaillent pour la plupart avec nous. Pourquoi pas vous ? Le FLN, c'est fini ! »

Au cours de ses longues conversations, l'officier s'absentait souvent de son bureau, laissant traîner des papiers. Aux yeux de la jeune fille, tout dans la correspondance qu'Hani entretenait, sous la dictée de Léger, avec la willaya III, paraissait authentique, de l'écriture aux tampons et bien sûr aux noms. Roza feignit d'accepter la proposition du parachutiste avec une seule idée en tête : sortir d'Alger, regagner la willaya et alerter Amirouche. Le plan réussit à merveille : à peine libérée, Roza rejoignit le maquis, surveillée par Kaddour, un « bleu de chauffe » récemment converti en qui Léger n'avait aucune confiance. Ou Kaddour jouait le jeu, ou il dévoilait à Amirouche ainsi qu'à Mayouz, son chef de zone, toute l'histoire des « intellectuels ». Mais, de la sorte, il ne ferait que confirmer les « révélations » de Roza. Dans tous les cas, Léger menait la danse. Mayouz Hacène, profondément misogyne, détestait autant les jeunes filles de la bourgeoisie, venues au maquis par idéal, que les étudiants qui avaient déserté les bancs de l'Université. Seuls les paysans et les montagnards bénéficiaient de sa confiance. Les « révélations » de la jolie Roza le confirmèrent dans sa méfiance des bourgeois. Pour en savoir plus, il la fit horriblement torturer avant d'agir de même avec Kaddour. Sous la question, les envoyés d'Alger avouèrent n'importe quoi. Roza ne put que répéter ce qu'elle croyait avoir appris du capitaine Léger. Kaddour, fou de douleur – en ce domaine, certains membres du FLN valaient tous les commandants O. du monde –, donna les noms des maquisards, ou supposés tels, qu'il connaissait. Alors Mayouz s'imagina entouré d'espions. Son délire ne connut plus de bornes. Il convainquit sans mal Amirouche, qui partageait sa méfiance envers les gens des villes. Sévices et assassinats se multiplièrent. Au maquis, on ne surnomma plus Mayouz que « Hacène-la-torture ». La cruauté d'Amirouche, elle, était aussi célèbre que sa bravoure. Le chef kabyle n'en resta pas là. Il fit partager ses certitudes à son homologue de la willaya algéroise, qui ne se montra pas plus réfléchi. Désormais, pendant des mois, aux dangers des opérations dans le djebel s'ajouta, pour les *djounoud* d'un certain niveau, la terreur de l'épuration. Roza mourante, Kaddour, puis des centaines et des centaines de militants, destinés à devenir les futurs cadres d'une Algérie indépendante, furent égorgés. Au cours de ces années de terreur, posséder un certificat d'études et gagner le maquis pouvait mener à la mort sans combattre. Aussi bien à l'état-major français d'Alger qu'au sein du GPRA de Tunis, on appela cette opération « bleuite », du nom des « bleus de chauffe » du capitaine Léger, le plus discret mais aussi le plus efficace des officiers qu'il m'ait été donné d'approcher au fil d'une inoubliable enquête.

14

Adieu à l'aventure

À l'heure de refermer les carnets, de ranger les documents qui m'ont permis de livrer sans ordre, ou presque, ces quelques « éclats de vie », je m'aperçois de la place qu'ont tenue dans mon existence un événement – la guerre d'Algérie – et un homme – Armand Jammot – qui ont tant contribué à faire de moi ce que je suis. J'ai assez parlé du premier pour y revenir plus longuement ; mais peut-être trop brièvement du second pour ne pas terminer par son souvenir encore si présent, cette évocation de quarante-cinq ans de « cotisation », comme on dit dans le langage de la Sécurité sociale.

Parmi les anecdotes qu'Armand se plaisait à partager figure celle-ci, que ses filles et fils retrouvèrent dans ses papiers de jeune homme :

« Quand je serai mort, mes amis, ne portez rien au cimetière et n'allez pas vous y geler à la Toussaint.

« Quand Panisse est mort, César, Escartefigue et Monsieur Brun n'en ont pas moins fait leur belote quotidienne, mais ils ont distribué ses cartes au mort, par habitude, ils ont pensé à lui quelques instants et ils ont joué pour lui, comme il l'aurait fait lui-même.

« Et Panisse était là, présent, qui annonçait : "Belote et rebelote et dix de der."

« Quand je serai mort, mes amis, distribuez-moi les cartes quelquefois… et racontez pour moi les bonnes histoires que je vous ai dites et redites et que vous connaissez par cœur.

« Je serai là parmi vous.

« Ce n'est pas dans mon cercueil que je reposerai, mais dans votre souvenir.

Carnet de 1946. »

Sensible aux signes, amoureux de l'amitié, j'ai le désir, en cet instant, de boucler la boucle ainsi que le destin l'a accompli pour moi avec l'Algérie en m'y faisant condamner par tous ceux que la vérité dérangeait. Sachant maintenant combien plonger dans sa mémoire est un exercice moins agréable – et surtout moins facile – qu'on ne l'imagine, je ressens le besoin de finir par où j'ai commencé en reproduisant les mots que m'inspira la disparition d'Armand, prononcés devant une poignée d'amis fidèles, un jour de printemps provençal :

« En plus de quarante ans, j'ai eu souvent à écrire sur la mort d'un ami ou d'un être admiré. Puis, un jour, la soixantaine abordée, entouré de fantômes familiers, je me suis juré de ne plus le faire. J'avais le sentiment d'être une sorte de fossoyeur de ceux que j'avais aimés, que j'aimais encore, que j'aimerais toujours. Dès lors j'ai tenu le serment, gardant le chagrin pour le secret de mon cœur, laissant à d'autres, plus à l'aise d'être moins directement touchés, le soin de dire les mérites du disparu, de reconstituer les pans d'une vie souvent glorieuse, en tout cas bien remplie.

« Et puis voilà, Armand, qu'après une dernière conversation téléphonique, tu files à l'anglaise, ce qui n'était pas dans tes habitudes. Et Josette, ton épouse, et Florence, au nom de Maurice, Sylvie et Juliette, tes enfants, me demandent de prendre la plume et de rompre le serment pour évoquer et l'homme, et l'ami, et le grand professionnel que tu as été, et que quarante ans de micro, de caméra, d'écriture me permettent de peser à l'aune de ton talent, et de le faire apprécier à ceux qui en auraient moins bien connu les multiples facettes. Car j'étais un gamin, et toi un tout jeune homme quand tu m'as pris sous ta houlette et, fort d'une petite avance, tu m'as distribué avec une folle prodigalité ce que, déjà, la vie t'avait enseigné. Tu as été le premier journaliste qui ait croisé ma route, et ta route est devenue la mienne au service d'un métier devenu passion. Tu m'as appris, à moi et à tant d'autres – car, sous la gouaille du titi parisien, tu cachais une profonde vocation de pédagogue – l'importance du Verbe, de la Parole, de l'Écriture, essentiels pour toi, et qui devinrent pour moi, à travers livres et grands reportages, une raison de vivre à qui on ne sacrifie jamais assez.

« Recevoir, quand on a 20 ans, les leçons d'un aîné de treize années – presque un grand frère –, mais qui avait la rigueur d'un de ces Compagnons du Devoir qui firent la gloire des artisans de notre pays, est une chance que l'on n'oublie jamais. L'Armand Jammot que je rencontrai alors avait déjà connu les combats de la Résistance tout en usant les bancs de la faculté d'Aix-en-Provence. De son père, imprimeur-typographe, calme et méthodique, de sa mère, aussi ardente que bouillonnante, il avait hérité l'amour de la presse – la maison débordait de journaux – et la haine de l'intolérance. Jamais pour lui-même ne s'était posé le dilemme qui torture tant d'adolescents. Il serait journaliste. C'était une évidence.

« Débuts à *France du Centre*, à Orléans tout juste libérée, puis à Paris, à *L'Agence européenne de presse*, et *C'est la vie*, puis à *L'Aurore*, le temps d'apprendre toutes les techniques de la presse écrite, sur le tas et au contact d'aînés prestigieux. La radio connaît alors sa plus importante révolution avec la création d'Europe n° 1 et la cure de rajeunissement de Radio-Luxembourg… *Dix Millions d'auditeurs* couronne ses efforts. C'est non seulement le titre du journal qui, sous sa direction, deux fois par jour, informe la France entière, mais il représente l'audimat quotidien de la "première radio de France" ! Radio-Luxembourg, devenue RTL, ne perdra jamais ce titre envié.

« Toujours à l'affût des techniques nouvelles, un tel homme ne pouvait rester indifférent à la télévision. Il s'y frotte en compagnie de Pierre Sabbagh en produisant *L'Homme du XXe siècle* et *Avis aux amateurs*. Puis il vole de ses propres ailes avec *Le Mot le plus long*, *Verdict* et *Aujourd'hui Madame*, émissions plus populaires les unes que les autres, dont la pyramide de milliers d'heures d'antenne est auréolée par *Les Dossiers de l'écran*, qui passionneront le public et les confrères journalistes durant un quart de siècle, et *Les Chiffres et les Lettres*, dont le succès ne se dément pas depuis trente ans. Presse écrite, radio, télévision… restait le cinéma. Ce bavard impénitent, qui n'aimait rien tant que passionner un auditoire, se paya alors le luxe – grâce à son talent d'écriture – d'un lion d'or à Venise pour *Le Passage du Rhin*, et d'une médaille d'or du cinéma français pour *Les Risques du métier*, deux films d'André Cayatte qui allait devenir son ami et dans lesquels Charles Aznavour et Jacques Brel devaient se révéler de formidables comédiens.

« La rosette de la Légion d'honneur, qu'un grand humoriste du septième art avait baptisé la "roseur de la Légion d'honnête", et qui vint récompenser tant d'efforts pour informer et distraire ses concitoyens, lui ira comme un gant dans ses deux versions ! Ce petit sourire, en ces heures si difficiles pour ceux qui l'ont tant aimé, afin de rappeler le sens de l'humour qu'Armand Jammot savait conserver dans toutes les circonstances, même lorsque la maladie qui l'emporte aujourd'hui se faisait plus pressante pour l'emmener vers d'autres aventures... La réussite qui a couronné tous ses projets en avait fait un enfant de la chance. Nul doute qu'elle lui permette de nouvelles rencontres, lui qui avait tant aimé faire de nouvelles connaissances.

« Pour avoir partagé avec lui *Dix Millions d'auditeurs* et une part du gâteau savoureux qu'étaient *Les Dossiers de l'écran*, je ne voudrais pas sombrer dans l'hagiographie pure et simple en gommant les colères homériques dont il s'était fait une spécialité. J'ai encore dans les oreilles quelques-uns de ses éclats à la suite d'un reportage qu'il aurait voulu meilleur parce qu'il vous en savait capable, ou qui vous parvenaient dans le téléphone de plateau, en plein direct, et vous désarçonnaient devant des millions de télé-spectateurs ! Puis, la colère passée, il oubliait tout, on oubliait tout, et la vie reprenait. Nous, riches d'une bonne leçon, lui, heureux d'être si populaire chez "ses hommes" comme dans le public qui connaissait à peine sa voix et son image, mais savait que son nom accolé à une émission était gage de qualité et de distraction. Quand on est si populaire, c'est qu'on aime les hommes, et "les hommes l'aimaient car il racontait des histoires". Mieux que tout autre.

« Je me sentais de la famille et, comme dans toutes les familles, on a partagé les bonheurs, les malheurs, on s'est engueulés, rabibochés. Bref, on s'est aimés.

« Mais c'est bien la première fois, Armand, que tu me fais pleurer. »

Table

Cet ouvrage a été composé par
ParisPhotoComposition
75017 Paris

Impression réalisée sur CAMERON par
BRODARD ET TAUPIN
La Flèche

pour le compte des Éditions Fayard
en avril 2003

Imprimé en France
Dépôt légal : mai 2003
N° d'édition : 32930– N° d'impression : 18761
ISBN : 2-213-61538-1
35-57-1738-0/01